Le retour de l'héritière

*

Serments sous contrat

*

Un bébé chez les Garrison

BRENDA JACKSON

Le retour de l'héritière

éditions HARLEQUIN

Cet ouvrage a été publié en langue anglaise
sous le titre :
STRANDED WITH THE TEMPTING STRANGER

Traduction française de
ROSA BACHIR

Ce roman a déjà été publié en mars 2009

HARLEQUIN®
est une marque déposée par le Groupe Harlequin

ÉDITIONS HARLEQUIN
83-85, boulevard Vincent-Auriol, 75646 PARIS CEDEX 13.
Service Lectrices — Tél. : 01 45 82 47 47
www.harlequin.fr
ISBN 978-2-2803-1596-8

1.

Octobre

Alors qu'elle venait juste de pénétrer dans le hall de l'hôtel qu'elle dirigeait, Cassie Sinclair Garrison s'immobilisa, totalement hypnotisée par un client occupé à s'enregistrer à la réception du Garrison Grand Bahamas. Cela faisait bien longtemps qu'un homme n'avait pas ainsi capté son attention. Et celui-ci était tout simplement magnifique.

Grand — au moins un mètre quatre-vingt-dix —, il était d'une stature athlétique qui indiquait qu'il était sportif, ou qu'il prenait à cœur de rester en grande forme. Un Américain, elle en était sûre. Elle l'avait tout de suite deviné à sa peau couleur café, ses yeux noirs et son crâne rasé de frais. Et il n'était pas là pour affaires, songea-t-elle en étudiant sa tenue, un pantalon de toile brun foncé et un T-shirt de couleur fauve qui rehaussait la magnifique nuance de sa peau.

Elle n'aurait su dire quoi, mais quelque chose en lui retenait son attention, et, à la façon dont les autres femmes dans le hall le regardaient aussi, elle n'était pas la seule à l'avoir remarqué.

Mais Cassie avait autre chose à faire que de s'extasier devant un homme, aussi magnifique soit-il. Alors, elle se dirigea vers l'ascenseur qui l'emmènerait à son bureau. Un bureau qui, jusqu'à il y a quelques mois, avait appartenu à son père.

Cinq ans plus tôt, alors qu'elle n'avait que vingt-deux

ans, son père l'avait nommée directrice de l'hôtel. Et, pas une fois, elle ne l'avait déçu, aussi n'avait-elle pas été surprise qu'après sa mort son père lui lègue l'hôtel. Et qu'il confirme ainsi ce que quelques-uns de ses employés soupçonnaient depuis toujours — qu'elle était la fille illégitime de John Garrison.

Une pointe de douleur la tenailla tandis qu'elle songeait à ses parents. Elle entra dans la cabine de l'ascenseur, contente qu'elle soit vide, car, chaque fois qu'elle éprouvait ce genre d'émotions, elle préférait être seule. Même si elle avait essayé de faire bonne figure depuis cinq mois, cela avait été une terrible épreuve de perdre d'abord sa mère dans un accident de voiture et, à peine un mois plus tard, son père, qui avait succombé à une crise cardiaque. Même si, pour Cassie, son père était plutôt mort de chagrin.

Elle s'était demandé comment son père pourrait continuer à vivre après la mort de sa mère. La dernière fois qu'elle l'avait vu — quelques jours avant qu'il ne décède —, Cassie avait perçu la profondeur de son chagrin dans ses yeux, et elle s'était inquiétée pour lui. Il avait dit à maintes reprises que perdre Ava avait été comme perdre une part de lui-même.

Même s'il était un homme marié, cela ne l'avait pas empêché de tomber amoureux d'Ava Sinclair, une splendide jeune femme pleine de vie. Et Ava avait été l'amour vrai de John Garrison pendant plus de vingt-huit ans.

Ava avait raconté à sa fille qu'elle avait rencontré John Garrison, un Américain beau et fortuné, aux Etats-Unis, lors d'un concours de beauté pour élire Miss Bahamas. Elle était candidate, et lui, juge. Leurs chemins s'étaient croisés de nouveau quelques années plus tard, lorsqu'il était venu aux Bahamas pour acquérir un terrain, afin de construire un grand hôtel de luxe.

Même s'il avait une femme et cinq enfants en Floride, c'était à l'époque un homme malheureux en mariage, qui n'était plus amoureux de sa femme, mais qui était trop dévoué à ses enfants pour mettre fin à son union.

Au début, Cassie n'avait pas compris la relation de ses

parents, mais il était plus que clair qu'ils avaient vécu une relation unique, exceptionnelle, que peu de gens ont la chance de connaître. C'était l'amour d'une vie. Ava n'avait jamais rien exigé de John, pourtant il l'avait de lui-même couverte de présents, et lui avait apporté, à elle comme à leur fille, un soutien financier sans faille.

Cassie n'ignorait pas que les gens qui avaient vu leurs parents ensemble au cours des années s'étaient forgé une opinion. John Garrison était un riche Américain, et Ava, sa jolie maîtresse exotique. Mais Cassie savait bien que leur relation était bien plus que ça. Au fond de son cœur, elle était persuadée qu'ils étaient des âmes sœurs, dans la forme la plus vraie. Elle avait aimé ses parents profondément, et ils l'avaient aimée, elle, le fruit de leur amour. Il ne s'était pas passé un jour sans qu'ils ne le lui témoignent.

Certes, elle avait détesté ces moments où son père les quittait pour retourner dans sa famille de Miami, une famille dont elle n'avait appris l'existence qu'à l'adolescence. La vérité avait fait très mal, mais ensuite ses parents avaient apaisé sa douleur avec l'intensité de leur amour et lui avaient montré que, quelle que soit la situation, une chose ne changerait jamais, c'était leur amour pour elle — et leur amour mutuel. Depuis ce jour, et même si ce n'était pas le cas de tous, Cassie avait compris leur relation et accepté leur histoire d'amour peu orthodoxe.

Elle sortit de l'ascenseur et gagna son bureau, saluant au passage sa secrétaire tout en prenant ses messages sur le bureau de son employée.

— Bonjour, Truddy, dit-elle avec un sourire.

— Bonjour, mademoiselle Garrison.

Cassie aimait s'entendre appeler ainsi. Elle s'était mise à utiliser le nom de Garrison une semaine après la mort de son père. Maintenant que ses parents étaient disparus tous les deux, il n'y avait plus de secrets à protéger, et plus aucune raison pour elle de se refuser l'usage du nom de son père.

— Pas d'autres messages ? demanda-t-elle à la femme

d'âge respectable qu'elle avait engagée quelques mois plus tôt.

— Si. M. Parker Garrison vient de téléphoner et voudrait que vous le rappeliez.

Cassie se força à garder le sourire. Eh bien, quoi que Parker veuille, elle ne céderait pas, car elle n'avait pas du tout l'intention de le rappeler. Elle avait toujours en travers de la gorge leur dernière conversation téléphonique, quatre mois plus tôt. Une semaine après la lecture du testament de John Garrison, Parker avait essayé de la contacter à plusieurs reprises. A la fin, elle avait accepté de lui parler.

Déjà à ce moment-là, elle savait que Parker, ses frères et sœurs ainsi que leur mère avaient été choqués de découvrir que John Garrison avait un enfant naturel. Des cinq enfants Garrison, Parker avait été le plus furieux, car le testament accordait à Parker et à elle des parts majoritaires de Garrison, Inc., une société qui gérait les parts et le développement de toutes les propriétés du groupe Garrison. Parker et elle détenaient chacun vingt pour cent des parts, tandis que les autres enfants s'étaient vu octroyer quinze pour cent. Ainsi, Cassie avait maintenant un pouvoir décisionnel égal à celui de Parker. Et ce dernier n'était pas heureux de la situation. Un doux euphémisme.

De fait, leur conversation téléphonique ne s'était pas déroulée au mieux. Parker s'était montré arrogant, condescendant, et avait même essayé de l'intimider. Lorsqu'il avait compris que Cassie n'accepterait pas de lui revendre ses parts, il avait commis l'impensable en lançant qu'elle devrait prouver être une Garrison, la menaçant d'exiger un test ADN et de contester le testament ! Les avertissements de Parker l'avaient mise hors d'elle, et, quatre mois après, elle n'avait toujours pas décoléré.

— Mademoiselle Garrison ?

La voix de sa secrétaire la tira de ses pensées. Elle se força à sourire de plus belle.

— Merci de m'avoir transmis le message.

Cassie entra dans son bureau, songeuse. Elle aurait pourtant cru que Parker aurait beaucoup à faire ces jours-ci. Même aux Bahamas, les nouvelles arrivaient vite. Et Cassie savait que Parker, qui avait une réputation de play-boy insaisissable, s'était récemment marié. Et, non pas qu'elle s'en soucie, elle avait entendu dire qu'un autre Garrison, Stephen, s'était passé la corde au cou, lui aussi.

Elle n'avait aucune intention de rencontrer un jour ses « frères et sœurs ». Elle ne les connaissait pas, ils ne la connaissaient pas non plus, et c'était très bien ainsi. Elle avait sa vie aux Bahamas, eux la leur à Miami, et il n'y avait aucune raison de changer ça.

Tandis qu'elle s'installait à son bureau, ses pensées dérivèrent vers l'homme qu'elle avait aperçu à la réception. Etait-il célibataire ou marié ? Elle ne pouvait s'empêcher de s'interroger. Mais, après tout, peu importait. La dernière chose dont elle avait besoin, c'était de s'intéresser à un homme. Son « homme » à elle, c'était l'immeuble de trois étages qui lui coupait le souffle chaque fois qu'elle entrait dans le hall. Et elle continuerait à prendre soin de lui, et à le faire prospérer comme son père l'aurait voulu. A présent que ses parents n'étaient plus là, cet hôtel était la seule chose sur laquelle elle pouvait compter pour la rendre heureuse.

Brandon Washington passa en revue la chambre qu'on lui avait réservée, très impressionné. Il avait passé beaucoup de temps au Garrison Grand de Miami, mais il y avait quelque chose dans cet hôtel qui le laissait pantois. C'était un véritable paradis tropical.

La première chose qu'il avait remarquée en se garant sur le parking, c'était que la structure était différente de l'hôtel homonyme de Miami Beach, surtout parce qu'il était conçu pour exploiter le décor d'île tropicale sur lequel il était érigé. Il était niché de façon intime au milieu d'un havre de palmiers et d'une multitude de magnifiques jardins aux plantes fleuries.

La seconde, c'était l'accueil chaleureux des employés, qui l'avaient pris en charge dès qu'il était entré dans le magnifique atrium. Ils lui avaient tout de suite donné l'impression d'être le bienvenu, et d'être quelqu'un d'important.

Et puis, il y avait la chambre. Une magnifique suite, dotée d'un balcon saillant qui surplombait l'océan. C'était le paysage marin le plus stupéfiant qu'il ait jamais vu.

Ravi par le décor qu'il venait de découvrir, Brandon s'avança vers le lit avec un sourire et s'y allongea avec un soupir de contentement. Puisqu'il comptait rester un certain temps, son confort était important. Même si, se rappela-t-il, il n'était pas en vacances, mais en mission. Son objectif consistait à découvrir les secrets que Cassie Sinclair Garrison détenait, et dont il pourrait se servir pour la convaincre d'abandonner ses parts de Garrison, Inc., son client le plus influent. Et, comme certains des membres de la famille Garrison étaient ses amis proches, il tenait d'autant plus à la réussite de cette mission.

Son père était un ami d'université de John Garrison, et avait été son avocat pendant plus de quarante ans. Brandon était devenu l'associé de son père, et, lorsque celui-ci était décédé dans un accident de voiture trois ans plus tôt, John Garrison, au lieu de confier ses affaires à un avocat plus expérimenté, avait choisi de faire confiance au fils de son ami, montrant ainsi sa loyauté envers la famille Washington et sa foi dans les capacités de Brandon.

Brandon avait connu John Garrison depuis sa plus tendre enfance et avait toujours beaucoup respecté cet homme. Et il considérait Adam Garrison, le dernier des fils de John, comme son meilleur ami.

Mais sa mission du jour n'avait rien à voir avec Adam. Non, s'il était là, c'était à la demande de Parker et Stephen Garrison, les deux fils aînés de John. Apparemment, la fille illégitime de John refusait de traiter avec Garrison, Inc. et avait rejeté toutes les offres de rachat de ses parts que Parker lui avait soumises.

Avant de recourir à un procès en bonne et due forme, les deux frères avaient suggéré que Brandon se rende aux Bahamas, sous une fausse identité, pour tenter de se rapprocher de Cassie Garrison. Ainsi, il pourrait glaner des informations sur son passé et son présent, ce qui leur servirait de moyen de pression pour lui forcer la main, si elle persistait dans son refus de vendre ses parts de Garrison, Inc. John avait légué la propriété et le contrôle exclusif de son hôtel des îles à sa fille, qui le dirigeait déjà depuis des années. C'était, à n'en pas douter, une décision stratégique et ingénieuse de la part de John, pour que ses secrets restent bien gardés…

Brandon fut tiré de ses pensées par la sonnerie de son téléphone portable.

— Oui ?

Il afficha un sourire.

— Oui, Parker, je viens d'arriver, et, pour ton information, je suis enregistré sous le nom de Brandon Jarrett… c'est ça, dit-il avec un petit rire, j'utilise mes deux prénoms comme nom d'emprunt.

Une fois sa conversation avec Parker terminée, Brandon entreprit de défaire ses valises.

Il avait apporté une pile de vêtements confortables, afin de passer pour un homme d'affaires venu faire une courte mais nécessaire coupure dans les îles. Il n'aurait guère de mal à jouer les clients épuisés, car, depuis la mort de John Garrison et les révélations sur sa double vie, Brandon avait passé de longues heures à résoudre tous les problèmes malvenus.

Contester le testament était hors de question. Aucun des membres de la famille ne voulait laver son linge sale en public. Et cela ferait sans nul doute sombrer la veuve de John, Bonita. D'aucuns pourraient ne pas la plaindre, en arguant que c'était son alcoolisme qui avait envoyé John dans les bras d'une autre, et qu'il était resté marié bien plus longtemps que beaucoup d'autres hommes ne l'auraient fait à sa place.

Et d'autres pourraient penser que c'était la liaison de John qui avait conduit Bonita à boire. Brandon, pour sa part, était certain que Bonita ne pouvait pas avoir ignoré la liaison de son mari, vu tout le temps qu'il avait passé loin de son foyer. Mais, à en juger par son expression lors de la lecture du testament, elle ne s'était pas doutée qu'un enfant avait été engendré. Désormais, elle était au courant et, selon Adam, sa mère se réfugiait plus que jamais dans la boisson.

Brandon frotta son menton, qui avait bien besoin d'un coup de rasoir. Bientôt, songea-t-il en rangeant le reste de ses vêtements, il croiserait le chemin de Cassie Sinclair Garrison. Et il trouverait les informations dont les Garrison avaient besoin. Quoi qu'il doive faire pour les obtenir.

Cassie se tenait sur une des nombreuses terrasses de l'hôtel, face à Tahita Bay. C'était la fin de l'après-midi, pourtant le ciel était encore d'un bleu éblouissant et semblait se fondre avec les eaux de l'océan. Quelques yachts naviguaient encore, et quelques personnes prenaient le soleil sur la plage.

Lorsque deux amoureux qu'elle avait rencontrés hier à la réception la saluèrent depuis le pont d'un voilier, elle leur sourit et agita la main en retour. Elle avait tout de suite sympathisé avec les deux jeunes gens, récemment mariés, parce qu'ils lui rappelaient beaucoup ses parents. Comme eux, ils étaient un couple mixte, dont l'amour mutuel sautait aux yeux.

Penser à ses parents fit naître un sentiment d'abandon en elle. Après sa journée particulièrement chargée, elle avait décidé de rester dormir à l'hôtel, au lieu de faire les trente minutes de trajet jusqu'à sa maison, située de l'autre côté de l'île. Tout à l'heure, elle ferait peut-être une promenade le long du littoral, dans un coin moins fréquenté.

Sans doute sur la plage privée de Diamond Keys, une partie de l'hôtel qui offrait des suites très haut de gamme, chacune pourvue d'un salon et d'une baie vitrée qui procurait une vue imprenable sur la plage sans fin et sur l'océan. Ces suites, très onéreuses mais qui valaient leur prix, étaient situées dans les recoins les plus calmes de l'hôtel.

Un peu rassérénée par l'idée de cette promenade, Cassie

regagna sa chambre pour quitter son tailleur et enfiler un pantalon de soie et un bustier assorti à l'imprimé fleuri. Cela faisait bien longtemps qu'elle ne s'était pas accordé un peu de temps pour elle-même. Durant ces derniers mois, elle avait passé le plus clair de ses journées à se noyer dans le travail et à pleurer la mort de ses parents. Elle essayait de continuer à vivre, jour après jour.

Elle avait assisté à l'enterrement de sa mère, au côté de son père, qui avait été terriblement choqué par cette disparition inattendue. Mais elle n'avait pas pu assister à l'enterrement de son père, et c'était ce qui la faisait le plus souffrir, encore aujourd'hui. Lorsqu'elle avait appris la nouvelle de sa mort, les funérailles avaient déjà eu lieu, à Miami. Tout ce qui lui restait, c'était le souvenir de leur dernière journée ensemble, quelques jours à peine avant sa mort.

Il était arrivé sur l'île à l'improviste, non pas à l'hôtel, mais chez elle, à son appartement, et avait attendu qu'elle rentre du travail. L'homme beau et charismatique qu'elle avait toujours connu, et chéri, avait les yeux pleins de tristesse et les traits marqués par la douleur.

Ce soir-là, il l'avait emmenée dîner, et, avant de repartir pour Miami, il avait placé dans sa main le titre de propriété d'un magnifique domaine de dix ares dans le quartier très huppé de Lyford Cay, qu'il avait acheté pour sa mère quinze ans plus tôt. C'était la maison qu'elle occupait aujourd'hui, et qu'elle considérait comme sienne.

Après avoir gagné la plage de sable fin, Cassie jeta un regard autour d'elle. La lumière du jour avait pâli, et le crépuscule était tombé. En fait, elle préférait ça, de beaucoup. Elle avait toujours pensé que la plage sous la lumière du soir était encore plus belle. Au loin, elle entendit l'orchestre du bar mêlé au son des vagues s'écrasant sur la plage.

Elle ôta ses sandales, pour sentir le sable sous ses pieds. Marcher sur la plage l'avait toujours réconfortée. Cela l'aidait à oublier un instant la douleur, lui donnait le sentiment d'être insouciante, pleine d'énergie, comme revigorée.

Elle réprima un sourire et regarda de nouveau autour d'elle, juste pour s'assurer qu'elle était seule. Personne à l'horizon, alors, elle se mit à sautiller, comme si elle jouait à la marelle sur le sable. Elle rit à gorge déployée quand elle faillit glisser, et continua de sauter sur un pied, d'un carré fictif à un autre. Quelle merveilleuse façon d'évacuer le stress de la journée ! Et aujourd'hui avait été une très grosse journée. L'hôtel ne désemplissait pas, et les demandes de prolongation de séjour devenaient la norme. Il y avait même une liste d'attente pour des semaines de basse saison. Heureusement, son directeur adjoint, Simon Tillman, fournissait un excellent travail, si bien qu'elle pouvait se concentrer sur d'autres choses, comme le développement de son hôtel de différentes façons.

Hier, elle avait reçu un appel de son comptable, pour l'informer que les profits de son hôtel montaient en flèche. Lorsqu'il était devenu officiel qu'elle était la propriétaire du Garrison Grand Bahamas, elle avait commencé à mettre en œuvre les améliorations qu'elle avait soumises à son père, juste un mois avant sa mort. Durant le dernier dîner qu'ils avaient partagé ensemble, il lui avait donné sa bénédiction pour réaliser ses projets. Aujourd'hui, après avoir rencontré ses équipes, elle avait la confirmation que ses idées étaient bonnes et qu'elles allaient être couronnées de succès. Pour la première fois depuis des mois, elle avait une raison de se réjouir.

— Je peux jouer aussi ?

Cassie se retourna vivement au son de la voix grave et masculine qui l'avait interrompue dans ses pensées. Contrariée, elle plissa les yeux, pour savoir à qui appartenait cette voix. D'abord, elle ne vit personne, puis elle distingua un homme, qui semblait se matérialiser dans l'obscurité.

Elle le reconnut aussitôt. C'était l'homme qu'elle avait vu tout à l'heure, à la réception. L'homme que toutes les femmes dans le hall avaient contemplé.

Un homme qui, comme ce matin, lui coupa le souffle.

2.

Brandon contemplait la femme qui n'était qu'à quelques centimètres de lui. Il l'observait depuis plusieurs minutes, la distinguant à peine dans la nuit. Maintenant qu'il était si près, il était sous le charme. Elle était la plus belle femme qu'il ait jamais vue. Tout de suite, il eut envie de la connaître.

Il jeta un coup d'œil à sa main gauche... pas d'alliance. Il laissa échapper un soupir de soulagement. Mais ça ne voulait pas forcément dire qu'elle n'avait pas d'homme dans sa vie. Il était fort peu probable qu'elle séjourne seule dans cet hôtel, réputé pour être propice au repos, à la détente et au romantisme.

Pourtant, cela n'empêcha pas ses hormones de s'affoler quand il détailla sa silhouette. La couleur caramel de son teint, les longues boucles brunes qui tombaient sur ses épaules, la profondeur de ses yeux sombres, la ligne de ses courbes sous l'étoffe de soie.

Avec regret, il se rappela pourquoi il était là. Et ce n'était pas pour se concentrer sur une femme dont la beauté était si éclatante qu'il en était aveuglé, mais pour se rapprocher d'une femme qui causait des problèmes à son plus gros client — une femme qu'il lui fallait encore rencontrer.

Il avait passé la majeure partie de la journée à déambuler dans l'hôtel en espérant tomber sur Cassie Sinclair Garrison. Lorsque, de manière discrète, il s'était renseigné sur elle, on lui avait appris qu'elle avait été en réunion toute la journée et qu'elle avait sans doute regagné sa maison, située de l'autre côté de l'île.

Alors, se dit-il en admirant l'inconnue qui se tenait devant lui, puisqu'il avait peu de chances de tomber sur Mlle Garrison ce soir, pourquoi ne pas passer du temps avec cette beauté ? Si elle était libre et disponible, bien évidemment.

Elle le fixait d'un regard méfiant.

— Vous me dérangez dans un moment privé, dit-elle enfin.

Son accent bahamien était sensuel, songea-t-il, tout aussi sensuel que les boucles brunes qui flottaient autour de ses épaules. Fasciné par son visage, il se perdit dans la contemplation de ses traits. Elle avait les pommettes saillantes, une charmante fossette au menton, un nez droit, et des lèvres si pleines et généreuses qu'elles étaient terriblement sexy. Il y avait quelque chose de si féminin en cette femme que c'en était presque douloureux à regarder.

— Veuillez m'excuser, concéda-t-il, acceptant de bonne grâce le fait qu'elle éprouve le besoin de le réprimander. Je faisais une balade et je n'ai pas pu m'empêcher de remarquer le jeu auquel vous jouiez.

— Vous auriez pu dire quelque chose pour signaler votre présence, rétorqua-t-elle sans ambages.

— Vous avez raison, mais j'étais fasciné et je ne voulais pas vous interrompre, du moins pour un instant. Si je vous ai contrariée, j'en suis désolé.

Cassie se radoucit. Elle ne devrait pas en faire toute une histoire. Après tout, ce n'était pas sa plage privée, mais une bande de plage qui était ouverte à tous les clients résidant à Diamond Keys, comme, à l'évidence, son interlocuteur.

— Eh bien, puisqu'il n'y a pas de mal, concéda-t-elle d'une voix étouffée, j'accepte vos excuses.

— Merci, dit-il avec un sourire. Et j'espère que vous m'autoriserez à me racheter.

— Vous racheter ? Et comment comptez-vous vous y prendre ?

— En vous invitant à dîner ce soir, dit-il d'un ton léger.

Surprise, elle le dévisagea un instant sans parler.

— Ce n'est pas nécessaire, rétorqua-t-elle enfin.

— Je crois que si. Je vous ai offensée et je veux me faire pardonner.

— Vous ne m'avez pas offensée. Vous m'avez juste prise par surprise.

— Tout de même, je veux me racheter.

Cassie pencha la tête, essayant de masquer le sourire qui s'était peint sur ses lèvres. En tout cas, cet homme était persévérant. Ne devrait-elle pas se montrer tout aussi persévérante dans son refus d'accepter son invitation ?

Elle leva les yeux, rencontra son regard et, l'espace d'un instant, resta sans voix. Il était si incroyablement beau qu'elle sentit son cœur battre à coups redoublés dans sa poitrine. Mon Dieu, elle n'avait jamais vu d'homme aussi séduisant : existait-il des femmes capables de refuser quoi que ce soit à ce sex-symbol ?

— Peut-être devrions-nous nous présenter, suggéra-t-il. Je m'appelle Brandon Jarrett.

Un sourire aux lèvres, il avança d'un pas.

— Et moi, fit-elle en acceptant la main qu'il lui tendait, Cassie Sinclair Garrison.

Bonté divine !

Brandon dut recourir à tout son sang-froid pour ne pas laisser paraître sa stupéfaction. C'était elle, Cassie Garrison ? La femme qui causait tous ces problèmes à Garrison, Inc. ? La femme qui donnait des brûlures d'estomac à Parker depuis quatre mois ? La femme qui était, qu'elle le veuille ou non, la sœur des Garrison de Miami ?

La femme qu'il était venu trouver sur cette île.

— Bonsoir, Cassie Sinclair Garrison, a-t-il articulé avec difficulté.

Il relâcha sa main d'un geste hésitant. Une main qu'il avait pris plaisir à toucher, et qui épousait si bien la sienne. Il lui avait tardé de rencontrer Cassie, mais il ne s'était pas

19

attendu à une telle surprise. Il n'aimait pas les surprises, et celle-ci était énorme.

— Bonsoir, Brandon Jarrett. J'espère que vous appréciez votre séjour ici.

— Beaucoup. Et vous ? dit-il, faisant mine de ne pas avoir reconnu son nom de famille, même si c'était le même que celui de l'hôtel.

— Oui, je m'amuse beaucoup.

Ainsi, comprit-il, elle n'avait pas l'intention de lui apprendre qu'elle était la propriétaire du Garrison Grand Bahamas ? Très bien, puisqu'elle voulait jouer incognito, il allait la suivre dans son jeu.

— Eh bien, déclara-t-il d'une voix sensuelle, je crois que vous vous amuseriez encore plus si vous dîniez avec moi.

Un sentiment de malaise parcourut Cassie. Au moment où elle avait glissé la main dans celle de Brandon, elle avait ressenti une vague de sensations au creux de son ventre. Ce garçon était un charmeur, et le problème, c'était qu'elle n'était pas habituée aux charmeurs. Elle acceptait parfois quelques rendez-vous, mais c'était rare, et ce n'était jamais avec des hommes du genre de Brandon Jarrett.

Cet homme, à l'évidence, savait comment s'y prendre pour séduire une femme et pensait qu'il avait une chance avec elle. Curieusement, cette idée ne lui répugnait pas comme elle aurait dû. Au contraire, elle éveillait sa curiosité. Brandon n'était pas le premier homme à tenter de la séduire, mais c'était le premier qui ait vaguement éveillé son intérêt depuis un an.

— Vous êtes coriace, hein ? dit-elle en riant, plus détendue que tout à l'heure.

— Oui, je le crains, et j'espère que vous ne me décevrez pas. Nous pouvons dîner ici, à l'hôtel, ou aller ailleurs. A vous de choisir.

Cassie savait bien que ce serait de la folie de demander à un parfait étranger de l'emmener ailleurs, mais la dernière chose qu'elle voulait, c'était devenir un sujet de ragots pour ses employés. Certains n'avaient pas encore digéré le fait que John Garrison soit son père biologique et qu'il lui ait légué l'hôtel. Alors, en espérant ne pas le regretter plus tard, elle prit sa décision.

— Je préfère aller dans un autre restaurant.

Apparemment, Brandon semblait heureux de sa réponse.

— Vous avez un endroit à recommander, ou est-ce que vous me laissez choisir ? dit-il.

De nouveau, elle lui fit davantage confiance que la raison ne le commandait.

— Je vous laisse décider.

— D'accord. On se retrouve dans le hall d'ici à une heure ?

Risqué.

— Je préférerais qu'on se retrouve sur la terrasse là-bas, près du jardin fleuri.

— Très bien.

S'il trouvait sa requête étrange, il n'en laissa rien paraître.

— Dans ce cas, je vous retrouve dans une heure, Cassie Sinclair Garrison, dit-il.

Quand il se fendit d'un sourire, Cassie sentit son cœur tressauter. Elle soutint le regard de Brandon un peu trop longtemps, puis tourna les talons et regagna sa suite d'un pas rapide.

Tandis que Brandon se dirigeait vers sa chambre, la brise d'octobre venant de l'océan ne fit rien pour calmer la montée d'adrénaline qui l'agitait. Quelles étaient les probabilités pour que la seule femme qui l'ait attiré depuis sa rupture avec Jamie Frigate, un an plus tôt, soit précisément celle qu'il était venu rencontrer ?

Jamie.

Encore aujourd'hui, il devait se contenir pour ne pas laisser la colère le submerger dès qu'il pensait à la trahison de son ex-fiancée. Comment une femme pouvait-elle être si superficielle et imbue d'elle-même, il n'en avait pas la moindre idée. Mais, surtout, elle avait fait preuve d'une rare cupidité. Elle ne s'était pas satisfaite des choses qu'il pouvait lui offrir. Tout en étant fiancée avec lui, elle avait eu une liaison avec un homme d'affaires californien. Brandon avait découvert sa tromperie en retournant à Miami après un voyage professionnel : il l'avait surprise au lit avec son amant.

Il entra dans sa suite, décidé à ne plus songer à Jamie. Alors, il laissa ses pensées dériver vers Cassie. D'une certaine manière, c'était à son tour de devenir un menteur, puisque toutes les informations qu'il lui donnerait à son sujet seraient fausses. Mais en ces circonstances, il n'y pouvait rien. Il soupira. Ce soir, les choses s'étaient déroulées un peu trop bien, mais, pour il ne savait quelle raison, il en était contrarié. La jeune femme qu'il avait observée en train de jouer à la marelle avait quelque chose d'innocent, de vulnérable. Ce à quoi il ne s'était pas du tout attendu.

Et il ne pouvait oublier à quel point elle était belle. Avec une telle allure, elle aurait dû avoir un rendez-vous chaque soir ! Or, il n'en était manifestement rien. Pourquoi ? D'autant qu'en plus d'être terriblement séduisante elle semblait brillante. Pendant les courts instants pendant lesquels il avait discuté avec Cassie, elle lui avait donné l'impression d'être très intelligente. Peut-être était-ce la façon dont elle l'avait étudié, sondé, avant d'accepter son invitation.

Un rire monta dans sa gorge. Il découvrirait l'étendue de son intelligence quand il entrerait vraiment dans le jeu de la séduction. Quoi qu'il faille faire, il devrait mettre Cassie à l'aise, pour qu'elle lui révèle des choses ; des choses qui pourraient mettre en danger sa réputation, si elles devenaient publiques…

Soudain, un sentiment de malaise l'envahit. Sa mission l'irritait. Et, s'il y réfléchissait trop, il trouverait tout cela répugnant. Mais il ne pouvait laisser ses émotions ou ses sentiments interférer.

Il avait une tâche à accomplir, et il comptait bien aller jusqu'au bout.

Cassie observa son reflet dans le miroir une fois de plus. Elle avait pris une douche et s'était changée. Cette fois, elle avait revêtu une robe que sa mère lui avait offerte cette année, et qu'elle n'avait encore jamais portée.

Une minirobe moulante, rose fuchsia, avec une bretelle argentée qui encerclait son cou. D'un geste nerveux, elle lissa le bas de sa robe. En cherchant à faire bonne impression, ne risquait-elle pas de faire passer une sorte de message à cet homme trop séduisant ?

Elle plongea les doigts dans ses boucles brunes et les fit gonfler autour de son visage. Un visage qui ressemblait beaucoup à celui de ses parents, mais surtout à celui de son père. La couleur caramel de son teint témoignait de son métissage. Elle avait les yeux de sa mère, mais la bouche, le nez et les pommettes de John Garrison, ainsi que son fameux creux au menton. Et puis, elle avait hérité de son sourire.

Elle se mordilla la lèvre nerveusement, se disant qu'elle n'avait pas beaucoup souri ces derniers temps. Mais, ce soir, elle avait déjà souri plus d'une fois, même si elle avait baissé la tête pour que Brandon ne la voie pas.

Elle prit une profonde inspiration, songeant pour la énième fois que Brandon Jarrett était si beau que c'en était une honte. Son corps musclé le rendait irrésistible. C'était sans doute l'homme le plus beau qu'elle ait jamais vu. Sur la plage, il était en jean et chemise blanche. Et, comme elle, il avait ôté ses chaussures. Sur n'importe quel autre homme, la tenue aurait été ordinaire, mais pas sur lui.

Bien sûr, il était célibataire. Du moins, il ne portait pas d'alliance. Mais cela ne voulait rien dire, puisque le père de Cassie avait rarement porté la sienne. Brandon avait-il une petite amie aux Etats-Unis ? Possible, car les hommes d'affaires qui voyageaient seuls omettaient parfois de mentionner ce genre de détails. Elle était observatrice, et perspicace, et elle savait bien que de telles liaisons adultérines avaient lieu dans son établissement, mais, tant que cela se passait entre adultes consentants, ça ne la regardait pas.

Elle prit le châle assorti à sa robe et le drapa autour de ses épaules. La brise ce soir était assez vigoureuse, et les prévisions météo avaient indiqué qu'un orage tropical se levait sur l'Atlantique. Avec un peu de chance, il ne se muerait pas en ouragan. Mais, dans le cas contraire, elle espérait qu'il ne se dirigerait pas vers les îles.

Elle consulta sa montre. Il était temps d'aller retrouver le très séduisant Brandon Jarrett.

Brandon se tenait près du jardin fleuri, à l'ombre des palmiers luxuriants. Il observa Cassie, tandis qu'elle quittait sa suite et marchait le long de l'allée en pierre. Comme tout à l'heure, elle n'avait pas remarqué sa présence, et il eut une nouvelle occasion de l'étudier sans être vu.

La robe qu'elle portait semblait avoir été cousue sur son corps. Rien que de la regarder, son pouls s'accélérait. Les lanternes qui éclairaient les jardins soulignaient ses traits. Ses cheveux ondoyaient sur ses épaules, à chacun de ses pas.

Des sensations qu'il n'avait pas éprouvées depuis long-temps l'assaillirent, avec une force inconnue jusque-là. La fille de John Garrison était une véritable beauté, et elle avait un effet indéniable sur ses sens et sur son corps. Il inspira profondément. Il fallait qu'il reprenne le contrôle. Il fallait qu'il se rappelle son plan. Certain qu'il ne serait sans doute pas dans son intérêt de la prendre par surprise une seconde fois, il s'éclaircit la gorge en toussant légèrement, et elle se tourna vers lui.

Leurs regards se croisèrent. Et il oublia tout, hormis la façon dont elle le fixait. Jamais il n'avait été subjugué par une femme, mais, avec Cassie, il avait l'impression d'être sur des sables mouvants. Alors, il décida que, juste pour ce soir, il oublierait la raison pour laquelle il était venu sur cette île. Cette femme était trop belle pour qu'il puisse envisager quoi que ce soit d'autre à cet instant.

— J'espère ne pas vous avoir fait attendre, dit-elle, allant à sa rencontre.

— Pas du tout, mais, si j'avais attendu, cela aurait valu chaque seconde. Vous êtes splendide.

Il prit sa main dans la sienne et la sentit trembler sous ses doigts. Lui-même ne put s'empêcher de tressaillir, tandis que des émotions primaires le submergeaient.

— Avez-vous choisi l'endroit où nous dînerons ? murmura-t-elle.

Il dut faire appel à toute sa raison pour retenir la réponse qui lui brûlait les lèvres : vers le lit le plus proche.

— Oui, le restaurant Viscaya. Vous connaissez ?

— Oui, j'en ai entendu parler. Il a une excellente réputation.

— C'est ce que je me suis laissé dire, renchérit-il, tenant fermement sa main tandis qu'ils traversaient les jardins pour rejoindre le parking.

Arrivé devant la luxueuse voiture qu'il avait louée en arrivant à l'aéroport, il s'autorisa un nouveau regard vers Cassie tout en lui ouvrant la portière. Elle était vraiment magnifique.

— Vous êtes vraiment en beauté, répéta-t-il.

Elle leva les yeux vers lui, sourit et s'installa sur le siège.

— Merci. Vous n'êtes pas mal non plus.

Cassie regarda Brandon contourner la voiture pour venir s'installer derrière le volant. Il était, en effet, splendide dans son pantalon sombre et sa chemise blanche. Et, avec sa démarche souple et assurée, il était l'incarnation du mot « sexy ». Tout en lui mettait ses sens en émoi.

Il mit le contact, et elle s'adossa contre son siège, détendue. C'était une magnifique soirée d'octobre, malgré la brise venant de l'océan qui la rendait un peu fraîche. Elle s'était languie de cette soirée, et de la compagnie de Brandon. Il y avait tant de choses qu'elle désirait savoir sur lui. Autant commencer maintenant.

— Alors, Brandon, d'où venez-vous ?

— D'Orlando, en Floride.

— Disney World.

— Oui, dit-il avec un petit rire. Disney World. Vous y êtes déjà allée ?

— Oui, avec ma mère, quand j'avais dix ans. Nous sommes restées là-bas une semaine entière.

— Et votre père ?

— Papa travaillait beaucoup, alors il nous a rejointes plus tard, pour quelques jours…

Parler de son père réveillait toujours en elle un terrible sentiment de tristesse, et elle savait qu'elle devait absolument changer de sujet, sous peine de sombrer dans la mélancolie pour le reste de la soirée.

— Mais parlons plutôt de vous, enchaîna-t-elle d'une voix un peu trop vive. Quel genre de travail faites-vous ?

— Je suis courtier. Mon credo : « Si vous avez de l'argent de côté, faites-moi confiance pour le faire fructifier. »

Il avait dit cela comme s'il s'agissait du refrain d'une comptine, et cela la fit sourire. En plus d'être l'homme le plus séduisant du monde, cet homme ne manquait pas d'humour.

— Et vous, Cassie, demanda-t-il à son tour, d'où êtes-vous, et que faites-vous dans la vie ?

Brandon eut soudain l'impression que le temps se suspendait entre eux. Comme si elle hésitait à répondre à sa question. Profitant du feu rouge, il lui lança un regard et la vit frotter nerveusement ses paumes sur les côtés de sa robe. Mais son attention fut surtout attirée par la peau nue de ses cuisses, qui semblait le provoquer à la lisière de la minirobe qu'elle portait, et il lui fallut tout son contrôle pour reporter son attention sur la route quand le feu passa au vert.

— Je suis née ici, répondit-elle finalement, et je suis dans l'hôtellerie.

Mieux valait ne pas la mettre mal à l'aise en lui demandant de préciser son activité.

— Vous avez de la chance de travailler et de vivre ici, les Bahamas sont magnifiques, dit-il, changeant de sujet.

— Oui, c'est vrai, acquiesça-t-elle d'une voix plus détendue. J'en conclus que ce n'est pas votre premier séjour ici.

Il sourit, appréciant la douce musique de son accent chaud et sexy.

— En effet, je suis venu à plusieurs reprises, mais c'est la première fois que je séjourne au Garrison Grand.

Ce ne serait pas très approprié de mentionner qu'il était venu ici l'année dernière, avec Jamie, dans son jet privé. C'était à cette occasion qu'il l'avait demandée en mariage. Elle avait accepté, et ils avaient passé le reste de la semaine sur un yacht appartenant à un de ses clients et amis.

Il fut soulagé quand ils se garèrent sur le parking du restaurant Viscaya. Pendant un moment, il obtenait un répit et n'avait pas à tisser d'autres mensonges.

Une heure plus tard, Cassie en avait appris davantage sur Brandon. En plus d'être d'une beauté stupéfiante, il était aussi incroyablement séduisant, et outrageusement délicat. Durant le dîner, elle avait constaté qu'il était d'un abord facile, et qu'il avait la capacité de la mettre à l'aise. Et il avait une tendance à traiter les gens — du directeur du restaurant jusqu'au serveur, en passant par le commis qui était venu débarrasser leur table — avec respect. Chacun s'était senti important et apprécié.

— C'était gentil et attentionné de votre part, commenta-t-elle quand ils sortirent du restaurant.

— Quoi donc ?

— La façon dont vous avez traité tous ces gens. Vous n'avez pas hésité à leur faire savoir à quel point vous avez apprécié leurs services. Vous seriez surpris de savoir le nombre de gens qui ne prennent pas cette peine, dit-elle, songeant à la façon impolie dont ses employés étaient traités par certains clients qui se croyaient au-dessus d'eux.

Il haussa les épaules.

— C'est quelque chose que je tiens de mon père. Il pensait que ça ne coûte presque rien de dire aux gens qu'ils ont fait quelque chose de bien, surtout quand on est si prompt à leur faire savoir quand ils ont fait quelque chose de mal.

— Votre père est très intelligent, à l'évidence.

— *Etait*. Papa est mort il y a quelques années.

Elle le fixa, et une ombre de tristesse passa sur ses traits.

— Je suis navrée. Etiez-vous proche de votre père ?

— Oui, très proche. En fait, nous étions associés dans notre société, dit-il, ce qui était vrai. Ma mère est morte d'un cancer avant que j'atteigne l'adolescence, alors, pendant longtemps, j'ai vécu seul avec mon père.

Elle hocha la tête.

— Mon père est mort il y a quelques mois, et ma mère, un mois avant lui.

Brandon entendit la douleur dans sa voix, et, dans la lumière des lampadaires du parking, il vit des larmes briller dans ses yeux. Il s'arrêta à quelques mètres de la voiture et, d'instinct, la prit dans ses bras. Elle n'offrit aucune résistance quand il l'attira contre la chaleur réconfortante de son corps. Il ferma brièvement les yeux. Comme il regrettait de devoir jouer ce jeu cruel avec elle !

— Je suis désolé, lui murmura-t-il à l'oreille.

Oui, il était désolé. Que Cassie ait perdu ses parents, et qu'il doive lui mentir. Elle avait du chagrin, il le sentait. Elle avait aimé ses parents, immensément. Pour la première fois depuis la mort de John, Cassie Sinclair Garrison était devenue une personne réelle, et pas un simple nom sur un dossier de son bureau. Pas seulement la personne avec qui Parker avait un différend.

— Je ne voulais pas m'effondrer comme ça, s'excusa-t-elle quelques instants plus tard.

Elle se dégagea de l'emprise de Brandon, un peu embarrassée.

— Ce n'est rien. Je comprends la profondeur de votre chagrin. J'ai perdu mes deux parents moi aussi, mais, quand ma mère est morte, au moins, mon père était toujours là, m'offrant un sentiment de stabilité dans ma vie. Mais vos parents sont morts l'un après l'autre. Je ne peux imaginer comment vous avez enduré une telle épreuve.

Il hésita un instant, puis demanda :

— Avez-vous des frères et sœurs ?

Allait-elle lui parler des Garrison de Miami ?

Elle lui lança un regard vague, comme si elle méditait sa question.

— Mon père avait d'autres enfants, dit-elle enfin, mais je ne les ai jamais rencontrés.

— Pas même lors des funérailles ? demanda-t-il, connaissant déjà la réponse.

— Non, même pas. Je préférerais ne plus en parler, Brandon. C'est privé.

— Je comprends, acquiesça-t-il. Pardonnez mon indiscrétion.

Elle lui prit la main.

— Vous n'étiez pas indiscret. Disons que tout est un peu compliqué dans ma vie pour l'instant.

— Oh, je comprends, je vous assure mais, si jamais vous avez besoin de quelqu'un à qui parler ou…

— Ou d'une épaule pour pleurer, finit-elle, essayant de prendre un ton enjoué.

— Oui, dit-il avec un petit rire. Une épaule pour pleurer. Je suis à votre disposition.

— Merci. Combien de temps restez-vous ?

Il lui ouvrit sa portière.

— Une semaine. Et vous ?

Elle s'assit avant de répondre :

— Indéfiniment. Je travaille à l'hôtel et, selon la longueur de mes journées, j'y dors parfois, au lieu de rentrer chez moi, à une demi-heure de route. J'ai ma propre suite.

— Je vois, dit Brandon avant de fermer la porte.

Il venait de lui tendre une perche, mais elle ne lui avait toujours pas avoué qu'elle était la propriétaire de l'hôtel.

Après avoir contourné la voiture et s'être installé au volant, il se tourna vers elle.

— Je suis content que vous ayez accepté ce dîner avec moi ce soir. Vous avez quelque chose de prévu demain ?

Elle sourit.

— J'ai un rendez-vous le matin, et, ensuite, je rentre chez moi. Je ne reviendrai à l'hôtel que jeudi matin.

Brandon se pencha en avant et sourit à son tour.

— Y a-t-il un moyen pour que je vous convainque de partager un autre dîner avec moi ?

— Un autre dîner ? dit-elle, amusée.

— Oui. Si j'osais, je dirais que j'aimerais goûter à votre cuisine.

— Et qu'est-ce qui vous fait croire que je suis bonne cuisinière ?

— Une intuition. J'ai tort ?

— Non. Je ne voudrais pas paraître prétentieuse, mais je me défends bien dans ce domaine. Quoique, je ne passe pas beaucoup de temps dans ma cuisine, puisque je mange la plupart du temps à l'hôtel. Mais ma mère tenait vraiment à ce que je sache me débrouiller. Et, grâce à elle, j'étais sans doute une des rares filles dans ma résidence étudiante qui puisse s'en sortir toute seule devant un fourneau.

Il se fendit d'un petit rire.

— Et où avez-vous fait vos études ?

— A Londres. J'y ai obtenu un diplôme d'affaires.

Après un instant, Brandon se risqua à demander :

— Et, quel est votre poste à l'hôtel ? Vous ne me l'avez pas dit.

Elle était surprise par sa question, c'était évident. Il la forçait à prendre une décision : allait-elle lui faire assez confiance pour lui donner cette information capitale, ou allait-elle la passer sous silence ?

— Bien sûr, dit-elle enfin, vous n'avez pas fait le rapprochement quand je vous ai dit mon nom tout à l'heure.

Il feignit l'étonnement.

— Quel rapprochement ?

Cassie soutint son regard.

— Garrison. Je suis la propriétaire du Garrison Grand Bahamas.

3.

— L'hôtel est à vous ? dit Brandon, l'air faussement surpris.

Il tenta de ne pas trop insister sur ce qu'elle venait de révéler, afin de ne pas éveiller ses soupçons sur le motif de sa présence ici.

— Oui, mon père me l'a légué à sa mort.

Brandon s'arrêta à un feu rouge et en profita pour la regarder.

— Alors, vous devez vous sentir fière qu'il ait eu une telle foi et une telle confiance dans vos compétences, pour vous avoir confié son hôtel.

Le sourire qu'elle lui adressa illuminait ses yeux, et, soudain, il sentit son ventre se nouer.

— Merci. Et il savait de quoi j'étais capable, car j'ai dirigé l'hôtel durant ces cinq dernières années.

Il hocha la tête tandis que le feu passait au vert et que la voiture avançait de nouveau.

— Peut-être, mais je suis sûr que diriger un hôtel est bien différent de posséder un hôtel. C'est une grande responsabilité, et, à l'évidence, votre père a pensé, à mon avis à juste titre, que vous aviez les épaules pour ça.

— Merci du compliment, dit-elle doucement. C'est très gentil de votre part.

— Je ne dis que ce que je vois, déclara-t-il, s'arrêtant sur le parking de l'hôtel. Maintenant, pour en revenir à demain soir…

— Vous n'abandonnez jamais, n'est-ce pas ?

— Pas sans avoir essayé, dit-il avec sincérité. Et, si vous n'avez pas envie de me montrer vos talents culinaires, j'aimerais beaucoup vous emmener dans un autre restaurant demain soir. Je crois qu'il y a plusieurs grands établissements dans le coin.

Tentant de réprimer son envie de rire devant cette supplique, elle se contenta de sourire. Depuis qu'elle avait réemménagé dans la maison de sa mère, quelques mois plus tôt, aucun homme n'en avait franchi le seuil, et elle n'avait pas prévu d'y recevoir un homme avant longtemps. Mais, l'idée que Brandon pénètre dans sa maison ne la dérangeait pas, ce qui ne pouvait signifier qu'une chose. Il lui plaisait, beaucoup.

— J'adorerais dîner avec vous demain, et j'insiste pour que ce soit à mon tour de vous inviter. Chez moi. Et je serai fière de vous montrer à quel point je suis bonne cuisinière.

— Je m'en réjouis d'avance, dit-il en souriant.

Il sortit de la voiture et vint lui ouvrir sa portière. Il avait dit vrai. Il était impatient d'être à demain, mais pas pour sa mission. Une part de lui souhaitait que Cassie ne soit pas une Garrison.

Il lui tendit la main pour l'aider à descendre.

— Merci, Brandon. Je laisserai une enveloppe pour vous à la réception, vous indiquant comment vous rendre chez moi, dit-elle quand ils furent devant la porte. C'est à Lyford Cay.

— Quelle heure vous arrangerait le mieux ?

Elle leva la tête et le regarda.

— A partir de 18 heures, quand vous voudrez. Je ne servirai pas le dîner avant 20 heures, mais peut-être aurez-vous envie de voir l'aquarium ?

— L'aquarium ?

— Oui, vous avez bien entendu, plaisanta-t-elle. Ma mère adorait la vie marine et, il y a dix ans, pour son quarantième anniversaire, mon père lui a fait construire un magnifique aquarium.

— Vous vivez dans la maison de vos parents ?

— Oui, papa me l'a léguée quand elle est morte. J'ai

vraiment cru qu'il vendrait, mais je crois que l'idée le contrariait, car cet endroit recèle beaucoup de beaux souvenirs.

Brandon était surpris. La possession d'une maison aux Bahamas ne figurait sur aucun des documents en sa possession. C'était sans importance maintenant puisque, selon Cassie, John la lui avait léguée.

— J'ai apprécié votre compagnie ce soir, dit-elle, ouvrant sa porte.

Les mots de Cassie le tirèrent de ses pensées.

— Et moi, je suis impatient d'être à demain soir.

— Moi aussi. Bonne nuit, Brandon.

Même s'ils venaient de se rencontrer, il n'avait aucune intention de la laisser filer sans un baiser. Toute la soirée, il s'était concentré sur ses lèvres, se demandant quelle saveur elles avaient, quelle sensation cela lui ferait de les goûter. Il percevait la tension électrique entre eux et il avança d'un pas, décidant de prendre ce qui lui faisait tant envie. Impossible de faire autrement.

Il prit doucement le menton de Cassie entre ses doigts et étudia la fossette qu'elle arborait.

— Joli endroit pour une fossette, dit-il d'une voix rauque.

— Mon père disait que c'est un creux, répliqua-t-elle en souriant. Il en avait un, lui aussi.

Et ses cinq autres enfants également, songea Brandon.

— Je vais devoir contredire votre père à ce sujet. Je sais de source sûre que, sur un homme, c'est un creux mais, sur une femme, c'est une fossette.

— Il n'y a rien de mal à ne pas être d'accord.

Cassie sentait la chaleur de sa main contre son menton. Quand il lui caressa le visage, tout son corps picota de sensations qui envahissaient non seulement son esprit, mais aussi ses sens. Perdant le contrôle d'elle-même, elle poussa un profond soupir et ferma les yeux, s'abandonnant à sa caresse apaisante. Et, avant qu'elle puisse rouvrir les yeux, elle perçut la chaleur de ses lèvres près des siennes, juste avant qu'il ne les embrasse.

Elle poussa un autre soupir contre sa bouche et entrouvrit les lèvres, laissant à la langue de Brandon l'occasion de se glisser entre elles et d'explorer sa bouche. Elle avait imaginé le moment où elle goûterait la saveur de Brandon toute la soirée, et elle obtenait plus que ce qu'elle avait espéré. Il avait une saveur virile, sexy, délicieuse — tout ce qu'elle avait imaginé, et plus encore. Elle ne put réprimer le frisson qui la parcourut, ou le gémissement qu'elle entendit monter du fond de sa gorge. Brandon était un maître dans l'art de la séduction. Il savait parfaitement ce qu'il faisait, et quel effet il avait sur elle.

Elle agrippa la manche de sa chemise lorsqu'elle sentit ses genoux chanceler, et, en réaction, il lui entoura la taille et l'attira plus près de lui. Elle sentait sa chaleur, sa force, tout ce qui était masculin en lui. Puis, quand il mit fin au baiser, elle ouvrit les yeux.

— Merci, murmura-t-il d'une voix rauque, à quelques centimètres à peine de ses lèvres.

Et, avant qu'elle puisse reprendre son souffle, il l'embrassa de nouveau, et un plaisir intense l'envahit. D'instinct, elle lui rendit son baiser, au bord du vertige, et laissa échapper un gémissement qui venait du fond de sa gorge.

Quelques moments plus tard, il recula, et elle regretta aussitôt la sensation de sa bouche sur la sienne. Elle laissa dériver son regard sur ses lèvres et sentit une onde de chaleur monter au fond de son ventre. Sans beaucoup d'efforts, Brandon avait éveillé en elle des envies qu'elle n'avait jamais connues auparavant.

— Il me tarde de vous voir demain, Cassie, dit-il, approchant d'un pas.

La lumière du couloir soulignait les plats de son visage. Elle l'observa tandis que son regard dérivait lentement sur elle avant de revenir à ses yeux. Et, tandis qu'il rivait son regard au sien, elle remarqua le profond désir qui brillait au fond de ses prunelles. Etrangement, l'idée qu'il la désire ne la perturbait pas. Au contraire, la perspective l'emplissait d'une anticipation excitante.

— Et il me tarde à moi aussi.

Quand elle se rendit compte qu'elle tenait encore sa

manche, elle s'empressa de la lâcher, se tourna et, sans se retourner, ouvrit la porte et rentra dans sa chambre.

Quelques instants plus tard, Brandon regagna sa suite en se repassant le film de la soirée. En fait, il n'était pas certain de savoir quoi en penser. Cassie Garrison n'était vraiment pas comme il se l'était imaginée. Il avait cru trouver une femme égoïste, gâtée, irréfléchie et égocentrique. Au mieux, capricieuse. Or, la femme avec qui il avait passé la soirée était, en plus d'avoir un physique parfait, pleine de charme, de style, de grâce et de sensualité, même si elle semblait ignorer son pouvoir de séduction. Et puis, ce qui ne gâtait rien, elle était intelligente. Ce n'était pas le genre de femme à agir de manière irrationnelle, à ne pas peser chacune de ses décisions. Et, quand elle avait parlé de ses parents, il avait ressenti la douleur qu'elle avait eue de les perdre, une perte dont elle ne s'était pas encore remise.

Il secoua la tête, se souvenant à quel point elle avait été à l'aise avec lui. Etonnamment, au cours de la conversation, ils s'étaient découvert de nombreux points communs — ainsi, ils avaient les mêmes goûts littéraires et musicaux. Mais, surtout, quand elle s'était ouverte à lui, et lui avait avoué être la propriétaire du Garrison Grand, il avait vu dans ses yeux qu'elle lui faisait confiance.

Il étouffa un juron. Pourquoi fallait-il que la seule femme qui lui plaise depuis longtemps soit justement celle qu'il était venu espionner ? Comme il aurait aimé que tout soit différent. Qu'elle n'ait pas perdu ses parents. Qu'il ne soit pas obligé de lui mentir. Si seulement ils s'étaient rencontrés avant la mort de John ! Mon Dieu, comme il détestait devoir la trahir !

En vérité, il ne voulait pas songer à cette partie-là — à vrai dire, il aurait voulu pouvoir ne pas songer à Cassie Garrison du tout. Mais c'était impossible. Il soupira. Si seulement son esprit et son corps pouvaient comprendre que la seule raison de sa présence ici était professionnelle, et non personnelle ! Lui, plus que n'importe qui, savait ce que cela faisait d'être trahi. De voir la confiance qu'on avait placée en quelqu'un détruite. Et cette pensée ne lui était d'aucun réconfort.

Il alla sur le balcon, regarda l'océan un instant, espérant pouvoir empêcher Cassie de tourbillonner dans ses pensées. C'était une magnifique soirée, mais, au lieu d'apprécier la lune et les étoiles, son esprit était de nouveau embrumé par les images d'une paire de jambes magnifiques, d'une cascade de cheveux bouclés entourant un visage sublime, du tracé de lèvres pulpeuses. Embrasser Cassie, dévorer ses lèvres avait été le plus exquis des desserts.

Fermant les yeux, il respira le parfum de l'océan, essayant de reprendre le contrôle sur son esprit. Ce n'était pas facile, car, si l'odeur de l'océan s'infiltrait dans ses narines, c'était le parfum de Cassie qui ne le quittait pas.

Un sentiment de malaise monta en lui. Il n'avait vraiment pas besoin de ça. Il n'était pas du genre à se montrer faible et sentimental avec une femme. Soit, elle avait apprécié sa compagnie, mais, en aucune circonstance, il ne pouvait se permettre d'oublier qui elle était.

Ni les raisons qui l'avaient conduit jusqu'au Garrison Grand Bahamas.

Devant la baie vitrée de sa chambre, Cassie tendit le cou et regarda la voiture de Brandon passer les grilles qui protégeaient sa propriété.

Tandis que le véhicule parcourait la longue allée sinueuse, elle réprima les frissons qui tentaient de submerger son corps alors qu'elle se remémorait la soirée d'hier — dans les moindres détails. Pour la première fois depuis longtemps, elle était captivée par un homme. Non seulement elle était attirée, mais elle l'avait en fait désiré comme elle n'avait jamais désiré aucun homme.

Pourtant, elle avait réussi à garder la raison et le contrôle sur ses émotions — du moins, jusqu'à ce que Brandon l'embrasse. Et quel baiser ! Même maintenant, ces frissons qu'elle avait essayé de réprimer tout à l'heure la prenaient de nouveau d'assaut.

Une part d'elle-même lui soufflait de s'éloigner de la fenêtre, sinon Brandon l'apercevrait et s'imaginerait qu'elle l'attendait avec impatience. Mais une autre part d'elle lui murmurait un message différent. Après tout, Brandon pouvait penser ce qu'il voulait, puisque, en effet, elle l'attendait avec impatience.

Brandon se gara devant sa maison et, de sa place, elle avait une très bonne vue sur lui. Lui, en revanche, ne la verrait pas avant de remonter l'allée. Elle étudia ses traits, derrière la vitre de sa portière. Dans la lumière du jour, il était encore plus beau. Et, lorsqu'il sortit de la voiture, elle vit qu'il était élégamment habillé, comme hier.

Aujourd'hui, il portait un pantalon de toile crème et un polo chocolat, qui mettaient en valeur son corps ferme et musclé. Cet homme débordait d'une telle sensualité qu'elle la ressentait à travers la vitre.

Elle le regarda marcher vers la porte et, soudain, comme s'il avait senti son regard sur lui, il leva les yeux vers la fenêtre. Il soutint son regard un instant, puis agita la main pour la saluer.

L'onde de chaleur qu'elle avait ressentie tout à l'heure s'intensifia, et les frissons qu'elle ne pouvait combattre la parcoururent une fois de plus. Elle agita la main pour le saluer en retour. Qu'y avait-il chez lui qui la touchait tant ? Comment se faisait-il qu'elle l'ait invité chez elle, dans son domaine intime, l'endroit où elle ressentait le plus la présence de ses parents ? Pourquoi partageait-elle tout cela avec lui ?

Mais elle n'avait pas le temps de peser ces questions, car Brandon se dirigeait vers la porte. Elle poussa un profond soupir, les nerfs en alerte, puis, avant même que Brandon ne sonne, elle alla lui ouvrir, consciente du magnétisme et de l'attraction qu'exerçait sur elle l'homme qui se tenait à présent sur son perron.

— Bienvenue chez moi, Brandon.

Brandon contempla Cassie. Maintenant comme hier, sa réaction devant elle était purement charnelle et expliquait la tension qu'il ressentit soudain dans son bas-ventre. L'effet ne le surprit pas. Il l'accepta, même si cela ne faisait que compliquer sa mission.

Tout de suite, il huma son parfum, le même qui l'avait mis au supplice hier soir. Il prit la main de Cassie dans la sienne, se pencha et déposa un petit baiser sur la fossette de son menton.

— Merci de m'avoir invité, Cassie.

Il relâcha sa main, et Cassie sourit avant de faire un pas de côté pour le laisser entrer. Au moment où il franchit le seuil, Brandon fut frappé par la splendide décoration des lieux. Ce n'était pas seulement le style et les couleurs qui attiraient l'œil, mais aussi les formes et les volumes qui mariaient le style traditionnel et le contemporain, avec quelques touches coloniales et victoriennes. Ce mélange, n'importe où ailleurs, aurait semblé chargé. Mais, dans cette immense demeure, cela dégageait une impression d'opulence et de chaleur, et dénotait une indéniable sophistication.

— Vous avez une maison magnifique.

— Merci, dit Cassie en souriant de plus belle. Venez, je vais vous faire visiter. Je n'ai pas changé grand-chose depuis la mort de maman, car elle et moi partagions les mêmes goûts.

Elle ouvrit la marche, et il lui emboîta le pas.

— Vous vous occupez de la maison toute seule ? demanda-t-il, même s'il n'imaginait pas qu'une seule personne puisse le faire.

— Non, j'ai des employés de maison, les mêmes que quand mes parents étaient de ce monde. Ils sont loyaux, dévoués et, dit-elle avec un petit sourire, un peu surprotecteurs envers moi, puisqu'ils me connaissent depuis mes douze ans.

Ils arrivèrent à une vaste pièce. Brandon regarda autour de lui, appréciant l'immense baie vitrée qui tirait le meilleur parti de la vue sur l'océan, et les luxueux tapis persans qui recouvraient le sol.

Au-delà du salon, il aperçut la salle à manger et la cuisine, situées dans un angle qui tirait aussi avantage de la vue sur la mer. La première chose à laquelle il songea, lorsqu'ils entrèrent dans la cuisine, c'était que Cassie n'avait pas menti sur ses talents de cuisinière. Un délicieux fumet s'échappait des casseroles qui mijotaient sur le feu, et Brandon dut se retenir de ne pas goûter à la mousse au chocolat dont les ramequins semblaient le défier sur la table.

La cuisine donnait sur une cour magnifique, dotée d'une grande piscine et d'un jardin fleuri qui s'étendait d'un bout à l'autre. Au centre, une fontaine faisait jaillir de l'eau à une hauteur qui semblait impressionnante.

— Vous viviez ici avec votre mère ? demanda Brandon, reportant son regard sur elle.

Il passa en revue la tenue de Cassie, une jupe évasée à l'imprimé tropical qui lui arrivait au genou, et une tunique assortie très féminine. La façon dont la jupe flottait sur ses courbes ne faisait que renforcer son désir pour elle et lui faisait mesurer à quel point il avait envie de la faire sienne.

— Oui, jusqu'à ce que j'aille étudier à l'université, dit-elle en le guidant vers l'escalier. Quand je suis revenue de Londres, j'ai pris un appartement, mais, l'année suivante, pour mon anniversaire, papa m'a offert mon propre appartement. Et, lorsqu'il m'a donné cette maison, je suis revenue ici.

Quelques instants plus tard, après lui avoir fait visiter l'étage, Cassie annonça, une note d'excitation dans la voix :

— Maintenant, il faut que je vous montre l'aquarium.

Tandis qu'ils descendaient et se dirigeaient dans un long couloir, Brandon vit d'autres pièces — une immense salle de détente, une bibliothèque, un bureau et une pièce qui semblait emplie de toiles hors de prix. Il s'arrêta soudain devant un grand portrait sur le mur. Il reconnut l'homme immédiatement, mais la femme…

— Vos parents ? demanda-t-il, fixant le tableau.

— Oui, ce sont mes parents, dit fièrement Cassie.

Brandon ne pouvait détacher ses yeux de la femme du portrait.

— Elle est magnifique, dit-il.

Il était si absorbé par la beauté de la femme qu'il approcha de la toile. Cassie le rejoignit et le regarda en souriant.

— Oui, maman était très belle.

Elle s'éloigna, et Brandon la suivit, remarquant au passage plusieurs clichés de ses parents ensemble, certains avec Cassie. Sur chaque photo, John affichait un sourire que Brandon ne lui connaissait pas. Dire qu'il avait l'air d'avoir trouvé le vrai bonheur auprès d'Ava aurait été un euphémisme. L'image sur chaque photo était celle d'un couple très amoureux, et celles où figurait Cassie indiquaient aussi à quel point ils aimaient leur fille.

Quand ils approchèrent de l'aquarium, Cassie se retourna pour le laisser entrer. Brandon eut littéralement le souffle coupé. De part et d'autre de la pièce, les murs étaient bordés de hauts coffres en acajou, qui abritaient des aquariums arrivant jusqu'au plafond, où nageait une multitude de poissons tropicaux multicolores et de poissons d'eau douce.

— Alors, qu'en dites-vous ?

La voix de Cassie semblait étouffée, mais elle n'en demeurait pas moins sexy.

— Je crois, dit-il en se tournant vers elle, que votre mère avait beaucoup de chance que votre père tienne tant à elle, pour lui offrir un tel cadeau.

Cassie rit.

— Oh, papa savait ce qui rendrait ma mère heureuse. C'était une grande biologiste marine.

— Votre mère travaillait ? demanda-t-il, sans pouvoir s'en empêcher.

Cassie ne sembla pas surprise par sa question.

— Oui, maman travaillait, même si papa a essayé de la convaincre d'arrêter. Elle aimait son travail et refusait d'être une femme entretenue.

Devant son air intrigué, elle continua :

— Mes parents ne se sont jamais mariés. Papa avait déjà une épouse quand il a rencontré ma mère. Ça ne les a pas empêchés de rester ensemble pendant vingt-huit ans.

Il fut surpris qu'elle lui révèle une information si privée, si vite.

— Et il n'a jamais divorcé de sa femme ?

— Non. Je crois qu'il en avait l'intention à un moment, quand leurs enfants ont été assez grands, mais, ensuite, les choses étaient devenues trop compliquées.

— Votre mère n'a jamais insisté pour qu'il divorce ?

— Non, elle était satisfaite de la place qu'elle tenait dans la vie de mon père. Elle n'avait pas besoin d'une alliance ou d'un certificat de mariage.

Il hocha lentement la tête.

— Et vous ? demanda-t-il, la regardant droit dans les yeux. Auriez-vous besoin d'une alliance ou d'un certificat de mariage ?

Elle resta un instant silencieuse, puis finit par répondre :

— Non, et je n'en veux pas, d'ailleurs. Je suis mariée à mon hôtel.

— Et l'idée d'avoir un compagnon ne vous effleure jamais ? murmura-t-il en la fixant intensément. La perspective d'avoir un homme qui soit là pour vous ? Une personne contre qui vous blottir la nuit ? Quelqu'un dont vous seriez très proche et très intime ?

Si Brandon cherchait à l'exciter avec ses questions, songea Cassie, il y arrivait très bien. Une image frappante d'eux deux dans un lit, blottis l'un contre l'autre, en train de faire l'amour, traversa son esprit. Des frissons coururent le long de son dos, et la passion qu'elle vit dans les yeux de Brandon menaça de lui faire perdre le contrôle de ses sens.

— Il se trouve, dit-elle en tentant de garder une contenance, que ces idées ne m'ont pas traversé l'esprit.

Il haussa un sourcil.

— Ah bon ?

— Non.

— C'est bien dommage.

— Je ne crois pas. Maintenant, si vous voulez bien m'excuser, je vais aller surveiller mon dîner.

A la hâte, elle sortit de l'aquarium.

Une fois dans sa cuisine, Cassie s'appuya contre le comptoir et inspira profondément. Si elle avait quitté Brandon si précipitamment, c'était parce que sa confiance en elle aurait été sévèrement secouée si elle était restée.

Brandon avait posé des questions auxquelles elle ne songeait que depuis peu. Depuis leur rencontre, en fait. Hier soir, elle avait eu sa première expérience d'un vrai baiser. Jamais auparavant, elle n'avait éprouvé une telle passion. Et, pour la première fois de sa vie, elle avait rêvé d'une compagnie masculine, de quelqu'un contre qui se blottir la nuit. Quelqu'un avec qui faire l'amour. A cette seule idée, elle en avait des frissons.

Attrapant un tablier, elle le noua autour de sa taille, puis alla se laver les mains. Ensuite, elle se dirigea vers la plaque de cuisson, sur laquelle un plat mijotait.

En elle aussi, une douce chaleur couvait. C'était une petite flamme qui, si elle n'y prenait garde, pourrait s'embraser et la consumer.

Et, à dire vrai, elle n'était pas prête pour ça.

4.

Suivant le délicieux arôme qui s'échappait de la cuisine, Brandon se figea sur le seuil de la porte. Il avait vu beaucoup de beautés dans sa vie, mais Cassie était de loin la plus remarquable. Même en tablier, aux fourneaux, elle était sensationnelle.

Elle avait relevé ses cheveux en chignon, mais quelques boucles rebelles s'étaient échappées de sa coiffure et retombaient autour de ses oreilles. Sa tunique dévoilait ses épaules. Il n'avait qu'une envie, aller les embrasser, puis faire dériver ses lèvres entre ses omoplates, le long de son dos.

— Ça sent drôlement bon, fit-il plutôt, décidant de parler pour chasser les pensées érotiques de son esprit.

Elle se tourna et lui sourit. Vraiment, songea-t-il, elle avait les plus jolies lèvres du monde. Des lèvres qui semblaient dessinées pour épouser les siennes.

— J'espère que vous avez faim.

— Oui, avoua-t-il en riant. J'ai sauté le déjeuner aujourd'hui.

Elle haussa un sourcil.

— Comment ça ? Notre buffet brunch est pourtant à tomber par terre.

Il n'allait pas lui dire que, s'il avait raté le déjeuner, c'était parce qu'il avait reçu un coup de fil d'un des Garrison de Miami, Stephen. Le frère de Cassie.

— Je veux bien vous croire. Depuis mon arrivée, je trouve vos employés très efficaces dans tous les domaines.

Si j'ai manqué un délicieux repas, c'est parce que j'ai eu un coup de fil du bureau, et que je devais régler quelques problèmes urgents.

— Ils ne savent pas que vous êtes en vacances ? Mon père avait une règle : il donnait l'instruction à son personnel de ne lui passer aucun appel quand il était en vacances, sauf en cas d'extrême urgence.

— A l'évidence, votre père était un homme intelligent.

— Oui, il l'était, dit Cassie avec fierté. Vous l'auriez apprécié.

« Je l'appréciais. Beaucoup. »

— Alors, que nous préparez-vous ? demanda-t-il pour changer de sujet, tout en s'appuyant contre un des nombreux comptoirs de la cuisine.

— Pour l'instant, je remue une soupe de conques. J'ai aussi préparé du crabe et du riz, et une salade. En dessert, j'ai décidé de vous faire goûter la fameuse recette de ma grand-mère : le pudding à la goyave.

Brandon sentit ses lèvres se fendre d'un sourire. Il goûterait bien à la saveur de Cassie, s'il le pouvait. Aussitôt, cette pensée affola son pouls.

— Je peux faire quelque chose ? proposa-t-il, songeant que la meilleure chose à faire pour empêcher son esprit de s'égarer était de s'occuper.

Elle regarda autour d'elle.

— Eh bien, par exemple, vous pourriez mettre tous les ingrédients que j'ai sortis pour la salade dans ce saladier, là-bas.

Avec un sourire, il se dirigea vers l'évier pour se laver les mains, soulagé d'avoir quelque chose à faire. Car, s'il avait dû rester immobile, à la regarder, l'esprit traversé de fantasmes sexuels plus torrides les uns que les autres, il n'aurait pu répondre de ses actes…

— Vu mes compétences culinaires, ce que vous me demandez ne devrait pas être trop risqué.

Quelques instants plus tard, il était en train de mettre la laitue, les tomates, les concombres et les oignons dans un saladier. Pourtant, malgré l'application qu'il mettait à accomplir sa tâche et à occuper ses mains, son esprit, lui, ne cessait de tournoyer, de vagabonder dans tous les sens pour revenir toujours au même point : Cassie. Et, en plus du désir inouï qu'elle éveillait en lui, à l'insatiable curiosité qu'il éprouvait à son égard. Comment se faisait-il qu'une femme comme elle ne soit pas déjà mariée ?

— Dites-moi, Cassie, demanda-t-il sans pouvoir s'en empêcher, pourquoi êtes-vous toujours célibataire ?

— Et vous ?

Brandon devina au ton de sa voix qu'il l'avait mise sur la défensive, une fois encore. Pour contrer l'effet de sa question, songea-t-il, autant se montrer honnête avec elle.

— Il y a un an encore, j'étais fiancé.

Elle arrêta de remuer sa soupe et lui décocha un regard de côté.

— Si ce n'est pas indiscret, qu'est-ce qui s'est passé ?

Il n'avait pas envie d'en parler, mais, puisque c'était lui qui avait lancé la discussion, il lui fournirait une réponse.

— Ma fiancée a décidé quelques mois avant notre mariage que je ne lui suffisais pas. J'ai découvert qu'elle m'avait trompé.

Il observa l'expression de Cassie. D'abord de la surprise, puis de la compassion passa dans ses yeux.

— Je suis navrée.

— Je l'étais aussi, au début, mais je suis content d'avoir su la vérité avant le mariage, et non après.

Mais il ne voulait pas parler davantage de Jamie.

— La salade est prête, annonça-t-il.

Cassie se retourna vers la plaque de cuisson.

— Et le reste aussi. Nous pouvons passer à table.

Brandon se cala sur sa chaise, après avoir jeté un regard à son assiette. Elle était vide. Cassie n'avait pas menti sur ses talents culinaires. Tout, jusqu'aux petits pains maison si aériens qu'ils fondaient en bouche, avait été absolument délicieux.

— Le repas était tout simplement incroyable, Cassie, dit-il en cherchant son regard. Merci pour l'invitation.

— Je suis heureuse que ça vous ait plu.

— Vous ne m'avez pas répondu tout à l'heure, quand je vous ai demandé pourquoi vous étiez toujours célibataire. Etais-je indiscret ? demanda-t-il, étudiant le contenu de son verre avant de la regarder de nouveau.

— Non, dit-elle en soutenant son regard. Mais il n'y a pas grand-chose à dire. Après le lycée, j'ai quitté la maison pour une université à Londres. Je passais mon temps à étudier plutôt qu'à sortir. Je ne voyais pas le fait d'aller à la fac comme un moyen d'échapper à mes parents et de proclamer ma liberté en adoptant toutes sortes de comportements bizarres.

— Vous voulez dire que vous n'êtes pas allée à des soirées délurées ? Que vous n'avez testé aucune drogue ? plaisanta-t-il.

— Eh non, ni soirées délurées, ni drogues, ni bizutage du style manger des vers frits pour intégrer un groupe.

Elle sourit avant d'ajouter :

— J'étais seule, la plupart du temps, et je vivais dans un appartement hors du campus. Papa avait insisté pour ça. Et, s'il a accepté que j'aie une colocataire, c'était uniquement pour des raisons de sécurité.

— Alors, vous n'avez pas fréquenté de garçons à la fac ?

— Je n'ai pas dit cela, répliqua-t-elle, prenant une gorgée de vin. J'ai connu quelques garçons, mais j'étais très difficile. En réalité, à la fac, j'avais l'impression que la plupart des garçons ne vivaient que pour le sexe, et, comme un grand nombre d'entre eux ne se gênaient pas pour crier sur les toits le nom de leurs conquêtes, je n'avais vraiment pas envie d'être l'une d'entre elles. J'avais trop de respect pour moi-même pour ça.

Brandon fixa son verre de vin, songeur.

— Vous dites que vous n'avez jamais eu de relation sérieuse, alors ?

Elle eut un franc sourire.

— Non, ce n'est pas ce que je dis.

46

Elle marqua un temps avant d'ajouter doucement :

— Il y a eu quelqu'un, un jeune homme que j'ai rencontré après la fac. Jason et moi sommes sortis ensemble, et je croyais que tout allait bien entre nous, jusqu'à ce que je découvre que ce n'était pas le cas.

— Qu'est-ce qui n'allait pas ?

Les souvenirs de cette époque revinrent à l'esprit de Cassie et, pour une raison qu'elle ignorait, elle ne voyait pas d'inconvénient à partager ces pénibles souvenirs avec Brandon.

— Il a commencé à changer. Il annulait nos rendez-vous, sous des prétextes peu convaincants. Et, un beau jour, il a rompu. Il m'a dit qu'il avait rencontré une autre femme, riche et plus âgée que lui, qui voulait faire de lui son jouet sexuel. Et il a estimé que cela valait la peine de jeter notre histoire aux orties.

— C'était il y a combien de temps ?

— Presque quatre ans.

— Et vous l'avez revu depuis ?

— Oui. Il a quand même eu la délicatesse d'assister à l'enterrement de ma mère. Et, quand je l'ai vu, j'ai su que notre rupture était la meilleure chose qui me soit arrivée. C'était une pensée réconfortante, et, à partir de là, j'ai cessé de le haïr.

Brandon fixait son vin, jouant de façon absente avec le verre entre ses mains. Si Cassie découvrait la vérité sur lui — qui il était, et pourquoi il était là —, finirait-elle par le haïr, lui aussi ?

— Vous êtes bien silencieux, fit-elle.

Il leva les yeux, soutint son regard, puis lui prit la main.

— C'est parce que je ne peux pas imaginer qu'un homme puisse vous quitter, dit-il doucement, resserrant son emprise sur sa main.

Cassie frissonna. Brandon semblait si sincère qu'elle était touchée. Elle pouvait sentir sa force à travers la main qui serrait la sienne. Le désir qui brillait dans ses yeux fit naître un feu en elle.

— Quand vous m'avez parlé de votre ex-fiancée, je

me suis fait la même réflexion. Je ne peux pas imaginer qu'une femme puisse vous quitter.

Soudain, la pièce baigna dans le silence. Seul le bruit de leur respiration se faisait entendre. Brandon lui tenait toujours la main, la caressant légèrement, et la fixait avec intensité. Son visage était impénétrable, mais pas son regard.

Lentement, il se leva et la fit se lever elle aussi. Sans un mot, il l'attira contre lui. Elle entendit son propre pouls s'accélérer, et ses yeux s'attardèrent sur les lèvres de Brandon. Alors, il se pencha vers elle et ne fut plus qu'à quelques centimètres de sa bouche.

Cassie sentit le feu s'intensifier en elle, juste avant que Brandon ne pose ses lèvres sur les siennes. C'était un baiser léger et doux, pourtant il provoqua un trouble immense en elle et sembla réveiller des points sensibles dont elle n'avait même pas imaginé l'existence. Et, lorsqu'elle laissa échapper un petit gémissement, d'un geste ardent et néanmoins délicat, il prit possession de sa bouche.

Brandon sentit l'afflux de désir monter en lui. Il commença dans sa tête, puis gagna sa poitrine, accélérant les battements de son cœur. Tandis qu'il approfondissait leur baiser, toutes sortes d'émotions ricochèrent en lui. Jamais un simple baiser ne l'avait mis dans un tel état d'excitation. Qu'avait donc cette femme pour avoir cet effet incroyable sur lui ?

Changeant légèrement de position, il attira Cassie contre lui, ce qui ne fit qu'accroître la tension dans son corps. Il se raidissait d'envie de seconde en seconde. Les gémissements de Cassie lui indiquèrent qu'elle appréciait son baiser, aussi l'accentua-t-il pour goûter davantage sa saveur exquise.

Le corps de Cassie appuyait contre son sexe en érection, et il eut envie de la soulever pour l'emmener dans la chambre la plus proche. Mais ça aurait été de la pure folie. Et une erreur, aussi. Cassie méritait mieux qu'un homme qui lui ferait l'amour pour de mauvaises raisons, un homme qui était entré dans sa vie avec de mauvaises intentions. Un homme qui, même maintenant, était en train de la trahir.

A cette pensée, il interrompit leur baiser, mais il ne put lâcher Cassie, alors il la serra dans ses bras.

Comment s'était-il laissé embarquer dans cette situation ? Comment avait-il laissé Cassie entrer dans son cœur si vite, et si profondément ?

Elle recula légèrement, regarda par la fenêtre puis reporta son attention sur son visage.

— Voulez-vous faire une balade sur la plage avant qu'il ne fasse trop sombre ?

— Très bonne idée, dit-il en la libérant de son étreinte.

— Je vais chercher mon châle, j'en ai pour une minute. Si vous voulez, vous pouvez m'attendre sur la terrasse.

— D'accord.

Elle passa devant lui et, soudain, il attrapa son bras. Puis il posa les mains sur ses boucles et repoussa les mèches qui étaient tombées sur son visage. Il sentit le frisson qui la parcourut au moment où il effleura ses lèvres d'un baiser.

— Je vous attends, murmura-t-il.

Quelques instants plus tard, Cassie revint sur la terrasse et trouva Brandon en train d'observer l'océan, mains dans les poches.

Même de dos, il dégageait un sex-appeal incroyable. Il semblait en pleine méditation. A quoi songeait-il donc ? Parler de son ex-fiancée avait peut-être rouvert d'anciennes blessures ? Etre trahi par l'être qu'on aimait n'était pas facile à accepter, elle en avait fait l'amère expérience avec Jason.

— Je suis prête.

Il se retourna au son de sa voix et la regarda des pieds à la tête, s'arrêtant quelques secondes sur ses pieds nus.

— Ne prenez pas un air si surpris, plaisanta-t-elle. On ne marche pas sur la plage avec des chaussures, c'est une règle chez les insulaires, alors vous êtes priés d'ôter les vôtres.

Il rit et se laissa tomber dans un fauteuil en osier pour enlever ses chaussures et ses chaussettes. Cassie songea que ses pieds étaient aussi sexy que le reste de sa personne. Rangeant ses chaussures sur le côté, il se leva, un sourire aux lèvres.

— Voilà, vous êtes satisfaite ?

— Oui, extrêmement. Maintenant, nous allons pouvoir laisser des marques de pas dans le sable. Allons-y, lança-t-elle en lui tendant la main.

Brandon prit la main qu'elle lui offrait et, ensemble, ils descendirent les marches menant à une plage privée.

— Parlez-moi de votre vie à Orlando.

La question de Cassie lui rappela brutalement les mensonges qu'il avait semés, et ceux qu'il lui faudrait encore souffler.

— Que voulez-vous savoir ?

Elle afficha un sourire curieux.

— Y a-t-il quelqu'un là-bas qui attend votre retour ?

— Non, dit-il sans hésitation. Il m'arrive d'avoir des rendez-vous galants, mais il n'y a personne en particulier.

Les secondes s'écoulèrent, et, comme elle ne disait rien, il décida de reprendre la parole.

— Et je vous rassure, ce n'est pas parce que j'ai perdu confiance dans la gent féminine à cause de ce que m'a fait subir mon ex. Je m'en suis remis, j'ai tourné la page. Je me suis noyé dans le travail, parce que, pendant ma relation avec elle, j'avais passé beaucoup de temps loin du bureau. C'était ce qu'elle voulait, et je croyais répondre à un réel besoin de sa part.

— Mais ce n'était pas le cas ?

— Non. Jamie avait un complexe d'insécurité, et je croyais la rassurer en étant auprès d'elle. Mais ce n'était pas assez. Elle avait besoin de se sentir doublement en sécurité, en ayant quelqu'un d'autre dans sa vie, en plus de moi.

— Elle ne s'inquiétait pas des conséquences le jour où la vérité éclaterait ?

— Je crois qu'elle s'imaginait qu'elle ne se ferait jamais prendre, avança-t-il avec un haussement d'épaules. Elle m'a même avoué qu'elle n'aurait pas abandonné son amant après notre mariage.

— Eh bien, elle ne manquait pas de culot.

— Oui, dit-il, la mâchoire serrée. C'est le moins qu'on puisse dire.

Quand ils atteignirent la limite de la plage, ils s'arrêtèrent et contemplèrent l'océan. A côté de lui, Brandon percevait la chaleur de Cassie, et, malgré les effluves de la mer, il respirait son parfum fruité. Il laissa ses autres sens apprécier sa présence, cet instant partagé.

Elle se tourna vers lui et lui adressa un sourire radieux.

— Le coucher de soleil est magnifique, n'est-ce pas ?

— Oui, tout comme vous.

Elle baissa la tête, comme pour méditer ses paroles.

— Est-ce que vous êtes toujours aussi généreux en compliments avec les femmes ?

— Non, pas toujours.

— Alors, je devrais me sentir spéciale.

— Seulement parce que vous l'êtes.

Elle se tourna et pressa son corps gracile contre le sien, tendu de désir, et il eut envie de prendre les lèvres qu'elle était si disposée à lui offrir. Mais il fallait qu'il résiste.

— Je crois, dit-il en reculant, qu'il est temps pour moi de retourner à l'hôtel.

Cassie lui lança un regard chargé d'interrogations.

— Pourquoi, Brandon ?

La question ne le surprenait pas. Malheureusement, il ne pouvait en aucun cas être tout à fait honnête avec elle.

— Je pense que nous ne sommes pas encore prêts pour cette étape, murmura-t-il doucement.

Il la serra contre lui. Elle recula entre ses bras et le regarda en souriant.

— Vous parlez pour vous, ou pour moi ?

Le défi sous-jacent dans sa question ne lui avait guère échappé, mais il décida de l'ignorer.

— J'essaie de me comporter en gentleman, et de parler pour nous deux.

— Je suis une grande fille, Brandon. Je peux parler et penser par moi-même.

Il étudia ses yeux et vit son obstination luire au fond de ses prunelles.

— Je sais, mais je voudrais que vous me fassiez confiance pour savoir ce qui est le mieux pour nous à cet instant.

Elle marqua un temps.

— D'accord, dit-elle finalement, mais à une seule condition.

— Et quelle est-elle ? demanda-t-il, intrigué.

— Que nous dînions ensemble demain soir.

Brandon faillit lui dire qu'il retournait à Miami demain. Parker et Stephen sauraient bien assez tôt que sa mission ici avait échoué. Toutefois, passer du temps avec Cassie, pour une soirée encore, était une occasion qu'il n'avait pas du tout envie de laisser passer...

Partagé entre son désir et son devoir, il décida de lui proposer un endroit qu'elle avait toutes les chances de refuser — ainsi, c'était elle qui déciderait.

— J'en serais ravi, à condition que ce soit à l'hôtel.

A sa grande surprise, Cassie acquiesça.

— Très bien, dit-elle.

— Entendu. A présent, si on rentrait ?

Lorsqu'ils atteignirent la terrasse, il se tourna vers elle.

— Vous savez, il se pourrait que je doive rentrer aux Etats-Unis après-demain. Un événement important qui s'est produit pendant mon absence.

Il vit la déception se peindre sur son visage et sentit sa résolution faiblir.

— Je comprends. Je suis une femme d'affaires, alors je sais comment les choses peuvent parfois survenir quand vous vous y attendez le moins... ou quand vous le souhaitez le moins.

Il s'assit dans le fauteuil d'osier pour remettre ses chaussures.

— Je suis impatient de dîner avec vous demain.

— Moi aussi.

Il la regarda, captivé par le ton sensuel de sa voix.

Etait-elle en train d'œuvrer à sa chute ? Mon Dieu, il ne fallait pas qu'elle le pousse trop dans ses retranchements… Il la désirait avec une telle passion qu'un rien suffirait à le faire basculer.

Il se leva, conscient qu'il valait mieux partir maintenant, tant qu'il en était capable. Rester ne ferait que compliquer la situation.

— Vous me raccompagnez ? suggéra-t-il.

Il lui prit la main, et elle ne résista pas. Quand ils furent devant la porte d'entrée, il la fixa longuement. Il n'oublierait pas cette jeune femme de sitôt.

— Merci encore pour cette belle soirée et ce succulent dîner.

Le sourire qui apparut sur son joli visage était sincère.

— Ce fut un plaisir.

Elle se mit sur la pointe des pieds et lui donna un petit baiser.

— Laissez un message à la réception pour me dire où et à quelle heure je vous retrouve. A demain, Brandon.

Brandon l'observa un instant, puis tourna les talons et gagna sa voiture.

5.

Brandon considéra la table dressée devant lui, satisfait. Le service d'étage avait fourni un travail exemplaire et suivi ses recommandations à la lettre. Brandon voulait que Cassie découvre la table dès qu'elle entrerait.

Tout à l'heure, il avait tenté de joindre Parker, pour lui faire savoir que son voyage n'avait conduit à rien de neuf concernant Cassie Sinclair. Enfin, si. Il y avait beaucoup de choses sur Cassie qu'il savait désormais, mais, de son point de vue, aucune ne pouvait être utilisée contre elle.

La secrétaire de Parker l'avait informé que son ami avait pris quelques jours afin d'emmener son épouse, Anna, à New York, pour faire les boutiques et voir un spectacle sur Broadway, et qu'il ne reviendrait pas avant le début de la semaine prochaine. Brandon ne pouvait s'empêcher de sourire chaque fois qu'il songeait à la manière dont Anna Cross avait capturé le cœur d'un des célibataires les plus convoités de Miami, doublé d'un des hommes d'affaires les plus influents.

On frappa à la porte, et Brandon se hâta d'aller ouvrir. Comme il s'y attendait, Cassie était ponctuelle. Lorsqu'il la découvrit devant lui, il eut un sourire approbateur. Comme d'habitude, elle était superbe. Ce soir, elle avait laissé ses cheveux tomber sur ses épaules. Il étudia son visage et constata qu'elle ne portait que très peu de maquillage, ce qui suffisait amplement pour la beauté naturelle qu'elle était.

Son regard dériva sur son corps. Elle avait quitté le tailleur strict qu'il avait aperçu dans la journée, alors qu'elle allait prendre un ascenseur. Maintenant, elle portait une robe fluide à l'imprimé animal qui moulait ses hanches avant de s'évaser le long de sa silhouette. Une veste assortie était posée sur son bras. Elle portait une paire de bottes en cuir, une concession à la mode plutôt qu'à la météo. Jusqu'où montaient-elles, il n'aurait su le dire, à cause de la longueur au genou de sa robe.

— Puis-je entrer ?

S'arrachant à grand-peine à la contemplation de ses jambes magnifiques, il revint vers son visage et lui rendit son sourire.

— Oui, bien entendu, fit-il en s'effaçant pour la laisser entrer.

Quand elle passa devant lui, il huma son parfum et sentit un long frisson l'envahir. Il allait devoir être très, très fort, pour résister à la tentation de se jeter sur elle et de la dévorer de baisers ardents…

Après avoir refermé la porte, il plongea ses mains dans ses poches. Ainsi, il ne serait pas tenté de la prendre dans ses bras. Une tentation qui devenait une habitude.

— Vous êtes en beauté, dit-il néanmoins tout en la couvant d'un regard admiratif.

— Merci. Vous n'êtes pas mal non plus.

Comme il haussait un sourcil dubitatif, elle sourit.

— Si, je vous assure, affirma-t-elle. C'est ce que j'ai pensé la première fois que je vous ai vu.

— Ce soir-là sur la plage ?

— Non, le jour où vous êtes arrivé, à la réception. Je vous ai remarqué tout de suite, et je savais, rien qu'à votre tenue, que vous étiez un homme d'affaires américain.

Il hocha la tête, ne voulant pas s'aventurer sur ce terrain glissant. Sa conscience le titillait, et il se serait volontiers passé de ce sentiment.

— J'espère que vous avez faim, lança-t-il, pour changer de sujet.

— Oui, dit-elle en se retournant. Vous avez déjà été servi ? ajouta-t-elle en découvrant la table dressée.

— Non, pas encore. Je ne voulais pas prendre le risque de commander un plat que vous n'apprécieriez pas.

Il osa enfin approcher et saisit le menu sur la table.

— Vous voulez y jeter un coup d'œil ?

Elle secoua la tête.

— Inutile, je connais le menu par cœur.

— Eh bien, vous m'impressionnez.

— Oh, c'est une compétence parmi d'autres, plaisanta-t-elle. Et, si je peux me permettre…

— Vous pouvez.

— Alors, je vous conseillerais le Salvador. C'est un plat spécial — un assortiment de homards, de poissons, d'écrevisses et d'autres fruits de mer cuits à l'étouffée — servi avec du riz parfumé.

— Ça m'a l'air délicieux.

— Ça l'est, mais je dois vous prévenir, c'est assez relevé.

— Je crois que je peux supporter quelques épices. Je vous en prie, mettez-vous à l'aise pendant que j'appelle le service d'étage.

Cassie posa sa veste sur le dos du canapé et s'assit, jambes croisées. Le regard d'appréciation masculine de Brandon lorsqu'il avait ouvert la porte ne lui avait pas échappé. Son regard séducteur s'était assombri et avait provoqué des picotements d'excitation en elle.

Il fallait qu'elle se reprenne ! Alors, elle regarda autour d'elle. La disposition de cette suite ressemblait à celle dans laquelle elle dormait parfois. Mais la sienne, un peu plus grande, était pourvue d'une cuisine, même si Cassie ne s'en servait jamais.

— Notre dîner sera servi d'ici à trente ou quarante minutes, annonça-t-il en s'asseyant sur le canapé à côté d'elle.

Il mourait d'envie de soulever sa robe pour voir jusqu'où ses bottes montaient, mais, au lieu de ça, il se tourna pour lui faire face et demanda :

— Alors, comment était votre journée ?

Elle roula des yeux et secoua la tête.

— Insensée. L'ouragan Melissa ne semble pas décider dans quelle direction il veut aller, alors nous prenons toutes nos précautions. Hier encore, elle se dirigeait vers le nord, mais, maintenant, il est dans une position d'attente, comme s'il ne savait pas vraiment où aller. Nous avons des clients qui ne veulent prendre aucun risque et qui ont déjà quitté l'hôtel.

Brandon hocha la tête. Lui aussi avait suivi les rapports météo, et il comprenait l'inquiétude de Cassie. Etant né à Miami, il avait connu plusieurs ouragans dans sa vie, certains plus sévères que d'autres. Tout à l'heure, il avait parlé avec sa secrétaire, Rachel Suarez. D'origine cubaine, Rachel travaillait pour son cabinet depuis plus de trente ans, ayant débuté avec le père de Brandon. Au bureau, elle pouvait gérer les choses toute seule — y compris la possibilité qu'un ouragan fonde sur ses bureaux.

— Et, si l'ouragan vient dans cette direction, je suis sûr que votre personnel sait quoi faire, dit-il.

— Faites-moi confiance, ils connaissent leur sujet. Ils sont tout à fait préparés. Papa a mis en place un entraîne-ment obligatoire après le passage désastreux de l'ouragan Andrew.

Brandon se souvenait très bien d'Andrew et doutait de pouvoir l'oublier un jour. Il avait laissé Miami, et surtout le quartier où il vivait, dans le chaos.

— Eh bien, espérons que Dame Melissa mourra d'une mort tranquille avant d'atteindre la terre, dit-il doucement.

Il marqua un temps, puis demanda :

— Voulez-vous boire quelque chose pendant que nous patientons ? Que diriez-vous d'un verre de vin blanc ?

— Ce serait parfait, merci.

Il se leva, et Cassie l'observa. Elle le regarda traverser la pièce. Il était si beau que c'en était presque un péché. Son pantalon anthracite et sa chemise blanche étaient impeccables, taillés pour épouser son corps à la perfection. Elle retint un soupir. Hier, il s'était comporté en parfait gentleman et avait empêché les choses d'aller plus loin entre eux. Une fois chez elle, elle lui en avait été reconnaissante, mais, à présent, elle éprouvait un sentiment de regret. Brandon s'en irait demain, et il était fort probable qu'ils ne se reverraient plus jamais.

Durant ces deux derniers jours, elle s'était sentie revivre. Elle était heureuse, ce qui ne lui était plus arrivé depuis cinq mois — et tout cela grâce à Brandon. Il ne l'avait pas brusquée, non, il lui avait laissé le temps, c'était même lui qui avait voulu ne pas brûler les étapes. Elle ne l'en admirait que plus, même si, eût-il insisté un minimum, elle aurait été heureuse de l'accueillir dans son lit. Même pour une seule nuit. C'était dingue ! Jamais aucun homme ne lui avait fait envisager d'avoir une aventure sans lendemain.

Sauf Brandon Jarrett.

— Voilà.

Elle leva les yeux et le vit qui lui tendait un verre de vin. Avec un sourire, elle tendit la main pour s'en saisir, luttant pour empêcher ses doigts de trembler.

— Merci.

Aussitôt, elle avala une gorgée, ou plutôt une rasade. Elle en avait besoin, car la chaleur en elle s'intensifiait.

— Est-ce que ça va ? s'enquit-il.

Elle le gratifia d'un nouveau sourire chaleureux.

— Oui, je vais très bien.

Elle prit une autre gorgée de vin, essayant d'ignorer la silhouette imposante devant elle. Elle le sentit s'éloigner, mais refusa de le suivre du regard. Plus tard, quand elle céda à la tentation, elle retint son souffle. Brandon se tenait à l'autre bout de la pièce, un verre de vin à la main, appuyé contre le bureau, les yeux rivés sur elle. Rien qu'en la regardant, il avait le pouvoir d'attiser le feu qui couvait déjà en elle et de réveiller des zones érogènes à différents endroits de son corps.

Mon Dieu !… Elle qui, d'habitude, était la raison incarnée, à cet instant, elle se sentait follement audacieuse, comme jamais elle ne l'avait été. Mais oserait-elle aller jusqu'au bout de son envie ?

La question ne se posait même pas, comprit-elle en se

levant doucement. Il n'était tout simplement pas possible de résister au désir qui la submergeait.

Ses yeux toujours rivés aux siens, elle traversa lentement la pièce pour le rejoindre. L'attraction que Brandon exerçait sur elle semblait lui commander de faire des choses qu'elle n'avait jamais faites auparavant. Il observait chacun de ses pas, le désir brûlant sans ambiguïté dans ses yeux assombris.

Quand elle arriva devant lui, irrésistiblement attirée par sa force et sa chaleur, elle tremblait presque. Au prix d'un effort, elle porta son verre à ses lèvres, ayant besoin d'une autre gorgée pour se calmer et apaiser le feu en elle.

Mais, avant qu'elle ait pu boire, Brandon lui prit le verre des mains et posa ses lèvres sur les siennes.

Brandon avait le cœur qui battait à tout rompre dans sa poitrine, et chaque muscle de son corps était douloureux. Le feu se propageait, provoquant en lui une vague de frissons. La bouche de Cassie s'ouvrit sous la sienne, et il la goûta avec une ardeur avide, un désir qu'il ne pouvait contenir plus longtemps.

Reculant, il posa leurs deux verres sur la table, puis il la prit dans ses bras et reprit leur baiser avec encore plus de passion. Il la sentit frémir sous ses lèvres, et elle lui rendit son baiser avec une fougue qui ne fit qu'augmenter son désir, si c'était possible.

Ce qu'ils échangeaient était un jeu sensuel, fait pour exciter. Leurs corps étaient si collés l'un à l'autre, qu'il pouvait sentir ses tétons effleurer sa poitrine. Il sentait le ventre de Cassie appuyer contre son sexe en érection, et cela ne faisait que renforcer son envie. Une envie de prendre possession d'elle ici, maintenant. Mon Dieu, qu'était-il en train de faire ?

Elle recula et reprit son souffle, les bras enroulés autour de son cou. Lorsqu'il vit brûler au fond de ses yeux le feu du désir, il en eut le vertige. La pièce sembla tourner autour de lui, et il eut l'impression de perdre pied. Au fond de lui, il savait qu'il devrait faire comme hier soir. S'en tenir là. Mais son désir l'empêchait de faire le moindre mouvement.

Et puis, Cassie se mit sur la pointe des pieds et murmura :

— Fais-moi l'amour, Brandon.

Sa requête, murmurée dans un souffle sexy, annihila le peu de contrôle qui lui restait. Dans un sursaut de désir, il la souleva dans ses bras et se dirigea droit vers la chambre.

Le cœur de Cassie se mit à battre la chamade quand Brandon la posa sur le lit à baldaquin. Et, quand il se redressa et la regarda comme s'il était prêt à la dévorer, elle serra aussitôt les jambes pour contenir le feu qui brûlait entre elles. Jamais elle n'avait éprouvé un désir aussi sauvage pour un homme, un homme capable de l'enflammer d'un simple baiser. Aucun homme, sauf Brandon.

Depuis leur rencontre, elle n'avait cessé de songer à lui. Même lors d'une journée aussi chargée qu'aujourd'hui, il avait réussi à s'infiltrer dans ses pensées, à plusieurs reprises. Et elle s'était surprise à rougir en repensant aux baisers qu'ils avaient partagés. Les souvenirs étaient à la fois dérangeants et apaisants. Ses baisers l'avaient excitée, l'avaient fait trembler… comme maintenant.

Elle le regarda tandis qu'il déboutonnait lentement sa chemise, avant de hausser ses larges épaules pour l'enlever. Son regard se posa sur son torse nu et, soudain, elle s'imagina en train de couvrir de baisers, ses tétons, son ventre plat et ferme, et… Elle retint son souffle pendant qu'elle continuait de l'observer, attendant qu'il ôte son pantalon. Cependant, au lieu de cela, il revint vers le lit.

— Tu sais ce que je meurs d'envie de savoir depuis tout à l'heure ? Ce que je dois savoir ? demanda-t-il en la détaillant de haut en bas.

— Quoi donc ? murmura-t-elle, percevant la tension sexuelle qui avait envahi la pièce.

— Je dois savoir jusqu'où montent ces bottes.

Ce n'était vraiment pas ce à quoi elle s'attendait, songea-t-elle en souriant.

— Pourquoi ne le découvrirais-tu pas toi-même ? le défia-t-elle d'une voix sensuelle.

Brandon avança de quelques pas vers le lit et, lentement, il souleva sa robe. Il inspira tandis qu'il montait le long de ses jambes. Les bottes s'arrêtaient juste au-dessus de ses genoux, lui offrant une vue tentante sur ses cuisses.

— Satisfait ?

Il détourna les yeux de ses cuisses pour les reporter sur son visage.

— En partie. Mais ma satisfaction sera totale tout à l'heure.

Cassie déglutit quand Brandon descendit la fermeture de ses bottes et se mit à les lui ôter, prenant son temps pour masser ses jambes, ses chevilles, la plante de ses pieds.

— Tu veux savoir autre chose ? demanda-t-il.

— Quoi ?

— Je suis resté éveillé la moitié de la nuit en imaginant les choses que j'aimerais te faire si jamais l'occasion m'était offerte, dit-il d'une voix rauque.

— Eh bien, voilà l'occasion que tu attendais…

Il sourit.

— Je sais, fit-il en lui ôtant délicatement sa robe, la laissant presque nue devant lui.

Il contempla d'un air gourmand ses sous-vêtements de satin noir, et son regard de braise fit naître en elle un frisson d'anticipation.

— Ce n'est pas juste, dit-elle d'une voix faussement contrariée. Vous êtes plus habillé que moi.

— Pas pour longtemps, dit-il en commençant à ôter son pantalon.

Délicieusement troublée, Cassie regarda Brandon descendre la fermeture Eclair de son pantalon, et elle suivit des yeux chaque mouvement de sa main. Ce ne serait pas la première fois qu'elle ferait l'amour avec un homme, mais elle était restée chaste si longtemps… Et c'était la première fois qu'un homme lui faisait un tel effet. Rien que de le regarder, elle en avait des frissons.

Lorsqu'il ôta son pantalon, elle faillit gémir. La seule

chose qui couvrait encore son corps, c'était son caleçon noir et sexy — qui ne masquait pas son érection. Il l'ôta lentement, et elle ferma les yeux, avant de regarder de nouveau, excitée par le spectacle qui s'offrait à elle. Alors, plus audacieuse que jamais, elle alla au bord du lit et caressa son ventre avant de prendre son sexe dressé entre ses mains.

Elle leva les yeux quand elle l'entendit retenir son souffle.

— Je te fais mal ? demanda-t-elle doucement tout en continuant de le caresser.

Elle le touchait comme elle n'avait touché aucun homme. Même avec Jason, elle n'avait jamais été aussi entreprenante.

— Non, tu ne me fais pas mal, mais tu es en train de me torturer, dit Brandon entre ses dents serrées. C'est différent.

— Ah oui ?

— Oui, laisse-moi te montrer ce que ça fait d'être ainsi torturé…

Il dégrafa son soutien-gorge et prit ses seins ronds et chauds entre ses mains. Alors, il commença à les caresser avec autant de précision et de méthode qu'elle le caressait. Cassie laissa échapper un soupir de surprise quand il alla un peu plus loin et se pencha pour attraper un téton entre ses lèvres.

C'était la torture la plus exaltante qui soit. Le genre qui vous emplissait d'un désir brûlant, d'une envie irrépressible. Quand il posa sa bouche sur l'autre sein, elle laissa échapper un profond gémissement, songeant que la langue de Brandon était merveilleusement perverse.

— Je n'en peux plus, balbutia-t-elle dans un souffle.

— Nous sommes deux, mon ange, fit-il en se relevant et en s'éloignant de quelques pas du lit. Mais je n'en ai pas encore fini avec toi.

Elle le vit fouiller dans les poches de son pantalon, en sortir un préservatif et le mettre en place sur son sexe durci, puis il revint vers le lit et, d'un geste doux, il la fit étendre sur le dos. Brûlante de désir, elle obéit et frémit lorsqu'il souleva doucement ses hanches pour lui ôter son slip. La torture continuait…, songea-t-elle en fermant les yeux, conquise. Rien qu'à s'imaginer ainsi offerte devant lui, complètement nue, tout son corps l'appelant de ses vœux, elle sentait des frissons de plaisir l'assaillir.

Elle entendit alors le profond grondement de Brandon et elle ouvrit les yeux. Il la mangeait du regard, comme s'il savourait d'avance la passion qui promettait de les emporter. Un sourire avide aux lèvres, tel un prédateur, il se pencha vers elle et posa les lèvres sur les replis de son sexe humide.

Cassie cria son nom au moment où la langue de Brandon s'insinua en elle, et elle s'agrippa au couvre-lit, comme s'il lui fallait s'accrocher à quelque chose sous peine de perdre pied. Sous les caresses expertes de Brandon, elle se sentait partir, ivre de volupté. Ce qu'elle ressentait était si intense qu'elle avait l'impression qu'elle pouvait s'évanouir d'un instant à l'autre, clouée par le plaisir.

Soudain, une myriade d'étoiles explosa sous ses yeux clos, et elle fut balayée par le plus intense des orgasmes. Et, tandis que son corps frémissait encore de désir, Brandon recula et s'étendit sur elle. Leurs regards se rivèrent l'un à l'autre, tandis qu'il entrait en elle, unissant leurs deux corps.

Haletant, Brandon s'enfonça de plus en plus loin dans la chaleur de Cassie, encore et encore, réalisant son fantasme le plus fou. C'était même encore mieux que tout ce qu'il avait imaginé, tout ce dont il avait rêvé… Fou de désir, il enfonça les mains dans ses cheveux et captura sa bouche, puis il se mit à onduler de plus en plus vite, tandis qu'elle se donnait à lui sans retenue.

Quand il la sentit sur le point de jouir, il abandonna toute résistance et donna un ultime coup de reins, se laissant enfin aller au tourbillon de sensations qui menaçait de le submerger depuis qu'il était entré en elle.

— Brandon !

Ses cris et la manière dont elle se contractait autour de lui dans le plaisir eurent raison de son ultime retenue, et il vint en elle, la suivant de près sur les cimes de la volupté.

Brandon était au septième ciel. Toutes sortes de sensations le submergeaient. Il était parvenu à un degré de plaisir qu'il ne pouvait, il le savait, n'atteindre qu'avec Cassie.

Quelques instants plus tard, il la prit dans ses bras, pendant qu'ils reprenaient peu à peu leur souffle. Lentement, il caressa sa cuisse et son ventre, ressentant le besoin de la toucher, comme pour se convaincre qu'il ne rêvait pas. Et, surtout, qu'il ne venait pas de commettre une terrible erreur.

Au fond de lui, il savait qu'il n'aurait pas dû lui faire l'amour sans lui avoir dit d'abord la vérité sur lui. Qui il était, et pourquoi il était là. Mais, songea-t-il avec un fol espoir tout en laissant sa main glisser sur la peau satinée qui lui avait donné tant de plaisir, avec un peu de chance, Cassie l'écouterait et lui laisserait le temps de s'expliquer. Plus que tout, elle méritait qu'il soit honnête envers elle.

— Cassie ?

— Oui ?

Elle se redressa légèrement et le regarda un instant, inquiète.

— Je t'en prie, ne me dis pas que tu regrettes ce que nous avons partagé, Brandon.

Il secoua la tête. Elle était loin du compte. Très loin.

— Je n'ai aucun regret, mais… il faut que je te dise quelque chose.

Elle haussa un sourcil.

— Quelle chose ?

Il ouvrit la bouche au moment exact où on frappa à la porte. Une part de lui ressentit un soulagement temporaire.

— Le dîner est arrivé. Nous discuterons plus tard.

Comme Cassie l'avait promis, le dîner était délicieux. Mais il était difficile pour n'importe quel homme de se concentrer sur quoi que ce soit quand il avait une femme splendide assise en face de lui, vêtue d'un peignoir. Surtout quand elle était complètement nue en dessous.

Il avait supposé, quand il avait remis sa chemise et son

pantalon pour ouvrir au serveur, qu'elle se rhabillerait, elle aussi. Il avait été un peu surpris, mais pas du tout déçu, quand elle était apparue, une fois le dîner servi, dans un des peignoirs de l'hôtel.

Décidant de ne pas se concentrer sur son invitée et sur ce qu'il aimerait lui faire — de nouveau, — il regarda vers la terrasse, par-delà les doubles-portes vitrées. A la faveur du clair de lune, il voyait que l'océan était agité et, à la façon dont les palmiers se balançaient d'avant en arrière, il devinait qu'une vive brise soufflait. Même si l'ouragan Melissa décidait de ne pas venir dans cette direction, il apportait toutefois son lot de soucis.

— Brandon ?

Il regarda Cassie. Elle avait dit son prénom avec une note sensuelle, et cela l'excita encore, surtout quand il vit que le haut de son peignoir était légèrement ouvert, quelque chose qu'elle avait à l'évidence pris le temps de faire pendant qu'il avait regardé vers la terrasse. Il sourit. Elle essayait de le tenter, et il ne s'en plaignait pas. En fait, il trouvait même ça plutôt très excitant…

— Oui ?

— Juste avant le dîner, tu as dit que tu devais me parler de quelque chose.

Il sentit un frisson glacé le parcourir. Pendant tout le dîner, il avait repoussé le moment de lui parler, fort peu désireux qu'elle lui lance son assiette à la figure. Et, à présent, il ne voulait pas en parler, car il savait comment la soirée finirait ensuite. Mais il ne pouvait passer outre le fait que Cassie méritait la vérité.

Elle lui adressa un regard interrogateur, attendant sa réponse. Il était sur le point de s'expliquer, de tout lui dire quand un portable sonna. Cassie se hâta d'aller prendre son sac sur le canapé pour en sortir son téléphone.

— Oui ?

Après quelques instants, elle ajouta :

— D'accord, Simon. Faites-moi savoir s'il y a le moindre changement.

Cassie garda un instant le téléphone dans sa main, avant de le ranger dans son sac.

— Mauvaises nouvelles ?

Elle se tourna vers Brandon.

— Rien de très étonnant. Les météorologues prévoient que Melissa va atteindre l'échelon trois quand elle arrivera sur les plages.

— Alors, elle change de cap ?

— Non, elle est toujours sur l'Atlantique, en train de gagner de la force. Quand elle décidera de heurter les terres, ce sera terrible.

Et, plus que quiconque, Cassie savait ce que cela signifiait. A cause de l'incertitude, beaucoup de clients quitteraient l'hôtel. Elle ne pouvait le leur reprocher et ne pouvait pas leur en vouloir de faire passer leur sécurité avant tout le reste. Mais cela signifiait aussi que Brandon risquait de partir demain, et sans doute plus tôt que prévu. Si Melissa se dirigeait vers les Bahamas, les aéroports seraient fermés, ce qui ne serait pas une bonne nouvelle pour beaucoup de gens.

Aujourd'hui, à l'hôtel, la journée avait été insensée. Mais elle avait le sentiment que demain, ce serait encore pire. Elle serait sans doute trop occupée pour passer du temps avec Brandon avant son départ. Ce soir était tout ce qu'ils avaient.

L'idée de ne jamais le revoir lui serra soudain le cœur, plus qu'elle ne l'aurait cru. Et elle savait ce qu'elle voulait. Elle voulait des souvenirs qui la soutiendraient et la nourriraient après le départ de Brandon. Ils seraient tout ce qu'elle aurait, dans ses nuits solitaires, quand elle voudrait quelqu'un contre qui se blottir, quelqu'un qui lui ferait l'amour comme il l'avait fait tout à l'heure. Ces nuits-là, quand son corps réclamerait Brandon, elle aurait ses souvenirs pour l'aider à supporter le manque.

Il avait dit qu'il devait lui parler de quelque chose, et une part d'elle devinait ce que c'était. Une déclaration pour dire que passer du temps avec elle, partager un lit avec elle avait été une expérience agréable, mais qu'il devait poursuivre sa route et ne garderait pas le contact. Elle ne pouvait pas lui en vouloir, car il n'avait fait aucune promesse ni n'avait offert aucun engagement. Ce qu'ils partageaient était une aventure de vacances, rien d'autre, et il voulait sans doute s'assurer qu'elle avait bien saisi la situation.

Oh, elle avait saisi !

Et elle n'aurait aucun regret quand il s'en irait. Car, ce soir, elle savait ce qu'elle voulait. Plus que tout, elle désirait passer son temps à faire l'amour, et surtout pas à discuter.

Et personne ne l'empêcherait de suivre ses désirs.

Consciente que Brandon avait les yeux posés sur elle, elle défit la ceinture nouée autour de sa taille pour enlever son peignoir et le laissa tomber au sol. Avec audace, elle traversa la pièce pour le rejoindre, complètement nue. Il se leva et enleva ses vêtements, lui aussi. Pour la seconde fois ce soir, elle se sentit audacieuse, et le regard que Brandon lui lança, tandis qu'il déroulait un autre préservatif sur son sexe en érection, la fit se sentir terriblement désirable. Comme elle ne l'avait jamais été.

Ils restèrent face à face, complètement nus, leurs bouches à peine à quelques centimètres l'une de l'autre. Brandon captura ses lèvres, mais, contrairement à tout à l'heure, il n'y avait rien de tendre dans ce baiser. Celui-ci était ardent, enfiévré, et lui montrait à quel point cet homme magnifique la désirait.

Elle se mit à trembler, une onde de chaleur se propageant jusque dans son sexe déjà moite et brûlant de désir. Comment diable faisait-il pour la mettre dans un état pareil ? Jamais jusqu'alors elle n'avait ressenti quelque chose d'aussi fort, et il allait être très difficile de se passer de ces sensations après les avoir découvertes… Mais ce n'était pas le moment de penser à cela, songea-t-elle, ivre de désir. Cette nuit leur appartenait, et elle comptait bien en profiter.

Elle se pressa sensuellement contre lui et sentit les battements puissants de son cœur contre ses seins gorgés de désir. Stupéfaite par la réaction de son propre corps, elle recula, haletante, et, avant même qu'elle puisse reprendre son souffle, Brandon la guida vers le canapé. Ses jambes semblaient sur le point de céder d'un moment à l'autre, et elle s'affala sur les coussins, tandis que Brandon l'embrassait et la caressait, partout, sans relâche, lui faisant encore un peu plus perdre la tête. Il lui fallut recourir au peu de contrôle qui lui restait pour ne pas s'abandonner aussitôt à l'orgasme et crier de plaisir. C'était encore trop tôt.

Elle aurait voulu qu'il vienne en elle, qu'il la prenne, tout de suite, mais il avait d'autres projets. Saisissant doucement sa main, il la fit se redresser et pivoter. Puis, il se pencha contre son dos et commença à couvrir son cou de baisers, tandis que ses mains s'aventuraient sur son ventre afin de capturer ses seins. Il les caressa doucement, taquina ses tétons sensibles jusqu'à ce qu'ils durcissent sous ses doigts.

— Ecarte les jambes pour moi.

Il avait murmuré sa requête contre son oreille pendant que ses mains s'éloignaient de ses seins pour aller s'insinuer entre les replis de son sexe moite. Il la caressa tout en haletant contre son oreille, de plus en plus fort. Des courants électriques, similaires à des éclairs, la traversèrent. Bientôt, un orgasme la balaya, mais elle avait le sentiment qu'il n'en avait pas encore fini avec elle.

— Penche-toi en avant et tiens-toi au canapé, commanda-t-il d'une voix rauque qui la fit frissonner.

Elle le sentit se presser contre elle. Il souleva ses hanches, puis, lentement mais fermement, la pénétra, allant le plus loin possible dans son intimité.

— Brandon !

Il commença à aller et venir en elle, et elle frissonna de plaisir. Tout en ondulant en elle à un rythme de plus en plus soutenu, il attrapa ses seins et joua de ses doigts pour la conduire au-delà de ses limites, une fois encore.

Elle cria son nom quand elle atteignit de nouveau les cimes du plaisir. Et elle sentit le moment exact où Brandon les atteignit lui aussi. Quand, dans un dernier assaut sur ses sens abandonnés et extatiques, il lui attrapa la tête et prit le contrôle de sa bouche, elle eut l'impression qu'il voulait la marquer comme sienne.

Elle tenta de prendre la pleine mesure de ce baiser, mais, déjà, Brandon la soulevait dans ses bras et la portait jusqu'à la chambre.

La sonnerie du téléphone réveilla Cassie et, d'instinct, elle souleva le combiné. Quand elle entendit la voix de Brandon, engagé dans une conversation, elle se rappela aussitôt l'endroit où elle se trouvait. Brandon avait dû se lever pour prendre une douche, et il avait décroché le téléphone de la salle de bains.

Elle allait raccrocher, mais elle eut soudain l'impression de reconnaître la voix de l'homme à qui Brandon parlait. Non, impossible… Aussitôt, elle s'assit sur le lit et vit bientôt ses soupçons confirmés quand elle entendit Brandon appeler l'homme par son nom.

Pourquoi Brandon parlait-il à Parker Garrison ? Comment se connaissaient-ils ? Mais que se passait-il au juste ?

Envahie par un sentiment de malaise qui ne lui disait rien de bon, elle sortit du lit, et, s'efforçant d'ignorer les courbatures qui lui rappelaient les folies auxquelles elle s'était livrée toute la nuit et le plaisir qu'elle en avait tiré, elle regarda autour d'elle, à la recherche de ses vêtements, et se dépêcha de les ramasser.

Son esprit tourbillonnait de mille questions, tandis qu'elle essayait de contrôler sa fureur. Elle venait de passer sa robe sur sa tête quand Brandon entra dans la pièce.

— Bonjour, mon cœur.

Un terme affectueux qui ne fit qu'attiser sa colère.

Tremblante de rage, elle se retourna et tenta de rester calme tandis qu'elle traversait la pièce pour faire face à Brandon. Une part d'elle ne voulait pas croire que cet homme, qui lui avait fait tendrement l'amour hier soir, qui l'avait emmenée à des niveaux de sensualité inconnus jusqu'alors, pouvait être différent de l'image qu'il donnait.

L'incarnation du parfait gentleman, prévenant et gentil. Et, de surcroît, magnifique. Tout à fait magnifique.

Quelque chose dans son regard avait dû la trahir, car il lui prit la main.

Elle recula d'un pas.

— Qu'y a-t-il, Cassie ? demanda-t-il d'une voix préoccupée.

Avalant la boule qu'elle avait dans la gorge, elle redressa les épaules.

— Dis-moi, Brandon. Comment se fait-il que tu connaisses Parker Garrison ?

6.

Un long silence s'ensuivit. Cassie et Brandon demeurèrent là, face à face. La tension dans la pièce était palpable, presque étouffante. Brandon prit une profonde inspiration. Si seulement il lui avait dit la vérité hier soir, comme il l'avait prévu ! Cassie avait tout découvert toute seule, apparemment. Elle avait dû surprendre sa conversation téléphonique, assez longtemps pour deviner que son interlocuteur était Parker.

— Je t'ai posé une question, Brandon. Comment connais-tu Parker ?

Son ton acéré l'interrompit dans ses pensées, et il devina à son expression qu'elle commençait à se faire sa propre opinion. Ce n'était pas ce qu'il voulait.

— C'est un client.

Elle détourna son visage à la vitesse de quelqu'un qui a été giflé, et il en eut le cœur chaviré. Il l'avait blessée. Profondément. Cette idée l'horrifia, et, à cet instant, il eut l'impression d'être la dernière des ordures.

— Cassie, je…

— Non ! s'emporta-t-elle, lui tournant le dos.

Elle leva une main vers son visage comme pour écarter une mèche errante, mais il la vit essuyer furtivement une larme. Mon Dieu !

— Et que fais-tu au juste pour Parker, Brandon ? Tu es son tueur à gages ? Comme je ne me montre pas assez coopérative, il a décidé de se débarrasser de moi une bonne fois pour toutes ?

— Je suis son avocat, Cassie, dit-il, contrarié par ce qu'elle avait supposé.

— Son avocat ? murmura-t-elle, les yeux écarquillés.

Brandon eut le cœur serré quand il la vit pâlir.

— Oui, avoua-t-il. Je représente Garrison, Inc.

Pendant un instant, elle resta muette, l'air complètement choquée. Puis, ses yeux lancèrent des flammes.

— Est-ce que Brandon Jarrett est ton vrai nom, au moins ?

Il poussa un long soupir avant de répondre.

— Oui, mais ce n'est pas mon nom complet. C'est Brandon Jarrett Washington.

— J'aurais dû m'en douter, lâcha-t-elle, la colère perçant dans sa voix. Tout ce qui est trop beau pour être vrai n'est en général pas vrai. Alors, quelle sorte de bonus Parker t'a-t-il offert pour me faire changer d'avis sur le rachat de mes parts ? s'écria-t-elle. Il t'a sans doute dit d'employer tous les moyens nécessaires ? Eh bien, tu sais quoi, monsieur Washington ? Tu as perdu ton temps à la fac de droit, parce que tu ferais un excellent gigolo !

Elle vibrait tellement de colère que sa voix tremblait, et il se sentit terriblement misérable face à elle.

— Ne dis pas ça, Cassie.

— Ne dis pas ça ? répéta-t-elle, ivre de rage. Comment oses-tu me dire ce que je dois dire ? Tu es venu ici, en prétendant être quelqu'un que tu n'es pas, oui ou non ? Pour m'approcher et coucher avec moi afin de me faire changer d'avis, parce que Parker t'a payé pour le faire !

— Ce n'est pas comme cela que ça s'est passé.

— Oh, vraiment, Brandon ? Es-tu en train de prétendre que tu n'es pas venu ici en me prenant pour cible ? Que notre première rencontre n'avait rien à voir avec Parker ?

Brandon sentit le sol se dérober sous ses pieds. Mais il se refusa à mentir encore.

— Non, je ne le prétends pas. Mais tout a changé une fois que je t'ai connue.

Elle secoua la tête et recula, l'air aussi dégoûtée que si elle venait de découvrir qu'il avait de honteux secrets. Et, d'une certaine manière, songea-t-il avec amertume, c'était le cas. Comment avait-il pu penser une seule seconde que, lorsqu'elle découvrirait la vérité, elle n'imaginerait pas que tout le temps qu'ils avaient passé ensemble et toutes les choses qu'ils avaient faites, que tout cela n'avait été rien de plus que des actes calculés de sa part ?

Comment l'en blâmer ? A la place de Cassie, il aurait sans doute sauté sur les mêmes conclusions.

— Espèce de salaud ! cria-t-elle. Comment as-tu osé te servir de moi de cette façon ? Je veux que tu sortes de mon hôtel ! Et tu peux aller dire à Parker que ta mission a échoué ! Il gèlera en enfer par deux fois avant que je ne lui cède quoi que ce soit !

Il ne lui fallut qu'une minute pour empoigner ses bottes, ramasser son sac et sa veste, et gagner la porte au pas de course.

— Ecoute Cassie, l'implora-t-il en la rattrapant et en posant une main sur son épaule pour l'empêcher de partir, je t'en prie, laisse-moi t'expliquer. J'ai dit à Parker que j'allais tout t'avouer.

Elle se dégagea de son étreinte d'un geste méprisant et lui lança un regard furibond.

— Tu mens !

— Non, je ne mens pas, Cassie. J'ai essayé de te dire la vérité hier soir.

— Je m'en moque ! Tu m'as menti, Brandon, et je ne l'oublierai pas !

Elle ouvrit la porte et, la main sur la poignée, elle se retourna. Il eut juste le temps de voir que ses yeux lançaient des éclairs.

— Et je pensais ce que j'ai dit, espèce de menteur : je veux que tu quittes mon hôtel, sinon je te ferai jeter dehors par mes vigiles !

Puis elle sortit en trombe de la suite.

Brandon étudia la route en se dirigeant vers la maison de Cassie, ne voyant presque rien à cause de la pluie battante.

Quand il avait couru après Cassie, elle était déjà partie dans sa voiture. Alors, il était retourné dans sa chambre, et avait fait ce qu'elle avait exigé. En moins d'une heure, il avait fait ses bagages et quitté l'hôtel.

Ensuite, il avait appelé son pilote pour annuler son vol. Il refusait de quitter les Bahamas avant d'avoir une chance de parler à Cassie, de s'expliquer. Rien n'importait, sauf la convaincre que, si ses intentions n'avaient pas été honorables au départ, après l'avoir connue, il avait su qu'il ne pourrait aller au bout de sa mission. Et il avait tenté de lui avouer la vérité hier soir.

Mais, au fond de lui, il savait que rien de tout cela n'excusait sa conduite aux yeux de Cassie. Il savait aussi qu'elle avait le droit d'être furieuse et bouleversée. Il lui devait des excuses et il avait bien l'intention de les lui présenter, et rien ne pourrait l'en empêcher. Pas même la menace de l'ouragan Melissa.

A l'hôtel, avait-il constaté en rendant sa chambre, c'était le chaos : les gens se hâtaient de régler leur note, personne ne voulant rester sur l'île qui était sur la trajectoire de l'ouragan. Pourtant, avait-il noté, malgré toute cette agitation, les employés de Cassie avaient la situation bien en main et faisaient sortir les clients de manière méthodique et organisée, sans jamais perdre leur calme. Et il avait compris que l'absence de Cassie à la réception de l'hôtel, malgré la gravité de la situation, montrait bien à quel point elle était bouleversée et à quel point il l'avait blessée. Pendant tout le trajet, il s'était traité d'imbécile, priant pour qu'elle accepte d'entendre ses excuses.

Il poussa un profond soupir de soulagement quand il s'engagea dans l'allée de Cassie et vit que sa voiture était là. Avec le temps qu'il faisait, il y avait peu de chances pour qu'elle lui fasse croire qu'elle devait ressortir. Il se gara devant la maison et évalua la distance jusqu'au perron. Avec les trombes d'eau qui n'en finissaient pas, il serait sûrement trempé, mais c'était le cadet de ses soucis. Il lui fallait éclaircir les choses avec Cassie, et il ne voulait même pas envisager l'hypothèse qu'elle refuse de l'écouter.

Il ouvrit sa portière et courut vers la porte d'entrée. Malgré sa rapidité, il était totalement trempé quand il frappa à la porte de Cassie. Il avait vêtu un jean, et le tissu mouillé semblait coller à son corps, le serrant presque.

La porte s'ouvrit d'un coup, et, à en juger par l'expression de Cassie, elle était à la fois surprise et furieuse de le voir.

— Je n'arrive pas à croire que tu aies le culot de venir ici !

— Je suis là parce qu'il faut qu'on parle.

— Faux ! Je n'ai rien à te dire et je te conseille de repartir comme tu es venu.

— On a beaucoup à se dire, et je ne peux pas partir.

— Pourquoi pas ? rétorqua-t-elle, le regard peu amène.

— A cause du temps. La police a recommandé d'éviter de prendre la route dans ces conditions. Si je repars, je risque d'avoir un accident.

Elle le toisa d'un regard encore plus noir.

— Et tu crois que je m'en soucie ?

— Oui, parce qu'il y a une chose que je sais à ton sujet depuis quelques jours, c'est que tu es quelqu'un d'altruiste, Cassie. Et, même si tu penses que je suis un salaud de la pire espèce, jamais tu ne m'enverrais à une mort certaine.

Elle se pencha en avant.

— Tu veux parier ?

Vu l'air de Cassie, la réponse était non. Il ne voulait pas parier, mais il prendrait le risque.

— Oui.

Elle le toisa encore.

— Je suggère que tu ailles dans ta voiture jusqu'à ce que le temps s'améliore pour que tu puisses t'en aller. Tu n'es pas le bienvenu dans ma maison.

— Si je fais ça, je cours le risque d'attraper une pneumonie dans mes vêtements trempés.

A l'évidence peu convaincue par ce qu'il venait de dire, elle était sur le point de lui claquer la porte au nez quand il la bloqua de son pied.

— Ecoute, Cassie, je ne bougerai pas tant que tu ne m'auras pas écouté. Si tu refuses aujourd'hui, alors, dès que tu retourneras à ton hôtel, je ferai un scandale jusqu'à ce que tu acceptes de me voir.

— Essaie et j'appelle la police, menaça-t-elle.

— Oui, tu pourrais, mais imagine la mauvaise publicité que cela ferait à ton hôtel. Je pense que c'est la dernière chose que tu voudrais pour le Garrison Grand Bahamas.

Un long silence s'ensuivit, meublé seulement par le bruit de la pluie qui tombait. Il sut qu'il avait marqué un point. L'hôtel était tout ce qui comptait pour Cassie.

Elle le fixa avec froideur, puis, enfin, fit un pas de côté, l'air furieux.

— Dis ce que tu as à dire et ensuite déguerpis.

Quand il franchit le seuil, il regarda autour de lui et vit qu'au moment où il avait sonné Cassie était en train de fermer les volets anti-ouragan.

— Où sont tes employés de maison ?

— Non pas que ça te regarde, mais je les ai laissés rentrer chez eux avant que la pluie ne fasse rage. Je ne voulais pas qu'ils soient bloqués sur les routes.

— Mais tu n'as pas de scrupules à m'envoyer, moi, sous la pluie, s'exclama-t-il.

— Non, en effet. Qu'est-ce que tu en conclus ?

Il croisa les bras et la toisa lui aussi.

— J'en conclus qu'il faut vraiment qu'on parle. Mais, d'abord, je vais t'aider à fermer les volets.

Etait-il fou ? songea Cassie, interloquée. Elle n'avait aucune intention de le laisser l'aider à faire quoi que ce soit.

— Je ne me souviens pas t'avoir demandé ton assistance, assena-t-elle d'un ton cassant.

— Non, mais je compte t'aider quand même, insista-t-il, se dirigeant vers la fenêtre du salon.

Elle courut après lui.

— Si je t'ai laissé entrer, c'est uniquement pour discuter.

— Je sais, dit-il d'un ton calme. Mais nous pourrons parler plus tard. Il se pourrait qu'un ouragan passe par ici, et John se retournerait dans sa tombe s'il savait que j'ai laissé sa fille sans défense, dit-il en soulevant le levier pour faire descendre le volet.

Cassie eut un air stupéfait et elle s'arrêta net.

— Tu connaissais mon père ?

Il la regarda, conscient qu'il serait tout à fait honnête avec elle à partir de maintenant. Il lui dirait tout ce qu'elle voudrait savoir, tant que ce n'était pas des informations confidentielles entre ses clients et lui.

— Oui, je connaissais John. Je l'ai toujours connu. Mon père, Stan Washington, et lui étaient de proches amis, depuis l'université.

Il vit passer la surprise dans ses yeux.

— Stan Washington était ton père ?

— Oui. Tu l'as déjà rencontré ? demanda-t-il, passant à une autre fenêtre.

— Je l'ai toujours connu, moi aussi. Mais je ne savais rien de personnel à son sujet, sauf que papa et lui étaient amis. C'était lui que maman devait appeler en cas d'urgence, si elle avait besoin de joindre papa.

Brandon hocha la tête. Il savait que son père avait été mis dans la confidence. L'amitié entre John et lui était si forte qu'il n'aurait pu en être autrement. C'était Stan qui avait rédigé le testament de John et qui avait géré seul toutes les questions légales concernant le Garrison Grand Bahamas. Maintenant que Cassie avait repris l'hôtel, elle avait choisi d'autres avocats.

— Et les autres fenêtres ? demanda-t-il.

— J'ai demandé à mes employés de m'aider à les fermer tout à l'heure.

— Bien, murmura-t-il.

Il l'observa. Elle était pieds nus, et portait un corsaire et une chemise. Et, comme dans toutes ses autres tenues, elle était fantastique. Quoique, nue, elle n'était pas mal non plus.

— Maintenant, dis ce que tu as à dire et va-t'en.

Il leva les yeux vers son visage. Elle l'avait surpris en train de la regarder et, apparemment, elle n'aimait pas ça, sans doute parce qu'elle savait quelles pensées il avait en tête.

— Je t'ai apporté mon aide, je mérite au moins une chance de retirer ces vêtements.

Elle redressa les épaules.

— Non, mais quel toupet !

Soudain, il comprit le malentendu.

— Calme-toi, Cassie, dit-il, passant une main sur son visage. Ce n'est pas ce que je voulais dire. Je suggérais juste de faire sécher mes vêtements, sinon je pourrais attraper une pneumonie.

Cassie se mordilla la lèvre pour ne pas lui lancer à la figure que, s'il attrapait une pneumonie, elle espérait qu'il mourrait d'une mort lente et douloureuse. Et puis, elle chassa l'idée de son esprit. Elle n'était pas sans cœur ni cruelle, même s'il était la dernière personne sur terre qui méritait ne serait-ce qu'un soupçon de sa bienveillance.

— Soit, lâcha-t-elle. La buanderie est par ici.

Elle quitta la pièce d'un pas si rapide que Brandon dut trottiner pour la rattraper.

— Et je suggère que tu restes dans cette pièce jusqu'à ce que tes vêtements soient secs.

— Pourquoi ? Tu n'as pas une serviette que je pourrais utiliser en attendant ?

Elle lui lança un regard qui signifiait qu'il était sur un terrain glissant, de plus en plus glissant.

— J'ai une multitude de serviettes, mais je préfère ne pas te voir parader dans l'une d'elles.

— D'accord.

Abruptement, elle cessa de marcher et se tourna pour lui faire face.

— Ecoute, Brandon. Apparemment, tout ce que tu as fait ces trois derniers jours n'était qu'une plaisanterie pour toi, mais moi, ça ne me fait pas du tout rire. Ni même sourire.

La lueur d'amusement dans les yeux de Brandon disparut aussitôt. Quand il reprit la parole, sa voix était à peine audible.

— Non, je ne crois pas que ces trois derniers jours étaient une plaisanterie, Cassie. En fait, je pense que ce sont les trois jours les plus précieux de toute mon existence. La seule chose que je regrette, c'est d'être venu sur cette île en te prenant pour quelqu'un que tu n'étais pas, et, à cause de ça, j'ai commis un acte horrible. La seule chose que je puisse faire maintenant, c'est être honnête avec toi.

Elle refusa de laisser ces mots l'affecter de quelque manière que ce soit. Il lui était impossible de lui faire de nouveau confiance.

— Tout n'était pas fondé sur la tromperie, Cassie. Quand je t'ai fait l'amour, j'étais totalement sincère. Je t'en prie, ne pense jamais le contraire.

— Tu t'es servi de moi, riposta-t-elle, une intense colère dans la voix.

Il effleura le creux sur son menton.

— Non, dit-il d'une voix douce. Je t'ai fait l'amour, Cassie. Je me suis donné à toi comme jamais je ne m'étais donné, librement, complètement, sans aucun égoïsme.

Si elle ne reculait pas maintenant, songea-t-elle à son grand désarroi, ses jambes pourraient lui faire défaut. Mon Dieu, pourquoi se trouvait-elle si démunie face à cet homme, même maintenant qu'elle savait à quel point il l'avait manipulée, à quel point il s'était joué d'elle ?

— La buanderie, c'est tout droit, et la première porte à droite ! lâcha-t-elle enfin en reculant. Et, puisque tu as si peur de tomber malade, tu trouveras un placard avec des serviettes. Mais je te préviens, pendant que tes vêtements sèchent, tu ne bouges pas de la buanderie. J'ai autre chose à faire que de m'inquiéter d'un homme à moitié nu qui se pavanerait dans ma maison. Je dois remplir les baignoires d'eau, au cas où je n'aurais plus d'électricité et que la pompe à eau ne fonctionne plus.

— Et, s'il n'y a plus d'électricité, l'idée d'être ici dans le noir ne te dérange pas ?

— Pour ton information, je ne serai pas là. Dès que tes vêtements auront séché et que tu m'auras dit ce que tu as à me dire, je retournerai à l'hôtel pour apporter mon aide.

— Tu vas sortir par ce temps ?

— C'est ce que j'ai dit, il me semble.

— Tu ne m'as pas écouté quand je t'ai dit que les autorités demandaient aux gens de ne pas prendre la route ?

dit-il d'un ton incrédule, refusant de croire qu'on puisse être aussi borné et têtu.

Elle haussa le menton.

— Oh si, j'écoutais avec autant de concentration que toi quand je t'ai ordonné de partir.

Elle plissa les yeux avant d'ajouter :

— Maintenant, si tu veux bien m'excuser, j'ai des choses à faire. Quand tes vêtements seront secs et que tu seras décent, tu me trouveras dans le salon.

Plissant les yeux, Brandon la regarda tourner les talons et quitter la pièce.

Cassie continua de marcher, les jambes tremblantes, refusant de céder à la tentation de regarder Brandon par-dessus son épaule, une fois encore. Cet homme la troublait de la pire des façons, et la dernière chose dont elle avait besoin, c'était de l'avoir ici sous son toit, surtout quand ils étaient complètement seuls.

Elle secoua la tête. Au moins, Brandon retirerait ce jean trempé. Elle n'avait pas manqué de remarquer à quel point il épousait son corps, telle une seconde peau. Heureusement que Brandon ne l'avait pas surprise en train de le contempler, quand il avait fermé les volets. Elle avait suivi des yeux le moindre de ses mouvements. Son jean mouillé soulignait non seulement ses cuisses musclées, mais aussi ses fesses divines, et son ventre plat et ferme.

Elle poussa un long soupir, dégoûtée d'elle-même. Comment pouvait-elle encore trouver cet homme désirable, après ce qu'il lui avait fait ? Elle n'avait pas voulu accepter son aide pour les volets, mais il ne lui avait pas laissé le choix. Brandon faisait ce qu'il voulait, point. Même maintenant, elle trouvait son comportement totalement inacceptable.

Après avoir rempli les baignoires et s'être assurée qu'il y avait des chandelles dans les endroits stratégiques, et des piles de rechange à côté de sa radio, elle téléphona à l'hôtel. Simon lui affirma qu'il avait la situation bien en main et lui recommanda de rester chez elle et de ne pas essayer de venir par ce temps. La plupart des clients avaient quitté l'hôtel sans accroc. Ceux qui restaient attendraient que l'orage passe au Garrison Grand Bahamas. Si les autorités exigeaient une évacuation complète, alors, ils utiliseraient les fourgonnettes de l'hôtel pour fournir un transport jusqu'aux abris mis en place par le gouvernement. Puis il insista pour qu'elle promette que, si besoin était, elle quitterait sa maison et rejoindrait l'abri le plus proche, elle aussi.

Satisfaite que son personnel ait le contrôle de la situation, elle raccrocha et se dirigea vers les portes vitrées du salon, pour jeter un regard à l'extérieur. L'océan semblait furieux et déchaîné. La plus récente prévision météo qu'elle ait entendue — du moins la plus positive — disait que Melissa allait s'affaiblir avant de traverser les Bahamas. Mais Cassie vivait sur l'île depuis assez longtemps pour savoir qu'il y avait aussi un risque que l'ouragan s'intensifie une fois qu'il atteindrait les terres.

Elle leva les yeux vers le ciel. Même si on était au milieu de l'après-midi, le ciel s'était assombri et avait pris une teinte noir velours, tandis que les nuages s'épaississaient. D'énormes gouttes de pluie mouillaient la terre, et des vents forts agitaient les arbres d'avant en arrière. Elle se frotta les bras, l'air frais la faisant frissonner. Même si Melissa montait à une catégorie quatre, Cassie n'avait pas peur de perdre sa maison. Son père avait construit cette demeure pour qu'elle la protège de presque tout.

« Sauf de la souffrance. »

Il lui sembla que les mots s'infiltraient dans son esprit comme un murmure. Elle prit sa tête entre ses mains, tandis que la douleur l'engloutissait, et que les émotions bataillaient en elle. Etrange, songea-t-elle en prenant une profonde inspiration. Après ce que Jason lui avait fait, elle n'avait pas versé la moindre larme. Pourtant, tout à l'heure, elle avait pleuré à cause de la souffrance que Brandon lui avait causée. Et, à l'intérieur, son cœur pleurait encore.

Soudain, Cassie leva la tête. Elle sentit le parfum de

Brandon avant même de l'entendre arriver. Elle savait qu'il était là et avait deviné le moment exact où il était entré dans la pièce. Cependant, elle n'était pas encore prête à se retourner, du moins pas avant d'avoir remis son armure en place. Pour une raison qu'elle n'avait pas encore saisie, Brandon Jarrett Washington était entré dans son cœur, et, malgré toute la colère qu'elle éprouvait envers lui, il la troublait.

— Cassie ?

Elle se raidit quand le son de sa voix parvint jusqu'à elle. Elle tenta d'ignorer son ton rauque, et les frissons qu'il faisait naître en elle. En priant en silence pour que Dieu lui donne la force nécessaire et lui permette de garder sa raison, lentement, elle se tourna vers Brandon.

Malgré la pénombre, Cassie distinguait clairement sa silhouette. Il se tenait devant la porte, très droit et, fort heureusement, il avait remis ses vêtements. Quand il entra dans la pièce, une vague de chaleur la parcourut.

Apparemment, elle s'était réjouie trop vite. Parce que, même tout habillé, dans son jean à présent sec et sa chemise, Brandon était encore irrésistible. Et, bien malgré elle, elle réagissait à sa présence comme une midinette, et cette idée l'affligeait. Le silence qui les enveloppait était en complet contraste avec la fureur de l'orage qui se déchaînait dehors.

Elle serra les poings quand il traversa lentement la pièce pour arriver jusqu'à elle. Sans la quitter des yeux, il lui tendit la main.

— Viens, Cassie, lui enjoignit-il dans un murmure. Asseyons-nous, j'ai des choses à te dire.

7.

Cassie considéra la main que Brandon lui offrait. Cette main qui avait exploré son corps toute la nuit et qui avait participé à leurs ébats sans retenue. Maintenant qu'elle avait découvert la trahison de Brandon, elle avait trop mal pour accepter quoi que ce soit venant de lui. Elle écouterait ce qu'il avait à dire, mais rien de plus.

Refusant d'accepter sa main tendue, elle reporta son regard sur son visage.

— Tu peux t'asseoir sur le canapé. Je prendrai le fauteuil, dit-elle, les lèvres serrées.

Brandon se dirigea d'un pas lourd vers le canapé. De toute évidence, Cassie n'avait pas l'intention de lui faciliter les choses, et il ne pouvait lui en vouloir. Il lui avait fait du mal, et réparer ses torts serait une tâche des plus ardues. Il n'était même pas sûr qu'il puisse réussir, mais il essaierait. L'angoisse monta en lui, mais il refusa de la laisser l'envahir. Il fallait que Cassie comprenne. Il le fallait.

Une fois installé sur le canapé, il chercha à attraper son regard, mais elle regardait partout, sauf dans sa direction. Des images d'elle, lors de leur première rencontre, ce soir-là sur la plage, lui revinrent à l'esprit. Même avant de savoir qui elle était, se rappela-t-il, il avait été irrésistiblement attiré, il avait voulu la connaître, se rapprocher d'elle. Lui faire l'amour. Et cela, il fallait qu'elle l'entende.

Il s'agita sur son siège. Un intense désir s'emparait de lui et menaçait de lui faire perdre le contrôle. Ce n'était pas le moment d'éprouver une telle attirance, et, si Cassie remarquait quoi que ce soit, elle n'apprécierait pas, pour sûr.

— Veux-tu boire quelque chose, Brandon ?

Il leva les yeux, surpris qu'elle lui propose quoi que ce soit.

— Oui, s'il te plaît.

Elle quitta la pièce, et cela lui laissa quelques moments pour réfléchir. Dans un sens, c'était un étrange tour du destin qui avait mis Cassie et lui sur la même route. L'amitié de leurs pères avait duré de l'université jusqu'à la mort, et, à moins qu'il règle le problème entre eux, Cassie et lui pourraient très bien devenir des ennemis jurés. Ce n'était pas ce qu'il voulait, vraiment pas.

Cassie revint quelques instants plus tard, avec deux verres de vin. Au lieu de lui tendre directement le sien, elle le posa sur la table basse près de lui. De toute évidence, elle n'avait aucune intention de le toucher de quelque manière que ce soit. Il prit son verre et avala une gorgée. Si leur relation en était arrivée à ce stade si déplorable, songea-t-il avec amertume, il en était l'unique responsable.

— Tu voulais me parler.

Ces mots lui rappelèrent la raison de sa présence ici, sans parler de la froideur distincte qui flottait dans l'air. Avant de répondre, il but une autre gorgée de vin.

— Comme tu le sais, les Garrison ne connaissaient pas ton existence jusqu'à la lecture du testament de John. Je n'irais pas jusqu'à avancer que personne ne soupçonnait sa double vie, mais je peux dire sans me tromper que personne ne savait qu'un enfant était né de sa liaison. Tu as été une surprise pour tout le monde.

Comme elle ne faisait aucun commentaire et que rien ne transparaissait sur son visage, il poursuivit.

— Mais ce qui a été une plus grande surprise encore, c'est le fait que John t'ait laissé un nombre de parts égal à celui de Parker, et le pouvoir de décision qui va avec. Ça, ça a été un choc pour nous tous, et surtout pour Parker, qui est le fils aîné et sans doute le plus ambitieux des enfants de John. Toute la famille supposait que, si quoi que ce soit arrivait à John, Parker obtiendrait la majorité des parts du groupe. Tout le monde l'avait accepté sans mal. Un tel geste n'aurait été que justice, puisque John avait confié les rênes de Garrison, Inc. à Parker pour son trente et unième anniversaire. Et Parker avait accompli un travail formidable depuis. Donc, j'espère que tu peux comprendre pourquoi il était non seulement blessé et déboussolé, mais aussi extrêmement perturbé.

Brandon lui lança un coup d'œil et il sentit un frisson glacé le parcourir. A l'expression de Cassie, il était clair qu'elle ne comprenait pas ce qu'il était en train de lui expliquer. Ou qu'elle ne voulait pas comprendre. Mais, dans les deux cas, elle semblait de plus en plus furieuse.

— Comme je te l'ai dit tout à l'heure, reprit-il néanmoins, c'est mon père qui a rédigé le testament de John, alors je ne savais rien jusqu'à ce que je lise le document, quelques jours avant de le présenter à la famille. Quand j'ai découvert la vérité, je savais que la lecture ne serait pas chose facile.

Il prit une profonde inspiration.

— En suivant la procédure normale dans ce cas de figure, nous avons pris des mesures pour contester le testament, mais nous avons découvert qu'il était inattaquable. Et...

— J'imagine que Parker s'est calmé et qu'il y a réfléchi à deux fois avant d'exiger un test ADN, l'interrompit-elle d'un ton cassant.

— Oui, je lui ai conseillé de ne pas tenter ce genre d'action, car rien de bon n'en sortirait. John t'avait déclarée comme sa fille, c'était ainsi. D'ailleurs, il n'y avait aucune raison de croire que tu étais une usurpatrice. Parker et toi avez pris contact, et il t'a offert de racheter tes parts de la compagnie. Tu as refusé.

— Et cela aurait dû s'arrêter là ! fulmina-t-elle.

Brandon ne put s'empêcher de sourire.

— Oui, sans doute. Mais c'est là que Parker et toi vous ressemblez.

Comme elle haussait ses sourcils bien dessinés, il s'expliqua.

— Vous êtes tous les deux très obstinés.

Elle plissa les yeux, méfiante.

— C'est ton opinion.

Inutile de se disputer avec elle en arguant que c'était ce qu'il avait constaté surtout après avoir passé du temps avec elle. Même si Parker et elle ne s'étaient jamais officiellement rencontrés, la raison première pour laquelle ils ne s'entendaient pas, c'était parce qu'ils se ressemblaient de bien des façons. En plus d'être têtus comme des mules, tous deux étaient ambitieux et avaient soif de succès. Apparemment, John avait reconnu cette qualité chez ses deux enfants et avait cru qu'ensemble, ils feraient du bon travail pour faire prospérer l'empire qu'il avait créé.

— Mais tu n'as pas fait tout ce foin pour que j'écoute dans le seul but de me raconter ce que je savais déjà, non ? Que voulais-tu me dire, Brandon ?

Il leva les yeux vers Cassie et prit une longue inspiration avant de déclarer :

— Je voulais m'excuser pour avoir agi comme je l'ai fait. Pour avoir présumé nombre de choses fausses à ton sujet. Et, Cassie, ajouta-t-il doucement, j'espère que tu trouveras dans ton cœur la force de me pardonner.

Cassie n'était pas prête à dire si elle lui pardonnerait ou non. A cet instant, la réponse penchait plutôt vers le non. Cependant, Brandon avait piqué sa curiosité.

— Et quelles choses au juste as-tu présumées à propos de moi ?

Brandon n'hésita qu'une seconde. Il s'était juré de lui dire toute la vérité et il allait le faire.

— Avant de te répondre, il faut que je commence par le commencement. Quand tu as décidé d'être une force avec laquelle compter, en ne répondant pas aux lettres de mon cabinet et en ne donnant plus suite aux multiples appels de Parker, il a été décidé que je viendrais te rencontrer, pour te faire une offre en personne. Nous avons également décidé que j'allais d'abord venir voir si je pouvais rassembler des informations intéressantes à ton sujet, afin d'avoir un moyen de pression sur toi si tu persistais dans ton refus de vendre tes parts.

Vu le regard acéré qu'elle lui adressa, il sut qu'elle était surprise par son honnêteté si brute. Et, apparemment, elle n'avait pas apprécié ce qu'elle venait d'entendre.

— Tu es peut-être obstinée, Cassie, mais moi, je suis un homme qui aime gagner. Je suis un avocat qui se bat toujours pour ses clients, par tous les moyens… tant qu'ils restent dans le cadre de la légalité. Garrison Inc. est mon plus gros client, et il était hors de question pour moi que Parker n'obtienne pas ce qu'il voulait. C'était envers lui que ma loyauté était engagée.

Cassie se redressa sur son fauteuil et se pencha en avant. Ses yeux lançaient des flammes.

— Oublie tout le baratin légal, Brandon ! As-tu envisagé un instant que ton plan était contraire à la déontologie ?

A son tour, il se pencha en avant.

— A ce moment-là, vu ce que je supposais sur ton compte, non, je ne pensais pas que ce que je comptais faire était contraire à la déontologie. Par ton refus de discuter la question des parts majoritaires du groupe de façon professionnelle, avec Parker, j'ai vu tes actes comme ceux d'une jeune femme irréfléchie, gâtée, entêtée, égoïste et imbue d'elle-même.

C'en était trop ! Cassie traversa la pièce d'un pas furieux pour se retrouver face à lui. Mains sur les hanches, elle le toisa d'un œil noir.

— Tu ne me connaissais même pas ! Comment oses-tu porter de tels jugements sur moi ?

Il se leva pour qu'ils soient face à face.

— Et c'était bien là le problème, Cassie. Personne ne te connaissait, et il était évident que tu voulais que les choses restent ainsi. Tu voulais te tenir à l'écart d'une famille qui, elle, avait vraiment envie de te rencontrer, en toute bonne foi. Et, si mon opinion initiale — avant que je ne te rencontre — paraît un peu dure, eh bien, tout ce que j'ai à dire pour ma défense, c'est que c'est l'image que tu as donnée de toi à tout le monde.

Cassie se détourna, consciente qu'il disait vrai. Elle portait encore le deuil de sa mère quand elle avait appris le décès de son père. Il avait été enterré sans qu'elle puisse lui dire un dernier adieu, et une part d'elle-même en voulait aux Garrison de Miami d'avoir laissé cela se produire. Mais, à ce moment-là, en fait, ils ne savaient pas qu'elle existait, même si elle savait qu'elle avait des frères et sœurs. L'auraient-ils voulu qu'ils n'auraient même pas su comment la contacter.

— Imagine ma surprise, continua Brandon, quand je suis arrivé ici et que je t'ai rencontrée. Tu n'étais pas du tout comme nous l'avions imaginé. Il ne m'a pas fallu longtemps pour découvrir que tu n'étais pas le moins du monde indifférente aux autres, entêtée, égoïste ou imbue de ta personne. La femme que j'ai rencontrée, la femme qui m'a énormément attiré, avant même de connaître sa véritable identité, ce soir-là sur la plage, était une femme généreuse, humaine et altruiste.

Comme Cassie tournait la tête et le regardait, il avança d'un pas.

— Elle était aussi d'une beauté époustouflante, pleine de vie, sexy, désirable et passionnée, dit-il d'une voix sensuelle et rauque. C'était une femme qui pouvait provoquer une vague de chaleur dans tout mon corps d'un simple regard, une femme qui faisait naître en moi des sensations inconnues, qui me submergeaient chaque fois que j'étais près d'elle.

Il se pencha encore.

— Et c'est la femme dont je brûlais d'embrasser les lèvres chaque fois qu'elles étaient près des miennes. Comme à cet instant.

Un gémissement de désir involontaire s'échappa des lèvres de Cassie. Les paroles de Brandon avaient allumé un feu en elle, et, tandis qu'elle le regardait dans les yeux, elle y vit briller la lueur de désir qui lui était devenue familière. Ils étaient près, si près l'un de l'autre que le corps de Brandon était pressé de façon intime contre le sien, et que son érection était perceptible contre son ventre.

Elle frissonna sous la chaleur du corps de Brandon. Une chaleur tout à fait exquise, et dans laquelle elle était sur le point de se perdre. Et puis, il y avait son parfum masculin, qui provoquait un besoin primaire en elle. C'était un besoin dont elle ne connaissait même pas l'existence jusqu'à ce qu'elle rencontre Brandon, et qu'elle découvre qu'il avait la capacité de l'emmener à un degré de passion tout à fait extraordinaire.

Elle savait qu'il allait l'embrasser. Elle savait aussi qu'il était en train de temporiser, lui donnant ainsi l'occasion de reculer et de nier ce que tous deux désiraient. Mais ce n'était pas ce qu'elle voulait. Même s'il leur restait encore beaucoup à dire, beaucoup de choses à régler, elle sentait qu'à cet instant ils avaient besoin de faire une pause.

Besoin de s'abandonner à un baiser follement époustouflant.

Renonçant à réfléchir, elle approcha son visage du sien, et, du bout de la langue, suivit le tracé de ses lèvres en une caresse voluptueuse. Elle vit la surprise se peindre sur son visage et ses pupilles s'assombrir juste quelques secondes avant qu'un râle profond ne s'échappe de sa gorge. Il noua les bras autour de sa taille, et, tel un oiseau de proie, il fondit sur elle et captura ses lèvres.

Il l'embrassa avec une telle passion qu'elle en frissonna. Et, quand il commença à unir sa langue à la sienne, avec une maîtrise qui la fit presque chanceler, elle laissa échapper un gémissement du fond de sa gorge.

Il avait la saveur du vin qu'il venait de boire, et son parfum était un mélange de pluie et de virilité. Et il la consumait avec une telle efficacité qu'elle ne pouvait que se laisser faire et gémir de plaisir.

Il libéra sa bouche. Sa respiration était lourde quand il dit d'une voix rauque :

— Si tu ne veux pas de ce que je suis sur le point de te donner, arrête-moi maintenant, Cassie. Sinon, je doute de pouvoir m'arrêter moi-même plus tard.

Elle n'avait aucune envie de l'arrêter. En fait, elle avait bien l'intention de l'aider. Pour le prouver, elle sortit sa chemise de son pantalon, avant d'ouvrir le bouton de son jean. Et, avec une audace qu'elle ne s'était découverte qu'hier soir, elle glissa la main à l'intérieur de son caleçon et referma les doigts autour de son sexe déjà gonflé de désir, qui se durcit encore sous l'effet de sa caresse.

— Je veux être en toi, Cassie, murmura-t-il d'une voix sexy dans son oreille. Je veux sentir ton sexe chaud autour du mien. Je veux te faire l'amour jusqu'à ce qu'aucun de nous ne puisse plus tenir debout. Et, ensuite, quand nous aurons repris nos forces, je veux recommencer, encore et encore. Je veux m'enfouir en toi si profondément qu'aucun de nous ne saura à quel point nos corps sont liés.

Ces mots érotiques firent naître en elle une flamme qui s'embrasa dans son corps, et son sexe devint moite d'anticipation.

— Alors, vas-y, Brandon. Fais-le. Prends-moi. Maintenant.

Pour Brandon, les désirs de Cassie étaient des ordres. Il l'allongea délicatement sur le tapis persan avec lui et, rapidement, se mit à lui enlever ses vêtements. La partie logique de son cerveau lui commandait de ralentir, car Cassie n'allait pas se sauver, mais une autre partie, ivre de désir et réclamant satisfaction, lui soufflait qu'au contraire il n'allait pas assez vite.

Quand Cassie fut complètement nue, il commença à enlever ses propres vêtements. Et Cassie lui offrit son aide, soulevant sa chemise au-dessus de sa tête et faisant glisser son jean le long de ses jambes.

Il émit un long gémissement quand elle monta à califourchon sur lui et entreprit de l'explorer partout avec sa langue, en commençant par son cou. Elle alla en descendant, goûtant les tétons durcis sur son torse, avant de s'arrêter plus bas et de lui donner des coups de langue avides autour du nombril. Elle laissa une trace humide de son nombril jusqu'à son sexe en érection, entouré de boucles serrées et sombres.

Cassie s'arrêta juste assez pour lever la tête et regarder Brandon avant d'attraper l'objet de son désir entre ses mains. Baissant la tête, elle poussa un profond soupir avant de poser sa bouche sur son sexe. Ensuite, elle prit son temps, simplement, déterminée à lui donner le même plaisir que celui qu'il lui avait donné la nuit dernière.

Il arqua son corps vers le haut, se décollant presque du sol, et poussa un profond gémissement avant de redescendre et d'enfoncer la main dans ses boucles brunes. Elle crut qu'il allait l'écarter de lui. Au lieu de cela, il emmêla ses doigts dans ses cheveux et continua de gémir et de haleter. Ensuite, il prononça son nom, encore et encore, du fond de sa gorge. La musique érotique fit vaciller ses sens, et son sexe déjà moite pulsa de désir.

— Arrête, supplia-t-il, usant de ses mains pour la faire remonter vers lui.

Alors, il captura ses lèvres. L'embrassa avec un besoin primaire. Et, soudain, elle se retrouva sur le dos, les jambes haussées sur les épaules de Brandon. Le regard fou de désir, il lui souleva les hanches, et, avant qu'elle puisse reprendre son souffle, il la pénétra d'un brusque coup de reins, s'enfonçant en elle jusqu'à la garde.

Et puis, il répéta ces mouvements dont elle se souvenait si bien. Elle essaya d'empoigner ses fesses, mais il bougeait trop vite. Alors, elle agrippa ses bras puissants, qui maintenaient ses hanches en place.

Leurs regards se croisèrent. Se rivèrent l'un à l'autre. Il continuait d'aller et venir en elle, si vite et si fort que des gouttes de sueur perlèrent sur son front et tombèrent sur ses seins. Et puis, elle sentit son corps trembler dans un orgasme si bouleversant qu'elle se cambra sous lui, en criant son nom et en enfonçant ses ongles dans ses bras.

Peu après, Brandon rejeta sa tête en arrière et cria à son tour son nom à elle. Elle le sentit exploser en elle et contracta ses muscles intimes, parcourue par des frissons qui durèrent bien au-delà de la jouissance. Des frissons d'un genre nouveau, dont la signification la laissa pantelante.

Car elle sut à cet instant, sans l'ombre d'un doute, qu'elle était tombée amoureuse de Brandon Washington.

— L'électricité est coupée.

Cassie se réveilla en sursaut quand elle sentit un mouvement à côté d'elle. Elle se souvint rapidement où elle était. Sur le sol, dans le salon de sa maison, nue. Elle s'était assoupie après avoir fait l'amour avec Brandon. A plusieurs reprises.

Elle plissa les yeux dans l'obscurité, la chaleur de Brandon lui manquant déjà. Il était debout à quelques pas d'elle.

— J'ai préparé des bougies, l'informa-t-elle. Il faut juste que j'aille les allumer.

— Tu pourras distinguer ton chemin dans le noir ?

— Avec ça, oui, dit-elle, tendant le bras vers une grosse lampe de poche à côté d'elle. Je me doutais que nous pourrions avoir une coupure de courant, alors j'avais pris mes précautions.

Elle dirigea le faisceau de lumière vers lui et, voyant son corps nu, elle se concentra sur une partie en particulier.

— Est-ce que ce truc redescend parfois ? plaisanta-t-elle.

— Non, dit-il en souriant, pas quand tu es dans les parages.

Il marcha jusqu'à elle.

— Où est ta radio ?

— Sur la table là-bas.

— Laisse-moi t'emprunter ça une seconde, dit-il, empoignant la lampe de poche. Je ne connais pas ta maison aussi bien que toi.

Lentement, il tourna dans la pièce. Quand il repéra la radio, il alla la mettre en marche. Le rapport météo qui s'en échappa annonça de bonnes nouvelles. L'île avait été épargnée par Melissa, mais une autre île de l'archipel n'avait pas eu autant de chance. Le plus fort de l'orage était passé, et le courant devrait être rétabli, pour ceux qui en étaient privés, dans le cours de la matinée.

Cassie traversa la pièce.

— Je vais téléphoner, pour m'assurer que tout va bien à l'hôtel.

— D'accord. Pendant ce temps, je vais m'habiller et voir comment ça se passe dehors.

Quand Brandon revint, il trouva Cassie dans la cuisine. Elle avait remis ses vêtements et était au-dessus d'un brûleur… en état de marche. Devant son air étonné, Cassie expliqua :

— Maman préférait le gaz pour cuisiner, alors, au moins, on ne va pas mourir de faim.

Il hocha la tête et s'appuya contre le cadre de la porte.

— Comment ça se passe à l'hôtel ?

— Bien. Le courant a été coupé, mais le groupe électrogène a pris le relais. Quelques arbres tombés, mais pas de dégâts majeurs. Et, dehors, comment est-ce ?

— Pareil. Quelques arbres tombés, à part ça, rien de très grave. Et il pleut toujours des cordes.

Il se pencha au-dessus de la plaque de cuisson pour voir ce que Cassie mélangeait dans la casserole.

— Qu'est-ce que tu cuisines ?

Elle lui sourit.

— La soupe de conques de l'autre soir. Je l'ai sortie du congélateur. Tu as dit que tu avais aimé.

— C'est vrai. C'est bon de savoir que tu comptes me nourrir.

Elle rit.

— Ce n'est pas la seule chose que je compte faire avec toi, alors, il faut que je t'aide à préserver tes forces.

Il se plaça derrière elle et la prit par la taille, la plaquant contre lui.

— Pour toi, j'aurai toujours des forces. Qu'est-ce que je peux faire pour t'aider ?

— Poser les bols et les couverts sur la table, et nous verser du thé.

Quelques instants plus tard, ils s'installèrent à table, et Brandon décida d'utiliser ce temps pour finir la discussion commencée plus tôt.

— Alors, maintenant, tu sais pourquoi j'ai fait ce que j'ai fait, Cassie. Je ne dis pas que c'était bien.

Comme elle plissait les yeux, il changea de stratégie.

— D'accord, c'était mal, concéda-t-il, mais tu ne nous as pas facilité la tâche, de ton côté.

Elle recula sur sa chaise.

— Dis-moi, Brandon. Quelle partie du mot « non » Parker n'a-t-il pas comprise ? Non, ça veut dire non. Il m'a demandé si je voulais lui vendre mes parts, et j'ai refusé en disant que je n'étais pas intéressée. Quel était son but en me rappelant, alors que ma réponse n'allait pas changer ?

— La raison pour laquelle il refusait d'abandonner, c'est parce que c'est un vrai homme d'affaires, Cassie. Parker est un homme habitué à obtenir ce qu'il veut, surtout si c'est quelque chose dont il pense que cela doit lui revenir de droit. D'ailleurs, tu n'as jamais pris le temps d'écouter ce qu'il avait à t'offrir.

— Cela n'aurait rien changé. Ce que papa m'a légué était un cadeau, et il était hors de question pour moi de vendre mes parts, quel que soit le montant que Parker m'offrait. Et, s'il continue, tu le défendras dans un procès pour harcèlement moral.

Brandon la dévisagea un instant. Fichtre, elle était sérieuse ! Il ne put s'empêcher de rire.

— Qu'y a-t-il de si drôle ? dit-elle, le sourcil arqué.

— Toi, Parker, et vos autres frères et sœurs, mais surtout Parker et toi. Au début, je me suis demandé ce qui avait bien pu passer par la tête de John, quand il a rédigé ce testament. A présent que je te connais, je crois avoir compris.

— Eh bien, aurais-tu l'amabilité de me faire profiter de tes lumières ?

— Bien sûr. Comme je te l'ai dit, Parker et toi vous ressemblez beaucoup, et je crois que John le savait aussi. Hormis le fait que vous êtes tous deux de fortes têtes, vous avez un goût inné pour la réussite. Apparemment, John a imaginé qu'ensemble Parker et toi pourriez perpétuer l'empire qu'il avait commencé.

Elle secoua la tête.

— Ça ne peut pas être ça. Papa savait que j'adore vivre ici. Lui, plus que quiconque, savait à quel point les îles m'ont manqué quand je faisais mes études à Londres. Diriger le groupe avec Parker signifierait pour moi aller vivre à Miami, et papa savait que j'en serais incapable. Je lui ai dit, à mon retour de l'université, que je ne quitterais plus jamais l'île. C'est ma maison, et c'est là que je veux vivre.

— Alors, pourquoi penses-tu qu'il vous ait confié le contrôle du groupe, à Parker et à toi ?

Cassie inspira.

— J'aimerais bien le savoir.

Brandon prit un air soudain sérieux.

— Dans ce cas, écoute ma théorie. John adorait tous ses enfants, il n'y a aucun doute là-dessus dans mon esprit. Je crois aussi qu'il connaissait leurs forces… aussi bien que leurs faiblesses. Sans rien enlever aux autres, je pense qu'il a vu en toi et en Parker deux maillons forts, à cause de votre sens aiguisé des affaires. Parker est un excellent entrepreneur, c'est le digne fils de son père. Il a fait un merveilleux travail chez Garrison Inc. pendant que John était en vie, alors votre père a pu mesurer l'étendue de ses capacités. Et j'ai pu constater moi-même quel travail fantastique tu as accompli dans ton hôtel. John savait ce dont tu étais capable, toi aussi. A vrai dire, je ne crois pas qu'il ait jamais eu l'intention de partager les rênes du groupe entre Parker et toi. Vos deux personnalités sont trop fortes pour ça, et il le savait. Je crois qu'il t'a confié ce pouvoir pour servir de contrepoids à Parker, chaque fois que ce sera nécessaire.

Elle le regarda, songeuse.

— Si ce que tu avances est vrai, alors, ça ne servirait à rien que je vende mes parts à Parker. Ce serait aller à l'encontre des souhaits de papa.

— En effet.

Elle l'étudia un long moment.

— Tu n'as pas oublié que tu es l'avocat de Parker, dis-moi ?

— Non, dit-il en riant, je n'ai pas oublié. Et ce n'était pas l'avocat de Parker qui parlait à l'instant. Je parlais en tant qu'ami… et amant.

Il marqua une pause avant d'ajouter :

— J'aimerais faire une suggestion.

— Laquelle ?

— Prends quelques jours de congé et viens à Miami avec moi. Tu rencontreras Parker, ainsi que tes autres frères et sœurs. Je sais de source sûre qu'ils aimeraient beaucoup faire ta connaissance.

— Je ne suis pas prête, Brandon.

— Je crois que tu l'es, Cassie. Et je pense que c'est ce que John aurait voulu. Sinon, il t'aurait légué l'hôtel, et rien d'autre. Mais ce n'est pas le cas. Il a fait en sorte que, tôt ou tard, tu aies à les rencontrer. Et, d'ailleurs, pourquoi ne voudrais-tu pas les connaître ? Ce sont tes frères et sœurs. Ta famille. Le même sang coule dans vos veines. Et puis, dit-il en riant, vous vous ressemblez drôlement.

— Ah bon ?

— Oui. Vous avez tous cette même fichue fossette juste là, dit-il, caressant son menton.

Elle leva la tête, essayant d'empêcher les sensations que sa caresse faisait naître de la submerger.

— C'est un creux, Brandon.

Il rit, retira sa main, mais pas avant d'avoir effleuré ses lèvres d'un baiser.

— Appelle-la comme tu veux, chérie.

Son mot affectueux provoqua un tremblement dans sa poitrine, et elle sentit son cœur se gonfler d'amour.

— Parle-moi d'eux, Brandon, dit-elle doucement.

Le fait qu'elle fasse preuve d'intérêt pour sa famille était un grand pas, songea Brandon.

— D'accord, acquiesça-t-il, réprimant un sourire. Je t'ai dit l'essentiel sur Parker. Il a trente-six ans. Et, s'il s'est montré arrogant la fois où tu lui as parlé au téléphone, il n'empêche que c'est vraiment quelqu'un de bien. C'était un bourreau de travail jusqu'à il n'y a pas si longtemps, mais, depuis son mariage, il a changé. Sa femme, Anna, est vraiment celle qu'il lui fallait. C'était son assistante avant de devenir son épouse.

Il prit une gorgée de thé avant de poursuivre :

— Stephen a trente et un ans. Comme Parker, il a un fort caractère, et c'est un homme sur qui on peut compter. Il est marié à Megan. Ils ont une fille de trois ans, qui s'appelle Jade.

— Attends, l'interrompit Cassie, songeuse. Corrige-moi si je me trompe, mais il m'avait semblé que Stephen s'était marié il y a quelques mois.

— Oui, c'est ça, dit Brandon avec un sourire.

— Et il a une fille de trois ans ?

— Oui. Megan et lui ont eu une liaison il y a quelques années, et elle est tombée enceinte. Il n'était pas au courant de sa paternité jusqu'à il y a quelques mois. Maintenant, ils sont de nouveau ensemble et ils sont très heureux.

Un immense sourire fleurit sur les lèvres de Brandon.

— Et puis, il y a Adam, continua-t-il. Lui et moi partageons un lien très fort, et je le considère comme mon meilleur ami. En conséquence, je passe plus de temps avec lui qu'avec les autres garçons de la famille. Il a trente ans et il dirige un night-club très coté, l'Estate. Et enfin, les dernières mais non les moindres, les jumelles, Brooke et Brittany. Elles ont vingt-huit ans. Brittany s'occupe d'un restaurant appelé le Brittany Beach, et Brooke d'une luxueuse résidence, le Sands.

Cassie prit une gorgée de son thé avant de demander :

— Et la femme de mon père ?

Brandon la regarda par-dessus le bord de son verre.

— Que veux-tu savoir ?

— Je suis certaine qu'elle n'était pas ravie d'apprendre pour ma mère.

Brandon posa son verre et la regarda dans les yeux.

— Non, c'est le moins qu'on puisse dire. Mais apprendre que tu existais a été un plus grand choc encore. Pour ma part, je pense qu'elle se doutait que John avait une double vie avec une autre femme. Mais savoir qu'il avait un enfant a été comme un coup de massue. Comme tu l'imagines, elle a très mal pris la nouvelle.

Brandon décida de ne pas fournir à Cassie de détails

sur Bonita, en particulier sur son problème d'alcoolisme. Mais il y avait une chose qu'il lui dirait.

— Si tu décides de venir à Miami avec moi, je vais être franc avec toi, Bonita Garrison risque de ne pas du tout apprécier. Crois-moi, ça ne la dérangerait pas le moins du monde si tu décidais de disparaître de la surface de la terre.

Cassie faillit s'étouffer avec son thé. Une fois de plus, Brandon l'avait surprise. Maintenant qu'il avait décidé de lui dire toute la vérité sur tout, il faisait preuve d'une honnêteté pour le moins brutale.

— Si elle pense comme ça, alors je suis sûre que…

— Les autres ne pensent pas comme elle, l'interrompit-il, devinant ses suppositions. Bonita n'a aucune influence sur la façon dont pensent ses enfants, en aucune façon. Viens à Miami avec moi, Cassie, et tu le verras par toi-même.

Elle passa les mains dans ses cheveux et recula sur sa chaise.

— Je crois que tu ne mesures pas ce que tu me demandes, Brandon.

— Moi, je crois que si. C'est le bon choix que je te propose. Je le sais, et tu le sais aussi. Cette amère bataille entre Parker et toi ne peut durer indéfiniment. Tu crois que c'est ce que John aurait voulu ?

— Non.

— Moi non plus.

Il l'observa, songeur.

— Tu me promets que tu vas au moins y réfléchir ? dit-il, prenant sa main dans la sienne.

— Oui, je te le promets.

— Et accepteras-tu mes excuses pour t'avoir menti, Cassie ? J'avais tort, mais je t'ai expliqué mes motifs.

Oui. Et il avait essayé de lui dire la vérité hier soir, et, s'il n'avait attendu d'elle qu'une simple aventure sexuelle, il aurait pu obtenir ce qu'il cherchait le soir où elle l'avait invité à dîner chez elle. Mais il avait résisté à ses avances. Et, même la veille, c'était elle qui avait fait le premier pas, pas lui.

Elle le regarda. Elle devinait qu'il savait parfaitement qu'il l'avait blessée, et il en était profondément désolé.

— Oui, maintenant que tu m'as tout expliqué, j'accepte tes excuses.

Elle vit le soulagement se peindre sur son visage.

— Et, autre chose…, commença-t-il d'un ton hésitant. Je n'ai utilisé aucune protection quand nous avons fait l'amour, alors si tu tombes…

— Aucun risque. Je prends la pilule et, d'autre part, je suis en bonne santé.

— Moi aussi, dit Brandon en hochant la tête. C'est juste que je ne veux pas que tu penses que je suis imprudent d'habitude.

— Ce n'est pas ce que je pense, rassure-toi.

Elle sourit, songeant à la façon dont il lui avait fait l'amour, en s'assurant toujours qu'elle prenne son plaisir avant lui.

— En fait, je pense même que tu es un des hommes les plus prévenants que je connaisse.

Plus tard, ce soir-là, Cassie était dans son lit, blottie contre Brandon. L'électricité était revenue depuis quelques heures, et ils avaient pris une douche ensemble avant d'aller au lit et de faire l'amour de nouveau.

Il dormait à poings fermés contre elle, sans doute épuisé par leurs ébats. Il l'avait prise de façon brutale et rapide, et elle avait apprécié chaque moment époustouflant. Son corps tremblait encore quand elle se souvenait de l'orgasme bouleversant qu'ils avaient partagé. Brandon était l'amant idéal.

Et elle avait apprécié qu'il lui apprenne des choses sur les Garrison de Miami, satisfaisant une curiosité qu'elle n'avait pas voulu reconnaître, mais qui était bien là, depuis longtemps. Et elle appréciait qu'il ait été tout à fait honnête avec elle sur la façon dont Bonita accueillerait probablement la nouvelle de sa venue, si elle décidait de suivre le conseil de Brandon et d'aller à Miami avec lui.

Une part d'elle-même voulait y aller et résoudre le différend entre Parker et elle, une bonne fois pour toutes. Mais une autre part d'elle craignait cette rencontre. Et, si Brandon avait tort, et que ses frères et sœurs ne souhaitaient pas la connaître comme il le croyait ?

Mais elle ne tenait pas à plonger son esprit dans la confusion ce soir en pensant à sa famille. Alors, elle laissa ses pensées dériver sur sa relation avec Brandon. Elle savait que l'amour vrai était davantage qu'une attirance charnelle entre deux êtres. C'était plus qu'une exceptionnelle entente sexuelle. Il s'agissait de sentiments et d'émotions. Aimer, c'était vouloir s'engager avec une personne, pour toute la vie.

Or, Brandon et elle n'en étaient pas là.

Oh, elle aimait Brandon ! Comment pourrait-elle ne pas l'aimer, d'ailleurs ? Mais lui ne l'aimait pas, elle le savait. Il était attiré par elle et il aimait lui faire l'amour. Mais, pour lui, il n'était pas question de sentiments ou d'émotions.

Son cœur se serrait lorsqu'elle y songeait, mais elle ne pouvait reprocher à Brandon de ne pas ressentir d'amour pour elle. Il ne lui avait fait aucune promesse. Il ne lui avait offert aucun engagement. Elle ne pouvait pas lui en vouloir. Parce qu'elle n'avait pas le choix.

Une demi-heure plus tard, quand elle comprit qu'à force de passer et de repasser les événements de la soirée dans son esprit elle ne parviendrait pas à se rendormir, elle sortit du lit, enfila un peignoir pour couvrir son corps nu et descendit l'escalier. Elle entra dans la pièce où un immense portrait de ses parents trônait, et alluma la lumière. Chaque fois qu'elle avait des problèmes, ou qu'elle était préoccupée, elle venait ici, dans cette pièce où elle pouvait ressentir leur présence et se souvenir des temps heureux.

Au bout de quelques minutes, elle gagna l'aquarium, s'assit sur une méridienne et observa les nombreuses espèces marines autour d'elle. Le bruit de l'eau et les poissons qui ondoyaient créaient une atmosphère relaxante, et elle ramena ses jambes sous elle, appréciant la paix de cet instant. Ici, peut-être, elle parviendrait à prendre une décision.

Elle n'aurait su dire combien de temps elle resta ainsi à méditer, mais elle était certaine d'une chose : quand elle revint dans le lit, elle savait ce qu'elle avait à faire.

Brandon enroula le bras autour d'elle et l'attira contre son corps chaud.

— Où étais-tu ? lui murmura-t-il à l'oreille. Tu m'as manqué.

Elle se blottit tout contre lui.

— J'étais dans l'aquarium, pour réfléchir à certaines choses.

— Quelles choses ?

— Si je devais ou non aller à Miami avec toi, pour rencontrer mes frères et sœurs, et résoudre le conflit entre Parker et moi.

Elle prit le visage de Brandon entre ses mains, puis l'embrassa, en songeant qu'au fond de son cœur elle était sûre d'avoir fait le bon choix.

— J'ai décidé de venir avec toi, Brandon.

8.

Cassie observait Brandon, assis en face d'elle dans son avion privé. Cela faisait vingt minutes qu'ils avaient décollé de l'aéroport international de Nassau, et Brandon s'était plongé dans des documents de travail, mais elle ne se lassait pas de l'admirer.

Ils avaient passé le week-end à préparer ce voyage, à la fois sur le plan pratique et sur le plan mental. Aussi étrange que cela puisse paraître, elle était une jeune femme de vingt-sept ans, qui s'apprêtait à rencontrer ses cinq frères et sœurs pour la première fois de sa vie. Et, étonnamment, depuis que Brandon leur avait appris que Cassie allait venir leur rendre visite, elle avait reçu des appels de chacun d'eux…, excepté de Parker. Cependant, sa femme, Anna, l'avait jointe et avait semblé vraiment sincère lorsqu'elle avait dit être impatiente de la rencontrer.

Sur l'île, maintenant que les traces de la présence de Melissa disparaissaient peu à peu, et que le soleil était réapparu, les affaires tournaient comme d'habitude. Cassie s'était rendue à l'hôtel le lendemain du passage de l'ouragan, pour vérifier que tout se passait bien, et avait passé les autres jours en compagnie de Brandon.

Ils avaient pris soin de faire enlever les arbres tombés dans sa propriété et, ensuite, avaient employé le reste du temps à prendre soin l'un de l'autre. Elle lui avait fait visiter l'île et lui avait présenté quelques membres de sa famille maternelle. Ils avaient fait les courses au marché, étaient sortis dîner ensemble plusieurs fois et avaient pris le bateau des parents de Cassie pour une croisière sur l'océan. Mais ses moments préférés, c'était le temps qu'elle avait passé dans les bras de Brandon, que ce soit pour faire l'amour, ou juste pour se blottir contre lui.

Ils étaient convenus qu'elle passerait deux semaines à Miami, en tant qu'invitée, chez lui. Ensuite, elle retournerait aux Bahamas, et sa vie reprendrait son cours, comme avant que Brandon n'y surgisse. Elle tenta de ne pas songer au jour où ils se sépareraient, quand Brandon poursuivrait sa route et elle la sienne. Lui en Amérique, et elle, dans les îles.

En réalité, ils menaient des existences bien différentes. Et, même maintenant, elle n'était pas sûre que Brandon ait des sentiments pour elle, mais elle était tout à fait sûre de ses sentiments pour lui. Elle l'aimait et l'aimerait pour toujours. Comme sa mère, elle était destinée à aimer un seul homme pour le reste de sa vie.

Elle continua de fixer Brandon, et, comme s'il avait senti son regard sur lui, il leva les yeux du document qu'il étudiait.

— Ça va ? demanda-t-il, un soupçon d'inquiétude dans la voix.

— Oui, je vais bien.

Et c'était vrai, car quelle que soit la fin de leur histoire, il lui avait donné quelques-uns des meilleurs jours de sa vie, et elle lui en serait toujours reconnaissante.

— Si tu venais t'asseoir là ? suggéra-t-il.

Elle jaugea le siège de Brandon. Trop étroit pour accueillir deux personnes.

— Il n'y a pas assez de place.

— Viens, insista-t-il. On se débrouillera.

Le son râpeux de sa voix la fit frissonner, et elle détacha sa ceinture et avança vers lui. Il détacha la sienne et fit asseoir Cassie sur ses genoux.

— Ne t'inquiète pas pour Gil, dit-il, parlant du pilote. Son job, c'est de nous emmener à bon port et de ne pas être concerné par ce qui se passe ici.

Elle s'agita dans son giron. Voilà ce qui lui manquerait

le plus quand Brandon ne serait plus là : cette proximité, ces occasions de pouvoir être serrée dans ses bras. Sans parler de leurs nuits torrides. Et son parfum…, une fragrance qu'elle n'oublierait jamais. Un arôme viril, qui lui rappellerait toujours la pluie, le soleil, et le plaisir charnel.

— J'ai parlé à Parker, avant le décollage.

Elle avait entendu, mais ne répondit pas. Elle songeait encore à leurs nuits torrides.

Il resserra son étreinte et l'interrogea du regard.

— Cassie ?

— Je t'ai entendu, dit-elle, penchant la tête sur le côté.

Pendant un instant, il ne dit rien et se contenta de caresser le creux de son menton. Elle déglutit sous sa caresse lente et sensuelle. Il essayait de la troubler. Et il y arrivait très bien.

— Que voulait-il ? demanda-t-elle enfin, forçant les mots à passer dans sa gorge nouée.

La main de Brandon avait erré de son menton à sa joue, pour s'arrêter juste en dessous de son lobe.

Il fit comme s'il n'avait pas entendu sa question, et continua de tracer un chemin de son oreille à son cou.

— Brandon ?

— Je t'ai entendue, dit-il en souriant.

— Que voulait Parker ? demanda-t-elle, lui rendant son sourire.

— Il te somme d'assister au traditionnel dîner dominical de la famille Garrison.

Elle se leva d'un bond, interloquée.

— Il a fait quoi ?

Brandon rit de bon cœur.

— Je plaisantais. Je savais que tu n'aimerais pas le mot sommer. Ça m'amuse de te faire sortir de tes gonds.

— Oui, je vois ça. Maintenant, cesse de me taquiner et dis-moi ce que Parker voulait.

Il retira sa main de Cassie et la serra dans ses bras.

— Il t'*invite* à dîner dimanche soir dans la maison de famille. Ce repas dominical est une véritable tradition chez les Garrison.

Elle hocha la tête, songeuse.

— Comment va réagir Bonita ? La femme que ça ne dérangerait pas le moins du monde si je disparaissais de la surface de la terre ?

Brandon inspira.

— Je me suis moi-même posé la question, mais, connaissant Parker, je sais qu'il aura le contrôle de la situation.

Cassie le considéra.

— Tu n'as pas l'air très convaincu.

— Eh bien, dit-il en baissant la tête, peut-être que cela t'aidera à me croire.

Et il passa la langue sur les lèvres de Cassie, de la même façon que sa main massait sa cuisse, doucement et avec maîtrise. Et, si cela ne suffisait pas, il inséra sa langue dans sa bouche. Cassie entrouvrit les lèvres dans un soupir, et Brandon accentua son baiser. Sa langue exquise et enfiévrée faisait des merveilles et attisait son désir.

— Nous allons atterrir, veuillez attacher vos ceintures.

Brandon leva la tête en entendant la recommandation du pilote dans le haut-parleur. Et, comme s'il ne pouvait pas résister, il embrassa de nouveau Cassie. Cette fois, ce fut elle qui recula.

— Je crois qu'il faut que je retourne sur mon siège, murmura-t-elle contre ses lèvres humides.

— Oui, approuva-t-il, passant la langue sur ses lèvres pulpeuses une dernière fois avant de la relâcher enfin.

Elle retourna s'asseoir à sa place et boucla rapidement sa ceinture. Leurs regards se croisèrent, et ils échangèrent un sourire.

Soudain, elle songea qu'ils n'avaient pas passé un seul jour sans faire l'amour au moins une fois, depuis cette première expérience ensemble. Ces souvenirs la soutiendraient, et elle les chérirait pour toujours.

— Cassie ?

— Oui ?

— Bienvenue à Miami.

— Ça t'ennuie si je passe à mon bureau pour faire un rapide tour d'horizon ? demanda Brandon à Cassie tandis qu'il dirigeait sa voiture sur Ocean Drive.

Cassie avait les yeux rivés sur le spectacle des rues derrière la vitre de sa portière. A cette heure de la journée, il n'était pas rare d'apercevoir des mannequins célèbres, des voitures anciennes, des Harley-Davidson, et des gens perchés sur des rollers qui se mêlaient aux nombreux touristes en visite à Miami Beach.

Elle se tourna vers Brandon, un sourire aux lèvres. Le soleil qui filtrait à travers la vitre rehaussait les reflets auburn de sa chevelure.

— Non, pas du tout. Je suppose que tu veux t'assurer que rien n'a été abîmé pendant l'orage, même si, à en juger par ce que je vois, ce que la ville a subi se résume à de fortes pluies.

— Et on dirait que ça a fait pousser les gens, plaisanta Brandon. Cette partie de la ville devient de plus en plus populaire. En journée, c'est déjà assez bondé, mais attends de voir quand le soir tombe et que tous les night-clubs ouvrent leurs portes. South Beach devient une fête géante.

— Eh bien, ça a l'air divertissant.

Il rit.

— Oui, ça l'est, et le night-club d'Adam est juste là, en plein cœur de South Beach. Il marche du tonnerre. Avant que tu ne retournes aux Bahamas, je compte bien t'emmener en ville un soir, et le club d'Adam est un des nombreux endroits que nous visiterons.

Cassie lui lança un sourire.

— Ne me dis pas que tu es un noceur invétéré ?

— Non, plus maintenant. Mais je l'étais autrefois. Adam et moi, nous passions souvent nos nuits à sortir et à nous amuser. Nous voulions faire l'expérience du côté sauvage de la vie, autant que possible. Mais, après la mort de papa, j'ai dû me ranger et devenir sérieux, car tout m'est tombé sur les épaules. Je serai toujours reconnaissant à ton père d'avoir eu foi en mes capacités. Rien ne l'obligeait à le faire, mais, en témoignant sa confiance à notre cabinet après la mort de papa, John m'a donné une chance de prouver ma valeur.

Cassie hocha la tête et sourit de plus belle.

— Alors, tu t'es rangé, mais Adam, est-il toujours un roi de la fête ?

— Oui, mais pas autant qu'autrefois. C'est devenu un homme d'affaires très sérieux. Tu vas l'apprécier, j'en suis sûr.

— Tu dis ça parce que c'est ton meilleur ami.

— C'est vrai, mais je pense aussi que tu apprécieras tous les enfants Garrison.

Elle lui adressa un regard dubitatif.

— Même Parker ?

— Oui, même Parker. Une fois que tu auras appris à le connaître, tu constateras par toi-même que c'est vraiment un type bien, et, comme je te l'ai déjà dit, son mariage avec Anna l'a transformé sur bien des plans. Il l'aime très fort. Je serai le premier à avouer que jamais je n'aurais cru voir le jour où il se rangerait. Après tout, c'était un des plus beaux partis de la ville, un statut qu'il appréciait beaucoup.

Cassie réfléchit à ces paroles. Brandon aussi semblait apprécier son statut de célibataire. Y aurait-il un jour une femme dans sa vie dont il tomberait amoureux, qu'il voudrait épouser, et auprès de laquelle il voudrait passer le restant de ses jours ?

— Nous sommes presque arrivés, c'est juste après cet immeuble. Et tu pourras voir le Garrison Grand une fois que j'aurais tourné dans cette rue. Il est sur un angle de Bricknell Avenue, et mon bureau est sur l'autre.

A peine avait-il fini sa phrase qu'elle vit l'immeuble qui avait été le premier hôtel de son père. Un sentiment de fierté envahit Cassie. C'était un très bel édifice, une structure imposante et majestueuse.

— C'est magnifique, dit-elle, se penchant pour l'observer en détail quand ils s'arrêtèrent à un feu rouge, juste devant l'hôtel.

Le Garrison Grand, un nom qui lui allait comme un gant.

— C'est Stephen qui se charge de le diriger maintenant, et il fait un travail formidable. Il possède d'indéniables talents d'homme d'affaires, mais il aura du fil à retordre quand l'hôtel Victoria ouvrira ses portes.

Cassie jeta un coup d'œil à Brandon.

— L'hôtel Victoria ?

— Oui, c'est un hôtel actuellement en construction, qui est bâti par Jordan Jefferies. Il sera en concurrence directe avec le Garrison Grand. Il sera plus petit en taille, mais il rivalisera en prestige et en luxe avec l'hôtel de ton père, et attirera le même type de clientèle. Jefferies est un homme d'affaires rusé, qui peut se montrer impitoyable. C'est un homme déterminé à réussir, par tous les moyens.

— On dirait que tu viens de décrire Parker.

— Oui, approuva-t-il en riant, c'est sans doute pourquoi ces deux-là ne parviennent pas à s'entendre. Il y a une sorte de rivalité entre les deux familles, et ça dure depuis un moment. Cependant, il y a quelques mois, Brittany est passée outre cette guerre, et s'est fiancée à Emilio Jefferies, le frère de Jordan.

— Eh bien, j'imagine que Parker n'était pas ravi de la situation.

— Non, et Jordan non plus. Mais Brittany et Emilio semblent très amoureux et comptent vivre leur vie comme ils l'entendent, sans l'interférence de leurs familles respectives.

— Ils ont bien raison.

Brandon lui jeta un regard étonné en rangeant la voiture sur une place dans un parking souterrain. Une plaque indiquait que cette place lui était exclusivement réservée.

— Tu as l'air d'une rebelle.

Elle déboucla sa ceinture, s'étira comme un chat et posa un baiser sur ses lèvres.

— Je le suis. Ma mère m'a raconté comment sa famille était contre le fait qu'elle sorte avec mon père, parce que c'était un homme marié. Elle a bravé leur interdiction et a continué à le voir malgré tout.

— Et toi ? Tu pourrais fréquenter un homme marié ?

— Non, je suis plus possessive que ma mère sur ce plan-là. Je ne pourrais pas supporter l'idée de partager mon homme. C'est pourquoi j'éprouve une certaine compassion envers Bonita Garrison. J'imagine sans peine ce qu'elle a dû ressentir en apprenant que son mari avait une liaison avec une autre femme depuis des années. Mais une autre part de moi, celle qui connaissait si bien mon père et qui savait quel homme loyal et aimant il était, se dit qu'il y avait une raison pour qu'il soit allé chercher ailleurs l'amour et le bonheur.

— Oui, peut-être.

Cassie ne s'attendait pas vraiment à ce que Brandon en dise davantage. Même s'il savait quelque chose sur la relation de son père et de son épouse officielle, il ne dévoilerait rien. Malgré tout ce que Brandon et elle avaient partagé, il demeurait très loyal quand il s'agissait de la famille Garrison.

Quelques instants plus tard, ils entrèrent dans le hall de l'immeuble Washington.

— Quand mon père a acheté le terrain pour construire cet immeuble il y a plus de quarante ans, il appartenait à ton père. A cette époque, John, qui avait la vingtaine, était en train de devenir multimillionnaire. Il était célibataire, et c'était un des partis les plus convoités de Miami. A l'époque, mon père était déjà son avocat.

Cassie hocha la tête en regardant autour d'elle avant d'entrer dans l'ascenseur.

— Bel immeuble.

Quand la cabine s'arrêta au vingtième étage, ils entrèrent dans un hall recouvert d'un luxueux tapis au design moderne. Les portes vitrées du cabinet arboraient le nom de Washington en lettres capitales dorées. Le bureau à l'accueil était massif et impressionnant, et une jeune femme installée derrière le comptoir leur sourit et les salua quand ils entrèrent.

Passant l'accueil, ils arrivèrent devant plusieurs bureaux spacieux, où des gens travaillaient. Certains levèrent les yeux, et Brandon les salua, tandis que d'autres, trop absorbés par leurs tâches, ne levèrent même pas le nez de leurs bureaux. Cassie supposa que, puisqu'on était vendredi, la plupart essayaient sans doute de finir leur semaine à une heure raisonnable, pour que leur week-end puisse commencer.

Elle observa d'un œil admiratif la décoration des bureaux. Ils offraient un environnement confortable, qui donnait envie d'y passer ses heures de travail. Les murs aux teintes pastel, les sols, couverts d'une moquette épaisse à certains endroits et de marbre à d'autres, les meubles modernes et l'équipement dernier cri, tout concourait à donner une image luxueuse du cabinet de Brandon, tel qu'elle se l'était imaginé. Elle ne s'était pas trompée.

— J'aurais dû te parler de ma secrétaire avant, Rachel Suarez, dit-il à voix basse. Elle est ici depuis des lustres, elle a débuté au côté de mon père, c'était sa première secrétaire, et elle croit que l'immeuble lui appartient. Mais je dois avouer qu'elle gère le cabinet d'une main de maître. J'ai dix associés qui travaillent avec moi, et tout le monde lui obéit au doigt et à l'œil, y compris mes trente et quelques autres employés.

Cassie le regarda. Elle n'avait pas mesuré que son cabinet était si grand.

— Tu as une grande société.

— Oui, et mes employés sont géniaux, et ils travaillent dur, tous autant qu'ils sont.

— L'agencement est bien pensé, et personne n'est en manque d'espace, observa-t-elle à voix haute.

La secrétaire de Brandon était au centre de tout. La femme de soixante et quelques années se fendit d'un sourire quand elle aperçut son patron.

— Brandon, je ne vous attendais pas avant la semaine prochaine.

— Je suis officiellement en vacances, dit-il avec un sourire. Je suis juste venu voir comment les choses se sont passées pendant l'orage.

La femme balaya ses paroles d'un geste de la main.

— Ce n'était pas si terrible. Cela aurait pu être bien pire. Je crois que les îles ont eu plus de pluies que nous.

Ensuite, elle regarda Cassie et lui adressa un large sourire.

— Bonjour.

— Bonjour, dit Cassie en souriant en retour.

Brandon fit les présentations.

— Rachel, je vous présente…

— Je sais qui elle est, coupa Rachel, offrant sa main à Cassie. Vous ressemblez beaucoup à votre papa.

Cassie haussa un sourcil étonné en serrant la main qui lui était tendue. Sa surprise n'avait rien à voir avec le fait qu'on lui dise qu'elle ressemblait à son père, puisqu'elle savait que c'était vrai. Mais comment la secrétaire connaissait-elle son identité ?

Devant l'air perplexe de Cassie, Rachel expliqua :

— J'étais la secrétaire de Stan Washington quand vous êtes venue au monde.

Cassie hocha la tête. En d'autres termes, son interlocutrice était au courant de la liaison de ses parents et, comme le père de Brandon, avait été tenue au secret.

— Je vais faire visiter mon bureau à Cassie, Rachel. Et, comme je vous l'ai dit, mes vacances ne sont pas finies, alors je ne prends aucun appel, bien entendu.

— Bien monsieur, dit Rachel d'un ton amusé.

Brandon conduisit Cassie le long du couloir menant à son bureau. Quand ils furent entrés, il ferma la porte à clé derrière eux. Cassie n'eut que le temps de jeter un rapide coup d'œil, avant que Brandon ne la prenne dans ses bras.

— Maintenant, on va finir ce qu'on a commencé dans l'avion, dit-il, lui volant un baiser.

Leurs bouches s'étaient à peine effleurées que le portable de Brandon sonna. Marmonnant un juron, il se redressa et sortit l'appareil de sa poche. Quand il découvrit qui l'appelait, il roula des yeux.

— Oui, Adam ? s'enquit-il, à deux doigts de dire à son meilleur ami qu'il tombait mal. Oui, Cassie est à Miami et, oui, elle est avec moi en ce moment… Non, elle ne séjournera pas au Garrison Grand. Elle sera mon invitée, dans ma maison.

Il fit un clin d'œil à Cassie avant qu'elle aille s'asseoir sur le canapé à l'autre bout de la pièce en croisant les jambes d'une manière très sexy.

— Et, non, continua-t-il, essayant de se concentrer sur ce qu'Adam disait et non sur les jambes de Cassie, tu ne pourras pas la rencontrer avant le dîner de dimanche. Tu es peut-être mon meilleur ami, mais je ne peux pas te laisser user de ce privilège, puisque Parker a expressément exigé que tous les membres de la famille rencontrent Cassie en même temps. Ce soir, je l'emmène dîner au restaurant, et demain je compte lui faire visiter la ville.

Brandon rit à quelque chose qu'avait dit Adam, et répondit :

— D'accord, Adam. Je transmets le message à Cassie.

Ensuite, il raccrocha et rangea son téléphone dans sa poche.

— Quel message ? demanda-t-elle, revenant près de lui.

— Eh bien, déclara-t-il avec un sourire, il dit que, si tu veux faire de lui ton frère préféré, il n'y voit aucun inconvénient.

Cassie esquissa un sourire. Elle avait le sentiment qu'elle allait beaucoup apprécier son plus jeune frère.

— Il a l'air sympathique.

— Il l'est. D'ailleurs, ils le sont tous, y compris Parker. C'est juste que vous avez pris un mauvais départ tous les deux.

— Et que se passera-t-il s'il refuse la contre-proposition que je compte lui faire ? Je tiens à ce que tu saches que je ne reculerai pas. Ce sera à prendre ou à laisser.

Brandon sourit. Le dîner de dimanche chez les Garrison promettait d'être intéressant, comme d'habitude.

— A ta place, je ne m'inquiéterais pas. Parker est un homme d'affaires avisé, et je crois sincèrement qu'il veut mettre un terme à cette animosité entre vous deux et parvenir à une solution autant que toi.

Il caressa le creux de son menton.

— Chaque fois que je touche ta fossette, ça m'excite.

Cassie sourit et secoua la tête.

— Je crois que tu es excité même quand tu ne la touches pas.

— C'est vrai, dit-il avec un petit rire.

Et, pour le prouver, il joignit sa bouche à la sienne. Leurs lèvres se scellèrent. S'explorèrent. Et le désir monta en lui. Il avait le sentiment que, quoi qu'il fasse, il ne serait jamais rassasié de Cassie.

Quelques instants plus tard, il leva la tête et recula, son regard rivé sur les lèvres humides de Cassie.

— Il vaudrait mieux qu'on sorte de cette pièce. Ce n'est pas prudent d'être seul avec toi ici. Je n'ai jamais fait l'amour à une femme dans mon bureau, mais je pourrais bien commencer avec toi.

Elle se hissa sur la pointe des pieds et lui donna un baiser léger comme une plume. D'une certaine manière, elle voulait qu'il aille jusqu'au bout de son envie. Comme ça, quand ils reprendraient chacun leur vie de leur côté, elle aurait marqué de sa présence, pour toujours, cet endroit, un endroit où il passait le plus clair de ses journées.

— Peut-être pas aujourd'hui, mais promets-moi que tu le feras avant que je ne reparte pour les Bahamas.

— Faire quoi ? dit-il, intrigué.

— Me faire l'amour ici, précisa-t-elle, avançant d'un pas pour lui caresser la nuque.

Il poussa un soupir tremblant sous l'effet de sa caresse.

— Pourquoi tiens-tu à ce que je te fasse l'amour dans ce bureau ?

— Pour que tu te souviennes toujours de moi, surtout ici.

Il était abasourdi.

— Tu crois sincèrement que je pourrais t'oublier, Cassie ? murmura-t-il d'une voix rauque. Tu crois que je pourrais oublier ce que nous avons partagé ?

Avant qu'elle puisse répondre, il pencha la tête et prit ses lèvres, les embrassant avec tant de passion que son ventre se noua. Et le désir monta en lui de manière ostensible.

A contrecœur, il détacha ses lèvres des siennes et la regarda avec une telle intensité qu'elle frissonna.

— Viens, dit-il en la prenant par la main. Sortons d'ici avant que je ne fasse précisément ce que tu me demandes, et que j'oublie que j'ai un cabinet plein d'employés aujourd'hui.

Il lui adressa un sourire malicieux.

— Ce sont des gens intelligents, ajouta-t-il, et ils ne manqueront pas de s'interroger, avec tout le bruit que nous ferons.

— Ah, parce que tu crois qu'on ferait beaucoup de bruit ? demanda-t-elle tandis qu'il déverrouillait la porte.

Il l'ouvrit et se tourna vers Cassie en riant.

— Mon cœur, nous en faisons toujours.

Plus tard ce soir-là, Cassie sentit les doux battements de cœur de Brandon contre son dos. Il dormait à poings fermés et avait enroulé ses bras autour d'elle. La douce atmosphère après l'amour l'avait bercée elle aussi, et elle s'était assoupie, mais, maintenant, elle était bien réveillée.

Et elle réfléchissait.

Brandon avait une maison magnifique, qu'il aimait beaucoup, elle l'avait vu dans ses yeux pendant qu'il lui avait fait faire le tour du propriétaire. Elle l'avait observé de près, tandis qu'il lui montrait avec fierté les objets qu'il possédait. Des objets qu'il avait acquis grâce à de longues heures de dur labeur. Et il travaillait encore plus dur pour les conserver. Brandon lui avait confié que nombre de clients de son père avaient abandonné son cabinet après sa mort, prétextant la jeunesse et l'inexpérience de Brandon. John Garrison avait été un des rares à continuer de collaborer avec lui, et il était même allé plus loin en le recommandant à d'autres. A force de travail acharné, Brandon avait perpétué l'héritage que son père lui avait légué.

Quand Brandon s'agita dans son sommeil, elle contempla son visage endormi. Elle voulait Brandon. Elle voulait l'épouser. Elle voulait porter ses enfants. Mais, plus que tout, elle l'aimait. Cependant, songea-t-elle avec un terrible pincement de cœur, ce serait une de ces situations où elle n'obtiendrait aucune des choses qu'elle souhaitait.

Parce que Brandon ne l'aimait pas en retour.

Et elle ne pourrait jamais passer sa vie avec un homme qui ne l'aimait pas. Elle avait grandi dans un environnement qui était empli de trop d'amour pour se contenter de moins pour elle-même.

Elle ferma les yeux, comme pour chasser la pensée qui la taraudait depuis un moment déjà.

« Fuis tant que tu le peux encore, avant que ton cœur ne finisse en morceaux. Emporte tes souvenirs et pars sans te retourner. »

Cassie rouvrit les yeux. Elle avait beau essayer de lutter, elle savait qu'elle finirait par suivre le conseil que son esprit lui donnait. Ici, c'était le monde de Brandon, et son monde à elle se trouvait dans les Bahamas. Au lieu de rester durant deux semaines comme elle l'avait prévu au départ, elle dirait à Brandon, après le dîner de dimanche, qu'elle ne restait qu'une semaine au total. Il était important que Parker et elle résolvent les problèmes entre eux, et elle était impatiente de rencontrer ses autres frères et sœurs. Ensuite, il serait temps de tourner la page. Plus elle passerait de temps avec Brandon, et plus elle rêverait des choses qu'elle ne pourrait pas avoir. Déjà, son amour pour lui affaiblissait sa résolution et minait ses défenses.

Il était temps pour elle d'envisager sérieusement son retour chez elle. Il n'y avait pas d'autre solution possible.

Sur le seuil de la porte-fenêtre qui conduisait au patio, Brandon observait Cassie, pendant qu'elle nageait dans la piscine. Elle était magnifique, comme toujours. Le maillot deux-pièces qu'elle portait était une tentation irrésistible, et il était sur le point de la rejoindre pour céder à cette tentation quand son téléphone sonna. Tant pis, songea-t-il en décrochant, il allait devoir contenir son désir encore un peu.

— Oui ?

— Brandon, c'est Parker.

Il s'était demandé si Parker allait finir par tomber sur lui. Ils avaient cherché à se joindre sans succès depuis ce matin. Apparemment, Parker avait été en rendez-vous pendant la plus grande partie de la journée, et Brandon et Cassie avaient quitté la maison tôt ce matin, pour prendre un petit déjeuner au bord de la plage et ensuite visiter South Beach.

Comme Cassie avait dit apprécier la nourriture chinoise, ils avaient pris leur déjeuner dans un des restaurants préférés de Brandon, un établissement chic et tendance, le China Club. Après le déjeuner, au lieu de jouer de nouveau les touristes, il avait satisfait une requête de Cassie en l'emmenant au cimetière où John était enterré. Il était resté à son côté, pendant qu'elle avait enfin eu la possibilité de dire au revoir à son père. Et puis, il l'avait tenue dans ses bras, quand le chagrin avait été trop difficile à supporter et qu'elle avait fondu en larmes.

Après cela, ils étaient retournés chez lui pour faire quelques brasses dans la piscine et se détendre un peu avant de s'habiller pour le dîner et leur virée nocturne à South Beach.

— Ah, Parker, je suis content qu'on arrive enfin à se parler !

— Moi aussi, dit Parker à l'autre bout du fil. Comment va Cassie ?

Brandon se retourna et regarda par les portes vitrées pour la voir. Elle n'était plus dans l'eau, mais se tenait au bord de la piscine, prête à replonger. Pour lui, Cassie était l'incarnation de la femme idéale, surtout dans son bikini mouillé, qui dévoilait ses courbes époustouflantes tandis que le soleil se reflétait sur sa cascade de boucles. Mais ce n'était certainement pas quelque chose que le grand frère de Cassie apprécierait d'entendre de la part de son avocat.

— Elle va bien, elle est au bord de la piscine. Elle voulait nager un peu avant que nous ne sortions dîner.

— Tout le monde est impatient de la rencontrer demain, tu sais.

— Content de l'entendre. J'ai eu beaucoup de mal à la convaincre, mais j'ai réussi, ce qui est la principale raison pour laquelle elle est ici à Miami.

— Juste pour que tu sois au courant, je n'ai rien dit à maman.

Quelque chose dans la voix de Parker inquiéta Brandon.

— Mais tu vas la prévenir, n'est-ce pas ?

— Je ne crois pas que ce serait sage à ce stade.

Brandon n'aimait pas du tout ça. Il y avait toutes les chances pour que Bonita soit à la maison demain, puisqu'elle ne sortait presque jamais le dimanche. De plus, elle était rarement sobre après le déjeuner.

— Pourquoi, Parker ? J'ai été totalement franc avec Cassie, depuis qu'elle a découvert notre association, et je ne vais pas lui permettre de commencer à douter de ma parole, de mes intentions ou de quoi que ce soit. Si Bonita est là demain soir, j'ai besoin d'une bonne raison pour que tu ne la préviennes pas de la présence de Cassie. Ne rien dire ne serait juste pour aucune des deux.

Il savait que Cassie pouvait se défendre contre n'importe qui, mais ce n'était pas juste de la mettre dans une situation susceptible de dégénérer.

Les dix minutes suivantes, Parker expliqua à Brandon pourquoi il avait pris cette décision. Il en avait parlé avec ses frères et sœurs, et tous avaient le sentiment que prendre Bonita par surprise était la meilleure approche.

— C'est peut-être la bonne approche pour Bonita, mais que fais-tu de Cassie ? J'imagine déjà la scène, et je n'ai pas envie de voir Cassie prise dans ce genre d'explosion.

Brandon passa la main sur son visage.

— Je vais le lui dire, Parker, et lui expliquer les choses comme tu viens de le faire pour moi. Ce sera son choix, c'est à elle de savoir si elle veut toujours venir ou non.

— Je suis d'accord, il faut qu'elle soit au courant, c'est pour ça que j'ai voulu te prévenir. Alors, quand vas-tu le lui annoncer ?

Brandon poussa un profond soupir.

— Je préférerais attendre demain matin. Je ne veux

pas gâcher les projets que j'ai pour le dîner, dit-il, luttant pour contrôler sa voix.

Il n'était toujours pas persuadé que ne pas prévenir Bonita était la meilleure chose à faire, même s'il comprenait les motifs de Parker.

— S'il te plaît, informe-moi de la décision de Cassie dans un sens ou dans l'autre, dit Parker. Si elle ne veut pas se joindre à nous dans la propriété des Garrison demain soir, alors nous pouvons tous aller ensemble dans un autre endroit. Cependant, maman se demandera pourquoi nous ne dînons pas chez elle un dimanche. Alors, de toute façon elle saura que Cassie est ici, et que nous avons pris contact avec elle. Je pense juste que c'est mieux si nous restons tous unis pour affronter maman.

— Je comprends, Parker. Mais, je le répète, c'est à Cassie de décider.

9.

Fronçant les sourcils, Cassie regarda Brandon.

— Comment ça, Bonita Garrison ne sait pas que je suis invitée à dîner ?

Brandon soupira. Il avait prévu que Cassie n'apprécierait pas la nouvelle que Parker lui avait communiquée hier.

— Tout bien considéré, tes frères et sœurs ont pensé qu'il valait mieux qu'elle ne soit pas au courant, expliqua-t-il.

De sa place, une épaule appuyée contre une étagère dans sa bibliothèque, il observa Cassie, assise dans le canapé, l'air abasourdi.

— Mais c'est sa maison, n'est-ce pas ? demanda-t-elle.

— Oui, c'est sa maison.

— Alors, suis-je censée en conclure qu'elle n'est pas en ville, et qu'elle sera absente ?

— Non, tu n'es pas censée conclure ça.

Il vit la lueur de défi dans ses yeux, une indication claire de la direction que la conversation était en train de prendre.

— Dans ce cas, je crois qu'il faut que tu me dises ce qui se passe, Brandon.

Il soupira de nouveau, plus profondément cette fois. Il lui fallait un verre, mais ce serait pour plus tard. Il devait une explication à Cassie, tout de suite. Se redressant, il traversa la pièce pour aller s'asseoir à côté d'elle sur le canapé et la regarda droit dans les yeux.

— Bonita Garrison est alcoolique, commença-t-il, et cela depuis des années. Elle a toujours eu un problème avec la boisson, et le testament de John n'a fait qu'aggraver son état. Etant donné la situation de son mariage, je pense qu'elle se doutait qu'il avait une liaison, mais elle ne savait rien sur toi. C'était un secret bien gardé.

Cassie afficha une mine dubitative.

— Est-ce que ses enfants lui ont suggéré de se faire aider médicalement ?

— Oui, un nombre incalculable de fois. Je crois que même John le lui avait conseillé, mais, pendant très longtemps, elle a refusé de reconnaître qu'elle avait un problème. Et elle ne le reconnaît toujours pas, d'ailleurs.

— Je comprends, dit-elle avec un hochement de tête. Mais qu'est-ce que ça a à voir avec moi ? Est-ce que le fait de me voir chez elle alors qu'elle ne m'a pas invitée, moi qui suis la preuve vivante de l'infidélité de son mari, ne va pas la perturber davantage ?

Brandon prit la main de Cassie.

— Parker et les autres espèrent que non. Leur relation avec leur mère est tendue, depuis un certain temps maintenant. J'entends par là, des années, Cassie. Ils ont décidé, à l'unanimité pourrais-je ajouter, qu'ils veulent te rencontrer, construire une relation avec toi, t'inclure dans la famille, et ils se refusent à faire cela en douce, derrière le dos de leur mère. Ils pensent qu'il est temps d'oublier les rancœurs et d'aller de l'avant, et ils veulent que Bonita voie qu'ils forment un front uni et déterminé, avec ou sans sa bénédiction.

Il eut un petit rire.

— Je connais les Garrison depuis toujours, et c'est la première fois que je les vois se mettre tous d'accord sur quelque chose.

Brandon se tut un instant, puis ajouta sur un ton sérieux :

— John serait fier d'eux. Et, connaissant le genre d'homme qu'il était, un homme qui portait à ses enfants un amour inconditionnel, je veux croire que, s'il était en vie, il aurait fini par vous réunir, tes frères et sœurs et toi. Je suis persuadé qu'il aurait fait en sorte que cela arrive, un jour ou l'autre.

Cassie le considéra, songeuse. Brandon disait vrai.

Elle pensait comme lui, en fait. C'était son père qui lui avait parlé de ses frères et sœurs, et elle avait su dès le départ qu'il les aimait autant qu'il l'aimait. Il le lui avait dit si souvent.

— Mais…, dit-elle, fronçant les sourcils. Et si les choses dégénèrent ?

— Et il y a un risque que ça dégénère, avoua-t-il avec franchise. Mais Parker veut que tu saches que, quoi qu'il arrive, ils ont l'intention de mettre les choses à plat et de régler la question une bonne fois pour toutes.

Cassie prit une profonde inspiration. Elle espérait juste que Parker et les autres avaient raison. La dernière chose qu'elle voulait, c'était faire sombrer un peu plus Bonita Garrison. Mais, ses enfants la connaissaient mieux que personne, et Cassie était sûre que, quelles que soient les tensions entre eux, ils aimaient leur mère. Et, s'ils sentaient que ce qu'ils avaient prévu était la bonne approche, alors elle s'en remettrait à leur jugement et leur ferait confiance.

— D'accord, dit-elle enfin, merci de m'avoir avertie, Brandon.

— Tu es toujours décidée à y aller ?

— Oui. J'irai. Tu seras là aussi, n'est-ce pas ?

Brandon esquissa un sourire.

— Oui, j'ai été invité, moi aussi, et je serai là.

Il la prit par la main et l'attira plus près de lui.

— Mais, murmura-t-il, même si je n'étais pas invité, je viendrais, Cassie. Je ne te laisserais pas seule.

Cassie regarda autour d'elle lorsque Brandon arrêta la voiture devant une grande et imposante villa de type espagnol. Le domaine des Garrison. Partout où elle posait les yeux, elle était fascinée par tant de beauté. De l'allée de briques à l'escalier en stuc blanc qui menait à l'entrée, tout était stupéfiant, et les mots lui manquaient pour décrire la magnificence des lieux.

Elle inspira, stupéfaite, en sachant que c'était ici que son père avait vécu, dans cette maison qu'il considérait comme son foyer, quand il n'était pas aux Bahamas avec elle et sa mère. Et, même maintenant, il lui sembla qu'elle ressentait sa présence. Brandon avait dit vrai tout à l'heure. Son père aurait voulu que tous ses enfants se réunissent.

— Tu es bien silencieuse. Est-ce que ça va ?

Elle regarda Brandon, ayant perçu la note d'inquiétude dans sa voix. Depuis l'instant où l'avion avait atterri à Miami, il s'était montré prévenant, attentif à son bien-être, et plein d'affection. Plus d'une fois, elle avait dû se ressaisir et se rappeler que son affection n'avait rien à voir avec de l'amour et n'était que le résultat de sa gentillesse naturelle. Brandon était un homme chaleureux et attentionné. C'était précisément ces deux qualités qui l'avaient attirée, dès le départ.

— Oui, ça va. Je pensais à mon père, à quel point je l'aimais et à quel point il me manque. Aujourd'hui, j'ai l'impression de ressentir sa présence, plus que jamais.

— Et tu ne lui en as jamais voulu d'avoir une autre famille que ta mère et toi ?

— Je n'en ai jamais voulu à mon père, mais, quand j'étais plus jeune, après avoir découvert qu'il était un homme marié et qu'il avait une autre famille, pendant longtemps je leur en ai voulu à eux. Dans mon esprit, chaque fois qu'il nous quittait maman et moi, c'était pour retourner vers eux. Je n'ai jamais songé au fait que, chaque fois qu'il était aux Bahamas, avec ma mère et moi, eux non plus n'avaient pas leur père auprès d'eux. J'étais trop possessive avec lui pour même m'en soucier.

— Et maintenant ?

— Maintenant, dit-elle doucement, je veux croire que, d'une certaine manière, il était capable de donner à chacun de ses six enfants autant de temps, un temps spécial, aussi spécial que lui l'était.

— Je crois que c'était le cas, approuva Brandon. Je pense qu'il savait ce dont chacun de ses enfants avait besoin, et qu'il le leur a donné. Il était une part intégrante de leurs vies, et ils l'aimaient tout autant que tu l'aimais.

— Est-ce toujours vrai aujourd'hui ? Après avoir

découvert qu'il avait une double vie, tout en étant marié avec leur mère ? Ne crois-tu pas que leur amour s'est terni à cause de ça ?

Brandon secoua la tête.

— Non. J'en ai parlé avec Adam, tu sais, pour connaître ses sentiments personnels. Il a dit qu'ils savaient tous que le mariage de leurs parents était un naufrage depuis des années. L'abus d'alcool de Bonita a creusé un fossé qui ne pouvait plus être comblé.

Cassie hocha la tête et prit une profonde inspiration.

— Il est temps que nous entrions, n'est-ce pas ?

— Oui. Nerveuse ?

— Je mentirais si je disais non. Mais ça devrait aller.

Brandon rit en débouclant sa ceinture de sécurité.

— Cassie Sinclair Garrison, je crois que vous pouvez gérer à peu près toutes les situations.

Il sortit de la voiture et vint lui ouvrir la portière, admirant sa tenue au passage. Même si c'était le milieu de l'automne, le temps était chaud, et elle portait des vêtements décontractés, un pantalon noir de toile et une chemise en velours de couleur prune. Non seulement la tenue rehaussait la beauté naturelle de son teint, mais elle ajoutait aussi une touche d'exubérance toute féminine.

Elle lui sourit et prit la main qu'il lui tendait. Au contact de sa peau, Brandon fut aussitôt envahi d'un désir aussi enivrant que le plus fort des alcools.

Posant la main de Cassie sur son bras, il la guida le long du vaste escalier blanc qui menait à la porte d'entrée. Avant même qu'il soulève le heurtoir, le battant s'ouvrit, et Lisette Wilson apparut, souriante. La dame était la principale employée de maison des Garrison aussi loin que Brandon se souvenait, et, selon les dires d'Adam, elle avait été une force avec laquelle compter quand il avait traversé ses tumultueuses années d'adolescence. A présent, elle était plus âgée, et, malgré son sourire chaleureux, elle semblait fatiguée. Elle était sans doute épuisée ces jours-ci par les excès de boisson de Bonita. Aucun des enfants

Garrison ne vivant dans cette maison, ils se reposaient sur Lisette pour gérer les affaires courantes de la maison.

— Monsieur Brandon, c'est bon de vous revoir. Permettez-moi de vous souhaiter la bienvenue à tous les deux dans le domaine des Garrison.

Brandon lui rendit son sourire.

— Merci, Lisette. Est-ce que Parker et les autres sont déjà arrivés ?

— Oui, dit-elle, ils sont sous la véranda. Je vais vous conduire à eux.

Lisette ouvrit la marche. Brandon pouvait sentir la tension de Cassie au travers de sa main sur son bras. Alors, il lui sourit tandis qu'ils passaient une grande colonne de pierre qui marquait l'entrée du salon. Après avoir traversé plusieurs pièces à la décoration somptueuse, ils franchirent les portes qui donnaient sous la véranda. Les enfants Garrison étaient là. Tous les cinq. Ainsi que trois pièces rapportées.

— Vos invités sont arrivés, annonça Lisette.

Toutes les conversations cessèrent immédiatement, et huit paires d'yeux les fixèrent tous deux, mais surtout Cassie. Ils eurent tous l'air stupéfait. Leur expression confirmait ce que Brandon savait déjà. Cassie avait tout d'une Garrison, indéniablement.

Ce fut Parker qui s'avança le premier, d'un air calme et confiant. S'arrêtant devant eux, il continua de dévisager Cassie, étudiant ses traits, sans doute avec la même intensité qu'elle étudiait les siens.

Cassie était ébahie. Regarder Parker, c'était comme voir une version plus jeune de son père, comme elle se l'était imaginé. Il ressemblait tant à John Garrison que c'en était troublant. Les trois garçons lui ressemblaient, d'ailleurs, c'était la première pensée qui avait traversé son esprit. Mais Parker, le fils aîné, avait pris presque chaque particularité physique de son père, y compris sa taille, sa corpulence et ses gestes — comme la façon dont ses sourcils sombres se plissaient et lui donnaient l'air songeur quand il analysait quelque chose.

Pas le moins du monde intimidée, Cassie releva le menton et soutint son regard intense. Puis elle vit ses yeux s'adoucir.

— Ah, le fameux creux au menton des Garrison, dit-il. Y a-t-il jamais eu une fois où vous avez pensé que c'était une malédiction plutôt qu'une bénédiction ?

Cassie refusa de baisser sa garde, pas même pour une seconde.

— Non, ça ne m'est jamais venu à l'esprit. Tout ce que j'ai hérité de mon père est pour moi une bénédiction.

Un semblant de sourire passa sur les lèvres arrogantes de Parker.

— Pour moi aussi. Au fait, dit-il, lui tendant la main, je suis Parker.

Elle accepta la main tendue.

— Et moi, Cassie.

Il hocha la tête avant de regarder Brandon.

— Content de te revoir, Brandon.

— De même, Parker.

Parker revint à Cassie.

— Il y a quelques personnes qui sont impatientes de vous rencontrer. Si vous voulez bien me suivre afin que je vous les présente.

— D'accord, dit-elle, adressant à Parker le même semblant de sourire que celui qu'il lui avait offert.

Aucun d'eux ne voulait céder du terrain, mais ils luttaient d'une manière plus sociable.

— Je suis impatiente moi aussi de les connaître.

Cassie regarda Brandon, et il lui sourit. Cela lui donna le supplément de confiance dont elle avait besoin. A cet instant, elle se sentit encore plus amoureuse de lui, si c'était possible.

Elle inspira profondément tandis que Parker et Brandon l'escortaient pour rencontrer les autres. Même si elle faisait de son mieux, les papillons voletaient dans son ventre.

Elle se força à se détendre et sourit quand ils s'arrêtèrent devant une femme qu'elle supposa être l'épouse de Parker. Il avait peut-être été un célibataire heureux autrefois, mais, à en juger par la manière dont il enroula le bras autour de la jolie jeune femme aux cheveux longs et aux yeux verts, il était facile de deviner qu'il était très amoureux.

Il sourit affectueusement à sa femme avant de reporter son attention sur Cassie.

— Cassie, j'aimerais vous présenter mon épouse, Anna.

Au lieu de lui serrer la main, Anna lui donna une chaleureuse accolade.

— Je suis très contente de vous rencontrer, Cassie. Bienvenue dans la famille.

— Merci.

En ne faisant pas plus d'un pas, Cassie se retrouva devant deux hommes, dont elle sut immédiatement qu'ils étaient ses deux autres frères, puisque leur creux au menton constituait une preuve indiscutable. La femme se tenant entre eux avait des yeux verts et une chevelure d'un roux flamboyant. Et, tout comme la femme de Parker, elle était très belle.

— Cassie, bienvenue à Miami, dit l'homme à sa gauche en lui souriant et en serrant la main qu'elle lui tendait, je suis Stephen. Et voici ma femme, Megan.

Comme Anna, Megan lui tendit aussitôt les bras pour l'étreindre chaleureusement.

— Je suis ravie de vous rencontrer enfin, s'exclamat-elle, un sourire sincère illuminant son regard. Et vous avez une nièce de trois ans qui s'appelle Jade, et que vous pourrez rencontrer, j'espère, avant votre retour aux Bahamas.

— Ça me ferait très plaisir, et je ne peux imaginer partir de Miami sans la voir.

Ensuite, elle regarda l'autre homme, un beau brun ténébreux — un trait commun, semblait-il, aux hommes de la famille Garrison.

— Et vous devez être Adam, dit-elle.

Un large sourire passa sur le visage de son frère et, soudain, deux mots vinrent à l'esprit de Cassie pour le décrire : loyal et dévoué. Il la serra dans ses bras et l'embrassa sur la joue.

— Oui, c'est bien moi, et souvenez-vous, c'est moi qui suis supposé être votre frère préféré.

Elle avait le sentiment qu'il le serait.

— Je m'en souviendrai.

Ensuite, elle se tourna et vit deux jeunes femmes et un très bel homme d'origine cubaine. Les jeunes femmes, deux vraies jumelles, ne pouvaient être que ses sœurs.

— Cassie, j'aimerais vous présenter Brooke, l'aînée des jumelles de quelques minutes, dit Parker.

La jeune femme était une magnifique brune aux yeux noisette, à la silhouette de rêve.

— Et voici Brittany et son fiancé, Emilio Jefferies, finit Parker.

La note de dérision dans la voix de Parker quand il avait présenté Emilio n'avait guère échappé à Cassie. Ce fut alors qu'elle se souvint de ce que Brandon lui avait dit, sur la guerre entre les Garrison et les Jefferies, et sur le fait que Brittany était tombée amoureuse d'un des ennemis jurés de la famille. Elle ne pouvait s'empêcher d'admirer Brittany pour son courage, sa force de caractère, mais aussi son bon sens : aucune femme en pleine possession de ses esprits ne laisserait un adonis comme Emilio lui filer entre les doigts, que sa famille l'apprécie ou pas.

— C'est bon de vous rencontrer tous, dit Cassie, regardant autour d'elle tout en se réjouissant de sentir la présence de Brandon à son côté.

— Je suis contente de savoir que je ne suis plus le bébé de la famille, plaisanta Brittany.

Pendant les minutes qui suivirent, Cassie parla aux uns et aux autres, et répondit aux nombreuses questions sur sa vie aux Bahamas. Et elle apprécia le fait qu'aucune des questions n'ait concerné la relation entre sa mère et son père. En fait, les uns et les autres semblaient surtout curieux d'en apprendre plus sur elle, et non sur ses origines, ce qui la soulagea grandement.

Stephen s'enquit des activités du Garrison Grand Bahamas et la félicita pour le travail génial qu'elle accomplissait. Pour l'essentiel, Parker ne dit rien, et, connaissant l'homme d'affaires rusé qu'il était, Cassie supposa qu'il était en train de tendre l'oreille et d'écouter les moindres détails susceptibles de l'intéresser.

— Le dîner est prêt à être servi.

Tout le monde regarda dans la direction de Lisette, avant qu'elle ne disparaisse à l'intérieur.

— Me ferez-vous l'honneur de me laisser vous escorter jusqu'à la salle à manger ? demanda Adam, qui venait de se matérialiser à son côté. Je suis certain que Brandon n'y verra pas d'inconvénient, dit-il, faisant un clin d'œil à son meilleur ami.

Cassie ne put s'empêcher de sourire. Que savaient au juste ses frères et sœurs sur sa relation avec Brandon ? Que croyaient-ils savoir ? Pensaient-ils qu'ils étaient amants, ou amis ? Elle sentit son sourire s'évanouir sur ses lèvres. Peu importait ce qu'ils pensaient, car, elle, elle savait à quoi s'en tenir avec Brandon. Elle connaissait les limites et la durée de vie de leur relation…

Mais, avant qu'elle puisse dire quoi que ce soit, elle sentit la main de Brandon se poser sur son dos.

— Je crois que nous allons tous deux l'escorter, Adam, dit-il à voix basse. Je me suis moi-même désigné escorte pour la soirée.

Elle vit les deux hommes échanger des regards entendus. Elle était bien consciente, comme eux, que le plus dur restait à venir. Il lui fallait encore rencontrer Bonita.

— Je pense qu'avoir deux cavaliers est une idée géniale, conclut-elle.

Quand ils arrivèrent dans la salle à manger, elle remarqua que Parker avait pris place à la tête de la table. Brandon occupa la chaise à côté d'elle et Adam l'autre. Emilio était placé en face d'elle, et ils échangèrent un sourire, comme s'ils se reconnaissaient d'une certaine manière — sans doute devait-il se sentir aussi à part qu'elle, ce soir. Cela dit, elle devait reconnaître qu'une camaraderie bienveillante régnait entre les autres membres, Brandon compris. A l'évidence, Brandon avait déjà partagé d'autres dîners en famille avec les Garrison, car il donnait l'impression d'être comme chez lui.

— Alors, quand pourrais-je venir vous voir dans les îles ? demanda Brooke avec un sourire.

Avant qu'elle puisse répondre, Adam intervint :

— On essaie de s'évader pour une raison ou une autre, sœurette ?

Brooke eut un regard exaspéré.

— Pas spécialement, rétorqua-t-elle sans regarder son frère, en se concentrant soudain sur l'assiette que Lisette avait posée devant elle.

— Vous êtes la bienvenue quand vous le souhaitez, dit Cassie, et elle le pensait.

Quand Brooke leva les yeux, Cassie aurait juré qu'elle lui avait adressé un profond remerciement muet. Adam avait-il raison ? Brooke essayait-elle de s'échapper de Miami pour une raison ou une autre ?

La conversation se poursuivit agréablement entre Cassie et Adam, Brooke et Brittany, qui lui parlèrent des différents établissements qu'ils possédaient et dirigeaient, sous la tutelle du groupe Garrison. Stephen parla du Garrison Grand de Miami et lui demanda même des conseils sur quelques points dont il avait entendu dire qu'elle les avait mis en pratique dans son hôtel des Bahamas.

Quand Brooke s'excusa pour la seconde fois et sortit de table, Cassie entendit Brittany murmurer à Emilio que sa sœur jumelle était sans doute enceinte. Cassie fut heureuse que tous les autres soient trop occupés à écouter Megan, qui racontait une de ses désastreuses expériences dans son métier de décoratrice, pour entendre le commentaire de Brittany.

Soudain, un silence mortel s'abattit sur la salle, et Cassie comprit aussitôt pourquoi Brandon venait de lui prendre la main et la lui serrait fort. Elle suivit le regard des autres et vit une femme, à l'entrée de la pièce. Bonita.

Quelle que soit la curiosité qu'elle avait toujours nourrie envers la femme de son père, jamais, au grand jamais, elle n'avait envisagé qu'une telle déception la saisirait en la découvrant enfin devant ses yeux.

Il était facile de voir que Bonita Garrison avait été autrefois une très belle femme, assez éblouissante pour charmer le jeune homme que John Garrison était lorsqu'il l'avait rencontrée. Mais la femme qui se tenait devant eux, presque trop ivre pour tenir debout, un verre d'alcool à moitié rempli à la main, était épuisée et usée.

— Mère, nous n'étions pas sûrs que tu te joindrais à nous, lança Parker, se levant comme les autres hommes de la tablée.

— Qu'est-ce que cela aurait changé ? rétorqua Bonita, titubant presque à chacun de ses pas.

Elle parvint tout de même à atteindre la chaise à côté de Parker et s'assit.

Reprenant sa place, Parker jeta un coup d'œil à Lisette, qui venait d'entrer.

— S'il vous plaît, apportez une assiette à ma mère ainsi qu'une tasse de café.

Bonita regarda son fils aîné d'un œil noir.

— Je n'ai pas besoin qu'on m'apporte à boire, Parker. J'ai déjà tout ce qu'il faut ici, marmonna-t-elle en levant son verre vers lui.

— Je dirais que tu as un peu trop bu, maman.

Le commentaire venait de Stephen, et, alors que Bonita avait fusillé Parker du regard juste avant, elle adressa un sourire à Stephen. Au lieu de lui répondre, elle lança à la cantonade :

— Peut-être que je vais prendre un café, après tout.

Cassie sut que ce fut à cet instant que Bonita remarqua sa présence. Elle vit aussi Brandon à côté d'elle, qui lui tenait la main.

— Brandon, quelle bonne idée, vous avez amené une petite amie.

Brandon se contenta d'acquiescer d'un hochement de tête, tandis que Bonita continuait de la fixer. Cassie savait bien qu'il ne lui faudrait pas longtemps pour la reconnaître, car les similitudes avec Brittany, assise si près d'elle, étaient frappantes. En dehors de la couleur de leur peau, les deux femmes se ressemblaient vraiment. Quoique, dans l'état où se trouvait Bonita, elle pourrait passer à côté de l'évidence même.

Mais non.

Cassie sentit le regard de Bonita s'intensifier, et, soudain, elle se leva et, sans parler à personne en particulier, demanda :

— Qui est-elle ?

Ce fut Parker qui prit la parole.

— Cassie. Cassie Sinclair Garrison.

Bonita détacha son regard de Cassie et foudroya Parker du regard.

— La fille de cette femme ? Tu as invité la fille de cette femme dans notre maison ?

— Non, j'ai invité la fille de notre père dans notre maison, maman. Cassie est notre sœur, et nous avons pensé qu'il était temps de la rencontrer, assena Parker d'une voix calme et déterminée.

L'expression de Bonita devint glaciale.

— La rencontrer ? Pourquoi voudrais-tu la connaître après ce que ton père et sa mère m'ont fait ?

— Ce qui s'est passé entre papa et toi, ça reste entre vous, intervint Adam, la mâchoire tendue.

— Et, quoi qu'il se soit passé, maman, renchérit Stephen, rien ne change le fait que Cassie *est* notre sœur et que nous voulons apprendre à la connaître.

Bonita passa lentement la tablée en revue, et vit sur le visage de Brittany qu'elle partageait l'avis de ses frères. D'un geste rageur, elle posa son verre sur la table.

— N'attendez pas de moi que je m'en réjouisse !

Sur ces paroles, elle quitta la pièce, tremblante de colère et d'ivresse.

— Peut-être devrions-nous envisager d'annuler la fête pour son soixantième anniversaire, dit doucement Brittany.

Personne ne fit de commentaire.

— Je tiens à vous présenter mes excuses pour le comportement de ma mère, dit Parker à Cassie.

— Vous n'avez pas à vous excuser. Je regrette juste d'avoir perturbé votre mère.

— Ne vous en faites pas pour ça, dit Adam, souriant en prenant une gorgée de vin. Tout perturbe notre mère. Nous sommes habitués, et ça depuis longtemps. Avec les années, nous avons appris à faire avec. Certains y arrivent mieux que d'autres.

Le dîner reprit, et la tension finit par se dissiper. Cassie, comme les autres, se mêla aux discussions et partagea les murmures et les éclats de rire autour de la table. Plus à l'aise que tout à l'heure, elle commença à se détendre, et, plus d'une fois, elle regarda Brandon et le surprit en train de l'observer.

Quand le dîner fut terminé, tout le monde se retira dans le salon et, comme Cassie l'en avait prié, Brandon demanda à parler à Parker en privé. Elle l'avait chargé d'un message : dire à son frère qu'elle ne souhaitait pas parler affaires ce soir, et qu'elle préférait le rencontrer demain.

Plus tard, elle se retrouva seule avec Brittany, Brooke et Emilio. Anna et Megan, qui étaient des amies proches, étaient allées faire une balade pour admirer un des nombreux jardins fleuris qui entouraient le domaine, tandis que Stephen et Adam s'étaient excusés pour aller s'entretenir avec Lisette au sujet de leur mère.

— Je vois que ton frère ne m'apprécie toujours pas, dit Emilio à Brittany.

— Peu importe, tant que moi je t'apprécie, répliqua sa fiancée en l'embrassant sur la joue.

Cassie se décida à poser la question qui la taraudait depuis des jours.

— Pensez-vous que Parker s'attendrira un jour ?

— Qui, Parker ? s'exclama Brooke. Non ! Ce serait trop beau, assena-t-elle avec une irritation non dissimulée dans la voix.

— Et, en ce moment, expliqua Emilio, il est très contrarié, parce qu'il sait que Jordan a acquis un terrain sur lequel il avait des vues.

Et, sans doute parce qu'il pensait que Cassie n'était pas au courant, il précisa :

— Jordan est mon frère.

— Si vous voulez bien m'excuser, je vais aller rejoindre Anna et Megan et prendre un peu d'air frais, lança Brooke de manière brusque avant de tourner les talons pour gagner la véranda.

Brittany regarda sa jumelle s'éloigner.

— Je me demande ce qui lui arrive, dit-elle, songeuse. Elle nous cache quelque chose.

— Une pure hypothèse de Brittany, commenta Emilio à l'intention de Cassie. Elle pense que Brooke a un comportement étrange ces derniers temps.

— Ce n'est pas ce que je pense. C'est ce que je sais. Brooke est ma sœur jumelle, alors il y a certains détails qui ne m'échappent pas.

Avant que Brittany puisse lancer d'autres hypothèses, les garçons revinrent accompagnés de Brandon, qui passa son bras autour de la taille de Cassie.

— Tu es prête à partir ?

— Oui, si toi tu l'es, dit-elle avec un sourire.

Elle promit à Brittany qu'elle passerait par son restaurant cette semaine et donna à Brooke sa parole qu'elle visiterait la résidence de luxe que la jeune femme dirigeait. Et, avant de partir, elle promit aussi à Adam de passer une soirée à l'Estate, et accepta l'invitation de Stephen de visiter le Garrison Grand. Parker ne lui avait rien fait promettre, puisqu'il devait la rencontrer le lendemain à la première heure, à son bureau. Pour lui, disait-il, la chose la plus importante était que Cassie et lui puissent discuter et trouver une solution à leur différend.

Quand Brandon et elle regagnèrent la voiture, Cassie lui adressa un large sourire.

— Ce dîner n'était pas si terrible, en fin de compte, commenta-t-elle.

— Non, c'est vrai. Qu'as-tu pensé de Bonita ?

— J'espère qu'elle pourra se faire aider, le plus rapidement possible.

— Et comment trouves-tu tes frères et sœurs ?

— Pour être tout à fait franche, je dois dire que je les aime bien.

Il lui ouvrit sa portière.

— Je te l'avais bien dit. Même Parker s'est un peu adouci ce soir.

Quand il passa derrière le volant, il consulta sa montre.

— Je sais où je vais t'emmener à présent.

Le timbre sensuel dans la voix de Brandon lui fit lever la tête.

— Oh, vraiment ? Où ça ?

— A mon bureau.

10.

Après avoir marché le long du couloir, main dans la main, Brandon la fit entrer dans son bureau. A cette heure-ci, ils n'avaient croisé personne dans l'immeuble, et c'était aussi bien ainsi. Car Cassie devinait sans mal pourquoi ils venaient dans un bureau vide, un dimanche soir… N'était-ce pas elle, quelques jours plus tôt, qui avait suggéré à Brandon qu'elle adorerait qu'il lui fasse l'amour dans ces mêmes lieux ?

Et, à la manière dont il la dévorait du regard, il n'y avait aucun doute : il s'apprêtait à lui donner exactement ce qu'elle avait demandé.

Elle se mordilla la lèvre, non pas par nervosité, mais d'impatience. Déjà, des frissons la parcouraient. Le désir s'était réveillé au creux de son ventre, et sa langue brûlait de se mêler à celle de Brandon, dans un baiser long et passionné. Depuis l'instant où il lui avait appris dans quel endroit il l'emmenait, lorsqu'ils avaient quitté la propriété des Garrison, des sensations troublantes l'avaient envahie, au point qu'elle s'était agitée sur son siège pendant tout le trajet.

Brandon ferma la porte à clé derrière eux, puis il la prit par la main pour l'attirer plus près de lui. Elle sentit ses jambes chanceler et, pour garder l'équilibre, elle appuya les paumes contre le torse de Brandon. Mon Dieu, comme elle aimait s'abandonner contre la poitrine puissante de cet homme, comme elle aimait l'odeur et la douce chaleur de sa peau. Et comme il allait être incroyablement difficile de s'en passer, une fois qu'elle serait repartie aux Bahamas…

Au fond d'elle, une petite voix lui criait qu'elle lui devait la vérité. Elle aurait dû lui dire qu'elle comptait retourner aux Bahamas plus tôt que prévu. Le lui dire tout de suite. Mais, à cet instant, cela lui était impossible. La seule chose qu'elle arrivait à faire, tout en restant dans ses bras, c'était de s'abandonner à l'excitation que Brandon provoquait en elle d'un simple regard. Etre le seul centre de son attention faisait naître en elle toutes sortes d'émotions et de sentiments intimes, des sentiments qu'elle ne pouvait partager qu'avec lui.

— Tu sais ce que je me dis chaque fois que je te regarde ? demanda Brandon d'une voix rauque, soulignant de l'index le creux de son menton.

— Non. Dis-moi. Je suis très curieuse de le savoir.

Il recula, la détailla de la tête aux pieds, puis la regarda droit dans les yeux.

— Je pense à te déshabiller et à t'embrasser partout. Mais pas seulement. Je veux te goûter, te savourer, m'enivrer de ton parfum et ne faire plus qu'un avec toi.

Cassie ne savait plus si elle devait respirer ou cesser de respirer. Les mots de Brandon avaient affolé son cœur et provoqué une onde de chaleur qui montait rapidement en elle. Lorsqu'ils faisaient l'amour, Brandon parvenait à se laisser aller, à donner toute sa mesure, sans retenue, ce qui, chaque fois, la bouleversait au plus profond d'elle-même.

Avec un soupir enfiévré, elle effaça la distance entre eux et enroula les bras autour de son cou. Elle l'étudia avec une intensité que seule une femme amoureuse peut avoir, gravant dans sa mémoire chaque détail de ses traits — les yeux noirs, les lèvres pleines et sensuelles, la mâchoire ferme et carrée. Malgré sa détermination à retourner sur son île et à vivre sa vie de son côté, Cassie savait que jamais elle ne pourrait oublier Brandon, et tous les moments merveilleux passés avec lui.

— L'autre jour, tu disais vouloir faire l'amour ici, pour

que je ne t'oublie pas. Qu'est-ce qui te fait croire que je pourrais t'oublier, Cassie ?

Elle se mordilla la lèvre. La question de Brandon exigeait une réponse, qu'elle n'était pas prête à partager avec lui. Si elle le faisait, elle allait donner l'impression d'être une femme en demande, une femme qui voulait l'amour d'un homme qui n'était pas prêt à le donner. Un homme, qui, sans doute, n'avait aucune intention de se marier, après ce que sa fiancée lui avait fait subir… Cependant, songea-t-elle soudain, n'était-ce pas exactement ce qu'elle croyait d'elle-même, après son histoire avec Jason ? Or, elle était tombée amoureuse de Brandon Washington. Follement amoureuse. Mais elle ne pouvait pas le lui dire.

— Cassie ?

Eh bien, elle lui fournirait une réponse, qui ne serait pas l'entière vérité.

— Parce que je sais que notre relation est juste une parenthèse très agréable, Brandon, et rien de plus. Je le sais, et tu le sais aussi. Mais je veux que tu te souviennes de moi comme moi je me souviendrai toujours de toi. Et, puisque c'est ici que tu passes beaucoup de temps, je veux que tu aies des images de moi dans ton bureau.

Il sourit, puis lui donna un léger baiser qui attisa encore le feu en elle.

— Surtout ici ? demanda-t-il d'une voix profonde.

— Oui, en particulier ici, répondit-elle d'une voix qu'elle voulut sensuelle. Je veux entrer dans ton esprit, Brandon.

Ce qu'elle ne disait pas, c'était qu'elle voulait entrer dans son cœur, aussi. Mais elle savait bien que ce n'était qu'une chimère.

Toute trace d'amusement s'effaçant de son visage, il reprit un ton sérieux et un air solennel.

— Tu *es* dans mon esprit, Cassie.

Elle se sentit envahie par une étrange sensation. Elle aurait voulu lancer une réplique désinvolte, mais elle n'y parvint pas. Elle voulait tant croire Brandon ! D'ailleurs, d'une certaine façon, elle le croyait. Il n'était peut-être pas amoureux d'elle, mais, durant ces deux dernières semaines, ils avaient créé un lien qui allait au-delà de la simple alchimie sexuelle. Il était venu sur l'île pour la piéger, mais, au final, il lui avait tout avoué et avait été totalement sincère avec elle en lui révélant plus de choses qu'elle ne l'aurait imaginé.

Et il l'avait amenée ici ce soir pour lui faire plaisir. Pour qu'ils puissent fabriquer les souvenirs qu'elle voulait qu'il garde, même quand elle serait de l'autre côté de l'océan. Le bonheur qu'elle ressentit à cet instant lui fit tourner la tête, et, aussitôt, elle prit une grande inspiration et huma au passage le parfum épicé et viril de Brandon.

— Alors, fabriquons-nous des souvenirs, Brandon. Créons-les ensemble.

Brandon dévisagea Cassie. Il la voulait avec une force qui lui faisait presque peur. L'intensité de son désir lui coupait littéralement le souffle. C'était comme s'il la désirait chaque jour plus fort, comme s'il ne pouvait être rassasié d'elle.

Elle était si près de lui qu'il pouvait sentir les tétons durcis de ses seins appuyer contre son torse. Et, plus excitant encore, son ventre était en contact avec son sexe en érection. Il la pressa un peu plus contre lui, ayant trop besoin de l'intimité de leurs deux corps.

L'idée de lui faire l'amour dans son bureau était d'un érotisme irrésistible. Et, avec une faim aiguë qui ne pouvait être apaisée que d'une seule façon, il baissa la tête et, explorant sa bouche avec ardeur, il goûta sa saveur sucrée et sentit ses lèvres trembler sous les siennes.

Malgré l'air conditionné, il eut soudain le sentiment que la température avait augmenté de plusieurs dizaines de degrés dans la pièce. La seule façon de se rafraîchir, c'était d'enlever ses vêtements. Leurs vêtements…

Il interrompit le baiser, et, rapidement, se mit à déboutonner sa chemise, mû par des images qui bombardaient son esprit de tout ce qu'il avait envie de faire à Cassie. Un sourire sensuel s'accrocha à ses lèvres.

— Pourquoi souris-tu ? demanda-t-elle.

Il la regarda et rit.

— Fais-moi confiance, il vaut mieux que je ne te le dise pas.

— Mais tu vas me montrer ? s'enquit-elle tandis qu'il enlevait son pantalon.

— Oh oui ! Je vais te montrer, compte sur moi.

Totalement nu, il se tint devant elle. Il voulait la faire sienne, d'abord vite et fort, puis avec douceur, en prenant son temps. Il voulait la marquer au fer rouge. Il voulait…

Sentant qu'il était sur le point de perdre tout contrôle, il avança vers Cassie pour la déshabiller. A son grand plaisir, elle se montra très coopérative. Sinon, il aurait tout arraché à la hâte, tant son désir était irrépressible et tournait à l'obsession.

Quand elle fut tout à fait nue devant lui, il la contempla en silence, stupéfait par sa beauté. Ce n'était pourtant pas la première fois qu'il la voyait nue, loin de là, mais, chaque fois, le spectacle de sa splendide nudité le laissait sans voix. Elle était parfaite. La femme parfaite. Une femme qui avait le pouvoir de l'exciter comme aucune autre, à la fois belle et sexy.

Alors, exactement comme dans le rêve qu'il avait si souvent fait, il lui prit la main et l'attira vers le bureau. La dernière fois qu'il l'avait amenée ici, il avait dû résister contre la terrible envie de la prendre sur son bureau, et, depuis, il n'avait cessé d'y penser. Il l'avait imaginée, nue, offerte, prête à l'accueillir en elle, et s'était vu en train de lui faire l'amour avec frénésie. Rien que d'y penser, son corps se tendait de plus belle.

Il était sur le point de réaliser son fantasme et de se créer de belles images. Il n'entrerait plus jamais dans son bureau sans songer à elle ni à ce qu'ils avaient fait ici. Il se souviendrait toujours qu'elle n'avait fait qu'un avec lui pendant ces quelques instants.

D'un geste ferme et assuré, il la souleva et la fit asseoir sur le bureau. Une décharge de désir le traversa. Il brûlait de poser les mains partout sur le corps de Cassie, d'être en elle, de la sentir chavirer sous ses baisers, sous ses caresses. De la voir jouir quand il lui ferait l'amour. Il voulait tout d'elle, tout de suite. Il laissa ses doigts dériver sur sa peau satinée, décrivant de lentes arabesques, comme s'il écrivait son nom sur ses seins, son ventre, ses cuisses.

Et puis, il captura sa bouche et s'abandonna à un baiser plus intime que tout ce qu'il avait jamais partagé avec d'autres femmes. Cassie était en train de le consumer tout entier, qu'elle le veuille ou non. Peu importait que ce soit délibéré ou non, l'essentiel était qu'elle le conduisait dans des sphères où la force de leurs émotions décuplait les sensations.

Alors, frémissant de désir, il la fit doucement s'étendre sur le dos, puis il écarta ses cuisses et se pressa contre elle. Contre son sexe brûlant, moite, accueillant. Une place qui, à cet instant, lui revenait de droit… Le parfum chaud de Cassie prit d'assaut ses sens, et il faillit perdre le contrôle de lui-même. Cassie était magnifique avec ses cheveux ébouriffés qui tombaient en cascade sur ses épaules et devant son visage. Il repoussa doucement les mèches bouclées vers l'arrière, pour que rien ne trouble sa vision. Il voulait qu'elle voie tout ce qu'il allait lui faire.

Il se pencha en avant pour prendre ses lèvres, sa langue envahissant sa bouche de la même façon que son sexe était sur le point d'envahir son corps. Ne voulant pas, ne pouvant pas attendre plus longtemps, il pressa son sexe gorgé de désir contre elle et, lorsqu'il sentit sa chaleur moite contre lui, la pénétra doucement, serrant les dents à mesure qu'il s'enfonçait en elle.

Encouragé par les voluptueux gémissements de Cassie, il se mit à aller et venir en elle, d'abord lentement, puis de plus en plus profondément. Il lui faisait l'amour avec une faim primitive qui intensifiait les sensations. Leurs deux corps se mouvaient à l'unisson, dans une parfaite harmonie, et, quand il la sentit frissonner, sa réaction fut instantanée. Il fut balayé par un plaisir si intense que son corps explosa dans une extase frénétique. Relâchant les hanches de Cassie, il plongea les doigts dans sa chevelure, tandis que son corps assouvissait enfin son désir à l'intérieur de son intimité étroite et brûlante, les emportant tous deux au sommet du plaisir.

Quand, encore parcourue par les derniers spasmes de la jouissance, Cassie s'alanguit entre ses bras, il trouva, il ne sut comment, la force de la porter pour la serrer fort. Il ne voulait pas l'abandonner déjà, et se demandait comment il allait faire dans deux semaines. Il ne voulait pas songer au jour de leur séparation, alors il s'assit derrière le bureau, avec Cassie blottie contre lui.

Il la regarda. Elle avait le visage radieux d'une femme à qui on vient de faire l'amour, et, sans pouvoir s'en empêcher, il se mit à caresser les pointes rosies et dures de ses seins. Et, quand il remarqua que Cassie respirait de manière plus rapide, il se pencha en avant et prit possession de sa bouche.

Il la désirait de nouveau.

Il leva la tête, rencontra son regard, et sa main se mit à dériver sur son corps, à la recherche de certaines parties très sensibles…

Il l'entendit haleter quand ses doigts effleurèrent son sexe brûlant.

— Tu en as eu assez, chérie ? demanda-t-il d'une voix rauque et basse.

Elle s'agrippa à ses épaules et murmura le seul mot qu'il voulait entendre.

— Non.

— Parfait.

Il se leva, Cassie dans ses bras, et se dirigea vers le canapé. Ce soir, c'était leur soirée. Dans les jours qui suivraient, les Garrison voudraient passer du temps avec Cassie, avant qu'elle ne retourne chez elle. Mais ce soir leur appartenait, et ils allaient le rendre inoubliable.

La secrétaire de Parker leva les yeux sur Cassie et lui lança un regard curieux.

— M. Garrison vous attend. Il a demandé à ce que je

vous conduise à son bureau dès votre arrivée, mademoiselle Garrison.

— Merci.

Cassie suivit la jeune femme, un peu anxieuse. Même si
elle était sûre d'avoir pris la bonne décision en acceptant
de rencontrer Parker ce matin, seul à seul. Car, quelle que
soit la relation qu'elle entretenait avec Brandon, il restait
l'avocat de Parker.

Elle avait discuté avec son propre avocat et noté tous
les conseils qu'il lui avait donnés. Quand elle lui avait dit
que Brandon serait présent à la réunion qu'elle avait prévue
avec Parker, son avocat avait insisté pour y être également :
si l'avocat de Parker était présent, disait-il, il se devait de
l'être aussi afin de s'assurer qu'elle soit bien représentée
et ne soit lésée en aucune façon. C'est alors qu'elle avait
compris qu'il valait peut-être mieux ne pas compliquer les
choses, et voir Parker seul à seul. Sans Brandon, et sans
son propre avocat. Du moins, dans un premier temps, en
espérant qu'ils parviendraient à un accord, tous les deux.

La secrétaire frappa un coup à la porte de Parker avant
d'entrer. Parker se détourna de sa fenêtre, qui dominait
Biscayne Bay, et posa son regard sur Cassie. Elle fut une
fois de plus frappée par la troublante ressemblance de
Parker avec leur père.

— Vous me dévisagez.

Elle se sentit rougir sous le commentaire de Parker.
Elle remarqua que la secrétaire était partie et avait fermé
la porte derrière elle, et elle en fut soulagée.

— Désolée, c'est que vous ressemblez tellement à papa.

Il eut un petit rire.

— C'est drôle, je me suis dit la même chose à propos
de vous, dimanche. Et je ne m'attendais vraiment pas à
ce que vous lui ressembliez tant.

Elle fut sur ses gardes, de manière instinctive et immédiate.

— A qui vous attendiez-vous à ce que je ressemble ?
s'enquit-elle, le menton relevé.

— Je ne sais pas, dit-il en haussant les épaules. Sans
doute à votre mère, une étrangère, quelqu'un par qui je

142

n'avais pas vraiment à me sentir concerné. Mais vous voir en chair et en os m'a forcé à admettre un fait que j'essayais d'occulter depuis la lecture du testament de papa.

— Lequel ?

— Le fait que j'ai une autre sœur — une sœur que mon père adorait, à l'évidence, pour avoir fait ce qu'il a fait, dit-il tout en reculant une chaise pour elle.

— Mais je suis une sœur dont vous vous seriez bien passé, commenta-t-elle en s'asseyant.

Il alla s'installer derrière son bureau et lui adressa un sourire contrit.

— Oui, je l'avoue, mais n'y voyez là rien de personnel. J'ai parfois eu la même réticence envers Brittany et Brooke, quand elles devenaient trop pénibles. C'était vraiment difficile d'être le frère aîné.

Il eut l'air songeur.

— Et d'être le fils aîné, ajouta-t-il.

Cassie avait peine à croire que son père ait été si impitoyablement exigeant avec son premier-né.

— Papa vous a-t-il mené la vie dure parce que vous étiez le premier ? demanda-t-elle.

Il sembla surpris par sa question.

— Non, c'est moi qui me suis mené la vie dure tout seul. J'admirais tout de papa, et je voulais l'égaler. Il réussissait dans tous les domaines — le sport, les affaires, les finances. C'était un homme apprécié et admiré par nombre de ses proches. Je ne savais pas si, adulte, je pourrais être à la hauteur de mon modèle, pourtant Dieu sait que c'est ce que j'ai toujours voulu.

Il marqua un temps, puis poursuivit :

— Mais je sais une chose sur papa, c'est qu'il était juste, envers chacun de nous. Très tôt, nous avons été encouragés à entrer dans le groupe familial. Nous l'avons tous écouté, et aucun de nous ne l'a jamais regretté.

Cassie hocha la tête. Son père l'avait encouragée à rejoindre le groupe Garrison, elle aussi. A seize ans, elle avait commencé à travailler à temps partiel pour l'hôtel, et, quand elle avait obtenu son diplôme universitaire, il lui avait confié la direction de l'établissement. Cela avait été une énorme responsabilité pour une jeune femme de vingt-deux ans, mais son père n'avait eu de cesse de lui répéter à quel point il avait foi en ses capacités.

Et elle n'avait pas voulu le décevoir, tout comme Parker avait sans doute grandi en ne voulant pas le décevoir. Supposait-il que, puisque leur père ne lui avait pas laissé la plus grosse part du gâteau, il l'avait déçu d'une manière ou d'une autre ?

— Papa était fier de vous, Parker, dit-elle d'un ton ferme.

Elle vit une lueur de surprise briller dans ses yeux.

— Il en a parlé avec vous ? demanda-t-il.

— Oui. Certes, étant donné les circonstances, il ne pouvait pas vous dire à tous que j'existais, mais moi, je savais que j'avais des frères et sœurs. Papa me disait souvent que vous faisiez un travail génial au sein de Garrison Inc., et qu'il n'avait pas hésité une seconde avant de vous confier les rênes de la compagnie.

Parker s'adossa dans son fauteuil, et Cassie le sentit l'étudier tout en joignant le bout de ses doigts.

— Si ce que vous dites est vrai, alors pourquoi vous et moi devons-nous nous partager le contrôle du groupe ?

Cassie sourit. Le Parker arrogant qu'elle connaissait était de retour.

— Parce que je suis douée pour ce que je fais, tout comme vous. Papa connaissait nos forces, et aussi nos faiblesses respectives, et, même si vous ne pouvez pas vraiment le comprendre aujourd'hui, je pense qu'il s'est dit qu'à long terme nous ferions tous les deux de notre mieux pour faire prospérer la compagnie. Vous-même venez d'admettre que papa était un homme juste.

— Oui, mais...

— Mais, rien, Parker, dit-elle en se penchant en avant. C'était un homme bon et juste, point. Et je suis sûre que Brandon vous a déjà dit que je ne vendrai pas mes parts, et que je ne céderai pas mon pouvoir décisionnel.

— Oui, il m'en a informé.

Cassie sourit devant les lignes tendues sur le visage

de Parker. Il ne faisait aucun doute pour elle que Parker Garrison était habitué à obtenir ce qu'il voulait, et elle, espérait pour lui que sa femme, Anna, parviendrait peut-être à lui faire perdre cette habitude.

— Je suis ici pour vous faire une autre offre, Parker, une proposition que nous pourrons tous deux accepter.

A en juger par le regard de Parker, songea-t-elle, il en doutait fort.

— Et quelle est cette offre ?

— Comme je vous l'ai dit, le Garrison Grand Bahamas est mon principal centre d'intérêt, néanmoins je ne donnerai jamais un cadeau que papa m'a fait. Mais, j'accepte de vous signer une procuration, à la condition que vous me teniez informée de toutes les décisions importantes. Non pas pour les soumettre à mon approbation, mais juste pour me tenir au courant des événements, puisque je serai aux Bahamas.

Cassie vit la méfiance se peindre sur les traits de son demi-frère.

— Etes-vous en train de dire que vous ne vendrez pas vos parts, mais que vous me céderez votre pouvoir par le biais d'une procuration ?

— Oui, c'est exactement ce que je dis. Puisque je vous cède par écrit mon pouvoir décisionnel, cela reviendra en substance au même, sauf que je garde la propriété des parts. Et, si je n'étais vraiment pas d'accord avec l'une de vos décisions, je pourrais m'y opposer en votant contre.

La pièce devint calme, et Parker afficha un air encore plus soupçonneux.

— Pourquoi ? Pourquoi feriez-vous cela ?

Cassie se fendit d'un sourire serein.

— Parce que je croyais papa, toutes ces fois où il m'a dit que vous étiez un des hommes d'affaires les plus habiles qu'il connaisse. Et parce que je suis persuadée que vous ferez ce que vous pensez être le mieux pour la compagnie, afin de préserver l'héritage de papa pour la future génération Garrison.

Parker ne dit rien pendant un instant, et Cassie devina qu'il était pris au dépourvu.

— Merci, dit-il enfin.

Elle hocha la tête et se leva.

— Inutile de me remercier, Parker. Dites à Brandon de rédiger les documents, pour que je puisse les signer avant mon départ.

Il se leva à son tour.

— Vous serez là encore une semaine, n'est-ce pas ?

— C'est ce que j'avais prévu en arrivant, mais j'ai décidé de repartir à la fin de cette semaine. Je n'ai pas encore parlé à Brandon de ce changement de programme. Je le lui dirai ce soir.

Parker contourna son bureau pour venir face à Cassie.

— Cassie, Brandon est un type bien. En plus d'être mon avocat, c'est aussi quelqu'un que je considère comme un ami. La raison pour laquelle il a fait ce qu'il a fait lorsqu'il est venu aux Bahamas...

Elle l'interrompit d'un geste de la main.

— Je sais, il m'a tout expliqué. Bien que j'aie été furieuse sur le moment, maintenant je ne lui en veux plus.

« Et je suis aussi très amoureuse. »

Mais ça, elle ne pouvait pas le dire à voix haute.

— Anna et moi aimerions vous inviter à dîner avant votre départ. Etes-vous libre mercredi soir ?

Cassie sourit. Elle était contente que Parker et elle aient conclu une trêve. Elle songea à tous les autres dîners qu'elle avait prévus cette semaine avec Stephen, Adam, Brittany et Brooke. Ses frères et sœurs.

— Oui, j'en serai ravie. Mercredi, ce sera parfait. Merci, Parker.

Brandon observait Cassie sur la piste. Elle était en train de danser avec Stephen, qui était passé la voir avant qu'elle ne reparte pour les Bahamas. C'était sa dernière soirée à Miami, et Brandon l'avait emmenée à l'Estate, le night-club d'Adam. Les jeudis étaient, depuis longtemps, dévolus aux jeunes femmes.

Lorsque Cassie lui avait appris quelques jours plus

tôt qu'elle quitterait Miami avec une semaine d'avance, Brandon avait été surpris, et très déçu. Il avait été à deux doigts de la supplier de ne pas partir, de rester avec lui. Et pas seulement pour une semaine, mais pour toute la vie. Mais, alors, il s'était souvenu de ce qu'elle avait dit sur les Bahamas : c'était son foyer, et elle ne voudrait plus jamais vivre ailleurs. Mais ce qu'elle ne savait pas, c'était qu'en partant elle emporterait avec elle une partie de son cœur à lui.

— Brandon, tu as une minute ?

Brandon leva les yeux vers Adam.

— Oui, bien sûr. Quoi de neuf ?

Adam s'assit à califourchon sur la chaise face à Brandon et regarda autour de lui pour être sûr que personne ne pourrait les entendre. Ensuite, il soutint le regard curieux de Brandon.

— J'ai décidé de me porter candidat pour la présidence du *Miami Business Council*.

— C'est génial, Adam ! s'exclama Brandon avec un sourire. Félicitations.

— Merci, mais c'est un peu tôt pour me féliciter. J'ai déjà un problème sur ma route.

Brandon haussa un sourcil intrigué.

— Quel genre de problème ?

Adam et lui étaient membres de ce conseil depuis des années et, à l'évidence, Adam sentait qu'il était temps pour lui de passer à la vitesse supérieure et d'avancer dans sa carrière. Brandon ne voyait pas où était le problème. Comme ses frères, Adam était un brillant homme d'affaires, et le succès de l'Estate ne pouvait qu'en attester.

— Certains des membres les plus anciens, qui sont aussi les plus influents, ne me prennent pas au sérieux. Ils me voient comme un play-boy notoire, un célibataire endurci. Et, comme je travaille dans le domaine du divertissement, ils considèrent que je n'ai pas le profil idéal pour diriger le conseil.

Brandon fixa Adam. Malheureusement, il imaginait très

bien les membres les plus âgés et les plus conservateurs du conseil émettre de telles réserves à propos d'Adam.

— Alors, qu'est-ce que tu comptes faire ? demanda-t-il.

— Une chose qu'on m'a suggérée, et qui est facile.

— C'est-à-dire ?

Adam sourit.

— M'appliquer à étendre la clientèle au-delà des jeunes gens beaux, riches et célèbres. Mais l'autre suggestion ne sera pas aussi aisée.

— Et quelle est cette suggestion ? demanda Brandon, surpris par la note de désespoir dans la voix de son ami.

— Pour changer mon image de play-boy, on m'a conseillé de trouver une épouse.

— Une épouse ?

— Oui, une épouse. Alors, qu'est-ce que tu en penses ?

— J'en pense que tu devrais dire à tes conseillers d'aller au diable.

— Sois sérieux, Brandon.

Brandon était de plus en plus interloqué.

— Je suis sérieux !

Il poussa un soupir et recula sur sa chaise.

— D'accord, envisageons que tu suives ce conseil. Quelle femme accepterait de t'épouser juste pour t'aider à avancer dans ta carrière ?

Avant qu'Adam puisse répondre, Brandon poursuivit :

— Inutile de me répondre. Pendant un court instant, j'avais oublié que tu t'appelais Garrison. Tu auras toute une flopée de femmes vénales et de croqueuses de diamants devant ta porte, à attendre que tu leur passes la bague au doigt. Est-ce le genre de femme avec laquelle tu veux être enchaîné pour le restant de tes jours ?

— Oh, rassure-toi, ce ne sera pas pour le restant de mes jours. Je veux juste être marié pendant un an, voire deux. Je veux une femme qui acceptera mes conditions. Nous pourrons divorcer à la fin de cette période.

Brandon avala une gorgée de vin.

— Et où comptes-tu trouver une candidate à un tel mariage ?

— Justement, c'est pour cela que je voulais te parler. Tu n'aurais pas une idée ?

Brandon rit, puis prononça le premier nom qui lui vint à l'esprit.

— Paula Franklin ?

Adam prit un air dégoûté.

— N'y pense même pas.

Paula avait d'abord tenté de séduire Parker, quelques années plus tôt, et, comme il ne lui avait témoigné aucun intérêt, elle s'était rabattue sur Stephen. Celui-ci l'avait rejetée encore plus violemment que son frère aîné, et, finalement, Paula avait reporté son attention sur Adam, bien décidée à attraper un héritier Garrison dans ses filets.

Parker et Stephen avaient mis Adam en garde contre Paula, aussi n'avait-il pas été surpris de la voir débarquer un soir à son club, prête à lui sortir le grand jeu de la séduction et disposée à faire à peu près tout pour parvenir à ses fins. Quand il avait refusé ses avances, elle l'avait poursuivi de ses assiduités durant des semaines entières, jusqu'à ce qu'il la menace de l'assigner en justice pour harcèlement.

Brandon le fixa, songeur, tandis qu'un autre nom lui venait en tête.

— D'accord, oublions Paula. Pourquoi pas Lauryn Lowes ?

Adam considéra Brandon comme s'il le prenait pour un aliéné.

— Lauryn Lowes ? Ma comptable guindée ?

— Oui, celle-là même, enchaîna Brandon en ignorant le regard incrédule d'Adam. Tu dois admettre que cette fille connaît les bonnes manières, une qualité que les pontes du conseil voudraient voir chez ton épouse, alors considère cela comme un plus. En outre, elle n'est pas vilaine, ce qui ne gâte rien.

Cette fois, Brandon avait dû convaincre Adam, car celui-ci semblait songeur.

— Lauryn Lowes…

Brandon se leva et tapota l'épaule de son ami.

— Pendant que tu y réfléchis, je vais aller voler à Stephen une danse avec ma petite amie.

— Mmm, intéressant, commenta Adam.

Brandon fut interloqué.

— Quoi donc ?

— Le fait que tu considères Cassie comme « ta petite amie ». Si elle est ta petite amie, alors comment se fait-il qu'elle quitte Miami demain pour retourner aux Bahamas ?

— Elle a dit qu'elle avait besoin de partir, répliqua Brandon d'un ton irrité. Qu'est-ce que j'étais censé faire ? La retenir en otage ? Les Bahamas sont sa maison, Adam. Elle ne veut vivre nulle part ailleurs, elle me l'avait dit, quelques jours après notre rencontre.

— Lui as-tu donné une raison de vouloir changer d'avis ? rétorqua Adam. Tu sembles accro, mais peut-être ne tiens-tu pas à elle autant que je le croyais ? Moi, si je tenais à une femme, je veux dire, véritablement — quoique, remarque, ça ne m'est jamais arrivé —, je ferais tout ce qui est en mon pouvoir pour être auprès d'elle et je m'assurerais que rien, pas même l'océan Atlantique, ne puisse se mettre entre nous.

Et, avant que Brandon puisse rétorquer quoi que ce soit, Adam se leva et s'éloigna.

Brandon resta un instant immobile, les paroles d'Adam tourbillonnant dans son esprit. Bien que Cassie ne lui ait jamais dit qu'elle l'aimait, il avait la certitude que c'était de l'amour qu'elle ressentait pour lui. Chaque fois qu'ils faisaient l'amour, elle se donnait à lui, totalement et sans retenue.

Et, bien qu'il ne lui ait jamais avoué ce qu'il ressentait pour elle, il savait, au fond de son cœur, qu'il l'aimait, lui aussi.

Il l'aimait, oui. Il voulait vivre avec elle, mais il ne voulait pas qu'elle vive ici à Miami, si elle risquait de ne pas être heureuse. D'ailleurs, son hôtel était dans les îles. Ce n'était pas comme si elle pouvait aller là-bas chaque jour pour travailler.

Soudain, il leva les yeux au ciel quand une idée surgit

dans son esprit. Pourquoi diable n'y avait-il pas songé plus tôt ? Il prit quelques instants pour considérer son idée, en évaluer la faisabilité. Et, après à peine quelques instants, il décida qu'il allait la mettre en œuvre. Il se mit à rire à voix haute, enfin content de lui.

— Qu'est-ce que tu as ?

Brandon aperçut près de lui le visage soucieux de Stephen. Au lieu de répondre, il regarda autour de lui.

— Où est Cassie ? s'enquit-il.

— Elle est toujours en train de danser, l'informa Stephen en s'installant à la table de Brandon. Une autre balade a commencé, et un type l'a invitée à danser.

— Et tu l'as laissée avec lui ? s'exclama-t-il, conscient qu'un muscle avait tressauté dans sa mâchoire.

Stephen fut dérouté par le ton cassant de Brandon.

— J'étais supposé l'empêcher de danser, ou un truc dans ce genre ?

Comme Brandon ne répondait pas, Stephen insista.

— Qu'est-ce qui se passe, Brandon ?

Dans la foule, Brandon chercha Cassie du regard. Il l'aperçut en train de danser un slow. Dans les bras d'un autre homme.

— Brandon ?

— Oui ? dit-il, détachant à grand-peine les yeux de Cassie pour faire face à Stephen.

— Je t'ai posé une question. Qu'est-ce qui ne va pas ?

— Tout va bien, dit-il en se levant. En fait, à cet instant précis, tout va très bien. Je pense que je vais aller danser avec Cassie.

Stephen secoua la tête, réprimant un sourire.

— Elle danse déjà avec quelqu'un, au cas où tu ne l'aurais pas remarqué.

— Dommage pour lui.

Tel un homme en mission, Brandon traversa la salle et alla taper sur l'épaule du cavalier de Cassie. L'homme se tourna et regarda Brandon d'un œil noir puis, sans dire un mot, s'effaça.

Aussitôt, Brandon prit la main de Cassie et l'attira dans ses bras.

Elle leva les yeux, un sourire aux lèvres.

— La chanson est presque finie, tu n'avais pas besoin de nous interrompre, Brandon.

— Si, il le fallait.

— Pourquoi ?

— Parce que je n'aimais pas l'idée qu'un autre homme te touche.

C'était la première fois que Cassie voyait Brandon se montrer possessif. Elle tenta de feindre la désinvolture et émit un petit rire.

— Et pourquoi cela te dérangerait-il ?

— Parce que.

— Parce que quoi ? insista-t-elle.

Le slow était fini, et, tandis que quelques danseurs retournaient à leurs tables, Brandon prit fermement la main de Cassie.

— Viens, allons faire un tour.

Ils sortirent et, quelques instants plus tard, ils descendirent la volée de marches qui menait à la plage. Cassie s'arrêta le temps d'enlever ses sandales. Son cœur cognait furieusement dans sa poitrine. Pourquoi Brandon était-il soudain devenu si possessif et jaloux ? Cela signifiait-il qu'il tenait davantage à elle qu'elle ne le croyait ? Une petite lueur d'espoir s'alluma au fond d'elle.

Elle décida de briser le silence qui les entourait, seulement meublé par le bruit des vagues qui s'écrasaient sur le sable.

— L'Estate est un très beau club.

Brandon cessa de marcher, et elle l'imita, avant de lever les yeux vers lui. Les lumières vives venant de tous les clubs et restaurants de la plage éclairaient ses traits. Il la fixait, d'un regard sombre, intense, insondable.

— Je ne t'ai pas amenée ici pour parler du club d'Adam, Cassie.

Elle détourna les yeux un instant, pour fixer l'océan, tandis qu'elle tentait de garder une contenance.

— Alors, pourquoi m'as-tu amenée ici, Brandon ? dit-elle en se retournant vers lui.

L'espace de quelques secondes, Brandon fut incapable de prononcer le moindre mot. Il ne put que regarder Cassie, la gorge nouée par l'émotion. Lentement, il expira, puis se lança.

— De nos sentiments l'un pour l'autre, Cassie.

— Nos sentiments l'un pour l'autre ? répéta-t-elle, stupéfaite.

— Oui. Dis-moi, où penses-tu que notre relation nous mènera après ton départ demain ?

Cassie sentit les larmes lui monter aux yeux et lutta pour les retenir. Elle ne connaissait que trop bien la réponse à cette question.

— Nulle part, articula-t-elle d'une voix faible.

Brandon tenta d'ignorer la douleur vive qui lui oppressa la poitrine.

— Pourquoi penses-tu cela ?

— Pourquoi ne le penserais-je pas ? riposta-t-elle d'un ton un peu trop vif. M'as-tu jamais dit que tu voulais poursuivre une relation longue durée avec moi ?

Elle avait raison. Il n'avait jamais rien dit dans ce sens.

— J'avais peur, admit-il avec sincérité.

— Peur ? Mais de quoi ?

— Je savais que, comme tu me l'as dit il y a quelques semaines, tu adores ton pays, et que tu ne veux pas quitter les Bahamas pour vivre ailleurs. Je savais que je ne pourrais jamais t'arracher à ton île, alors je ne voyais pas d'avenir pour nous. J'ai condamné notre histoire un peu trop facilement. Mais, à présent, je sais ce que mon cœur me dit.

Elle étudia ses traits, soudain pleine d'espoir.

— Et que te dit ton cœur, Brandon ? demanda-t-elle d'une voix douce.

Il l'attira plus près de lui et lui fit poser sa main contre son torse, sur son cœur.

— Ecoute.

Elle sentit le doux bruit régulier sous sa main, et puis elle entendit Brandon déclarer :

— Ce sont des battements continus qui disent, sans relâche, que moi, Brandon Jarrett Washington, aime Cassie Sinclair Garrison, de tout mon cœur et de toute mon âme. Tu entends ces battements, ma chérie ?

— Oui, je les entends maintenant, dit-elle, luttant manifestement contre le trop-plein d'émotions qui menaçait de la submerger.

— Et tu entends les battements qui disent que je veux t'épouser, faire de toi ma femme et fonder une famille avec toi ?

Elle rit.

— Non, ceux-là, je ne les entends pas.

— Eh bien, les battements sont bel et bien là, à cogner fort et distinctement. Qu'est-ce que tu en dis ? Et, avant que tu ne me répondes, je veux que tu saches que je n'ai aucune intention de te demander de quitter ton île pour venir vivre ici avec moi.

Aussitôt, il vit son visage se fermer.

— Tu envisages un mariage longue distance, alors ?

Il entendit la déception dans sa voix. Elle se souvenait sans doute des absences répétées que ses parents avaient supportées.

— Pas du tout. Je veux vivre avec toi aux Bahamas, après t'avoir officiellement épousée. J'utiliserai mon avion privé pour me rendre à Miami chaque jour. C'est un vol de moins de trente minutes. Beaucoup de gens passent plus de temps que ça sur l'autoroute pour rejoindre leur lieu de travail.

Cassie sentit son cœur se gonfler d'amour.

— Tu ferais ça pour moi ?

Brandon sourit et effleura du pouce le creux de son menton.

— Je ferai ça pour *nous*. Je t'aime, et je suis prêt à tout pour t'avoir à mes côtés.

Il se pencha vers elle, captura sa bouche, et Cassie s'abandonna à son étreinte.

Lorsque, enfin, il mit fin au baiser, elle frissonnait de tout son être.

— Est-ce que ça va, chérie ?

Elle posa une main sur la joue de Brandon et sourit.

— Oui, tout va bien.

Il serra sa main et l'attira dans une autre direction.

— Où est-ce que tu m'emmènes ? demanda-t-elle, presque à bout de souffle.

— A la maison. Et je pense que nous devrons annuler ton vol de demain matin. Mon cœur bat d'une multitude de mots qu'il faut que tu écoutes, alors tu dois rester dans les parages.

Cassie sourit. Son cœur n'appartenait qu'à cet homme, et ce serait toujours ainsi.

— Oui, je vais rester encore quelques jours, finalement. Surtout que mon cœur aussi a bien des choses à vous dire, monsieur Washington. Et il ne bat que pour vous.

EMILIE ROSE

Serments sous contrat

éditions **H**HARLEQUIN

*Cet ouvrage a été publié en langue anglaise
sous le titre :*
SECRETS OF THE TYCOON'S BRIDE

Traduction française de
ROSA BACHIR

Ce roman a déjà été publié en avril 2009

1.

Parce qu'il ne l'aimait pas, et qu'il n'éprouvait aucune attirance pour elle, Lauryn Lowes ferait une parfaite épouse.

Comment pourrait-il l'aimer, d'ailleurs ? songea Adam. Il la connaissait à peine.

Leurs rencontres bihebdomadaires, depuis qu'il l'avait embauchée, sept mois plus tôt, ne lui avaient jamais laissé le temps d'avoir une discussion un tant soit peu personnelle. Lauryn travaillait dans son night-club le jour, et lui travaillait la nuit, quand l'*Estate* était ouvert. Il savait très peu de choses sur elle, hormis ce qu'il avait lu sur son C.V.

On frappa à la porte, et la femme qui occupait ses pensées apparut.

— Vous vouliez me voir ?

— Entrez, Lauryn. Fermez la porte et asseyez-vous.

Elle obtempéra, et s'installa dans le fauteuil face au bureau.

Selon l'avocat d'Adam, qui se trouvait aussi être son meilleur ami, Lauryn était la candidate idéale pour ce mariage. Or, Adam avait toute confiance dans le jugement de son avocat.

Le fauteuil de cuir d'Adam grinça tandis qu'il reculait pour se faire sa propre opinion. Lauryn n'était pas vilaine. Elle était juste terne. Jamais de maquillage. Des cheveux blond clair qu'elle coiffait invariablement en chignon strict. C'était une femme intelligente, travailleuse et autonome. Sinon, il ne l'aurait jamais engagée pour gérer les comptes de plusieurs millions de dollars de son night-club.

— Est-ce qu'il y a un problème ? s'enquit-elle. Ce n'est pas notre jour de réunion habituel.

Lauryn ajusta ses lunettes d'écaille, et de ses doigts fins et dépourvus de bijoux, lissa la longue jupe de son austère tailleur bleu marine.

Jamais il n'avait remarqué ses mains auparavant. Sans doute parce qu'il n'avait jamais imaginé ces mains en train de le toucher. Le caresser. Ses ongles courts et sans vernis étaient loin des griffes laquées que ses conquêtes préférées arboraient.

En plus d'une manucure, elle devrait changer de garde-robe pour pouvoir jouer les parfaites épouses. Peut-être porter des lentilles de contact. A vrai dire, il lui faudrait plutôt un relooking total. Sinon, personne ne croirait qu'il l'avait choisie elle, alors que nombre de top-modèles et de célébrités fréquentaient l'*Estate,* et son lit…

De fait, il disposait d'un large choix de prétendantes. Seulement, elles n'avaient pas le style pour cette mission. Le Conseil le considérait déjà comme un play-boy invétéré, alors épouser son équivalent féminin n'aiderait pas sa cause. Lauryn, elle, était loin d'être une noceuse. Si elle avait fréquenté quelqu'un ces derniers mois, personne parmi ses employés n'était au courant — il s'était renseigné. Discrètement, bien sûr.

Elle s'agita dans son fauteuil, lui rappelant qu'il n'avait pas répondu à sa question. Il y avait autre chose qu'il avait toujours admiré chez elle, c'était sa capacité à garder le silence.

— Tout va bien, Lauryn. En fait, j'aimerais vous offrir une augmentation, et une sorte de… promotion.

Il ponctua sa phrase par un sourire qui se voulait rassurant. Cherchait-il à la rassurer elle ou à se rassurer lui-même ?

Oh, il avait des réserves à propos de ce plan. Il n'avait que trente ans, et il *adorait* sa vie de célibataire. Entre l'exemple du mariage bancal de ses parents et ses safaris nocturnes au club, en quête d'aventures sans lendemain, il n'avait jamais projeté de se marier, pour aucune raison, mais il ne voyait pas d'autre façon d'atteindre ses objectifs que de se passer la corde au cou.

Il voulait jouer un plus grand rôle dans la compagnie familiale, et il n'y avait qu'une seule façon, en dehors de tuer ses deux frères aînés, pour y arriver. Il devait gagner leur respect. Leur père était mort de façon inattendue en juin, et maintenant, on était le premier novembre, et Parker et Stephen n'avaient toujours pas donné à Adam plus de responsabilités dans la *Garrison, Inc.*, le groupe familial. Car ils ne le prenaient pas au sérieux, songea-t-il, la frustration lui brûlant l'estomac.

Lauryn fronça ses sourcils bien dessinés.

— Je ne saisis pas. Je suis la seule comptable de l'*Estate*. Comment pourrais-je obtenir une promotion ? Envisagez-vous d'engager une assistante pour m'aider ? Je vous assure, monsieur Garrison, je peux assumer la charge de travail.

— Adam, corrigea-t-il pour la énième fois.

Lauryn n'était jamais décontractée avec lui. En fait, elle semblait même tendue, et il se demandait bien pourquoi. En général, les gens — les femmes en particulier — l'appréciaient. Nombre de chroniqueurs avaient même mis la popularité de l'*Estate* sur le compte de son charme personnel. Il savait comment séduire ses clients, comment les mettre à l'aise et leur donner envie de revenir.

Bien sûr, il n'avait jamais tenté de séduire Lauryn Lowes. Elle était son employée, et la frontière employeur-employé était une ligne qu'il ne franchissait jamais. Excepté aujourd'hui.

— Le président du *Miami Business Council* prend sa retraite l'année prochaine. Comme vous le savez peut-être, c'est un groupe très conservateur.

Elle acquiesça d'un hochement de tête.

— Je suis un de ses membres actifs depuis des années, mais le Conseil n'est pas disposé à envisager qu'un célibataire — surtout quand il dirige un sulfureux night-club de South Beach — soit président, même s'il est très qualifié.

— Vous voulez vous présenter au poste de président ? *Vous* ?

La surprise dans sa voix fut comme du sel sur une blessure fraîche.

— Oui. Et la seule façon pour moi d'avoir une chance dans cette nomination, c'est de devenir le type stable et rangé qu'ils recherchent. Je ne laisserai pas tomber l'*Estate*. Ce qui signifie que je dois me trouver une épouse.

Lauryn semblait de plus en plus décontenancée.

— Qu'est-ce que ça a à voir avec moi ?

— Vous êtes la candidate idéale.

Elle cligna des yeux. Une fois, puis deux, puis trois.

— Pour devenir votre *femme* ?

— C'est ça.

Elle recula sur sa chaise, la posture encore plus raide qu'à son habitude. Après quelques instants, un sourire incertain passa sur ses lèvres.

— Je… je… Vous plaisantez, n'est-ce pas ?

Jolies lèvres, remarqua-t-il. Rose pâle. Sans maquillage. Sans injections de collagène. Naturelles.

Voilà le mot pour décrire Lauryn. Naturelle.

Dommage qu'il faille changer ça.

— Non, je suis très sérieux.

Il se pencha en avant et sortit le dossier concernant cette fusion de la pile posée sur le côté de son bureau.

— Brandon Washington — mon avocat, vous vous souvenez — a rédigé les documents nécessaires. Je vous paierai cinq cent mille dollars par an pour deux années, plus vos dépenses, dans une limite raisonnable. Ensuite, nous divorcerons tranquillement. Nous signerons un contrat de mariage et un accord prénuptial. Ce qui est à vous reste à vous, y compris tous les cadeaux que je pourrais vous faire. Ce qui est à moi reste à moi.

Sortant les documents concernés, il les fit glisser vers elle. Elle resta immobile.

— Vous pouvez bien sûr les faire relire par votre propre avocat.

Serrant les bras du fauteuil, elle regarda les papiers comme s'ils pouvaient la mordre.

— Vous vous attendez vraiment à ce que j'accepte cette… proposition ?

— Vous serez payée un million de dollars à ne rien faire durant deux ans. Pourquoi n'accepteriez-vous pas ?

— Parce que je ne vous aime pas ?

Sa réticence le surprit. Il connaissait plusieurs dizaines de femmes qui sauteraient sur l'occasion, mais elles n'étaient pas celles qu'il lui fallait.

— Je ne vous aime pas non plus, mais c'est une association avantageuse pour tous les deux, et une transaction parfaitement équitable. Vous emménagerez dans mon loft, et je vous achèterai une nouvelle voiture. Peut-être une berline, ou un break familial. Il nous faudra donner l'impression que nous aimerions fonder une famille bientôt.

Les yeux écarquillés, elle étouffa un petit cri de stupeur.

— Une famille ?

— On ne le fera pas, bien sûr, mais nous devons jouer cette comédie.

— Comédie ? répéta-t-elle.

L'esprit vif de Lauryn était une des choses qu'il avait tout de suite appréciée chez elle. Mais aujourd'hui, son cerveau semblait fonctionner au ralenti.

— L'image du bonheur conjugal, énonça-t-il, tempérant son impatience. La stabilité. Je veux montrer que je me suis fixé et que je suis bien intégré dans la communauté des gens aisés de Miami.

— Pardonnez-moi, je n'arrive toujours pas à comprendre. Vous me demandez sérieusement de vous épouser ?

— Oui.

— Monsieur Garrison — Adam, dit-elle avec un sourire furtif et clairement forcé. Je ne suis pas la femme pour ce… poste.

— Je crois que si. Vous êtes posée, intelligente, et très bien élevée. Vous êtes exactement ce dont — celle — dont j'ai besoin, Lauryn.

Même si elle rougit sous ses compliments, les mots ne

firent rien pour la détendre. Se mordillant la lèvre, elle se leva. Elle serrait ses mains si fort que ses articulations étaient blanches sous la lumière fluorescente du néon.

— Je suis très flattée par votre… demande en mariage, mais je crains de devoir la décliner.

— Lauryn…

Elle prit une longue inspiration, l'air soucieux.

— Mon refus ne va pas me coûter mon travail, n'est-ce pas ?

— Non, évidemment. Pour quel genre de goujat me prenez-vous ? Mais si vous m'épousez, vous serez trop occupée à faire ce que font les mondaines de South Beach pour caser en plus quarante heures de travail par semaine au club.

Il contourna son bureau et s'arrêta à quelques centimètres d'elle. Pour la première fois, il remarqua son parfum. Il lui évoqua la fragrance des belles-de-nuit qui poussaient sur son patio, mêlée à une note épicée et sensuelle.

— Considérez cela comme un congé payé de deux ans. Se pomponner, faire les boutiques…

— Mais j'aime mon travail ! Je suis navrée mais, non merci. Je suis certaine que vous pourrez trouver quelqu'un d'autre qui…

— Je ne veux personne d'autre. C'est vous que je veux.

Elle sursauta devant son ton catégorique, et leva une main tremblante pour remonter ses lunettes sur son nez. Adam la devança, enroulant les doigts autour des siens. Un frisson le traversa. Sans doute à l'idée de franchir la barrière employeur-employé, de la toucher, d'envahir son espace — une proposition risquée, en ces temps procéduriers.

Il retira ses lunettes avec son autre main et il fut comme stupéfié. Elle avait des yeux extraordinaires. L'exacte nuance des eaux claires de Miami.

Son pouls s'accéléra, et sa bouche s'humidifia.

A cause de l'enjeu. Quoi d'autre ?

Bien sûr qu'il n'était pas attiré par cette comptable insipide ! Loin s'en fallait. Mais le fait qu'il n'éprouve pas de répulsion envers elle était un bon point. Etant donné…

— Je ferai un bon mari.

Sa voix était plus rauque qu'il ne l'avait voulu. Il s'éclaircit la gorge et continua :

— Je vous garantis que vous serez satisfaite.

Quelques secondes passèrent, puis elle écarquilla les yeux.

— Vous voulez dire qu'on dormirait ensemble ?

— Dormir, peut-être pas. Je tiens à mon espace. Je pourrais transformer mon bureau en deuxième chambre. Vous aurez votre intimité quand vous en aurez besoin. Mais pour préserver les apparences, il faut que ce mariage ait l'air normal, sur tous les plans.

— Donc, vous attendriez des relations sexuelles. Avec moi.

Elle ne semblait pas ravie par cette perspective, et il fut piqué dans sa fierté. Il était doué au lit, bon sang ! Il perfectionnait sa technique depuis ses seize ans. Et jamais il n'avait failli à satisfaire une femme.

— Oui. Nous vivrions ensemble pendant deux ans. C'est long si l'on doit rester chaste. Et l'infidélité réduirait à néant le but de cette union, en montrant que je ne suis pas quelqu'un de fiable.

Elle resta bouche bée pendant dix bonnes secondes, puis libéra sa main et ses lunettes de l'emprise d'Adam et se dirigea vers la porte.

— Non, je ne peux pas. Je ne veux pas.

Elle l'envoyait sur les roses ? Quand une femme l'avait-elle jamais éconduit ? D'habitude, tout ce qu'il avait à faire, c'était hausser un sourcil, pour que sa conquête de la soirée accoure et fasse ce qu'il demandait. *Tout* ce qu'il demandait.

Il fallait qu'il persuade Lauryn de changer d'avis. Elle était la femme idéale pour cette mission — une inconnue qui n'irait pas répandre tous ses secrets auprès de la communauté de gens qu'il essayait précisément de duper. Elle était assez futée pour réussir sa mission, et il manquait de temps pour dénicher une autre candidate. La liste finale de nominés pour le poste de président du

Business Council serait dressée dans six mois. Ce qui voulait dire qu'il devait prouver sa stabilité *maintenant*.

— Votre prix sera le mien, Lauryn.

— Je ne suis pas à vendre. Et je pense que je ferais mieux d'y aller.

— Je vous appelle demain.

— *Non*, monsieur Garrison. Ne m'appelez pas. Pas… à ce sujet.

Les choses ne tournaient pas du tout comme il l'avait prévu.

— En plus de l'argent, songez aux avantages…

— De vendre mon corps ?

— D'être mon épouse. De devenir une Garrison. Ce mariage vous ouvrira toutes les portes.

— Je me fiche d'avoir mes entrées dans tous les night-clubs de la ville. Je dors pendant leurs heures d'ouverture.

Elle haussa le menton et le sonda à travers ses yeux plissés. L'angle révéla le pouls qui battait de manière rapide à la base de son cou gracile. Sa peau de porcelaine semblait douce, songea-t-il, comme malgré lui. C'était si rare de voir une peau au naturel, sans bronzage ni auto bronzant. Etait-elle aussi pâle partout ?

— Je suppose, poursuivit-elle, que c'est la richesse et le pouvoir de votre famille qui vous portent à croire que vous pouvez tout acheter. Comme une épouse. Ou la présidence du Conseil.

Mince.

— Lauryn…

— Vous devriez vous arrêter là, prévint-elle en haussant la main. Avant que ça ne devienne du harcèlement. Je suis sûre que votre avocat vous a averti à ce sujet ?

Oh, oui. Brandon l'avait averti juste après lui avoir dit que Lauryn était celle qu'il lui fallait. Et ses avertissements étaient la seule raison pour laquelle Adam n'avait pas planté un baiser passionné sur les lèvres de Lauryn, pour lui prouver qu'il pourrait la contenter dans un lit. Mais il ne pourrait pas la convaincre tant qu'elle serait sur la défensive. Mieux valait opérer un repli stratégique.

— Laissez-moi vous rappeler l'accord de confidentialité que vous avez signé, et qui est inclus dans votre contrat de travail. Tout ce qui a trait à mes affaires, et cela comprend mon plan pour gagner une nomination au Conseil, ne doit pas sortir de cette pièce.

— De toute façon, personne ne me croirait si je racontais qu'Adam Garrison a essayé de s'acheter une épouse. Rassurez-vous, je ne parlerai pas. A moins que vous ne m'y contraigniez.

Elle sortit en trombe, claquant la porte derrière elle.

Adam passa une main dans ses cheveux, poussant un soupir de frustration. Il était habitué à ce que les femmes le poursuivent de leurs assiduités — et pas à ce qu'elles le fuient comme s'il venait d'annoncer qu'il avait la grippe aviaire.

En tant qu'héritier de l'empire Garrison, il était un très beau parti. Toutes les rubriques mondaines des journaux et ses feuilles d'impôts en attestaient. Non seulement sa famille était richissime, mais les investissements personnels d'Adam avaient fait augmenter sa fortune de façon exponentielle. Si on ajoutait à cela les quinze pour cent de *Garrison, Inc.* récemment hérités, dire qu'il était à l'abri du besoin était un euphémisme.

Et puis, la dernière fois qu'il était passé devant un miroir, il ne s'était pas trouvé repoussant.

Alors, pourquoi Lauryn ne sautait-elle pas sur l'occasion ?

Il devait bien y avoir quelque chose qu'elle voulait. Quelque chose qu'il pourrait utiliser pour l'influencer dans son sens.

Tout ce qui lui restait à faire, c'était de trouver quoi.

Cet homme était fou, voilà tout.

Lauryn posa son sac et ses lunettes sur le comptoir de la kitchenette de son minuscule appartement, puis se dirigea vers la chambre, ôtant les épingles de son chignon au passage.

Un mariage de convenance.

C'était quoi ? Un roman à l'eau de rose ? Elle en lisait. Mais elle ne *vivait pas* dedans !

Dire qu'elle avait emménagé en Floride pour connaître Adam Garrison, songea-t-elle avec amertume, mais de là à l'épouser !

Lui, un bourreau des cœurs notoire, qui arborait à son bras une starlette ou une riche héritière différente presque chaque soir ! Et avec ses longs cheveux noirs, ses yeux bleus dévastateurs et son sourire irrésistible, il choisissait invariablement des femmes aussi splendides que lui.

Or, la beauté, elle l'avait appris à ses dépens, était superficielle, et cachait parfois une personnalité bien moins reluisante. La beauté attirait des attentions qu'il valait mieux parfois éviter, ce qui expliquait pourquoi elle avait cessé de mettre ses courbes en valeur et avait adopté des vêtements passe-partout.

Elle ôta son tailleur, le remit sur un cintre, et se déchaussa.

— Il dit qu'il aime son espace, tu parles ! Je parie qu'il ne va jamais se coucher seul, marmonna-t-elle tandis qu'elle enfilait un sweat-shirt délavé.

Pourtant, elle ne pouvait s'empêcher de songer à tout ce qu'elle pourrait faire avec un million de dollars. Pour commencer, réapprovisionner son compte bancaire, vidé pour traverser le pays et se faire engager dans le club d'Adam — un emploi qu'elle avait tout fait pour obtenir quand ses recherches lui avaient appris qu'Adam Garrison était le nouveau propriétaire de sa maison de famille.

Mais un mariage ? Hors de question. Elle avait déjà fait un mariage désastreux, pour de très mauvaises raisons. Et ce n'était pas le genre d'expérience qu'elle avait l'intention de répéter.

Même si ce n'était qu'un marché.

Un marché très lucratif, néanmoins.

Oublie ça.

Elle marcha pieds nus jusqu'à la cuisine, sortit les restes d'un repas chinois de son réfrigérateur, et le fit réchauffer dans le four à micro-ondes. Le parfum des crevettes se mêla à celui de l'orange qu'elle pelait pour son dessert.

Si tu vivais avec lui, tu apprendrais à le connaître.

Assez pour le convaincre de la laisser soulever quelques lattes de plancher dans des placards, dans la propriété à quinze millions de dollars qu'il avait acquise huit mois plus tôt ?

Pourquoi avait-il dépensé une fortune pour une maison dans laquelle il ne vivait même pas ? Elle avait cru qu'il projetait de la rénover avant d'y emménager, mais après vérification au palais de justice, il s'avérait qu'aucun permis de construire n'avait été demandé, et de ce qu'elle pouvait voir par ses fréquents passages devant la maison, rien, au-delà de l'entretien habituel, n'avait été fait depuis qu'elle était arrivée en Floride.

Une société entretenait le jardin luxuriant, et une autre la piscine, elle avait vu leurs véhicules dans l'allée. Elle avait cru apercevoir des courts de tennis de l'autre côté de la grille en fer forgé, mais la haie de bougainvillées était trop épaisse pour qu'elle en soit sûre, et Sunset Island n'était pas exactement le genre de quartier où l'on pouvait grimper aux grilles pour regarder par-dessus sans se faire interpeller.

Pendant que son repas chauffait, Lauryn dressa la table, non sans un pincement de cœur. C'était une des nombreuses choses qu'elle avait l'habitude de faire avec sa mère, sa mère adoptive, corrigea-t-elle avec amertume. Tout cela avait changé onze mois plus tôt, quand le père de Lauryn était décédé, et que sa « mère » lui avait donné les lettres.

Des lettres qui avaient été enfermées dans le coffre d'une banque depuis des années.

Des lettres écrites par l'amour de jeunesse de son père.

Des lettres qui avaient bouleversé la vie de Lauryn, et l'avaient envoyée dans une quête de quatre mille kilomètres pour retrouver la femme qui l'avait aimée suffisamment pour la mettre au monde, mais pas assez pour la garder.

Adrianna Laurence.

Sa mère biologique.

Comment son père avait-il pu lui mentir ? se demanda

Lauryn pour la millième fois. Et comment sa mère avait-elle pu le laisser faire ?

La minuterie retentit. En pilotage automatique, Lauryn retira l'assiette du four et sortit un soda sans sucre du réfrigérateur.

Son père n'avait-il pas mesuré quel choc ce serait pour sa fille de découvrir, du jour au lendemain, qu'elle n'était pas celle qu'elle avait cru être durant vingt-six ans ?

N'avait-il pas prévu que découvrir qu'elle était le fruit d'une liaison de son père avec une jeune fille fortunée de Miami Beach ferait douter Lauryn de tout ce qu'elle avait tenu pour vérité autrefois ?

Pourquoi n'avait-il pas deviné que découvrir qu'il avait épousé la femme de son défunt meilleur ami uniquement pour donner une mère à sa fille amènerait Lauryn à remettre en question l'essence même du mariage de ses parents ? Ou que découvrir que l'enfant dans le ventre arrondi de sa « mère » sur toutes ces photos n'était pas Lauryn du tout, mais un petit garçon qui était mort-né ?

Ce qui faisait le plus mal, c'était que son père ne lui ait pas parlé de sa vraie mère plus tôt. Avant qu'Adrianna ne quitte ce monde. S'il l'avait fait, Lauryn aurait eu une chance de rencontrer la femme qui lui avait donné la vie, et de lui poser des questions. Elle aurait pu entendre la voix de sa mère, voir son visage, en savoir plus sur la relation de ses parents. Qu'est-ce qui les avait réunis ? Qu'est-ce qui les avait séparés ? Pourquoi Adrianna avait-elle abandonné son bébé, et pourquoi était-elle morte si jeune ?

Même le prénom de Lauryn était une part du mystère. Laurence. Lauryn. Selon la mère adoptive de Lauryn, Adrianna avait insisté pour qu'elle porte ce prénom. Etait-elle parce qu'elle voulait que sa fille la retrouve un jour ? Ou parce qu'elle ne pouvait supporter de ne pas faire partie de la vie de sa fille, un tant soit peu ?

Lauryn ne découvrirait peut-être jamais les réponses à toutes ses interrogations, mais ce ne serait pas faute d'avoir essayé.

Si son père lui avait avoué la vérité, elle ne serait pas

forcée aujourd'hui d'user de subterfuges pour trouver ces réponses !

Des réponses qui, selon les lettres, se trouvaient peut-être dans un journal intime, qui comptait plusieurs carnets, cachés dans un endroit secret sous le plancher d'un placard, dans la maison qu'Adam Garrison possédait désormais.

Les carnets étaient-ils toujours là ? Ou quelqu'un, en dehors de sa mère, avait-il su leur existence et les avait-il déplacés de leur cachette depuis longtemps ? Après quelques recherches, Lauryn avait appris que sa grand-mère, le dernier membre de la famille Laurence, était morte quelque temps avant qu'Adam n'achète la propriété.

Ce mariage vous ouvrira toutes les portes, avait dit Adam.

Les seules portes que Lauryn voulait voir s'ouvrir étaient celles de cette demeure. La demeure de sa mère biologique. Mais elle ne pouvait exprimer son étrange requête de but en blanc. Si elle le faisait, et qu'Adam refusait, alors elle n'aurait aucune autre issue, et jamais elle ne connaîtrait sa véritable histoire.

Et voilà comment la duperie avait commencé. Elle avait quitté la Californie pour la Floride, avec l'intention de se lier d'amitié avec son nouveau patron et de gagner sa confiance. Une fois qu'elle aurait prouvé qu'elle n'était pas une folle aux idées farfelues, avait-elle pensé, il serait plus enclin à accepter sa demande bizarre de fouiller sous quelques placards.

Sauf que ça ne s'était pas passé comme elle l'aurait voulu. Adam et elle ne se voyaient que deux fois par semaine, pour des réunions de travail, ils n'avaient jamais l'occasion de parler de choses plus personnelles que du chiffre d'affaires du club, et il y avait toujours beaucoup d'employés dans les parages.

Et maintenant…

Elle considéra son dîner fumant, sans aucun appétit.

Maintenant, le projet fou d'Adam, et le fait qu'elle ait refusé d'y participer, avait sans doute anéanti ses chances de devenir amie avec lui, ou d'instaurer une relation de confiance entre eux. Elle serait déjà bien contente si elle gardait son emploi.

Il fallait qu'elle trouve un moyen — moins radical qu'un mariage — pour se rattraper.

Ou elle pouvait dire adieu à sa quête de vérité.

2.

S'échapper du club pendant une heure, un vendredi, était aussi réjouissant pour Lauryn que de gagner à la loterie.

Le club étant ouvert de 23 heures à 5 heures du matin, Adam ne faisait son apparition dans les bureaux de l'*Estate* qu'en fin d'après-midi. Pendant qu'il dormait, un essaim d'employés de bureau, de gardiens et de fournisseurs de nourriture et de boissons s'affairaient pour préparer la nuit d'activité. Aucun risque, donc, pour que Lauryn tombe sur Adam par hasard. Pourtant, ce matin, elle avait sursauté au moindre bruit. Elle était impatiente de prendre le bus pour rejoindre son centre commercial favori, et s'accorder une heure de détente, pendant laquelle elle n'aurait plus à s'inquiéter de l'étrange demande en mariage d'Adam Garrison.

L'horloge marqua enfin midi. L'heure de la fuite. La tension s'évacua de ses épaules nouées. Lauryn empoigna son sac, et traversa le club pour rejoindre la sortie, comme tous les jours. Avec les lumières baissées, le bâtiment du XIXe siècle, qui avait autrefois abrité un casino, semblait lui aussi dormir. En fin d'après-midi, il se réveillerait quand les techniciens testeraient chaque micro et chaque projecteur des scènes sur lesquelles les artistes du soir se produiraient.

Le club était conçu pour recréer l'atmosphère accueillante d'un chez-soi, et chaque salle du vaste complexe avait été décorée avec des sofas et des fauteuils de cuir tendance, disposés en petits cercles. Des bars et des pistes de danse agrémentaient les deux niveaux, chacun avec son code couleur. Un éclairage dernier cri, des systèmes de son et des scènes ultramodernes permettaient au club, d'une capacité de deux mille cinq cents personnes, de faire le plein de clients, avec une liste de VIP chaque soir. Du moins, c'était ce qu'elle avait entendu dire. Elle n'était encore jamais venue en cliente, et ne viendrait sans doute jamais, puisqu'elle avait abandonné les fêtes nocturnes depuis des années, et qu'elle n'avait pas le profil pour pouvoir entrer dans le club.

Elle s'arrêta pour caresser le poteau sculpté du vaste escalier menant à l'étage. C'était sa partie préférée de l'*Estate*. Elle avait toujours pensé que ça ressemblait à un décor hollywoodien.

Songer à Hollywood lui rappela la Californie, et sa maison.

Sa maison. Et la mère qu'elle avait sans le vouloir blessée, quand Susan Lowes lui avait révélé le secret de sa naissance.

Bien joué, Lauryn. Tuer le messager, quelle preuve d'intelligence.

Lauryn n'avait pas voulu sous-entendre que Susan n'avait pas été une mère parfaite. Mais elle avait des questions sur sa filiation, des questions auxquelles Susan ne pouvait répondre. Et puis il y avait la colère. La colère envers son père et Susan pour lui avoir caché la vérité. La colère envers sa vraie mère pour l'avoir rejetée sans lui laisser une chance de s'intégrer dans son monde.

Chassant ses émotions négatives, Lauryn retourna vers la sortie de service, ouvrit la porte de côté et sortit sous le soleil de Miami en cette douce journée de novembre.

Une fois que ses yeux se furent adaptés à la lumière vive, la première chose qu'elle vit, ce fut Adam Garrison, appuyé contre sa BMW décapotable, garée dans l'allée.

L'appréhension la saisit. Eh bien, elle qui avait prévu de l'éviter après le fiasco d'hier ! Pourvu qu'il ne soit pas en train de l'attendre.

A contrecœur, elle avança. Il fallait qu'elle passe devant

lui pour rejoindre l'arrêt de bus, quelques mètres plus loin. Lauryn avait vite appris que conduire dans South Beach était un calvaire. Alors, la plupart du temps, elle prenait le bus pour se rendre au travail.

— Bonjour, Lauryn, dit Adam en se redressant quand elle parvint à sa hauteur.

Il semblait encore plus grand et musclé de si près, dans son pantalon chocolat impeccable et son T-shirt de soie crème qui soulignait la largeur de ses épaules. Une brise caressait ses cheveux noirs, qui donnaient toujours l'air d'avoir besoin d'un bon coup de ciseaux. Lauryn était prête à parier qu'il payait une fortune pour ce look savamment ébouriffé. Dieu merci, ses lunettes de soleil griffées cachaient ses yeux azuréens.

Elle avait honte de l'avouer, mais au début, elle avait eu un faible pour son patron, mais, bien vite, les histoires sur ses multiples conquêtes avaient érodé ces sentiments. Elle était déjà passée par là, et elle ne voulait plus jamais vivre ce genre de vie superficielle et égocentrique.

Certes, Adam était magnifique, mais les beaux garçons étaient légion à South Beach. On ne pouvait pas marcher sur le trottoir sans croiser un homme torse nu exhibant son hâle doré et ses pectoraux — l'un et l'autre pouvant être réels ou non, dans cette ville où la beauté artificielle était aussi commune qu'un rhume.

Toutefois, la plupart de ces hommes ne faisaient pas battre son pouls de manière irrégulière.

Et aucun d'eux ne l'avait demandée en mariage.

— Bonjour, monsieur — Adam. Vous aviez besoin de moi ?

Je vous en prie, dites non.

— Oui, pour déjeuner.

Zut.

— J'ai… quelque chose de prévu.

— Un rendez-vous galant ? questionna-t-il, les sourcils froncés.

Elle hésita un instant, envisageant de mentir. Mais elle

ne pouvait pas. Sa présence à Miami était déjà compliquée par trop de demi-vérités.

— Non. J'allais au centre commercial.

— J'ai une meilleure idée. Montez, dit-il, ouvrant la portière côté passager.

La renverrait-il si elle refusait ? Elle n'avait pas envie de vérifier. Alors, elle s'installa sur le siège de cuir et attacha sa ceinture. Adam referma sa portière, puis alla se glisser derrière le volant avant de se faufiler adroitement dans la circulation dense de Washington Avenue.

— Je n'ai qu'une heure, lui rappela-t-elle.

— Ce n'est pas un problème. Et puis, vous êtes avec le patron.

Il prit la direction du nord et parcourut quelques kilomètres, puis rejoignit North Bay. Là, il s'arrêta devant un restaurant haut de gamme surplombant Biscayne Bay — un établissement dans lequel elle n'était jamais allée parce que, d'une, elle n'en avait pas les moyens, et de deux, l'eût-elle voulu qu'elle n'aurait jamais pu obtenir une réservation dans cet établissement.

Adam descendit de la voiture et lança les clés au voiturier. Un autre employé en uniforme ouvrit la portière de Lauryn et l'escorta vers Adam qui attendait sur le trottoir comme si elle était un trésor inestimable. Ou alors, une écervelée à qui on ne pouvait pas faire confiance.

— Bonjour, monsieur Garrison, le salua l'hôtesse dès qu'il eurent passé l'entrée.

Elle détailla Lauryn d'un regard froid puis la raya de son champ de vision en moins de trois secondes.

— Votre table est prête.

Adam fit passer Lauryn devant lui, mais il la suivit de si près qu'elle pouvait ressentir sa chaleur et son regard sur elle. Pourvu que sa jupe à pinces ne fasse pas paraître son postérieur trop gros.

Son opinion sur ton postérieur est hors sujet.

Consciente des regards curieux qu'elle attirait, et du fait que ses vêtements bon marché détonnaient, comparés aux tenues haute couture de la clientèle, Lauryn suivit l'hôtesse vers une table en front de mer, prit place sous un parasol et accepta le menu qu'on lui tendait. La brise légère taquina quelques mèches échappées de son chignon.

Elle leva la tête, et plongea le regard dans les yeux bleus d'Adam. Il avait enlevé ses lunettes. Comme toujours, l'intensité de son regard bleu lagon la laissa sans voix.

La tension monta en elle. Adam allait remettre sa proposition sur le tapis. C'était sûrement la raison pour laquelle il l'avait amenée ici. Mais elle ne voulait toujours pas l'épouser, même si l'idée monopolisait ses pensées et lui avait coûté une bonne nuit de sommeil. Un déjeuner dans un restaurant chic ne suffirait pas à la faire changer d'avis.

Quel genre d'homme froid et calculateur pouvait donc envisager de s'acheter une femme et de coucher avec elle pendant deux ans, sans l'aimer, puis se débarrasser d'elle ? Mais elle était naïve, songea-t-elle alors avec amertume : Adam n'avait sans doute aimé aucune des femmes qui avaient froissé ses draps jusque-là.

Certes, ayant été brûlée par l'amour, Lauryn était consciente des avantages qu'il y avait à se protéger de cette émotion par trop imprévisible. Mais, au risque de passer pour une incorrigible romantique, elle ne désespérait pas de trouver l'âme sœur, un jour.

Elle baissa la tête et tritura sa serviette. Elle avait cru que ses parents étaient des âmes sœurs, mais découvrir les lettres et les mensonges lui avait fait remettre en question chaque geste tendre qu'elle avait vu au cours des années. Etaient-ils tombés amoureux l'un de l'autre après l'adoption compliquée et secrète de Lauryn, et la mort prématurée du bébé de Susan, comme celle-ci l'affirmait ? Ou était-ce un mensonge, ça aussi ?

Après que le serveur eut pris leurs commandes, Adam reporta son attention complète sur Lauryn. Il détailla son visage comme s'il classait chacun de ses traits.

— Vous venez de Californie. Quel coin ?

Elle sentit la tension sur ses épaules se relâcher un peu. Une conversation anodine. C'était à sa portée. Même si cela faisait bien longtemps qu'elle n'avait pas eu de rendez-vous avec un homme, et qu'elle était sans doute un peu rouillée. Etait-ce un rendez-vous galant ? Pourvu que non.

— Le nord.

— Pourquoi êtes-vous venue en Floride ?

On lui avait claqué suffisamment de portes au nez pour savoir qu'elle ne pouvait en aucun cas dire la vérité brute. Adam appartenait à cette même classe sociale aisée aux rangs fermés, qui l'avait envoyée paître quand elle était venue, dix mois plus tôt, leur poser des questions. Personne n'avait voulu confirmer qu'Adrianna avait donné naissance à un enfant illégitime, ni voulu dire à Lauryn comment sa mère était morte. En fait, les conversations se tarissaient vite dès qu'elle mentionnait le nom d'Adrianna Laurence.

La nécrologie d'Adrianna ne faisait pas mention de la cause de sa mort, ni d'un organisme ou d'une fondation à qui faire un don en lieu et place de fleurs. Elle n'avait que trente-six ans lors de son décès, dix ans de plus que l'âge actuel de Lauryn. Si une bombe à retardement existait dans ses gènes, autant le savoir maintenant.

— Mon père était stationné sur la base aérienne de Tyndall. J'ai grandi en entendant des histoires sur la Floride, le parc des Everglades, les magnifiques plages. Après sa mort, j'ai décidé de venir les voir par moi-même.

— Pourtant, vous vous êtes installée sur la côte Est plutôt que Ouest.

— Il y avait de meilleures opportunités de travail, affirma-t-elle, espérant qu'il laisse tomber le sujet.

En fait, l'offre d'emploi d'Adam était la seule offre à laquelle elle ait répondu. C'était pour elle un incroyable coup de chance que sa précédente comptable ait quitté son emploi pour prendre un congé parental, à peu près au même moment où Lauryn avait eu besoin de ce job.

— C'est une perte pour la Californie, et une chance pour moi, dit-il.

Il accompagna ses paroles d'un sourire qu'elle n'avait vu jusqu'à présent que dans les pages mondaines des journaux, mais les clichés à gros grain n'avaient en aucune façon le même impact époustouflant que le sourire en vrai. Pas étonnant que des flopées de femmes tombent à ses pieds. Elle-même avait presque le vertige.

Elle reporta son regard sur les îles par-delà la baie. Sunset Island était un minuscule groupe de propriétés aux prix exorbitants. Pouvait-on voir la maison d'Adam — celle de sa vraie mère — d'ici ? Elle compta jusqu'à ce qu'elle trouve le bon canal menant à la propriété en bord de mer. Lauryn avait envisagé de louer un bateau pour tenter d'avoir une meilleure vue depuis la baie, mais la seule chose qu'elle savait sur les bateaux, c'était qu'ils lui donnaient mal au cœur.

Et elle savait aussi que l'homme assis face à elle détenait les réponses qu'elle cherchait.

— Je crois avoir entendu dire que vous possédiez une maison sur une de ces îles.

— Par Ricco ?

Qu'est-ce que le responsable des réservations du club avait à voir avec la maison ? Mais ce n'était pas lui sa source. Elle avait découvert cette information durant une recherche dans le cadastre du comté, mais si elle disait cela à Adam, elle passerait pour une harceleuse. Ce qu'elle était… en quelque sorte. Et elle ne voulait pas que Ricco ait des ennuis.

— Je ne me souviens pas.

— J'ai acheté cette maison lors d'une vente aux enchères, tout comme le bâtiment qui abrite l'*Estate*, et quelques autres de mes propriétés. Les prix d'aubaine font de bons investissements.

— Pourtant, vous ne vivez pas sur l'île.

— J'utilise la propriété de Sunset pour loger certains artistes célèbres qui se produisent au club. Ceux qui préfèrent l'intimité d'une maison aux hôtels.

Cela expliquait les équipes d'entretien.

— Je l'ignorais.

Il posa la main sur la sienne. Un courant électrique remonta le long de son bras — le même genre de picotements excitants qu'hier, quand il lui avait tenu la main. Lauryn n'était pas insensible au charme d'Adam, mais

179

elle avait appris à ses dépens qu'il valait mieux éviter ce genre d'attraction, car le sexe menait inévitablement à des ennuis. Des ennuis dont elle n'avait pas besoin.

Elle tenta de retirer sa main, mais Adam resserra son emprise autour de son poignet. Il caressa sa paume du bout de l'index. L'effet sur sa libido fut dévastateur. Des vagues se creusèrent en elle et mirent en pièces les défenses qu'elle croyait inaltérables. Elle eut la gorge nouée, et serra les genoux pour contenir la chaleur qui montait entre ses cuisses.

— Je vous présente mes excuses pour avoir fait ma demande en mariage de façon si abrupte hier. Je me rends compte que c'est une idée un peu… extrême.

— Sans blague, marmonna-t-elle, et elle tenta de retirer sa main, sans succès.

— Vous ne me connaissez pas assez pour savoir que je me donne toujours à cent dix pour cent dans tout ce que je fais. Je peux être, et je serai, un mari formidable.

Il caressa sa paume, ses doigts. Elle sentit son pouls battre de manière désordonnée. Adam l'avait sans doute senti aussi, car son pouce effleurait l'intérieur de son poignet.

— Nous apprendrons à nous connaître mieux. Nous pourrons sortir quelques fois.

— Je… je ne pense pas que ce soit une bonne idée. Et ça ne me fera pas changer d'avis.

— Vous ne pouvez nier qu'il y a une alchimie entre nous.

Sa voix de velours profonde évoqua aussitôt en elle des nuits sombres, des draps froissés, leurs corps nus, les mains d'Adam sur sa peau.

L'onde de chaleur entre ses cuisses se propagea dans tout son corps. Depuis combien de temps n'avait-elle pas eu une bonne nuit de sexe ? Ou du sexe tout court, d'ailleurs.

Adam éprouvait-il de l'attirance, lui aussi, ou disait-il juste ce qu'il fallait pour conclure le marché ? Dieu sait qu'elle avait été victime de nombre de charmeurs, qui lui avaient donné l'impression qu'elle était la personne la plus importante au monde, jusqu'à ce qu'ils obtiennent ce qu'ils voulaient. Toutefois, elle aussi avait utilisé les hommes, pour mettre son père hors de lui.

Elle étudia le visage d'Adam, et remarqua son souffle court, et la couleur rosée sur ses pommettes.

Adam Garrison, attiré par elle ? Impossible. Elle savait quelles bimbos il fréquentait d'habitude, et elle était vraiment très loin des mannequins et starlettes avec qui il sortait, surtout avec les tenues qu'elle portait ces derniers temps.

— Vous êtes mon patron, finit-elle par lâcher. Les liaisons entre employeur et employée finissent toujours mal — en général pour l'employée.

— Pas nécessairement. D'ailleurs, vous ne travaillerez plus pour moi après le mariage, rétorqua-t-il, en prononçant ces derniers mots un peu trop fort.

Mais avant qu'elle puisse comprendre pourquoi il avait fait ça, une femme s'arrêta net derrière lui.

— Adam ?

La femme pouvait avoir entre cinquante et soixante-dix ans, mais c'était impossible à dire, avec sa peau liftée à l'extrême.

Adam leva les yeux, et hésita juste assez longtemps avant de relâcher la main de Lauryn et de se lever.

— Bonjour, madame Ainsley. Je vous présente Lauryn Lowes. Lauryn, Helene Ainsley. Helene participe à presque toutes les œuvres de charité de Miami.

Helene Ainsley. La même femme qui avait refusé de la voir quand Lauryn avait frappé à sa porte et demandé à la bonne qui lui avait ouvert quelques minutes du temps de sa maîtresse. Le domaine des Ainsley n'était qu'à quatre maisons de celle d'Adrianna, et même si Mme Ainsley était plus âgée, elle ou ses enfants avaient sans doute connu sa mère biologique.

— Ravie de vous rencontrer, madame Ainsley.

Et elle aurait été encore plus ravie dix mois plus tôt.

La femme regarda Adam puis Lauryn à travers ses yeux liftés.

— Une bonne nouvelle à l'horizon ?

Lauryn se raidit, et retint son souffle.

Adam lui adressa un regard langoureux puis sourit tendrement avant de répondre :

— Pas de nouvelles.

Bonté divine, cet homme aurait dû être acteur ! Le ton de sa voix, son expression, sa posture, disaient exactement le contraire avec bien plus d'éloquence que les mots.

— J'aurais pourtant juré vous avoir entendu prononcer le mot « mariage ».

Adam reporta son attention sur Mme Ainsley.

— Peut-être. Il y a eu quelques mariages dans la famille Garrison récemment. Et, bien sûr, ma sœur Brittany est fiancée.

Mais Mme Ainsley ne marchait pas. Lauryn voyait la curiosité se peindre sur son visage dépourvu de rides. Comme c'était intelligent de la part d'Adam de laisser le doute planer — juste au cas où il convaincrait Lauryn de dire oui. Même s'il n'y parviendrait pas.

Le regard scrutateur de la femme se posa sur Lauryn.

— Nous sommes-nous déjà rencontrées, ma chère ? Il me semble vous avoir déjà vue.

Lauryn sentit son cœur tressauter. Ressemblait-elle à sa mère ? Les seules photos d'Adrianna qu'elle avait trouvées étaient des clichés flous, en noir et blanc, dans des journaux, et rendaient difficile l'indentification de traits précis. La seule chose dont Lauryn était sûre, c'était qu'elle avait hérité de la couleur de cheveux de son père. Sa mère était brune.

— Non, madame.

— En êtes-vous sûre ? Je n'oublie jamais un visage.

Elle mourait d'envie de crier la vérité, mais les conséquences éventuelles étaient trop importantes.

— J'en suis sûre. Je n'ai pas rencontré grand monde, car je ne vis pas ici depuis très longtemps.

— Alors, nous devrions remédier à cela. Nous recevons quelques amis samedi. Peut-être Adam et vous pourriez-vous vous joindre à nous pour un tennis ?

L'invitation laissa Lauryn sans voix.

Ce mariage vous ouvrira toutes les portes, avait dit

Adam. Lauryn n'avait pas envisagé que ces portes ouvertes lui offriraient l'opportunité de rejoindre le cercle social de sa mère.

Si elle épousait Adam Garrison, elle ferait partie de l'élite de Miami, et elle serait plus près d'avoir ses réponses que jamais. L'idée la tentait plus qu'elle n'aurait dû.

— Lauryn ? demanda Adam.

— Je… je suis désolée. Je ne sais pas jouer au tennis.

Elle avait été trop occupée à jouer les adolescentes indociles pour apprendre. Encore une raison de regretter sa jeunesse dissipée.

Helene se tourna vers Adam.

— Alors, peut-être pourrez-vous emmener Lauryn pour un cocktail lundi soir. Le club est fermé ce jour-là, n'est-ce pas ?

— Nous en serions enchantés, accepta Adam, sans même consulter Lauryn.

Elle ne s'en formalisa pas. Qu'il lui demande ou non son avis était le cadet de ses soucis. Car il allait l'emmener dans une maison que sa mère avait sans doute visitée, et la présenter à des gens qu'elle avait côtoyés. Et pendant qu'ils seraient sur l'île, peut-être que Lauryn pourrait convaincre Adam de lui montrer sa maison. Elle pourrait marcher sur les pas de sa mère.

— Merveilleux. Je vous vois à 8 heures, conclut Mme Ainsley avant de s'éloigner, la démarche altière.

Adam se rassit, et leurs repas arrivèrent. Après le départ du serveur, Lauryn regarda son patron.

— Vous êtes machiavélique.

Adam afficha un sourire malicieux, lui donnant l'air d'un mauvais garçon l'invitant à prendre du bon temps. Un instant, la rebelle en elle fut sur le point de céder, mais elle réprima prestement ses besoins indécents. Elle avait laissé tomber son penchant pour les mauvais garçons depuis longtemps.

— Je sais ce que je veux, et je n'ai pas honte de me battre pour l'obtenir, déclara Adam. Helene est une des plus grandes commères de Miami. Quand nous annoncerons nos fiançailles, la nouvelle sera déjà de l'histoire ancienne.

— Dois-je vous rappeler que j'ai refusé votre demande ?

— Vous changerez d'avis.

Il leva son verre en un toast silencieux, les yeux brillants d'assurance.

— Ou alors, je le changerai pour vous. Nous ferons un beau couple, Lauryn. Au lit, et en dehors du lit.

Des courants de désir tourbillonnèrent en elle. Et cela, comprit-elle, c'était le cœur de son dilemme. Les réponses qu'elle cherchait étaient au bout de ses doigts, mais seulement si elle brisait la promesse faite à son père et à elle-même. La prochaine fois, avait-elle juré, elle se marierait pour de bonnes raisons. Or, voilà qu'elle envisageait d'épouser Adam Garrison.

Pour des raisons qui n'étaient sans doute pas les bonnes.

Elle avait presque cédé.

Adam ne savait pas pourquoi l'idée d'un cocktail avec les amis guindés des Ainsley la réjouissait, mais il avait vu une lueur d'intérêt briller dans ses yeux.

Il rinça le restant de mousse à raser sur sa joue, se sécha puis gagna sa chambre pour s'habiller en vue de ce vendredi soir au club. Il vivait pour la musique, pour l'éclat des lumières et pour l'énergie des invités de l'*Estate*. Savoir qu'il procurait du plaisir à des centaines de gens, et qu'il était financièrement récompensé pour le faire, l'emplissait de satisfaction.

Le travail. Il vivait pour ça. Pourquoi sa famille — en particulier ses frères — ne pouvait-elle voir ça ? Parker et Stephen voyaient sa vie comme une fête géante et le traitaient comme un noceur perpétuel.

Il traversa la pièce mais soudain, une image de Lauryn nue dans son lit arrêta ses pas. Bon sang, il n'était pas attiré par elle, tout de même ? Avant que Brandon ne lui parle d'elle comme candidate idéale, Adam n'avait jamais eu une pensée sexuelle pour sa comptable. Ni pour aucune de ses employées, d'ailleurs.

Lauryn n'avait rien fait pour allumer le feu de son désir. Elle était froide et distante. Elle ne flirtait pas. Même s'il avait passé une heure avec elle, il n'en savait pas plus à son sujet qu'avant le déjeuner, sauf que les sourires auxquels il avait recours pour faire fondre les femmes n'avaient aucun effet sur elle.

Pourtant, il devait bien l'admettre, quelque chose s'était passé quand il l'avait touchée. Son pouls s'était accéléré. Son intérêt était-il piqué seulement parce qu'elle avait dit non ?

Secouant la tête pour chasser l'image de son corps d'albâtre sur ses draps pourpres, il se dirigea vers le dressing. Toute l'excitation qu'il pouvait ressentir à l'idée de la revoir n'avait d'autre cause que la victoire toute proche. Ce mariage serait une pure transaction financière. Pas un vrai mariage. Toutefois, il commençait à soupçonner Lauryn de cacher un corps splendide sous ses vêtements sans forme, un corps qu'il pourrait prendre un grand plaisir à explorer.

D'accord, il voulait la voir nue, mais c'était uniquement parce qu'il était curieux de savoir ce qu'elle cachait, et pourquoi.

Et si elle voulait côtoyer la haute société de Miami Beach, il la guiderait, même s'il évitait d'habitude de tels événements — comme il évitait de nager autour d'un banc de méduses : on ne savait jamais quand on pouvait se faire piquer.

Un cocktail chez les Ainsley pouvait compter une demi-douzaine de personnes à une centaine. Adam espérait vraiment que sa mère ne serait pas là, à s'enivrer pour tout oublier. Lauryn connaîtrait Bonita Garrison bien assez tôt.

Après le mariage, Lauryn et lui devraient assister à quelques dîners dominicaux en famille, mais d'ici là, il ne prendrait pas le risque de laisser les piques de plus en plus amères de sa mère effrayer Lauryn, car il n'avait ni le temps ni l'envie de rechercher une autre candidate. Le comité nominatif avait déjà commencé ses recherches.

La culpabilité tirailla Adam tandis qu'il enfilait une

chemise de soie. Certes, Bonita avait dû souffrir en découvrant que son mari depuis trente-sept ans avait une fille illégitime de vingt-sept ans, née d'une liaison qui avait duré jusqu'à sa mort. Mais ce n'était pas une excuse pour boire du matin au soir. Aussi loin qu'Adam s'en souvenait, le penchant de sa mère pour la boisson avait été un problème, et avec lui, étaient venus les mensonges et les excuses pour couvrir les choses qu'elle avait faites ou oublié de faire. Mais la situation avait empiré depuis la lecture du testament, et la reconnaissance de Cassie, la fille illégitime de son père, née de sa double vie avec sa maîtresse des Bahamas.

Il fallait qu'il convainque ses frères et sœurs d'envoyer leur mère en cure de désintoxication, avant que l'alcool n'ait raison d'elle.

Il empoigna un pantalon et l'enfila à même la peau. Il n'avait pas eu vent de l'existence de sa demi-sœur Cassie, mais il avait été au courant de la liaison de son père depuis des années. Aurait-il dû en parler à sa mère ? Ou savait-elle déjà ? Etait-ce ce qui l'avait poussée à boire ?

Cinq ans plus tôt, lors d'un voyage aux Bahamas, Adam avait surpris son père et la mère de Cassie dans une situation équivoque. Il avait tenté de convaincre son père de mettre un terme à sa liaison, sans succès. Plus tard cette année-là, John Garrison avait confié la direction de *Garrison, Inc.* à Parker, et la gestion de son hôtel de Miami à Stephen. Adam, lui, n'avait rien eu. Rien.

Et maintenant, il était trop tard pour arranger les choses avec son père.

Il étouffa le sentiment de tristesse et de frustration qui lui oppressait la poitrine, et finit de s'habiller, puis agrippa ses clés et son téléphone avant de descendre l'escalier à la hâte. Impossible de revenir en arrière. Tout ce qu'il pouvait faire, c'était aller de l'avant.

Pour que son plan fonctionne, il fallait que le secret soit absolu. Seul Brandon savait la vérité sur la demande en mariage d'Adam. Et même si son meilleur ami était fou amoureux de Cassie Garrison, sa demi-sœur récemment découverte, Adam savait qu'il pouvait compter sur Brandon pour garder le secret. Pas seulement à cause de la confidentialité qu'il devait à son client, mais parce que Brandon était un homme honnête et loyal.

En attendant, Adam tiendrait Lauryn loin de sa famille, jusqu'à ce que les contrats soient signés, et que le mariage soit prononcé — et il ne faisait aucun doute pour lui qu'il le serait. Si Lauryn faisait un faux pas, et qu'elle révèle sans le vouloir son plan à ses frères et sœurs, il n'aurait plus aucune chance de gagner plus d'implication dans *Garrison, Inc.*

D'abord, il devait tenir jusqu'à lundi soir. Une soirée chez les Ainsley ne serait pas une partie de plaisir, mais ce ne serait pas non plus une perte de temps. Avec Lauryn à son bras, il ferait du charme aux pontes de la communauté, qui pourraient l'aider pour la nomination au Conseil.

Une situation gagnant-gagnant.

Et il ferait ce qu'il savait faire de mieux : il laisserait son charme agir.

Et finirait avec une fiancée.

3.

Encore une impasse.

Lauryn tenta de ne pas traîner les pieds tandis qu'elle suivait Adam vers sa voiture dans l'air humide du soir. Elle avait espéré marcher sur les traces de sa mère durant ce cocktail. Mais Adrianna Laurence n'avait jamais mis les pieds dans la maison des Ainsley. Du moins, pas celle-ci.

La déception de Lauryn suffisait presque à lui faire oublier la sensation de la main d'Adam sur la sienne. Chaude. Ferme. Electrisante.

Toute la soirée, il s'était montré attentionné. Une caresse anodine sur sa taille, un effleurement de sa main sur la sienne. Lauryn n'avait pas mis longtemps à comprendre que chacun de ses gestes était destiné à convaincre les autres invités qu'ils étaient un couple. Et pourtant, il n'avait pas dit un seul mot malhonnête ni fait un seul geste déplacé auxquels elle pouvait trouver à redire.

Elle avait beau ne pas apprécier la situation, elle devait affronter les faits. Etre un pion dans le plan d'Adam avait ses avantages. Elle avait été la seule étrangère ce soir, mais parce qu'elle était la cavalière d'Adam, elle avait été accueillie dans la classe sociale de sa mère par les mêmes gens qui avaient refusé de lui parler quelques mois plus tôt. Des gens qui avaient probablement connu Adrianna.

Avec un Garrison à son bras, elle avait fait plus de progrès ce soir, en deux heures de bavardage, qu'en plusieurs semaines à frapper aux portes et à parcourir des articles de journaux et des registres du comté. Elle n'avait pas encore ses réponses, car il était trop tôt pour mener l'enquête sans risquer un brutal rejet, mais tant qu'elle serait aux côtés d'Adam, elle pourrait nouer des liens provisoires avec les gens aisés de Miami, pour découvrir ce qu'elle voulait si désespérément savoir.

Adam ouvrit la portière, mais Lauryn ne monta pas. Elle pivota sur elle-même et étudia la maison au luxe opulent. Des lumières filtraient par chaque fenêtre, peignant des bandes claires sur le sol sombre.

— Vous dites que les Ainsley ont démoli une maison parfaitement saine pour en bâtir une autre à la place ?

— Oui, il y a cinq ans.

— Mais pourquoi ?

Elle se tourna vers Adam et se rendit compte qu'il avait approché suffisamment pour la dominer. L'odeur acidulée de son parfum citronné taquina ses sens, et elle ne put s'empêcher de frissonner. Elle était encore troublée par les caresses inattendues qu'il lui avait prodiguées toute la soirée, et le fait qu'il soit si proche la perturbait au plus haut point.

Un petit pas, et ils seraient poitrine contre torse, hanche contre hanche… Elle arrêta son regard sur ses lèvres. Avec toute la pratique qu'il avait, elle était prête à parier qu'il embrassait très bien. S'il penchait la tête et que…

Tu ferais mieux de reculer.

Mais elle ne pouvait pas. Piégée comme elle l'était entre la voiture et le corps athlétique d'Adam, elle n'avait nulle part où s'échapper. Elle se força à détacher ses yeux de ses lèvres, et inspira une bouffée d'air chargé des parfums du soir, mais elle ne put identifier toutes les effluves de fleurs.

Aussitôt, une foule de questions se pressa dans son esprit. Sa mère avait-elle connu le nom de ces fleurs ? Adrianna avait-elle été une amoureuse des plantes ? De l'océan ? Une droguée du shopping ? Etait-elle grande ou petite, introvertie ou extravertie ? Avait-elle été une suiveuse ou une briseuse de règles ? Ne rien savoir d'elle frustrait Lauryn, et la laissait avec un sentiment de vide. Elle avait parfois l'impression d'être un bateau à la dérive.

— Avec le manque de terrains et le surplus d'argent dans le sud de la Floride, expliqua alors Adam, la tirant de ses interrogations, c'est commun de détruire pour reconstruire. Parfois, les reconstructions totales sont dues aux dégâts causés par les ouragans, mais dans ce cas précis, Helene voulait effectuer des changements qui auraient coûté plus cher que de reconstruire.

Lauryn fut soudain prise d'un élan de panique.

— Votre maison n'a pas été rasée, n'est-ce pas ?

Il plissa les yeux, comme s'il avait entendu la panique, contenue tant bien que mal, dans sa voix.

— Non, c'est la construction d'origine. Pourquoi ?

Reprends-toi, Lauryn.

Elle se força à sourire.

— Je… j'adore les maisons qui ont une histoire. Je déteste les voir détruites. Nous sommes près de chez vous, non ? Si vous me montriez votre demeure ?

Il hésita si longtemps qu'elle crut qu'il allait refuser.

— Bien sûr, finit-il par dire. Personne n'y séjourne cette semaine.

S'efforçant de contenir son excitation, Lauryn monta dans la voiture. Enfin, elle allait connaître la maison où avait vécu sa mère !

Après avoir fait demi-tour, Adam s'engagea dans une vaste rue bordée de palmiers, puis s'arrêta quelques dizaines de mètres plus loin, dans une petite allée. Il tapa un code de sécurité sur un clavier encastré, et le grand portail coulissant en fer forgé s'ouvrit en silence.

L'émotion noua la gorge de Lauryn tandis que la voiture avançait dans une cour circulaire, ornée d'une fontaine centrale.

Des lampadaires s'allumèrent sur leur passage, les inondant de lumière. Voulant tout engranger en une fois, Lauryn s'efforça de graver tous les détails dans son esprit. Un style méditerranéen. Un garage de quatre véhicules sur la gauche. Des fenêtres en arc. Des colonnes sculptées. Un vaste porche.

La maison de sa mère biologique. Le cœur de Lauryn

tambourina dans sa poitrine tandis qu'elle sortait de la voiture, les jambes tremblantes. Elle aurait aimé voir la maison en plein jour, au lieu de la découvrir sous la faible clarté d'un croissant de lune. Elle voulait examiner chaque détail précis des corniches sculptées au-dessus des fenêtres, des portes, sous les pignons et les auvents.

— C'est magnifique, murmura-t-elle.

— Comme je vous l'ai dit, c'est un bon investissement. D'ici à ce que je m'en débarrasse, la propriété aura doublé sa valeur.

Lauryn eut soudain l'impression qu'une main glacée s'insinuait dans son dos. Il ne pouvait pas vendre ! Pas encore.

— Vous allez la vendre ? bredouilla-t-elle.

— Quand le marché sera favorable et que le prix me conviendra.

Elle essuya ses paumes moites sur sa robe fourreau noire et suivit Adam sous le porche, nouant et dénouant nerveusement ses doigts pendant qu'il ouvrait la porte.

Combien de fois sa mère avait-elle franchi ce seuil ?

Adam alluma la lumière puis tapa quelques chiffres sur un système d'alarme caché derrière un petit miroir. Il lui fit signe de le rejoindre, mais elle ne pouvait bouger. Une étrange paralysie bloquait ses muscles. Elle était si près de découvrir la vérité. Si près des carnets, et des réponses.

Du moins, si les carnets étaient encore là.

Et si elle n'aimait pas ce qu'elle apprendrait ? Si sa mère n'était pas quelqu'un de bien ? Si elle était morte d'une maladie horrible et héréditaire ? Lauryn possédait peut-être une tare qui faisait que personne ne l'aimerait jamais.

Son père et Susan l'avaient aimée, pourtant. Enfin, peut-être. Ses parents lui avaient menti sur tant de points que Lauryn n'était plus très sûre à présent de savoir démêler le vrai du faux.

— Lauryn ? dit Adam avec l'air de se demander pour-quoi elle ne bougeait pas.

Elle chercha quoi répondre.

— Ce luxe est aussi éloigné que possible de la maison militaire dans laquelle j'ai grandi.

— Ça ne semblait pas vous déranger chez les Ainsley.

— Je crois que j'étais trop nerveuse à l'idée de rencontrer tous ces gens pour faire attention au décor. Je… je ne sors pas beaucoup.

Plus beaucoup.

Elle se força à avancer, et se retrouva dans un vestibule circulaire. Lentement, elle tourna sur elle-même, au centre du compas de marine incrusté dans le sol de marbre, telle une rosace brillante, puis alla jusqu'au vaste escalier qui sinuait autour du vestibule pour rejoindre le premier étage.

Sa mère avait-elle grimpé cet escalier, sur la pointe des pieds, au milieu de la nuit, pour ne pas se faire surprendre ?

Cette tendance rebelle qui avait valu à Lauryn tant de soucis durant son adolescence, la tenait-elle d'Adrianna Laurence ? En tout cas, elle ne la tenait certainement pas de son père, un militaire psychorigide, ni de sa mère adoptive, une sainte qui n'avait jamais levé ni la main ni la voix sur elle, même si Lauryn avait parfois été odieuse.

— Vous voulez la visite complète à dix dollars ? plaisanta Adam, l'interrompant dans ses pensées.

— Je croyais que c'était une visite à dix cents.

— L'inflation, dit-il d'un air faussement sérieux. Si vous n'avez pas d'espèces, j'accepterai un paiement en nature plus… créatif.

Il regarda ses lèvres, et elle en eut la bouche sèche. Elle s'éclaircit la gorge et détourna les yeux.

— J'adorerais visiter.

Il fallait qu'elle revienne dans cette maison, sans avoir Adam sur ses talons. Peut-être pourrait-elle le convaincre de lui confier une clé pour déposer des choses pour les VIP, et voler quelques minutes pour explorer les placards.

— Combien y a-t-il de chambres ?

— Six. Sept salles de bains et demie, plus les appartements des employés au-dessus du garage.

Six chambres ! Cela prendrait des heures pour fouiller

chaque placard, à supposer que les placards soient vides, et qu'elle n'ait pas à déplacer des affaires d'abord.

— C'est tout à fait le genre de maison pour élever une famille, observa-t-elle.

Sa mère avait grandi ici, en tant que fille unique, et d'après le peu que Lauryn avait découvert, elle était revenue vivre ici après un semestre à Vassar, une université de l'Etat de New York. Adrianna avait-elle emporté ses carnets à l'université ? Les avait-elle ensuite ramenés ici avec elle ?

— Venez.

Il se tourna et se dirigea vers une arcade.

Lauryn dut forcer l'allure pour le suivre.

— Avez-vous fait des changements après avoir acheté cette maison ?

Il longea une longue suite de pièces, allumant les lumières au passage.

— En dehors de la mise aux normes de l'électricité, non. Les précédents propriétaires entretenaient très bien leur maison. J'ai même acheté certains de leurs meubles.

Lauryn en trébucha. Elle aperçut une bibliothèque emplie de livres, un home cinéma, une cuisine équipée, un salon sur deux étages, et un dégagement circulaire avec poutres apparentes. L'aspect grandiose des lieux lui coupait le souffle, et elle aurait voulu supplier Adam d'aller moins vite, pour pouvoir absorber tous les détails, pour demander quels meubles avaient appartenu aux Laurence.

Sa mère s'était-elle assise sur ce canapé, ou à ce bureau ? Mais poser des questions signifierait qu'elle devrait fournir des explications. Or, les explications pourraient mener à un rejet. Il était encore trop tôt.

Adam ne s'arrêta que lorsqu'il atteignit un solarium, qui faisait saillie à l'arrière de la maison comme une péninsule. On aurait pu faire tenir trois fois son minuscule appartement rien que dans cette pièce, songea Lauryn.

Sur la droite, une baie vitrée surplombait une piscine et un patio illuminés par un éclairage subtil niché dans le paysage. Sur la gauche, Lauryn distingua des courts de tennis, et au-delà de la digue, à l'arrière de la propriété, un quai privé, avec un long bateau qui flottait sur le canal.

D'un geste de la main, Adam éteignit les lumières intérieures et extérieures, et la vue sur le canal disparut dans l'obscurité. Le clair de lune pâle plongea la pièce dans une combinaison d'ombre et de lumière argentée.

— Prête à partir ?

Non ! Pas encore.

— Vous ne me montrez pas l'étage ?

En deux pas rapides, il effaça la distance entre eux, et lui caressa la joue. Elle se figea de surprise, et fixa Adam. Les ombres durcissaient les angles de son visage. Son pouce effleurait ses lèvres. Aussitôt, le désir s'enflamma en elle, et à en juger par le soudain agrandissement des pupilles d'Adam, lui aussi était troublé. L'air devint soudain chargé d'une tension électrique.

— Si vous voulez me faire entrer dans une chambre, il vous faudra d'abord accepter ma proposition, et signer les contrats.

Elle s'efforça de mobiliser ce qui lui restait de lucidité. Elle ne pouvait se laisser charmer par Adam Garrison. Elle avait laissé tomber les mauvais garçons, et les relations superficielles, il y avait bien longtemps. Et si Adam portait des vêtements haute couture au lieu de jeans déchirés, il était tout de même un mauvais garçon, un vrai.

Elle en avait côtoyé assez pour savoir les reconnaître.

C'était tentant, mais tabou.

Pourtant, il fallait qu'elle ait accès à cette maison. Elle avait perdu son père, et sa propre identité, onze mois plus tôt, et avait peut-être démoli sa relation avec sa mère au-delà du réparable. Si elle avait une chance de remettre sa vie sur de bons rails, alors il lui fallait découvrir qui elle était — la *vraie* histoire, et pas le conte de fées que ses parents avaient élaboré.

Et pour cela, elle le savait, il n'y avait qu'une façon possible.

Un frisson la parcourut. Elle se détourna d'Adam et, serrant nerveusement ses mains l'une contre l'autre, elle se dirigea vers la baie vitrée, sans cesser de fixer les lumières qui scintillaient au-delà du canal.

— Je vais le faire, annonça-t-elle de but en blanc, le regard rivé au bateau tanguant plutôt qu'à l'homme derrière elle.

La lumière emplit de nouveau la pièce.

— Faire quoi ?

Elle se retourna lentement vers Adam, et le regarda dans les yeux.

— Je vous épouserai. Mais seulement si nous vivons ici.

— Mais j'ai un appartement à deux pas du club !

— Avez-vous jamais songé que vous pourriez paraître plus stable si vous vivez dans une maison plutôt que dans une garçonnière ?

Il hocha la tête.

— Vous marquez un point.

— Et je n'abandonnerai pas mon travail.

— Lauryn, vous n'aurez pas besoin de travailler.

— J'y tiens.

Elle prit une profonde inspiration avant de poursuivre :

— Et je ne dormirai pas avec vous.

— Vous aurez votre propre chambre.

— Non, Adam, je veux dire, pas de sexe. Vous pouvez peut-être devenir intime avec une personne que vous n'aimez pas, moi je n'en suis pas capable.

Elle n'en était *plus* capable. Elle ne se souvenait que trop bien de la détestation de soi qui suivait ces relations purement charnelles. Elle avait voulu blesser son père par son comportement éhonté, mais au final, c'était elle-même qu'elle avait blessée, et haïe.

— Je passerai des tests sanguins, si c'est ce qui vous inquiète.

— Ce n'est pas le problème. Certes, c'est important, au vu des légions de conquêtes que la rumeur vous prête, mais…

— Les légions ?

— Vous n'êtes pas connu pour vos goûts difficiles en matière de femmes.

— Il n'y en a pas eu des légions.

— Combien alors ?

— Ça ne vous regarde pas.

— Si, quand vous essayez de m'attirer dans votre lit.

Il hésita, puis haussa les épaules.

— J'ignore combien.

— Vous n'avez pas compté, ou vous ne pouvez pas compter jusque-là ?

— Et vous, lança-t-il, le menton levé, avec combien d'hommes avez-vous couché ?

Son passé honteux remonta insidieusement à la surface. Elle avait gâché sa jeunesse à chercher des moyens de bafouer l'autorité de fer de son père, et elle n'en était pas fière. Elle avait été indisciplinée, mais elle avait changé. Elle menait une vie de nonne à présent.

— Vous n'avez pas répondu à cette question, fit-elle, alors je ne vois pas pourquoi je devrais le faire.

— Très bien, de toute façon, ça ne m'intéresse pas. En revanche, j'aimerais bien savoir comment vous imaginez les choses. Vous ne voulez pas partager mon lit, soit. Mais que suis-je censé faire pour… me soulager ?

Un diaporama surgit dans l'esprit de Lauryn, passant en revue de multiples façons de le satisfaire, mais elle chassa les images de sa tête. La chaleur qui rosissait sa peau ne fut pas aussi facile à vaincre.

— Tout dépend si vous êtes gaucher ou droitier.

— Et vous ?

Elle se sentit rougir de plus belle.

— Je peux prendre soin de moi.

Adam serra la mâchoire, puis approcha d'elle.

— Soit. J'accepte vos conditions. Vous avez un passeport ?

Pendant un instant, elle fut trop interloquée pour répondre.

— Oui. Pourquoi ?

— Je vais dire à Brandon de rédiger le contrat. Cassie et lui peuvent nous organiser un mariage discret et rapide aux Bahamas. Cela vous convient-il ? Ou est-ce que vous avez besoin d'une grande cérémonie ?

Cassie… Il fallut un moment à Lauryn pour remettre

ce nom. Selon les journaux, Cassie Sinclair était la fille naturelle et secrète de John Garrison, et donc la demi-sœur d'Adam. Même si Lauryn n'avait jamais rencontré la jeune femme, elle se sentit une affinité avec elle. Une autre étrangère. Mais au moins, Cassie savait qui étaient ses parents. Elle possédait et dirigeait le *Garrison Grand-Bahamas*, et s'était récemment fiancée avec Brandon Washington, l'avocat d'Adam — si les commérages du club étaient exacts.

— Je ne veux pas de grand mariage. Mais pourquoi aux Bahamas ?

— Si nous nous marions à Miami, ma famille s'attendra à être invitée, et il y aura un risque d'acharnement médiatique.

Eviter à la fois les médias et la famille Garrison était tentant.

— Une cérémonie aux Bahamas, ça me va. Je n'y suis jamais allée.

— Nous y séjournerons quelques jours, en guise de lune de miel.

Une lune de miel ?

— Adam, je ne changerai pas d'avis sur les relations sexuelles.

— Lauryn, il est impératif que nous agissions comme un couple amoureux qui s'est enfui pour se marier. Si ce mariage ne semble pas réel, ça ne m'apportera rien. Nous aurons une lune de miel.

— La nomination au Conseil est donc si importante pour vous ?

Il marqua un temps d'hésitation.

— C'est ce que la nomination représente qui est important.

— C'est-à-dire ?

— C'est personnel.

Il consulta sa montre.

— Si nous partons maintenant, nous aurons le temps de passer au club et de prendre les papiers nécessaires.

Personnel.

Avoir des secrets, ce n'était pas la meilleure façon de débuter un mariage — temporaire ou non. Mais elle le laisserait s'en tirer par cette pirouette, car elle aussi avait ses secrets.

Des choses dont elle avait trop honte pour les partager.

— Vous n'aviez pas à me reconduire chez moi, dit Lauryn tandis qu'Adam se garait devant son appartement.

— Je vous ai dit que je ne vous laisserais pas prendre le bus à cette heure de la nuit.

— Je prends toujours le bus.

— Plus maintenant. Ma fiancée n'utiliserait jamais les transports publics.

Sa fiancée. Elle avala sa salive, l'appréhension montant en elle. Son dernier mariage avait été une terrible erreur. Celui-ci serait-il mieux ou pire, puisqu'il n'y était pas question d'amour ?

— Votre fiancée ne peut pas se payer un chauffeur ou un parcmètre à un dollar de l'heure.

— Avec l'argent que vous êtes sur le point de recevoir, cela va changer.

Malheureusement pour elle, une des rares places réservées aux visiteurs se libéra quand Adam arriva sur le parking. Il se glissa entre les lignes blanches, arrêta le moteur et déverrouilla les portes.

Il fallait qu'elle s'éloigne d'Adam, pour repenser à ce plan fou, et s'assurer qu'il n'y avait pas d'autre façon d'atteindre son objectif.

Avoue-le. Il n'y a pas d'autre solution. Tu as essayé toutes les autres possibilités. C'est ta meilleure chance de découvrir la vérité.

Serrant son sac et le dossier contenant l'accord prénuptial et le contrat de mariage, elle sortit de la voiture avant qu'Adam puisse venir lui ouvrir sa portière.

— Inutile de me raccompagner jusqu'à la porte. C'est un quartier bien éclairé et sûr.

Il agrippa son coude d'une main ferme et chaude. Même s'il l'avait touchée une bonne douzaine de fois ce soir, elle frissonna tout de même à son contact.

— Où sont les ascenseurs ?

Eh bien, il était du genre têtu.

— Il n'y a pas d'ascenseur. Je vis au troisième étage.

Il désigna d'un geste la cage d'escalier.

A contrecœur, Lauryn ouvrit la marche. Mais il resta juste à côté d'elle, accordant ses pas aux siens. Elle ne voulait pas qu'il entre dans son appartement. Elle n'avait pas honte de son minuscule espace, mais après avoir vu le luxe auquel Adam était habitué, son appartement semblait minuscule et inadéquat. L'immeuble Art déco avait été rénové, mais pour rester accessible à la classe populaire plutôt qu'à de riches locataires.

Elle grimpa l'escalier avec Adam à son côté, ouvrit sa porte et entra. Un rapide coup d'œil, et elle constata qu'elle n'avait rien laissé traîner de gênant — comme l'épais dossier qu'elle avait compilé sur sa mère. Ou le dossier plus mince concernant Adam et son club, clairement étiqueté à son nom.

Elle lui fit face, les documents concernant le mariage collés contre elle.

— Voilà, je suis chez moi. Saine et sauve. Merci de m'avoir emmenée chez les Ainsley ce soir, et de m'avoir montré votre maison.

Mais au lieu de s'en aller, comme elle l'espérait, il avança, la forçant à s'écarter, puis il balaya les lieux du regard. Sa minuscule cuisine sur la gauche, le salon devant eux, les portes menant à la petite chambre et à la salle de bains microscopique. Il enleva sa veste de costume et la posa sur le dossier d'une chaise.

— Qu'est-ce que vous faites ?

— Je me mets à l'aise.

— Vous n'avez pas à rester, insista-t-elle. Je vais regarder ces documents et les apporter demain au bureau.

Elle resta près de la porte ouverte, espérant qu'il saisirait le message et s'en irait.

Mais ce fut tout le contraire.

— Je vais parcourir ces documents avec vous.

— Inutile. Si j'ai des questions, je les écrirai.

Il avança vers elle, le regard fixe, et ferma la porte.

— On essaie de se débarrasser de moi, Lauryn ?

Elle eut la bouche sèche et son pouls battit de manière désordonnée.

— Il faut que je me lève tôt.

— Il n'est que 23 heures, et votre patron se montrera indulgent si vous êtes en retard demain.

— Je ne peux pas être en retard, je dois faire un chèque au fournisseur de boissons pour la livraison demain matin.

— Le camion n'arrive qu'à 11 heures. Vous pourrez dormir un peu. Nous avons quelques détails à revoir.

Il planta les mains sur ses hanches, comme s'il s'attendait à ce qu'elle proteste.

— Lesquels ?

— Par exemple, votre salaire. Brandon l'a mentionné noir sur blanc dans le contrat de mariage, mais je vais faire un récapitulatif. Vous recevrez quarante et un mille dollars chaque mois. Le premier paiement sera transféré sur votre compte après le mariage.

— Pourquoi un paiement mensuel ?

— Pour que vous ne filiez pas à l'anglaise avant la fin de la seconde année.

— Quand j'ai donné ma parole, je la tiens.

Ce n'avait pas toujours été le cas, mais elle avait changé.

— D'accord, concéda-t-elle toutefois, chaque mois, ça me va.

De toute façon, elle ne faisait pas cela pour l'argent.

— Je vous ouvrirai un compte bancaire à votre nom. A cause de la nature temporaire de ce mariage, nos comptes resteront séparés. Si vous dilapidez votre salaire avant la fin du mois, ce sera tant pis pour vous. Je ne vous donnerai pas un cent de plus.

Comme elle ne répliquait rien, il poursuivit :

— Et je vais engager une assistante pour vous seconder.

— Attendez. Vous aviez promis que je pouvais garder mon job, et je vous le répète, je n'ai pas besoin d'assistante.

— Je vous autoriserai à travailler, mais seulement à temps partiel. Si nous devons jouer les jeunes mariés inséparables, on s'attendra à ce que vous fassiez des apparitions régulières au club. Cela veut dire que vous vous coucherez tard. Votre assistante vous remplacera les matins.

Cela semblait logique. Avec réticence, elle céda, et inclina la tête.

— Quoi d'autre ?

— Un certain nombre de TPA seront requis pour donner à ce mariage l'air réel.

Il était à presque un mètre d'elle, mais la distance et son appartement semblèrent tout à coup rétrécir.

— Des *TPA* ?

— Des témoignages publics d'affection. Il faudra que nous nous touchions. Comme ce soir.

Ça, elle pouvait le faire.

— D'accord.

— S'embrasser.

Elle resta bouche bée.

— Je ne crois pas que...

— Les jeunes mariés se touchent et s'embrassent, fit-il en la fixant avec insistance. Souvent. Faire croire aux gens que nous ne pouvons pas nous empêcher de nous toucher fait partie de la comédie.

Elle eut soudain le sentiment que ses lèvres palpitaient sous le regard d'Adam, comme si elles appelaient le baiser dont il parlait. Mon Dieu, allait-il l'embrasser, là maintenant ? Pour sceller leur accord ? Pour tester ses talents d'actrice ? Elle avait le cœur qui battait si fort que la tête lui tournait.

— Vous pourrez faire ça, Lauryn ?

— Je... oui. Je peux vous embrasser.

Du moins, elle l'espérait.

A cet instant, Adam se détourna brusquement et parcourut le petit salon, et elle poussa un soupir de soulagement.

— Il faudra vous habiller différemment, vous maquiller, vous faire faire une manucure...

— Vous voulez que je me fasse relooker ?

Devrait-elle en être insultée ou flattée, elle n'aurait su le dire. Elle se fondait dans le décor depuis si longtemps que c'était devenu un seconde nature. Apparemment, elle était douée dans l'art de se rendre insipide.

Il s'assit sur le canapé. Un homme aussi viril sur un chintz fleuri, cela semblait si… bizarre.

— Pour qu'on croie que vous êtes mon épouse, il vous faudra un peu d'éclat, et beaucoup de style.

— Pour rivaliser avec les bimbos que vous fréquentez d'habitude, c'est ça ?

— Ce n'est pas une compétition. Je vous l'ai dit, Lauryn, je ne serai pas infidèle, malgré votre ridicule exigence d'abstinence.

Elle traversa la pièce et s'arrêta devant lui.

— Ça n'a rien de ridicule.

Il étendit les bras sur le dossier du canapé, et laissa dériver son regard de son visage vers ses seins, sa taille, ses jambes. Elle en eut des frissons.

— Nous verrons qui pourra tenir le plus longtemps. Et quand vous craquerez, venez me voir moi. Personne d'autre.

Elle eut envie de le gifler, tant il débordait de suffisance !

— Je ne craquerai pas.

— Nous verrons bien. Je vais engager une styliste pour vous aider à choisir des vêtements appropriés, et prendre vos rendez-vous en institut de beauté.

— Je choisirai moi-même mes vêtements, et prendrai mes propres rendez-vous.

— Lauryn…

— Et je vous préviens, je ne m'habillerai pas comme une traînée.

Il plissa les yeux.

— Je ne sors pas avec des traînées.

— Votre dernière petite amie n'a-t-elle pas fait la une récemment pour avoir exhibé son absence de petite culotte aux paparazzis ?

— Ce n'était pas ma petite amie.

— Ce n'est pas ce que disent les médias.

Elle se massa le crâne pour tenter de faire passer sa soudaine migraine, sans succès.

— Je peux choisir mes tenues, et tout le reste, moi-même.

— Pas d'après ce que j'ai vu. Gardez des vêtements classiques si ça vous chante, mais essayez de vous habiller comme une femme de votre âge et non comme une matrone. Souvenez-vous, les gens sont supposés croire que vous m'attirez.

Elle le dévisagea, stupéfaite. Eh bien, il n'y allait pas par quatre chemins !

— Faites-moi confiance, finit-elle par rétorquer.

— Nous ne pouvons pas nous permettre de commettre des erreurs. Il faut que nous réussissions du premier coup.

— Je réussirai.

Les secondes s'écoulèrent dans un silence tendu.

— Vous avez une migraine ? s'enquit-il.

— Oui. Mais rien qu'une bonne nuit de sommeil ne puisse arranger. S'il vous plaît, Adam, rentrez chez vous. Je vous promets de lire ces documents, et nous en discuterons demain.

Il la regarda, comme s'il songeait à refuser. A la fin, il se leva.

— Je passe vous prendre à l'*Estate* à 17 heures demain. Nous nous arrêterons au bureau de Brandon pour signer les documents, ensuite nous irons dîner.

Après cela, elle serait liée à Adam par un mariage de pacotille, durant deux ans.

Mais qu'étaient deux années de mascarade quand sa vie entière n'avait été qu'un mensonge ?

4.

— Prête à partir ?

Lauryn sursauta presque sur sa chaise quand elle entendit la voix d'Adam derrière elle, en ce jeudi après-midi. Elle se retourna vivement et le découvrit dans son bureau, juste derrière elle.

Dans son costume noir, sa chemise blanche, et sa cravate noir et argent classique, il était tout simplement magnifique. Il portait toujours de beaux vêtements, mais rarement aussi formels.

— Presque. Vous êtes en avance. Laissez-moi le temps d'imprimer cette page.

Elle attrapa la feuille avant qu'elle ne glisse sur le plateau de l'imprimante.

— J'ai ajouté un avenant, l'informa-t-elle.

— Un avenant à quoi ?

Il traversa la pièce et prit les feuilles qu'elle lui tendait.

— A notre accord. J'ai rajouté les points que nous avons vus hier soir.

Adam ferma la porte et s'approcha d'elle.

— Notre vie sexuelle ne sera pas inscrite sur un document légal.

— Et moi je tiens à ce que les conditions soient écrites noir sur blanc.

— Je ne ferai rien écrire qui puisse être utilisé par la presse pour me discréditer. L'accord prénuptial et le contrat de mariage sont déjà assez risqués comme ça. Effacez ce paragraphe, ordonna-t-il d'une voix autoritaire.

En réaction, elle se hérissa. Elle n'avait jamais bien réagi aux ordres. Son père les avait aboyés sur elle comme si elle avait été une de ses nouvelles recrues, et elle… eh bien, elle s'était mutinée. Plus d'une fois, ses actes l'avaient mise dans de beaux draps.

Mais c'était du passé.

— Adam…

— Faites-le, Lauryn.

Agrippant les bras de son fauteuil, elle s'adossa et compta mentalement jusqu'à dix.

— Vous protégez vos intérêts. Pourquoi ne pourrais-je pas protéger les miens ? se défendit-elle.

— Je vous donne ma parole que je me conformerai à vos requêtes.

Il glissa les pages dans le destructeur de papier et, lentement, se pencha en avant jusqu'à la dominer de sa hauteur, la fixant sans ciller.

— Jusqu'à ce que vous me demandiez le contraire.

La dernière partie de la phrase, prononcée avec un sourire assuré, débordait de confiance et de charisme. Il croyait donc qu'elle changerait d'avis sur l'abstinence ? C'était qu'il n'avait aucune idée à quel point elle avait verrouillé ses hormones, depuis la dissolution de son mariage hâtif, et à quel point elle était devenue douée pour ignorer le sexe opposé. Mais il le constaterait bientôt par lui-même.

Elle effaça le fichier, et vida même la corbeille de son ordinateur.

— C'est fait.

— Allons-y.

— Attendez. Il faut que vous approuviez l'annonce pour mon assistante.

— Inutile de passer une annonce. Ma précédente comptable est ravie de reprendre le travail. Elle a découvert que changer des couches à longueur de journée n'était pas si épanouissant que ça.

La tension s'empara de la gorge de Lauryn, telle la main d'un étrangleur invisible. En silence, elle prit son sac et le contrat de mariage, puis suivit Adam jusqu'à la sortie.

— Votre avocat a-t-il jeté un coup d'œil au contrat ? demanda-t-il.

— Je n'ai pas d'avocat, et je n'ai pas eu le temps d'en chercher un.

Adam l'agrippa par le coude et l'arrêta sur le trottoir. Il la fixa droit dans les yeux.

— Je ne vous grugerai pas. L'accord est loyal.

— Je sais. Je l'ai lu.

Cinq fois. Des pages de mots sans émotions, promettant vingt-quatre mois de sa vie à un étranger virtuel. Une année pour faire élire Adam, et une année pour le maintenir en place, jusqu'à ce qu'il prouve qu'il était fait pour le poste.

Serait-elle capable de rester aussi détachée quand elle partagerait la maison et la vie de cet homme ? Serait-elle capable de s'en aller comme si le mariage n'avait jamais existé ? A en juger par sa réaction devant les caresses d'Adam, elle ne sortirait pas indemne de cette union.

Mais elle pouvait contrôler son corps. Non ?

Elle n'avait pas le choix.

Elle se dégagea, cherchant du regard la BMW d'Adam. Mais c'était une Lexus bleu nuit qui était garée sur sa place de parking habituelle. Ce n'était pas la première fois que quelqu'un ignorait les signes indiquant sa place réservée. Elle passa la rue en revue, mais ne vit pas la décapotable d'Adam. Cela signifiait qu'il leur faudrait marcher jusqu'au parking aérien, ce qui était une des raisons — en dehors des coûts prohibitifs du parking — pour lesquelles Lauryn prenait souvent le bus. Heureusement qu'elle préférait les chaussures plates.

Adam fouilla dans sa poche, en sortit une clé et appuya sur un bouton. Les phares de la Lexus clignotèrent.

— Vous portez souvent du bleu, souligna-t-il. J'espère que c'est parce que vous aimez cette couleur.

— Quoi ? fit-elle, ébahie.

Elle regarda le véhicule, puis Adam.

— Vous voulez rire, n'est-ce pas ?

— Non. C'est vous qui conduisez.

Comme elle ne saisissait pas les clés qu'il lui tendait,

il lui prit la main, les posa dans sa paume et lui referma les doigts.

Elle ne savait ce qui la surprenait le plus. La voiture coûteuse, ou le contact avec Adam. Elle devrait travailler plus dur pour contenir son attraction interdite.

— J'ai déjà une voiture.

— Maintenant vous en avez une autre, plus belle. Gardez la vôtre ou vendez-la, ça m'est égal.

— Mais…

— Les apparences, Lauryn. Tout est question d'apparences, fit-il en lui ouvrant sa portière et en montant à son tour dans la voiture. A présent allons-y. Brandon reste plus tard exprès pour nous.

Elle se glissa sur le siège de cuir doux, respira l'odeur de voiture neuve, et remarqua le toit ouvrant teinté. Comparé à celui de sa vieille berline, le tableau de bord ressemblait à un engin construit par la NASA. Sa main trembla un peu quand elle démarra. Elle n'était pas pressée de manœuvrer une voiture luxueuse flambant neuve à une heure de pointe.

Adam lui laissa quelques minutes pour s'habituer à la façon dont fonctionnait la voiture avant de reprendre la parole :

— Les lois des Bahamas exigent que nous nous trouvions dans le pays vingt-quatre heures avant de pouvoir déposer une demande de mariage. Nous partirons demain matin, nous nous marierons jeudi et quand nous reviendrons lundi matin, nous emmènerons vos affaires dans la maison.

Jeudi ?

— Déjà ?

— Attendre ne serait qu'une perte de temps.

— Vous êtes prêt à quitter l'*Estate* aussi longtemps ?

— Les employés survivront sans moi, et Sandy vous remplacera.

Ainsi, il avait déjà tout planifié.

— Sandy est la femme que je remplace ?

— Oui.

— Je n'aurai pas le temps de faire le relooking que vous avez demandé d'ici demain.

Elle garda son regard sur la route, mais aperçut le haussement d'épaules d'Adam du coin de l'œil.

— Vous le ferez sur l'île. Cassie est très élégante. Elle pourra vous indiquer dans quels endroits aller.

Le reste du trajet se déroula en silence, et, bien trop tôt à son goût, ils atteignirent l'immeuble *Washington et Associés*. Quand Lauryn descendit de voiture, la tension dans ses épaules se propageait dans son corps à chaque pas qu'elle faisait au côté d'Adam.

Quand ils arrivèrent à l'accueil, une femme d'une soixantaine d'années leur adressa un grand sourire, avant de leur lancer :

— Alors, il y a des fiançailles dans l'air ? D'abord vos deux frères, ensuite Brandon, et maintenant vous ! Est-ce que les hommes de Miami seraient devenus soudain plus intelligents ?

— Bonjour, Rachel.

Adam donna une accolade à la petite femme.

— Rachel, je vous présente Lauryn Lowes, ma fiancée. Lauryn, voici Rachel Suarez, l'associée de Brandon.

Lauryn posa avec réticence sa main dans celle d'Adam, et le laissa l'attirer en avant. La chaleur de sa main sembla se diffuser en elle mais, Dieu merci, Rachel brisa le charme en prenant l'autre main de Lauryn entre les siennes.

— Il sera un bon mari, tant que vous le gardez en laisse, murmura-t-elle.

Les yeux écarquillés, Lauryn jeta un rapide coup d'œil à Adam, pour voir s'il avait entendu, mais son visage demeurait impassible.

— Merci pour le tuyau, chuchota-t-elle, et elle reçut un clin d'œil en retour.

Un mouvement dans le couloir attira l'attention de Lauryn. Brandon Washington se dirigeait vers eux. C'était un séduisant Afro-Américain, de la même taille qu'Adam. Lauryn lui avait parlé à plusieurs reprises, car il passait de temps à autre à l'*Estate*.

Les deux hommes se serrèrent la main, et se donnèrent

une accolade, puis Brandon la salua d'un hochement de tête auquel elle répondit par un timide sourire.

Brandon se tourna alors vers Rachel.

— Laissez-nous cinq minutes avant de nous rejoindre.

Lauryn eut la bouche sèche. Le marché était presque conclu. Elle suivit les deux hommes à reculons. Le point de non-retour se profilait droit devant elle.

Si elle faisait marche arrière maintenant, qu'aurait-elle appris de sa mère ? Pas grand-chose. Vraiment pas grand-chose. Et elle perdrait sans doute son travail aussi, pour avoir dit oui à Adam et s'être ensuite rétractée.

Brandon referma la porte derrière eux, alla s'asseoir derrière le bureau et attendit qu'Adam et Lauryn s'installent avant de demander à Adam :

— Tu es certain de vouloir faire ça ?

— J'en suis sûr.

Les yeux brun profond de Brandon sondèrent Lauryn.

— Et vous ?

— Je…

Elle masqua son élan de panique en s'éclaircissant la gorge et en tendant le dossier.

— J'en suis sûre.

Brandon le prit et en sortit les contrats.

— Avez-vous des questions, Lauryn ? Y a-t-il un point qui demande des éclaircissements ?

Y a-t-il un autre moyen de parvenir à mes fins ?

— Non.

— Elle n'a pas fait lire les documents par un avocat, dit Adam.

Brandon se figea.

— Voulez-vous que je demande à l'un de mes associés de parcourir les documents ? Je peux vous assurer qu'il sera impartial.

— Non, je n'ai aucun problème avec ces contrats.

Brandon hocha la tête.

— Une fois que vous serez aux Bahamas, vous devrez prouver votre date d'arrivée sur l'île. L'aéroport devrait pouvoir vous fournir une preuve. Ensuite, vous jurerez devant le consulat américain et l'ambassade américaine que vous êtes deux citoyens américains célibataires qui souhaitent se marier. Le lendemain, vous irez au bureau du Registre général pour obtenir votre autorisation. Aucun test sanguin n'est nécessaire, mais Adam m'a dit que vous souhaitiez quand même passer des tests demain matin.

Première nouvelle. Lauryn considéra Adam, qui soutint son regard. Alors, il croyait vraiment qu'il arriverait à l'attirer dans son lit ?

Aucune chance, lui répondit-elle en silence.

Il haussa un coin de la bouche, comme pour dire : *vous voulez parier ?*

— Lauryn, êtes-vous veuve ou divorcée ? demanda Brandon tandis qu'il étalait les documents sur son bureau devant eux.

— Euh… non.

On lui avait dit que les annulations de mariage ne comptaient pas. Sur le plan légal, c'était comme si son mariage ne s'était jamais produit. Ça tombait bien, elle n'avait aucun souvenir de la cérémonie. Une honte brûlante s'empara d'elle au souvenir de cette époque pitoyable de sa vie. Elle préférait que personne ne sache quelle fille stupide elle avait été par le passé.

— Alors, nous avons ici tous les documents nécessaires. Cassie a prévu la location d'une villa pour vous, sur une plage privée. Elle a aussi engagé un prêtre, un photographe, et un traiteur. La cérémonie aura lieu jeudi, sur la plage, au coucher du soleil. Cassie et moi serons vos témoins. Ensuite, je ferai un communiqué à la presse. Des questions ?

Le froid imprégna les mains de Lauryn. Elle secoua la tête, car elle était incapable de parler.

On frappa à la porte. Mme Suarez passa sa tête poivre et sel dans l'entrebâillement.

— Je peux entrer ?

— Vous arrivez à point nommé, comme toujours, dit Brandon.

La petite dame entra, portant un sceau notarial.

— Lauryn, fit Brandon en lui tendant un stylo, vous signez en premier.

Il lui fallut une seconde pour rassembler son courage. Elle accepta le stylo avec une main presque calme, et griffonna son nom et la date à l'endroit indiqué, d'abord sur le contrat de mariage puis sur l'accord prénuptial. Adam fit de même et ensuite, Mme Suarez apposa son sceau notarial, la date et sa signature.

Voilà.

De lourds doutes saisirent Lauryn, suivis par une sorte d'engourdissement tandis que Brandon rassemblait calmement les documents et les rangeait dans un dossier.

— Je vous ferai parvenir à chacun une copie et je vous vois jeudi, dit-il, se levant et leur serrant la main.

Jeudi.

Dans quarante-huit heures, Lauryn serait mariée. De nouveau.

Et cette fois, elle ne pourrait pas appeler son père à la rescousse pour réparer son erreur.

— Veux-tu m'épouser, Lauryn ?

Sonnée, Lauryn regarda Adam. Le bourdonnement dans ses oreilles couvrait les conversations autour d'eux, dans le petit restaurant chic. Ou peut-être que le silence était tombé sur les clients qui attendaient sa réponse.

Elle n'était pas experte en diamants mais elle était prête à parier que celui qui était pincé entre les doigts d'Adam coûtait une vraie fortune. Une marquise d'au moins deux carats. Elle se força à quitter la pierre des yeux pour reporter son attention sur Adam. Son regard était sérieux, fascinant, intensément bleu.

— Je… je…

Même s'ils n'avaient pas répété, même s'il l'avait surprise par cette demande en public, elle savait ce qu'elle était censée dire. Pourtant, c'était comme si sa bouche refusait de fonctionner.

Des fleurs. Des chandeliers de cristal. Un violoniste

qui jouait pour eux. Une table donnant sur la baie. Adam avait prévu le cadre parfait pour une demande en mariage.

Et tout était faux. Aussi faux que serait leur couple.

— Lauryn, chérie, ne me fais pas attendre. Tu sais que nous sommes faits l'un pour l'autre.

Elle entendit l'avertissement dans sa voix profonde, et appuya une main contre son cœur qui battait la chamade. Ce n'était pas bien. Et pourtant, quel autre choix avait-elle, si elle voulait apprendre la vérité ?

Réponds-lui, bon sang.

— Ou-oui, s'entendit-elle dire. Oui, Adam, je veux t'épouser.

Quelques applaudissements éclatèrent, et elle en fut embarrassée. Depuis quelques années, elle détestait se donner en spectacle, autant qu'elle avait adoré cela autrefois. Elle ferma les yeux brièvement, puis les rouvrit pour regarder Adam. Il arborait un large sourire — qui ne s'étendait pas jusqu'à ses yeux — quand il glissa la bague à son doigt. Puis il se leva et la prit dans ses bras.

Il l'embrassa sur les lèvres, si vite qu'elle se figea de stupeur. Elle ne s'était pas attendue à ce qu'il lui donne un tel baiser en public, pas plus qu'elle ne s'était attendue à ce que la bouche d'Adam soit si douce. Délicate. Chaude. Persuasive. Exquise.

Il leva la tête de quelques centimètres, appuyant son front contre le sien.

— Mettez vos bras autour de mon cou.

Il effleura ses lèvres à chaque mot, et l'érotisme dans sa voix la fit presque chanceler. Elle leva les bras comme il le lui avait commandé, et il la prit par la taille, l'attirant plus près. L'étreinte écrasa ses seins contre le mur robuste de son torse, et plaqua ses hanches contre lui, près, très près. Le désir s'embrasa en elle comme un feu de canyon californien. Elle posa les mains contre les revers de sa veste, interrompit le baiser et détourna les yeux — pour apercevoir Helene Ainsley, à deux tables d'eux.

Tout est question d'apparences, avait dit Adam.

Et elle ferait mieux de ne pas l'oublier. Ce mariage n'était que cela. Une comédie. Une escroquerie. Une occasion pour lui de peindre un tableau convaincant à l'attention du comité de nomination du *Business Council*. La chaleur dans les veines de Lauryn se transforma en glace.

Adam lui prit la main et la porta à ses lèvres. Il embrassa sa phalange juste en dessous de la bague, puis la fit se rasseoir. Se penchant au-dessus d'elle, il lui caressa les épaules puis posa un autre baiser brûlant sur la peau tendre sous son oreille. Elle en tressaillit d'excitation.

Mauvais signe. Elle ne voulait pas désirer Adam, *vraiment pas*.

— Très convaincant. Beau travail, murmura-t-il assez bas pour qu'elle seule puisse l'entendre.

Le serveur arriva aussitôt avec une bouteille de champagne, et présenta l'étiquette à Adam.

Oh, oui, Adam avait vraiment tout prévu — jusqu'à commander à l'avance son millésime favori du champagne Salon Blanc. Lauryn connaissait ses préférences, parce que le club gardait la marque en stock. La rumeur voulait que lorsque Adam demandait une bouteille, c'était parce qu'il avait choisi sa compagne pour la nuit.

Or, Lauryn ne voulait pas être une conquête parmi d'autres pour partager son lit, et son champagne. Elle ne devait pas oublier que les Adam Garrison de ce monde achetaient ce qu'ils voulaient.

Adam avait peut-être acheté sa participation, mais il ne pouvait acheter son respect d'elle-même. Et cela voulait dire qu'elle devait rester loin du lit d'Adam, même s'il avait réveillé avec une grande facilité l'hédoniste passionnée en elle, qu'elle avait enterrée des années plus tôt. Parce que quand l'hédoniste pointait le bout de son nez, son bon sens s'évaporait.

Et elle se refusait à être le jouet d'un autre homme.

Lauryn s'arrêta net sur l'asphalte.

— Qu'est-ce que c'est ?

— Un Columbia 400, turbo, l'informa Adam.

Il avait assez de fierté dans la voix pour qu'un étau se resserre autour de la poitrine de Lauryn.

— Mon avion, ajouta Adam, confirmant ses plus grandes craintes.

Il parcourut les dix derniers mètres en de rapides et longues enjambées, et posa leurs bagages à côté d'un minuscule avion blanc, à l'hélice rutilante. Il fouilla dans sa poche, et en extirpa un jeu de clés.

Lauryn ferma les yeux, déglutit. Très mauvais signe.

Elle aurait dû se douter qu'il n'avait pas pris une autre route pour rejoindre l'aéroport de Miami International.

Elle s'approcha de l'avion à un rythme beaucoup plus lent.

— Pourquoi ne peut-on pas prendre un avion commercial ? Vous savez, ces gros jets avec des pilotes et des copilotes qualifiés, et des hôtesses de l'air qui vous apportent des boissons ?

— Trop long.

Il redressa ses lunettes d'aviateur sur ses cheveux et la regarda droit dans les yeux, comme s'il croyait que son assurance calme serait contagieuse.

— Je suis un pilote qualifié. J'ai eu ma licence à seize ans. Vous serez en sécurité avec moi.

Un homme en combinaison de pilotage kaki, sortant d'un des hangars, appela Adam, qui alla à sa rencontre.

— Je n'ai pas envie de mourir, marmonna-t-elle.

— Moi non plus, lança-t-il par-dessus son épaule.

Elle attendit qu'il finisse sa conversation et revienne vers elle.

— Je n'ai jamais voyagé en avion privé.

— Bien. Ce sera votre première fois, et je ferai en sorte que ce soit bon.

La lueur dans ses yeux tandis qu'il ouvrait la porte sur le côté de l'appareil était purement sexuelle, et Lauryn réagit en conséquence. Une onde de chaleur la parcourut, et elle eut les mains moites. Une réaction malvenue qu'elle tenta tant bien que mal de dissiper.

— Mon père est mort dans un accident d'avion.

— Oh, je suis désolé, dit-il, l'air sincèrement compatissant. Je ne savais pas. Je prends grand soin de mon avion, et je prendrai grand soin de vous.

Elle poussa un soupir tremblant.

— Statistiquement, vous avez moins de chances d'avoir un accident dans un avion que dans une voiture. Grimpez. Installez-vous devant, sur le siège de droite.

Elle resta les pieds plantés au sol.

— Adam, il faut que je vous dise, je suis sujette au mal de mer.

— Le mal de mer et le mal de l'air sont deux choses différentes. Faites-moi confiance, Lauryn.

Il agrippa ses mains froides et les porta sur ses joues, réchauffant ses doigts glacés sous ses paumes chaudes. Et puis il se pencha, et l'embrassa. La caresse douce et enjôleuse de ses lèvres contre les siennes fut suivie d'une autre, et puis d'une autre encore, jusqu'à ce que les prémices de l'excitation dissipent la peur dans ses membres raidis. Elle était sur le point de lui rendre ses baisers, d'enfoncer les doigts dans ses cheveux, de l'attirer plus près d'elle, quand il releva la tête.

— Faites-moi confiance, répéta-t-il.

Elle était sonnée. Il allait la faire monter dans ce minuscule coucou. Avec une grimace, elle libéra ses mains.

— A deux conditions. Un, si je déteste absolument, vous me laissez rentrer sur un vol régulier. Deux, pas de loopings ni d'acrobaties compliquées.

— Marché conclu, concéda-t-il en souriant. Maintenant, montez.

Il la fit entrer dans une cabine d'à peine cinq mètres de haut sur autant de large. Il y avait deux sièges-baquets à l'arrière, en plus des deux situés devant les commandes. Elle se glissa entre les sièges avant et gémit quand elle s'installa dans celui de droite. Elle était entourée de verre, et elle pourrait voir exactement à quelle altitude ils seraient. Elle boucla sa ceinture de sécurité et l'agrippa fermement.

Dire que son père avait été pilote ! Cela n'avait pas seulement été son travail, mais sa passion.

Dix minutes plus tard, Adam s'installa à côté d'elle.

Elle serra les bras de son siège et le regarda se préparer pour le vol, avant de regarder devant elle. Un casque. Des boutons. Des dizaines de boutons. Et puis, elle vit les deux écrans identiques sur le tableau de bord. L'un était celui d'un GPS. Elle ne put identifier l'autre. L'hélice commença à tourner, faisant vibrer l'avion.

Il se pencha vers elle et lui mit un casque sur les oreilles.

— Vous m'entendez maintenant ? dit-il avec un clin d'œil.

Elle sentit son estomac se nouer, et ferma les yeux.

Les minutes passèrent pendant qu'Adam communiquait avec la tour de contrôle, de la voix sérieuse qu'il prenait au travail. Elle s'occupa l'esprit avec des opérations mathématiques. Combien d'intérêts un million de dollars payé en vingt-quatre mensualités générerait-il en cinq ans, dix ans, trente ans ?

L'avion avança, faisant de petits rebonds le long de la piste avant de prendre de la vitesse et de décoller. Elle sut exactement quand ils quittèrent le sol. Fermant les yeux très fort, elle resserra son emprise sur les bras de son siège.

Quelques instants plus tard, Adam posa la main sur la sienne.

— Vous pouvez regarder maintenant.

Elle ouvrit un œil, et vit le ciel bleu. Puis elle ouvrit l'autre et se risqua à regarder en bas. Et, surprise, elle n'eut pas le cœur au bord des lèvres comme elle le craignait. Au contraire, elle voulait en voir davantage et se pencha plus près de la vitre. Elle pouvait même distinguer quelques marquages au sol.

— L'eau est si claire, commenta-t-elle.

— Magnifique, n'est-ce pas ? Le même vert que vos yeux.

Elle se tourna vivement vers lui et le regarda.

Oublie ça. C'est un charmeur-né. Il fait des compliments comme il respire.

Pourtant, en être consciente ne diminuait pas l'impact de ses mots.

— Merci.

— Vous voulez voler vers le club et le domaine avant que nous ne nous dirigions vers l'est ?

Elle réfléchit et, se rendant compte qu'elle ne se sentait pas du tout mal, elle hocha la tête.

— Oui, ça me plairait.

Il n'avait pas à être gentil. Il avait obtenu d'elle ce qu'il voulait, lui avait fait signer ce contrat. Mais elle était touchée qu'il fasse cet effort pour elle.

Tel un faon pris dans les feux d'un phare, Adam ne pouvait détacher ses yeux de la vision qui s'offrait à lui.

Des courbes à vous donner l'eau à la bouche. Des jambes incroyables.

Cassie dit quelque chose à Lauryn en ouvrant le coffre de sa voiture, puis Lauryn regarda vers la villa. Elle rencontra son regard, et il eut soudain du mal à respirer.

Elle était magnifique. Comment avait-il pu manquer cela ?

Elle était magnifique depuis longtemps, car il était impossible que Lauryn ait pu opérer des miracles majeurs en cinq heures, depuis que Cassie était venue à l'aéroport de Nassau, et avait emmené Lauryn pour un après-midi de shopping et de… quoi que ce soit. Adam avait été ravi d'esquiver cette corvée en prenant la voiture que la société gardait à disposition sur l'île pour ramener les bagages à la villa.

Cassie sortit quelques sacs du coffre, et les tendit à Lauryn. Adam s'extirpa de sa torpeur et se dirigea vers la porte. Quand il descendit l'escalier, ses jambes étaient comme du caoutchouc. C'était sans doute à cause de la prise de sang de ce matin, se dit-il, tout en sachant qu'il se mentait à lui-même.

Il s'arrêta à hauteur des deux femmes. L'adrénaline se propagea dans ses veines, le rendant très conscient de sa future épouse. Le soleil se reflétait sur ses cheveux d'or, qui tombaient en cascade sur ses épaules. Jamais il ne l'avait vue cheveux lâchés, et l'envie de caresser les boucles blond champagne faillit le submerger.

D'épais cils entouraient ses yeux vert céladon, et un

brillant rose pâle recouvrait ses lèvres. La brise transporta son parfum sensuel jusqu'à lui.

— Re-bonjour, Adam.

Il entendit le sourire dans la voix de Cassie, et se força à regarder sa demi-sœur, qui le fixait d'un air amusé.

— Merci de ton aide, Cassie.

— Tout le plaisir était pour moi. Alors, qu'en penses-tu ?

Il dévora Lauryn du regard, de ses cheveux satin à ses orteils ornés d'un vernis rose clair. Il n'arrivait même pas à formuler ses pensées. Comment avait-il pu croire que Lauryn était commune ? Avait-il été si centré sur lui-même qu'il avait manqué le prix de beauté juste sous son nez ?

Apparemment oui.

— Cette villa est l'une de mes préférées, continua Cassie.

Il se retourna vers sa demi-sœur.

— C'est très joli, approuva-t-il. Cosy et intime.

— Parfait. Je dois filer. J'ai un rendez-vous ce soir avec ton ami. Je vous dis à demain, dit-elle en s'éloignant.

— Au revoir, Cassie, et merci encore, dit Lauryn tandis que Cassie grimpait dans sa voiture.

— Pas de quoi. Je me suis bien amusée.

Adam regarda la voiture s'éloigner, puis accorda un autre long regard à Lauryn et maudit les mois d'abstinence depuis la mort de son père. Malgré ce que prétendaient les journaux à scandale, Adam n'avait pas été d'humeur à laisser qui que ce soit devenir proche de lui — pas même sur le plan physique. Aussi irrité fût-il contre son père pour avoir refusé de reconnaître sa réussite même après sa mort, Adam portait encore son deuil.

Les sacs bruissèrent quand Lauryn approcha sur ses sandales à talons aiguilles — qui lui faisaient des jambes sans fin.

— Donnez-moi ça, dit-il en la débarrassant.

Il porta le butin dans la chambre qu'il lui avait réservée, et posa les sacs sur le lit. Il y en avait moins que ce qu'il aurait cru. Il avait pensé que Lauryn essaierait de le mener à la faillite.

Lauryn le suivit. Elle passa en revue la pièce, puis

traversa le sol carrelé pour jeter un coup d'œil à la luxueuse salle de bains. Ses talons accentuaient le balancement fascinant de ses hanches. Bizarre, il ne l'avait jamais remarqué auparavant.

Ses vêtements classiques ne criaient pas « je suis ouverte à toute proposition » comme ceux de tant de clientes de l'*Estate*. Mais il y avait une sensualité subtile dans la façon dont sa nouvelle robe bain de soleil effleurait ses courbes, et sa libido y était sensible.

Le baiser d'hier soir au restaurant avait réveillé en lui un désir aussi puissant qu'inattendu. Celui de l'aéroport, ce matin, l'avait secoué, aussi. Et c'était avant qu'il ne voie sa future femme avec sa nouvelle allure.

Il la désirait, oui. L'envie pulsait dans son ventre. Mais il avait promis de se conformer à son exigence d'abstinence, jusqu'à ce qu'elle change d'avis.

Et il était un homme de parole.

Pour autant, il ferait tout pour la faire changer d'avis. Mais pas avant le mariage. A en juger par la méfiance dans ses yeux, s'il essayait de la séduire ce soir, il n'aurait pas de fiancée à son bras à la cérémonie demain.

— Ma chambre est de l'autre côté du salon, dit-il, la voix rauque de désir.

— D'accord.

Elle semblait soulagée.

S'il voulait dormir mieux qu'hier, il fallait qu'il sorte de cette chambre et de cette maison, avant d'imaginer Lauryn, ruisselante, dans ce bain à remous. Avec lui à côté d'elle, ou sous elle.

— Où sont vos lunettes ? demanda-t-il pour tenter de chasser ses pensées interdites.

Elle se mordilla la lèvre, et elle semblait si adorablement contrite qu'il faillit gémir.

— Je… eh bien, je n'en ai pas vraiment besoin.

— Alors, pourquoi diable vous êtes-vous cachée derrière ces vêtements sans forme et ces horribles lunettes ?

Cela n'avait pas de sens. Les femmes qu'il connaissait

mettaient leurs atouts en valeur. Beaucoup payaient même des fortunes pour avoir des appas plus visibles.

— J'ai appris il y a longtemps à ne pas attirer l'attention sur mon apparence. Les hommes croient que si vous êtes jolie, vous êtes stupide et disponible.

— Et vous n'êtes pas disponible ?

Il savait qu'elle n'était pas stupide.

— .Pas pour le moment.

Sa réponse impertinente provoqua une sensation inconnue chez lui. De la possessivité ? Non. De la détermination à s'assurer que ce plan fonctionnerait. Il ne pouvait se permettre le moindre faux pas, s'il voulait que le Conseil et ses frères croient qu'il était tombé amoureux de cette comptable collet monté et posée.

— Et vous ne le serez pas avant notre divorce, affirma-t-il.

— Ce ne sera pas un problème.

L'assurance dans sa voix l'alerta. Bonté divine, était-elle lesbienne ? Etait-ce la raison pour laquelle personne ne l'avait vue sortir avec un homme ? South Beach abritait une vaste population homosexuelle. C'était peut-être la véritable raison pour laquelle elle avait emménagé en Floride… Car cette histoire sur son père semblait un peu légère pour expliquer un trajet de quatre mille kilomètres.

Non. Lauryn ne pouvait pas être homosexuelle. Cette attirance entre eux, ce feu dans ses yeux, ce n'était pas le fruit de son imagination. Il avait senti ses lèvres s'adoucir sous les siennes quand il l'avait embrassée, et il avait entendu son souffle accrocher chaque fois qu'il l'avait touchée.

Il voulait l'embrasser maintenant. Pour prouver sa théorie.

Mais il ne le ferait pas. Pas encore.

Même si ses hormones trop longtemps négligées le mettaient au supplice.

Au diable les chandelles, les fleurs, et les plats qu'il avait demandé à Cassie d'apporter pour que Lauryn et lui puissent jouer aux fiancés en mal d'intimité. Il ne pourrait résister à un dîner romantique sur la terrasse ce soir. Il lui fallait du monde. De la musique forte. Un restaurant bruyant. Des distractions. Tout sauf un dîner intime.

— Nous dînons dehors ce soir. Soyez prête dans dix minutes.

— Mais, Cassie a dit qu'elle avait rempli le réfrigérateur avec des spécialités locales.

Zut. Il avait espéré que sa sœur avait omis de mentionner ce détail.

— Oui c'est vrai.

Lauryn écarta ses cheveux blonds de ses doigts au vernis rose perle. Adam eut la sensation qu'elle avait passé ses ongles dans sa chair.

— Adam, je préférerais annuler toute cette comédie pour la galerie, si ça ne vous fait rien. Je sais que nous devrons en passer par là, mais c'est notre première soirée ici, et je suis exténuée. Cassie est une vraie droguée du shopping. Si les gens prêtent attention à notre itinéraire, ils s'attendront à ce que nous restions seuls parfois ?

Maintenant qu'elle le disait, il voyait sa fatigue dans les légères ombres sous ses yeux. Pour son bien-être à lui, il le savait, il aurait dû se comporter en goujat, et insister pour sortir. Pourtant, il serra les dents et étouffa un juron.

La soirée allait être longue.

— Prenez ce que vous voulez et faites-le chauffer. Je vais aller faire un tour. Je reviendrai dans une heure.

Et puis, Adam fit une chose qu'il n'avait jamais faite auparavant.

Il prit la fuite devant une jolie femme.

5.

Jeudi. Le jour de son mariage.

Lauryn n'avait jamais été claustrophobe, mais elle était en passe de le devenir. Les murs de sa spacieuse chambre avec vue sur l'océan semblaient se refermer sur elle à mesure que l'horloge approchait de l'heure de la cérémonie. Elle avait le pouls battant, et la bouche aussi sèche et sableuse que les dunes qui entouraient la villa.

La soie de sa robe bustier ivoire voletait contre ses jambes tandis qu'elle faisait les cent pas, et le boléro assorti frottait désagréablement contre son cou et ses épaules. Puisque la cérémonie aurait lieu sur la plage, elle avait décidé de ne pas porter de chaussures, et les dalles du sol refroidissaient ses pieds nus.

Elle ne pouvait s'empêcher de comparer ce mariage à son premier mariage. Son ex avait fomenté un plan secret. Adam aussi. Sauf que celui d'Adam n'était pas illégal, et que personne n'en souffrirait. Ou ne se ferait arrêter. Et puis, Lauryn savait ce qu'elle obtiendrait en échange. Du moins, ce qu'elle espérait obtenir.

A dix-huit ans et un jour, elle avait été incroyablement jeune, naïve et décidée quand son père lui avait interdit de revoir Tommy Saunders. Elle s'était crue assez mûre pour savoir mieux que son père ce qu'elle devait faire. Son père et elle avaient eu une de leurs légendaires disputes à grand renfort de cris, mais cette fois, la mère de Lauryn n'avait pas joué les médiatrices, comme elle le faisait quand le père de Lauryn se montrait trop dictatorial.

Après cela, Lauryn s'était recluse dans sa chambre, et avait appelé Tommy pour s'épancher. Il avait insisté sur le fait qu'elle était majeure, et que son père ne pouvait lui dicter sa conduite. Portée par une vague de juste indignation, elle avait accepté d'aller au Mexique avec Tommy, pour quelques jours de vacances. Deux jours plus tard, elle avait fait ses bagages, affirmé à ses parents qu'elle passait la semaine à la plage avec une amie, et s'en était allée. Une de ses décisions les plus stupides.

A Tijuana, Tommy l'avait copieusement abreuvée de tequila, puis lui avait demandé de l'épouser. Elle avait presque accepté, mais même ivre, elle avait su qu'il valait mieux ne pas fâcher son père de manière aussi drastique.

Le lendemain, elle s'était réveillée avec la gueule de bois, une alliance bon marché au doigt, qu'elle ne se souvenait pas avoir mise. Quand elle avait paniqué, Tommy avait avoué avoir versé une substance dans son verre, pour lever ses inhibitions et l'aider à prendre la décision qu'elle n'avait pas voulu prendre.

Son comportement cavalier l'avait inquiétée, mais elle l'aimait suffisamment pour lui trouver des excuses. Elle ne s'était pas inquiétée, jusqu'à ce qu'il lui révèle, pendant le déjeuner, son plan machiavélique pour faire fortune. Soudain, elle s'était sentie nauséeuse et effrayée.

Prétextant les effets de l'excès d'alcool, elle s'était excusée pour aller aux toilettes, s'était échappée par la porte de service du bar, avait trouvé un téléphone et appelé son père.

C'était la dernière fois que Lauryn s'était rebellée. Après que son père l'avait sauvée de ce désastre, elle était devenue une jeune fille modèle, une étudiante brillante, guindée et convenable.

Une fille modèle n'irait pas se marier en douce aux Bahamas et n'omettrait pas d'inviter sa mère à la cérémonie.

Faisant la grimace, Lauryn s'arrêta devant les portes vitrées qui donnaient sur la terrasse. Elle n'avait pas prévenu sa mère parce qu'elle ne voulait pas que celle-ci soit au courant de ce mariage. Susan serait bouleversée de savoir jusqu'où sa fille était prête à aller pour obtenir des informations sur sa mère biologique, et elle en souffrirait. Elle verrait cela comme un nouveau signe qu'elle avait échoué en tant que mère adoptive. Or, excepté le secret sur sa naissance qu'elle avait gardé trop longtemps, Susan avait été une mère admirable.

Lauryn regarda la plage en contrebas, et tenta de se calmer. L'arche fleurie que Cassie avait commandée pour la cérémonie était plantée dans le sable, entre la villa et les vagues qui léchaient le rivage. Le photographe s'affairait pour vérifier les différents angles, et la lumière.

Un bruit de voix étouffées pénétra à travers la porte fermée de la chambre. Etait-ce Cassie ? Elle avait tant besoin de voir un visage amical. Elle ouvrit la porte d'un grand geste.

Adam, Brandon et Cassie se retournèrent à l'unisson.

— J'en conclus que tu n'es pas superstitieuse, observa Cassie.

— En effet.

Le regard de Lauryn dériva vers Adam, comme si elle était hypnotisée. Un smoking noir rehaussait les reflets de ses cheveux de jais, et donnait l'impression qu'il était encore plus grand et plus imposant. Sa chemise blanche accentuait son hâle doré, et ses yeux azur et ses dents blanches semblaient encore plus éclatants. Il était le futur époux dont toute femme rêvait. Beau. Riche.

Sexy.

Elle étouffa cette pensée et humidifia ses lèvres sèches.

Personne ne te respectera ni ne t'estimera si tu ne te respectes pas et ne t'estimes pas d'abord.

Son père lui avait souvent répété ces mots.

Alors, pas de sexe sans amour. Pas même avec l'homme qu'elle allait épouser dans quelques minutes.

— Si cela porte malheur pour les futurs mariés de se voir avant la cérémonie, dit-elle enfin, alors nous sommes déjà maudits. Adam et moi avons passé la majeure partie de la journée à nous rendre d'un bureau à l'autre pour les formalités administratives de ce… mariage.

Adam vint vers elle, la prit par la taille et l'attira contre lui. Lauryn se raidit aussitôt. Elle ne pouvait le laisser l'affecter comme il l'avait fait au restaurant et à l'aéroport. La chaleur d'Adam la brûlait à chaque point de contact — les seins, la taille, les hanches, les cuisses. Il lui donna un petit baiser, puis leva la tête. L'avertissement dans son regard était très clair.

— Tu es très belle, Lauryn.

Même si elle savait que son compliment faisait partie de la mascarade, elle ne put étouffer le plaisir que ses mots provoquèrent en elle.

— Merci. Toi aussi.

Elle rougit. Elle baissa la tête brièvement avant d'oser lever les yeux vers lui.

— Je veux dire, tu es très beau en smoking.

Il pencha la tête de nouveau. Elle se força à rester passive et il prit ses lèvres une fois, puis une autre. Son cœur battit la chamade et le désir monta en spirale. Elle devrait s'habituer à être tenue, caressée, embrassée. Mais il fallait qu'elle étouffe ses réactions.

Elle entendit Cassie soupirer. La jeune femme croyait que c'était un vrai mariage d'amour. Lauryn appréciait trop sa nouvelle amie pour lui mentir, mais Adam avait ordonné de garder le secret.

Ordonné. Lauryn se hérissa.

Seul Brandon savait la vérité sur ce mariage hâtif, et Adam voulait que cela reste ainsi.

Au prétexte d'examiner le petit gâteau de mariage au centre de la table, Lauryn se dégagea. Adam la laissa faire, mais elle sentit son regard sur elle. Elle lutta contre l'envie de se lécher les lèvres, sans succès. Le goût d'Adam était sur sa bouche, et la laissait sur sa faim.

Deux bouteilles de champagne étaient au frais dans des seaux d'argent, sur la table. A travers la porte vitrée de la cuisine, Lauryn vit deux employés occupés à préparer le buffet pour la fête qui suivrait la cérémonie. Brandon,

Cassie et le prêtre resteraient pour dîner. Si Lauryn redoutait de devoir jouer les couples amoureux, avoir de la compagnie retarderait le moment où elle se retrouverait seule avec son mari, et c'était tant mieux.

Hier soir... elle expira lentement, essayant de calmer ses nerfs à vif. Hier soir avait été un cauchemar. Elle ne se souvenait pas avoir été autant troublée par la présence d'un homme. Chaque geste d'Adam sur le canapé, chaque bruissement de ses vêtements, chaque tintement de son verre sur la table basse, avait résonné à ses oreilles comme la sirène d'un bateau. A la fin, Lauryn était si tendue qu'elle s'était retirée dans sa chambre de bonne heure, pour lire. Enfin, essayer de lire. Mais un roman d'amour agrémenté de scènes sensuelles n'était pas ce dont elle avait besoin pour éteindre la flamme que son époux avait fait naître en elle, bien malgré elle. Même la porte fermée, elle avait été à l'affût des moindres mouvements d'Adam.

Leur mariage était peut-être un marché financier, mais cela semblait si réel. Si... permanent. Mais c'était un mirage. Et elle ne voulait pas d'un mirage. Un jour, elle trouverait l'homme avec qui construire un avenir — un homme qui l'épouserait parce qu'il l'aimait, et non parce que cela faisait partie d'une stratégie.

Pas comme son père avec Susan. Ou comme Tommy et Adam avec elle. Les hommes n'étaient tout de même pas tous calculateurs ? Il devait bien y avoir des types bien quelque part, et quand cette mascarade prendrait fin, elle en dégoterait un.

Avec un sourire forcé, elle se retourna vers le trio.

— Cassie, c'est incroyable, s'exclama-t-elle. Je n'arrive pas à croire que tu aies réussi à organiser tout ça si vite.

— J'ai adoré. Et puis, ça me fait un entraînement pour mon mariage avec Brandon.

— Et c'est prévu pour quand ? demanda Adam.

— Bientôt, annonça Brandon d'une voix déterminée, en fixant sa fiancée.

Lauryn voulait un homme qui la regarde comme Brandon regardait Cassie — avec les yeux débordants d'amour.

On frappa à la porte, et Lauryn sursauta. Adam se dirigea vers le vestibule et revint accompagné d'un prêtre, en costume noir et col blanc. Adam fit les présentations.

Lauryn l'entendit à peine tant sa tête bourdonnait. Elle voulait fuir à toutes jambes. Retourner en Californie. Mais elle ne pouvait pas. Pas tant qu'elle n'aurait pas trouvé les carnets.

Adam la détailla de nouveau d'un regard appréciateur, puis ses yeux s'arrêtèrent un instant sur ses pieds nus. Elle vit un léger sourire naître sur ses lèvres gourmandes.

— Excusez-moi un instant, dit-il avant de s'éclipser.

Quand il revint, quelques instants plus tard, il avait ôté ses chaussures. Le cœur de Lauryn se mit à battre de manière désordonnée. Adam était déjà sexy tout à l'heure, mais il y avait quelque chose de dangereusement fascinant chez un homme pieds nus et en smoking. Elle eut soudain l'impression que son ventre était comme un volcan en ébullition.

— Le soleil se couche, dit Adam. Prête ?

Non.

— Oui.

— Si tu veux bien me faire l'honneur, dit-il en lui offrant le bras.

Malgré le déluge de doutes qui l'assaillait, Lauryn finit par poser la main sur le bras d'Adam, et ce simple contact la fit presque vaciller. Mon Dieu, comment allait-elle faire pour feindre l'indifférence quand ils seraient seuls tous les deux ?

Adam lui tendit une longue rose rouge, ornée d'un ruban noué autour de sa tige sans épines, puis la conduisit vers la porte arrière. Ils descendirent l'escalier du porche, puis foulèrent le sable chaud pour rejoindre l'arcade.

Une brise océane taquina ses boucles, soulevant les mèches échappées de la couronne de fleurs qu'elle portait en lieu et place du voile. Adam attrapa une boucle errante et la replaça derrière son oreille, puis ses doigts glissèrent le long de son cou. Elle frissonna. De trouble. De désir. Aucune de ces deux sensations n'était bienvenue.

Enfin, Cassie et Brandon vinrent se placer à côté de chacun d'eux, et le prêtre commença à réciter les vœux, l'air radieux. En toute autre circonstance, Lauryn aurait trouvé magnifique la voix mélodieuse de l'homme, mais le cadre parfumé de l'arcade semblait la piéger aussi fermement qu'une cellule de prison.

Elle eut soudain le sentiment qu'une brume froide s'abattait sur elle. Dire qu'elle épousait un homme qu'elle n'aimait pas, pour en apprendre plus sur une mère qui l'avait abandonnée !

Mais pourquoi Adrianna n'avait-elle pas voulu d'elle ? C'était cette question qui empêchait Lauryn de fuir. Il fallait qu'elle sache. Et elle comptait bien trouver la réponse dans la maison d'Adam.

Les mains chaudes d'Adam se fermèrent sur ses doigts glacés. Percevait-il ses doutes ? Son appréhension ?

Trop tard pour reculer à présent.

Comme s'il voulait vraiment qu'elle finisse ce qu'ils avaient commencé, il ne la quitta pas du regard tandis qu'il prononçait ses vœux d'une voix profonde et calme. S'il nourrissait le moindre doute sur le mensonge qu'ils étaient en train de tisser, il le cachait très bien. Il ne trembla pas quand il glissa l'anneau de platine serti de diamants sur son doigt tremblant, à côté du solitaire étincelant.

Et ce fut le tour de Lauryn. Elle répéta les mots que le prêtre lui dictait d'une voix sourde, et pria pour qu'elle ne soit pas en train de faire une erreur aussi grave que lors de son premier mariage. Elle avait fait confiance à Tommy, et il l'avait trahie. Adam ferait-il de même ?

Elle regarda la main d'Adam tandis qu'elle lui passait l'anneau de platine qu'ils avaient acheté ce matin. Parce qu'il avait refusé de mettre leur avenant par écrit, seule sa parole l'empêcherait de consommer leur mariage ce soir. Ou tout autre soir. Pouvait-elle lui faire confiance ?

Un peu tard pour t'en inquiéter, tu ne crois pas ?

Un tourbillon d'émotions se déchaîna en elle. C'était mal. Elle prononçait des vœux. Des vœux qu'elle n'avait aucune intention de respecter. Pourtant, avait-elle un autre choix ?

— Je vous déclare mari et femme. Félicitations, monsieur et madame Garrison.

Madame Garrison.

Avant qu'elle puisse digérer les mots, Adam prit son visage entre ses mains et l'embrassa. Ce n'était pas un baiser hésitant pour sceller leur union. Non, Adam l'embrassait comme un homme sûr d'être bien accueilli. Il la marquait de son sceau, fouillant sa bouche avec sa langue et s'y glissant comme s'il avait tous les droits d'être là.

Sensuel. Tentant. Irrésistible.

Le baiser d'Adam l'invitait à une fête de plaisirs sensuels que l'homme d'expérience qu'il était pourrait lui donner, elle n'en doutait pas. Elle n'avait pas eu d'amant depuis Tommy, un piètre amant de vingt-trois ans à l'époque. Les hommes avant Tommy avaient été tout aussi maladroits et égoïstes.

Le baiser d'Adam était comme la promesse de la satisfaction, et elle sentit son contrôle lui échapper. Il submergeait ses sens de sa saveur, son parfum, sa caresse, et les hormones de Lauryn entamèrent une danse de la pluie, comme dans l'espoir de mettre fin à leur disette de neuf ans. Le baiser était si bon, si naturel, qu'elle se perdit dans une chaude vague de désir, enfonça les pieds dans le sable et s'abandonna plus encore à son étreinte. Chaque cellule de son corps brûlait d'accepter son invitation, de découvrir si l'amour avec lui était aussi bon que dans les romans qu'elle lisait.

Elle entendit vaguement les oiseaux qui piaillaient au-dessus de leur tête, les vagues qui s'écrasaient, mais ce fut le rire de Cassie qui ramena Lauryn à la réalité.

Mais qu'est-ce que tu fais ?

Elle interrompit aussitôt le baiser.

Adam respirait fort. Le désir brillait dans ses yeux, et elle comprit son erreur. Elle avait fait nombre de choses peu honorables autrefois, des choses qui la faisaient rougir de honte. Mais jamais elle n'avait été une allumeuse.

Or, ce baiser, chargé d'un désir réprimé depuis des années, avait promis ce qu'elle n'avait aucune intention de donner.

— Assez sobre pour venir répondre au téléphone ?

Lauryn faillit s'étouffer avec son champagne quand elle entendit la question d'Adam. Elle venait de revenir dans le vestibule après s'être changée.

Bon, d'accord, c'était peut-être son deuxième verre depuis que Cassie et Brandon étaient partis, et elle en avait avalé un autre deux heures plus tôt, avec une tranche de gâteau. Mais elle avait bien l'intention de s'en tenir là, peu désireuse que cette nuit de noces ressemble à la première. Celle dont elle ne pouvait pas se souvenir. De toute façon, l'alcool ne suffisait pas à calmer ses nerfs et son esprit.

Adam était assis sur la terrasse, accoudé à la table et Lauryn comprit alors avec soulagement que ce n'était pas à elle qu'il parlait. Il était en conversation sur son portable, l'air soucieux.

— Je patiente pendant que vous allez la chercher, Lisette.

Détournant la tête, il croisa son regard, et, lentement, il la détailla. Lui avait desserré sa cravate et ouvert les trois premiers boutons de sa chemise blanche, mais il semblait tendu.

Bienvenue au club.

Il écarta le téléphone de sa bouche.

— J'appelle ma mère pour lui annoncer notre mariage. Vous avez besoin de prévenir quelqu'un ?

— Non, merci, fit-elle, rongée par la culpabilité.

— Vous avez de la famille ? Je n'ai pas pensé à vous proposer d'inviter quelqu'un à la cérémonie.

— Je n'ai que ma… mère. Mais elle part dans quelques jours, pour une croisière de deux semaines dans le Pacifique Sud. Je ne voulais pas la déranger.

Susan et le père de Lauryn avaient réservé la croisière avant qu'il ne meure. Plutôt que d'annuler, Susan avait décidé de partir quand même, à la mémoire de son mari, et avait demandé à sa fille de l'accompagner. Mais Lauryn avait refusé. Elle n'était pas prête à pardonner les mensonges, ni à abandonner sa quête de vérité sur sa vraie mère.

— Vous ne craignez pas qu'elle apprenne notre mariage par une autre source ? Brandon parlera à la presse demain.

— Elle vit à Sacramento. Je vois mal les journaux de là-bas rapporter la nouvelle. Non ?

— Non, sans doute.

— Je le lui dirai à son retour.

Ou pas. Lauryn avait déjà déçu Susan de multiples façons. Pourquoi le faire de nouveau, alors que leur relation était déjà tendue ?

Adam la détailla encore. Depuis ce baiser dévastateur pendant la cérémonie, il l'avait regardée autrement. De manière sensuelle. Comme si elle portait un coordonné de dentelle sexy et non des vêtements unisexes.

Cela n'arrangeait pas du tout ses affaires.

Adam se raidit, et se retourna vers la fenêtre.

— Bonsoir, maman... Je suis aux Bahamas. Je t'appelais pour t'annoncer que je me suis marié cet après-midi... avec Lauryn Lowes, la comptable de l'*Estate*... Non, tu ne l'as jamais rencontrée...

Lauryn eut un mouvement de recul. Plutôt que d'écouter, elle se retira dans la cuisine pour laisser Adam seul. Elle vida sa coupe de champagne dans l'évier puis mit la bouilloire à chauffer, davantage pour faire quelque chose que parce qu'elle avait envie d'un thé. De toute façon, sa conscience l'empêcherait de dormir ce soir.

Qu'allait penser la famille d'Adam de ce mariage précipité ? Qu'allaient-ils penser d'elle ? Elle ne faisait pas partie de leur cercle fortuné. Du moins, elle n'avait pas encore pu prouver son lien avec ce cercle. Y arriverait-elle jamais ? Etre la fille d'Adrianna Laurence serait-il un désavantage ou un atout ?

Un son la fit se retourner. Adam se tenait sur le seuil de la cuisine.

— Il faut que nous nous occupions de mettre tout ce qui est dans votre appartement au garde-meuble.

— Mais mon bail n'expire pas avant des mois !

— Vous pouvez sous-louer. Pour les apparences, il faut que vous déménagiez.

Elle savait que payer un loyer pour rien était stupide, mais abandonner son appartement semblait si… définitif. C'était comme si une porte de sortie se refermait violemment.

— Je… je vais m'occuper de le sous-louer.

Elle considéra la boîte à thé. Rose d'île, une spécialité bahamienne ? Ou alors, une camomille, cela la calmerait.

Tu parles.

Consciente qu'Adam ne la quittait pas des yeux, elle prit une tasse dans le placard, du sucre sur le comptoir, puis sortit le crémier du réfrigérateur.

Quand elle ne put tergiverser davantage, elle fit face à Adam. Il s'était appuyé contre le chambranle de la porte. Il avait les cheveux un peu plus décoiffés que d'habitude, et elle eut envie de plonger les doigts dedans pour les lisser.

Ridicule. Pas de contact physique, sauf en public.

— Qu'avez-vous dit à votre mère ? demanda-t-elle. A propos de nous, je veux dire. Quand Cassie m'a interrogée tout à l'heure, je ne savais pas quoi répondre. Il faut qu'on accorde nos violons.

— D'accord. Qu'avez-vous dit à Cassie ?

Quand la jeune femme lui avait demandé de lui raconter comment leur histoire avait commencé, Lauryn avait été prise au dépourvu. A contrecœur, elle avait admis avoir eu un faible pour Adam dès le début, lors de son entretien d'embauche. Mais ça, elle ne le dirait pas à Adam.

— Que nous nous sommes rencontrés au travail, et que nous avons essayé de garder notre liaison secrète parce que les relations entre employeur et employés vont à l'encontre de la politique de l'*Estate*.

— Bien. Je m'en servirai.

— Mais qu'avez-vous dit à votre mère ?

— Juste ce que vous avez entendu. Que j'ai épousé ma comptable. Maman n'était pas assez sobre pour en entendre davantage. Vous découvrirez bientôt qu'elle a un problème avec l'alcool. Si vous voulez avoir une conversation cohérente avec elle, il faut vous y prendre avant midi.

Elle entendit la colère contenue — ou la frustration ? — et le soupçon d'inquiétude dans sa voix.

— Et vos frères et sœurs ? En plus de Cassie, vous êtes cinq enfants, n'est-ce pas ?

— Oui. Mes frères, Parker et Stephen, sont plus âgés, et mes deux sœurs Brooke et Brittany, les jumelles, plus jeunes. Je leur enverrai un e-mail.

— Je suis fille unique, mais je me verrais mal envoyer une nouvelle aussi importante via un e-mail impersonnel. Vous ne préférez pas leur téléphoner ?

— Nous ne sommes pas très proches.

Elle fut prise d'un élan de compassion — une sympathie qu'elle ne pouvait se permettre de ressentir si elle voulait garder ses distances. Au moins, lui avait une famille. Peut-être pas parfaite, mais une famille quand même, et s'il n'était pas proche de ses frères et sœurs, tant pis pour lui.

— Mais…

— Lauryn, la coupa-t-il, cela semblerait étrange que je préfère passer ma soirée au téléphone avec ma famille, au lieu de rester seul avec ma femme, vous ne croyez pas ?

L'allusion à ce que la plupart des jeunes mariés faisaient le soir de leurs noces tourbillonna en elle, raidissant ses muscles, raccourcissant sa respiration, affolant son pouls.

Elle était attirée par Adam. Malgré ses manières de bourreau des cœurs. Malgré le fait qu'il se servait d'elle. Malgré la nature temporaire de leur relation. Dire qu'elle avait cru que ce serait facile d'ignorer l'alchimie entre eux !

Tant pis pour la camomille. Elle avait besoin de distance, de solitude, pas d'une boisson chaude. Il fallait qu'elle reprenne le contrôle sur son esprit, et ses hormones.

— Est-ce sûr de faire une balade sur la plage à cette heure-ci ?

— Mieux vaut que vous ne soyez pas seule.

— Oh.

Une autre porte de sortie qui se fermait, et une autre crise de claustrophobie à l'horizon.

— Bon, ce n'est pas grave.

— Allez chercher une veste, enjoignit-il.

— Mais…

— Lauryn, allez chercher une veste. Je vous accompagne.

Les mots sonnaient comme un ordre, et aussi comme un avertissement. Et elle ne devrait pas l'ignorer.

Pas si elle voulait aller au bout de cette nuit sans commettre un acte qu'elle regretterait.

Comme consommer son mariage de convenance.

6.

Adam ne parvenait pas à trouver le sommeil.

Rien d'étonnant à cela.

Il posa les mains sur la rampe du porche, qui s'étendait sur tout l'arrière de la villa, et regarda dans la nuit sans rien voir. Le son des vagues ne l'apaisait pas, et la brise marine ne faisait rien pour le rafraîchir. La femme qui dormait de l'autre côté de la porte vitrée était grandement responsable — coupable — de ce fait.

Le baiser de Lauryn après leurs vœux l'avait électrisé, mais ensuite, elle avait brutalement éteint ce courant sexuel.

Comment avait-elle fait ? Car lui n'avait pas pu. Son corps bourdonnait encore de désir.

Pourquoi maintenant ? Pourquoi elle ? Pourquoi sa libido en hibernation devait-elle se réveiller en sursaut pour une femme qui ne voulait pas de lui ?

Ce n'était qu'après qu'elle se fut retirée dans sa chambre qu'il s'était rendu compte qu'il n'avait rien appris de nouveau sur elle, durant leur longue promenade sur la plage, ni pendant leur partie de Scrabble ensuite, sauf qu'elle avait plus de vocabulaire que lui, et qu'elle avait un esprit de compétition aussi aiguisé que le sien.

Sa femme était du genre à rester secrète.

Sa *femme*.

Lui, *marié*.

Il eut la bouche sèche, et tendit le bras vers sa bouteille de bière. Le reflet du clair de lune sur son alliance arrêta sa main. Il plia les doigts, remarquant qu'il ne se sentait pas aussi piégé ou effrayé qu'il l'aurait cru.

Etait-il capable de rester fidèle à une seule femme, même de manière temporaire ? Dieu sait qu'il n'avait jamais trouvé une femme qu'il veuille exclusivement, ni une qui soit capable de lui être fidèle. Les femmes qui fréquentaient l'*Estate* changeaient d'homme aussi souvent que de chemise.

Deux années avec Lauryn. Cent quatre semaines. Sept cent trente jours. Et autant de nuits.

Sans garantie qu'il pourrait se glisser entre ses draps.

L'infidélité était-elle dans les gènes ? Si un jour il tombait amoureux, trahirait-il la femme de son cœur comme son père avait trahi sa mère ? Non, parce qu'il ne tomberait jamais amoureux. Il avait vu trop de relations tourner au vinaigre pour en avoir envie. Et le fait d'avoir été au courant de la liaison de son père, et de n'avoir rien dit, avait été un enfer.

Il avala une gorgée de bière, partagé entre plusieurs options. Devait-il rester sur l'île jusqu'à lundi, comme prévu, et risquer de devenir fou de désir pour sa femme, ou retourner à Miami plus tôt, dans une maison de mille mètres carrés qui leur permettrait d'instaurer une saine distance ? Sauf qu'un retour anticipé supposait de jouer la comédie au dîner familial de dimanche — un événement qu'il préférait reporter aussi longtemps que possible. Les Garrison n'étaient pas un clan chaleureux. Effrayer Lauryn si tôt ne mènerait à rien de bon.

Non, il avait beau tourner et retourner la situation dans sa tête, ils avaient besoin de cette lune de miel, pour plusieurs raisons.

Un : les apparences. Un vrai couple de jeunes mariés voudrait être seul.

Deux : il pouvait difficilement se montrer au dîner sans rien savoir ou presque de la femme qu'il avait épousée. Sinon, cette mascarade serait finie avant d'avoir commencé.

Trois : Lauryn sursautait chaque fois qu'il la touchait,

et excepté ce baiser sur la plage, elle se raidissait encore quand il l'embrassait.

C'était vexant. Les femmes ne le fuyaient pas. Elles fondaient, suppliaient, et s'enroulaient autour de lui telles des araignées qui tissent leur toile.

Mais pas Lauryn Lowes. Garrison. Lauryn *Garrison*.

Pourquoi pas elle ? Qu'est-ce qui l'effrayait ? Et pourquoi ne le désirait-elle pas ? Les femmes le désiraient. Sa femme ne devrait pas faire exception !

La faire changer d'avis sur la question du sexe était donc essentiel. Et pas seulement pour prendre du plaisir, se justifia-t-il à ses propres yeux. C'était surtout pour maintenir l'illusion. Et préserver sa fierté. S'ils restaient aux Bahamas cela lui donnerait le temps de diagnostiquer le problème, et de le corriger. Alors qu'il pourrait difficilement séduire Lauryn avec son travail et sa famille qui interféreraient.

La porte s'ouvrit soudain derrière lui et Adam se retourna. Et manqua s'étouffer avec sa bière. Lauryn était dans le couloir, la lumière d'une lampe de chevet soulignant sa silhouette. Elle portait un caleçon ample et un vieux T-shirt, assez fin pour qu'on devine ses seins généreux aux tétons dressés, sous le pâle clair de lune.

Il ne put réprimer un gémissement.

Elle sursauta, et s'arrêta net. Une fois qu'elle le distingua dans le noir, elle écarquilla les yeux.

— Oh, désolée. J'ignorais que vous étiez là.

— Vous n'arrivez pas à trouver le sommeil ?

— Non, et vous ?

— J'ai l'habitude d'être debout la nuit.

— Avez-vous faim ? Je peux vous cuisiner quelque chose.

— Merci, mais vous n'avez pas à cuisiner pour moi. Je ne vous ai pas épousée pour que vous soyez ma servante.

— Vous avez des domestiques ?

— Oui, et ils savent que nous allons bientôt emménager.

— Pouvez-vous leur faire confiance pour ne pas parler de nos arrangements en matière de sommeil ?

Il sentit sa nuque se nouer. Une autre raison de convaincre Lauryn de rejoindre son lit.

— Bonne question. Comme vous, ils ont signé des accords de confidentialité, et ils ont tenu leur langue avec les célébrités jusqu'ici. Mais il n'y a aucune garantie.

Quand elle se mordilla la lèvre, cela lui rappela sa saveur et lui donna envie de la goûter de nouveau.

— Est-ce que votre maison a des chambres adjacentes ?

Il lui fallut une seconde pour comprendre.

— Oui, la chambre principale a un salon adjacent.

— Voilà notre solution. Je leur dirai que je dors dans le salon parce que vous ronflez.

Il se redressa soudain.

— Je ne ronfle pas.

Elle sourit. Son premier vrai sourire depuis que toute cette comédie avait commencé. Et ses yeux brillaient de malice. Elle n'en était que plus belle.

— Je n'ai pas dit que vous ronfliez. J'ai dit que nous leur dirions que vous ronflez.

— Pourquoi ne pas leur dire que c'est vous qui ronflez ?

— Allons, Adam, comportez-vous en gentleman.

Jamais il ne s'était senti moins gentleman. Il voulait ramener Lauryn dans sa chambre, la jeter sur le lit, et passer le reste de la nuit à la faire gémir, l'entendre le supplier et crier son nom.

Mon Dieu, mais où avait-il la tête ?

Elle recula soudain d'un pas comme s'il représentait une menace, et il retint un juron. Lauryn avait-elle le don de lire dans les pensées ? Ou avait-elle lu sur son visage ?

— Lauryn, vous pouvez rester. La terrasse est assez solide pour nous soutenir tous les deux. On va réfléchir à ce que nous devrons dire aux domestiques — mais pas que je ronfle.

Un homme avait sa fierté.

Elle releva les yeux sur lui, et Adam sentit sa libido s'enflammer au quart de tour, exactement comme si Lauryn l'avait exploré avec ses mains — un fait que son maillot de bain ne pourrait masquer très longtemps.

— Vous voulez une bière ? dit-il en s'agitant.

— Non, merci. Vous… alliez prendre un bain de minuit ?

— J'y ai songé. Mais je ne connais pas cette zone et j'ai oublié de demander à Cassie si c'était sûr de nager ici. Et vous, comment se fait-il que vous ne dormiez pas ?

Je vous en prie, dites-moi que c'est parce que vous avez envie de moi.

Elle se rapprocha de la rampe, mais laissa quelques mètres entre eux. Il resta sans voix devant ses magnifiques jambes, moulées par son caleçon. Comment avait-il pu ne pas les remarquer ? C'était comme s'il avait eu la tête dans le sable pendant ces sept derniers mois.

— Je pensais à votre famille, annonça-t-elle. Ça ne vous gêne pas de leur mentir ?

Ce n'était pas ce qu'il aurait voulu entendre. Mais peut-être allait-elle lui dire ce qu'il souhaitait. On pouvait toujours espérer.

— C'est nécessaire.

Elle voulait en savoir plus, c'était évident, mais il ne lui parlerait pas de son besoin d'avoir plus de responsabilités dans la *Garrison, Inc.* Cela ne l'aiderait pas à la séduire d'avouer que sa famille ne lui faisait pas confiance en affaires.

Il termina sa bière et se tourna vers elle.

— Mais nous avons un problème.

Quand elle retint ses cheveux qui flottaient au vent, ses seins ronds se soulevèrent.

— Vous tressaillez chaque fois que je vous touche, dit-il. Ma famille, et surtout mes sœurs, vont le remarquer tout de suite.

Il la vit tressaillir, et devina qu'elle luttait pour masquer son trouble.

— Je vais travailler là-dessus, promit-elle.

— On pourrait s'entraîner.

Une lueur de méfiance passa dans les yeux de Lauryn.

— S'entraîner ?

— Vous avez une meilleure idée ?

239

Le petit rire qu'elle émit fut comme une caresse sur ses sens.

— Adam, vous commencez à ressembler à un personnage sentimental dans un mauvais roman !

— *Sentimental ?* Moi ?

Personne ne l'avait jamais traité de ringard. Un solitaire, risque-tout, ambitieux, émotionnellement indisponible ? Oui. Ses frères, qui avaient cinq et six ans de plus que lui, avaient toujours mis Adam dans la même catégorie que leurs jeunes sœurs, ou l'avaient ignoré. Mais personne ne l'avait jamais traité de sentimental.

Il n'aimait pas ça. Surtout venant de Lauryn.

— Adam, nous ne sommes pas au collège ou au lycée, on ne joue pas à mentir pour voir jusqu'où on peut aller avant de se faire prendre !

— Vous avez eu votre premier baiser au collège ?

Elle lui jeta un regard réprobateur.

Certes. Ce n'était pas le genre de Lauryn. Elle était trop… Comment dire ? Coincée ? Guindée ? Collet monté ? C'était justement pour ça qu'elle était la parfaite épouse. Le Conseil et sa famille devaient croire qu'il avait mis fin à sa vie dissolue.

— Je ne couche pas à la légère, asséna-t-elle.

Il approcha d'elle, assez près pour sentir la chaleur de son corps et humer son parfum.

— Qu'y a-t-il de léger dans le fait de coucher avec son mari ?

Elle déglutit, et son trouble se peignit sur son visage. La tension sexuelle grésilla dans l'air.

— L… laissez-moi reformuler ça. Je ne couche pas sans sentiments. Et vous étiez d'accord.

— Alors, que suggérez-vous ?

Il tendit la main pour lui caresser les cheveux, mais elle recula.

— On ne pourrait pas se contenter d'être… amis ?

— Amis.

La dernière chose qu'un homme avait envie d'entendre de la part d'une femme.

Jamais il ne survivrait à quatre jours dans ce paradis tropical, avec sa femme réticente, sans perdre la tête. Et l'idée de passer deux ans sans faire l'amour lui donnait des sueurs froides.

Il fallait qu'il mette un plan sur pied. Un plan pour séduire sa femme.

Lauryn n'était pas prête. Pas encore.

Qui essayait-elle de duper ? Elle ne serait *jamais* prête à essayer de convaincre les gens qui connaissaient parfaitement Adam qu'elle était folle amoureuse de lui. Mais elle essaierait. C'était leur marché.

Elle s'agrippa fermement à la main d'Adam, tandis qu'ils approchaient du domaine des Garrison situé à Bal Harbor, en ce dimanche soir. Pourvu que tout se passe bien !

Elle aurait préféré rester aux Bahamas, et éviter tant bien que mal la tension sexuelle croissante entre Adam et elle, plutôt que rencontrer toute sa famille en une fois. Mais ce matin, tout d'un coup, il avait insisté pour qu'ils rentrent plus tôt, afin d'organiser leur déménagement et de dîner avec sa famille. Ils avaient passé la majeure partie de la journée chacun chez soi, à faire leurs cartons, pour que les déménageurs les emportent le lendemain. Mais ce bref répit était terminé, et maintenant que les projecteurs étaient braqués sur elle, elle avait le trac.

Le fait de savoir qu'elle dormirait à l'appartement d'Adam ce soir n'aidait pas à la calmer, mais la maison n'était pas prête. Plus précisément, le canapé-lit pour le salon adjacent à la chambre d'Adam ne serait livré que demain. Puisqu'elle avait refusé de laisser Adam partager son lit, et qu'il avait refusé de dormir dans une autre chambre, même pour une nuit, l'appartement avait été leur seule option.

Lauryn était si nerveuse qu'elle en avait presque la nausée. Elle chercha dans son esprit un moyen de se distraire.

— Mme Suarez disait que vos frères s'étaient mariés récemment ?

Adam ne ralentit pas le pas tandis qu'ils arpentaient l'allée.

— Parker a épousé Anna, son assistante de direction, en août. Stephen s'est marié avec Megan en septembre, et ils ont une fille de trois ans qui ne sera sans doute pas là ce soir. Ma sœur Brittany est fiancée à Emilio Jefferies, un des rivaux de *Garrison, Inc*. S'il est là, vous pourrez vous attendre à ce que Parker soit de méchante humeur. Quant à Brooke, elle est toujours célibataire.

— Comment vais-je différencier les jumelles ?

— Brooke est une vraie gentille. Comptez sur ma mère pour la malmener. Brittany est plus coriace.

— Et vos frères ?

— Parker est le plus âgé, et il adore tout contrôler. Stephen est le plus sympathique.

Tout contrôler ? Etait-ce la raison de la tension entre Adam et Parker ?

— Est-ce que Cassie et Brandon seront présents ?

— J'en doute.

— Dommage.

Lauryn aurait aimé voir un visage amical.

— Croyez-moi, il vaut mieux que ma mère et Cassie ne se trouvent pas dans la même pièce.

Cassie rappellerait à Mme Garrison l'infidélité de son mari, se souvint Lauryn. N'importe quelle femme serait contrariée à moins.

Le soleil couchant jetait une lumière douce sur les murs de stuc crème et le toit de tuiles terracotta de la demeure de style espagnol. Si Lauryn ne s'apprêtait pas à rencontrer sa belle-famille, elle trouverait sans doute l'endroit plaisant — si l'on aimait le style opulent et tape-à-l'œil.

Ce fut à ce moment qu'elle prit réellement conscience qu'elle venait d'épouser un millionnaire, et elle faillit en trébucher. Bien sûr, elle savait qu'Adam venait du même milieu social aisé que sa mère biologique, mais Lauryn n'avait jamais songé que, bientôt, elle vivrait comme une millionnaire. Si elle ne s'en était pas rendu compte, c'était parce que l'argent n'était pas important pour elle. Tout ce qu'elle voulait, c'était retrouver le journal de sa mère. Elle ne tenait pas à être couverte de diamants, ou entretenue.

Quand tout cela serait fini, elle retournerait à sa vie habituelle. Avec un très joli pactole, toutefois.

Adam s'arrêta devant la porte en acajou massif, et lui lança un regard franc.

— Vous êtes superbe. Rappelez-moi de remercier Cassie pour cette robe.

Elle fut submergée de plaisir.

— C'est moi qui l'ai choisie.

— Très joli. Classique, de bon goût, et néanmoins sexy. Souvenez-vous, ne tressaillez pas, murmura-t-il avant de lui caresser la joue et de l'embrasser.

Lauryn n'eut pas le temps de réagir au baiser inattendu, car la porte s'ouvrit. Adam leva lentement la tête.

Il laissa la main sur sa joue un instant, puis la laissa retomber et adressa un sourire d'une désarmante contrition à la femme d'une cinquantaine d'années qui était venue les accueillir.

— Encore en retard, je sais. Mais j'étais distrait.

Le visage sérieux de la femme se fendit d'un sourire.

— Eh bien, vous êtes là maintenant. Vous savez ce qui se passe quand vous la faites attendre.

— Lauryn, je te présente Lisette Wilson. C'est la sainte qui s'occupe de ma mère. Lisette, voici ma splendide épouse, Lauryn.

Lisette serra chaleureusement la main de Lauryn, puis s'effaça pour les laisser passer. Adam guida Lauryn à l'intérieur de l'immense vestibule et se tourna vers l'homme brun qui se tenait à côté de Lisette.

— Alors, tu l'as vraiment fait ? fit ce dernier.

— Demande à Brandon et Cassie, répondit Adam. Ils étaient nos témoins. Lauryn, je te présente mon frère Stephen.

Stephen détailla Lauryn pendant qu'elle lui serrait la main, puis se tourna vers un homme qui lui ressemblait étrangement. Mêmes cheveux, mêmes yeux, et même

243

corpulence. Un Garrison, sans nul doute, même si aucun des deux n'avait les yeux bleus d'Adam.

— Par ici la monnaie !

— Celui qui cherche dans son portefeuille, c'est Parker, l'informa Adam d'un ton sec. Je n'arrive pas à croire que vous ayez parié sur mon mariage !

Stephen haussa les épaules.

— Que veux-tu ? Tu es la dernière personne dont j'aurais cru qu'elle se fixerait. Au moins, moi j'ai parié que tu le ferais.

— Parker, Stephen, je vous présente Lauryn. Vous l'avez peut-être aperçue à l'*Estate*. C'est la seule femme que je laisse jouer avec mes… comptes.

Adam lui adressa un sourire taquin et un clin d'œil, et Lauryn fut bluffée. Adam méritait une ovation pour ses talents d'acteur.

Cinq autres personnes se massèrent dans le vestibule, forçant littéralement Lauryn et Adam à reculer contre la porte, et elle eut encore un peu plus le sentiment d'être prise au piège. Elle reconnut néanmoins facilement les deux jeunes femmes brunes élancées, les jumelles. Une autre brune, une rousse et un homme au teint doré constituaient le reste du groupe. Les noms se mêlèrent dans l'esprit de Lauryn tandis qu'elle serrait les mains et acceptait ce qui semblait être des accueils sincères.

— Adam, je ne m'attendais pas à ce que tu suives mon conseil et à ce que tu te ranges, dit une des jumelles.

Brooke, sans doute, songea Lauryn, car l'autre jumelle tenait la main du seul homme qui ne faisait pas partie de la famille Garrison. Emilio.

— Tu veux dire *mon* conseil, rectifia Stephen, et sa sœur roula les yeux.

Adam tenait Lauryn par la taille, et, pour une fois, elle était contente de pouvoir s'appuyer sur lui. Un peu dépassée par toutes ces nouvelles têtes, elle se blottit contre lui et vit la surprise et le désir briller dans ses yeux quand il la regarda. Elle espérait qu'il se souvenait qu'elle jouait la comédie.

— Aucun de vous n'en retire le mérite. J'ai trouvé Lauryn tout seul.

— Puis-je voir votre bague ? demanda Brooke.

Avec toutes ces paires d'yeux braqués sur elle, Lauryn était mal à l'aise. Elle tendit une main dont elle espéra qu'elle ne tremblait pas trop.

— Elle est magnifique, s'exclama Brooke.

— Votre frère a très bon goût, dit Lauryn.

Bien. Sa voix était presque normale.

— Vraiment ? s'étonna Brooke, l'air dubitatif. Depuis quand êtes-vous ensemble ?

Un élan de panique s'empara de Lauryn. Adam et elle n'avaient pas discuté de ce point. Elle l'interrogea du regard, mais il était occupé à discuter avec Stephen.

— Euh, pas très longtemps. Nous nous sommes rencontrés lors de mon entretien d'embauche, il y a sept mois et demi. Mais nous avons essayé de nier nos sentiments… à cause de la politique de l'*Estate*. Pas de relations entre employeur et employés.

Elle s'en tenait à la vérité autant que possible, car elle détestait mentir. A ces gens, à tout le monde, en fait. Elle avait passé trop de temps par le passé à dire des mensonges. Et à se faire attraper. Elle craignait que les demi-vérités de sa vie actuelle lui explosent à la figure. Un faux pas et…

— Qu'est-ce qui ne va pas chez vous autres ? vociféra soudain une voix féminine derrière le groupe.

Ils s'écartèrent, et une femme mince fit irruption. Ses cheveux noirs étaient striés de mèches argentées. Elle plongea un regard bleu glacial dans celui de Lauryn. Adam avait les mêmes yeux, sauf que Lauryn ne les avait jamais vus refléter une telle froideur.

— Comment se fait-il qu'aucun de mes enfants n'ait la décence de se marier à l'église ?

— Bonsoir, maman, dit Adam.

Le regard froid détailla Lauryn de la tête aux pieds, avant de se reporter sur Adam.

— C'est Lauryn, dit Adam, embrassant sa mère sur

la joue avec autant de chaleur qu'un glacier polaire. Mon épouse.

— C'est ce que j'ai entendu dire.

Lauryn réprima un mouvement de recul devant le ton de sa belle-mère.

— Lauryn, continua Adam, Bonita Garrison. Ma mère.

— Ravie de vous renc...

— Vous êtes enceinte ? tonna Bonita.

Ebahie, Lauryn laissa retomber la main qu'elle avait tendue.

— Non.

— Bien. J'ai besoin d'un autre verre. Lisette !

La mère d'Adam se tourna vivement et se dirigea vers le vaste salon, derrière une imposante colonne de pierre. L'employée de maison courut après elle.

— Je ne devrais pas être surpris qu'elle boive déjà, maugréa Adam.

— Que veux-tu ? compatit Brittany. En tout cas, je n'arrive pas à croire que tu n'aies pas offert à Lauryn une lune de miel digne de ce nom : trois misérables jours dans les Bahamas ! Je ne t'aurais jamais cru si pingre.

Adam haussa les épaules.

— Nous avions trop à faire. Nous emménageons dans la maison de Sunset Island demain. Je me rattraperai plus tard.

— Tu abandonnes ta garçonnière ? s'étonna Stephen.

— Non. Mon appartement devrait continuer à prendre de la valeur, alors je le garde. Le club l'utilisera comme j'ai utilisé la maison jusqu'ici. Mais Lauryn et moi voulons un foyer. Le genre d'endroit où l'on peut élever des enfants.

C'étaient les mots qu'elle lui avait dits lors de sa première visite de la maison.

Le bras toujours autour de sa taille, Adam guida Lauryn tandis que le groupe se dirigeait vers les portes vitrées au fond du salon, derrière lesquelles Bonita Garrison avait déjà disparu. Dehors, un patio entourait une piscine olympique. Une rangée de palmiers se balançait dans la brise du soir. Lauryn tenta de ne pas rester bouche bée, mais il était impossible de ne pas être submergée par une telle opulence.

— Tu veux boire quelque chose ? proposa Adam en se dirigeant vers un bar au comptoir de marbre.

Lauryn hésita. Un verre l'aiderait à se calmer, mais il pouvait aussi délier sa langue, et lui faire courir le risque de commettre une bévue. Elle remarqua le regard interrogateur d'Adam. Il ne savait pas du tout ce qu'elle buvait d'habitude.

— Euh, oui. Tu as du vin blanc ?

— Tout de suite.

— Nous sommes déjà en retard pour dîner, maugréa Bonita Garrison.

Adam prit avec nonchalance un verre et une bouteille.

— Passe devant, maman. Lauryn et moi vous rejoignons dans une minute. Lisette, prévenez en cuisine que nous prendrons du champagne avec le dessert. Vous vous joindrez à nous pour un verre.

L'employée de maison rougit.

— Ce sera avec plaisir, monsieur Adam.

Bonita s'éloigna d'un pas rageur, et ses enfants la regardèrent s'éloigner avec la même expression dépitée.

Quand Adam tendit son verre à Lauryn, elle songea à l'avaler d'un trait. Adam avait visiblement eu la même idée, car il vida la moitié de son bourbon en une fois.

— Inutile de nous attendre, lança Adam aux autres, et ils rejoignirent à leur tour le salon.

Adam attrapa Lauryn par le bras.

— Il y a un problème ? demanda-t-elle.

— Je fais juste ce qu'on attend d'un jeune marié.

Il encercla sa taille, l'attira contre lui et l'embrassa. Tirant profit de son « oh » de surprise, il approfondit le baiser. Elle sentit la saveur de l'alcool sur sa langue, mais ce n'était pas déplaisant. Pas plus que la chaleur de son corps contre le sien.

Elle enfonça ses doigts dans sa taille et tenta de dompter la folle réaction de son corps à son parfum, à sa chaleur, à la maîtrise de sa langue de velours qui taquinait la sienne.

Mais il était impossible de nier la tension sexuelle entre eux. Adam réveillait ses sens, bien au-delà de tout ce qu'elle avait connu à l'époque de son adolescence. Elle mourait d'envie de se coller à Adam, de l'explorer plus avant.

Comment serait-ce de faire l'amour avec lui ? Serait-il à la hauteur des promesses contenues dans ses baisers, ou Adam la décevrait-il, comme les autres ?

N'y prends pas goût.

Trop tard.

Lorsque, enfin, il releva la tête, elle était haletante. Passant la langue sur ses lèvres gonflées par le désir, elle tenta de retrouver une contenance.

— P... pourquoi avez-vous fait ça ?

— Parce qu'on nous observe, dit-il contre sa nuque.

Il immobilisa son visage quand elle allait se retourner, et lui caressa l'oreille.

— Ne vous retournez pas.

Sa barbe naissante râpait sa peau de manière délicieuse tandis qu'il promenait ses lèvres sur sa nuque, et l'effleurait de son souffle chaud et humide. Juste au moment où elle crut qu'elle allait se liquéfier sur place, il se redressa lentement et la lâcha. Elle vit qu'une rougeur sombre colorait ses pommettes.

— Si vous êtes prête à entrer dans l'arène, allons-y.

Hébétée, Lauryn le dévisagea.

— Pourquoi, ça peut être pire ?

— En général, oui. Les dîners de famille chez nous ne sont pas appréciés. Ils sont endurés.

— Alors, pourquoi y assistez-vous ?

— Parce que c'est la seule famille que j'aie.

Adam prit sa main, paume contre paume, et la conduisit vers ce qui lui semblait de plus en plus être l'antre du lion.

Et ce fut alors que revint à l'esprit de Lauryn la citation préférée de son père. *Il y a un prix à payer pour chaque mensonge. Avant d'en prononcer un, sois sûre d'être prête à payer ce prix.*

La tension durant le dîner était palpable.

Sous la conversation policée, Lauryn percevait des courants de tension entre les membres du clan Garrison, mais surtout entre Parker et son futur beau-frère, Emilio Jefferies. Elle demanderait à Adam de lui expliquer la dynamique familiale plus tard. Pour l'instant, elle était contente que l'épreuve touche à sa fin. Le dessert avait déjà été servi, le champagne versé.

— Anna est enceinte, annonça Parker.

Lauryn leva les yeux vers la jolie brune assise juste en face d'elle.

— Félicitations, dit-elle.

Les yeux d'Anna brillèrent de joie.

— Merci. Vous voyez pourquoi j'aurais été ravie si vous étiez enceinte. Nous aurions pu échanger nos impressions.

Lauryn ignora le rire ironique de Bonita et s'agita sur sa chaise.

— Désolée.

— Bientôt peut-être, intervint Adam.

Il captura la main de Lauryn, et la porta à ses lèvres pour un tendre baiser agrémentée d'un de ces sourires charismatiques qui affolaient son cœur.

— J'aimerais porter un toast à ma magnifique épouse, la seule femme qui fasse sonner les mots « pour toujours » comme une promesse de bonheur et non comme une condamnation à perpétuité.

Lauryn faillit renverser sa flûte. Elle devait garder en tête qu'Adam était en train de faire semblant, et qu'elle n'avait aucune raison de se sentir troublée quand il la regardait de cette façon.

Les félicitations résonnèrent autour de la table. Adam se pencha et déposa un baiser sur les lèvres de Lauryn.

Il était doué. Très doué. Et elle regretta presque que le baiser soit si court. Leurs regards demeurèrent rivés l'un à l'autre et des flammes de désir s'embrasèrent en elle.

C'est ton mari. Tu pourrais coucher avec lui après tout.

Non, tu ne peux pas. Tu ne l'aimes pas, et il ne t'aime pas non plus. Attends de trouver quelqu'un qui compte. Quelqu'un qui t'aime et qui ne songe pas seulement à prendre du bon temps.

Malgré tout, elle désirait Adam. Plus qu'elle n'avait jamais désiré aucun autre homme.

— Eh bien, puisque nous en sommes à faire des annonces...

La phrase hésitante de Brooke ramena Lauryn à l'instant présent. Elle cligna des yeux, et se détacha du regard hypnotisant d'Adam. Brooke s'interrompit, inspira profondément et puis déversa les mots en cascade.

— Je suis enceinte, moi aussi.

Un silence de stupéfaction emplit la pièce, puis Bonita vociféra :

— De qui ?

— Je suis navrée, maman, mais ça ne te regarde pas.

— Ça me regarde si tu couvres la famille de honte, s'emporta Bonita, comme ton père, avec un autre bâtard !

Lauryn songea à Cassie. Non, sa nouvelle amie n'aurait pas été la bienvenue ici.

— Qui est le père, Brooke ? tonna Adam.

Il semblait furieux. Protecteur. Lauryn enregistra dans son esprit cette étonnante facette de son nouveau mari.

— Je suis une grande fille, Adam. Je n'ai pas besoin que mes frères me défendent. Je dirai seulement que le père ne fera pas partie de la vie de mon bébé ou de la mienne.

Bonita posa violemment son verre sur la table, répandant la moitié de son gin — elle avait refusé le champagne — sur la nappe damassée.

— Ne t'attends pas à ce que l'argent des Garrison entretienne ta bêtise !

Elle se leva en titubant et quitta la salle en pestant dans sa barbe, Lisette sur ses talons.

Adam brisa le silence gêné.

— Brooke, comment vas-tu t'occuper de ta résidence et de ton bébé toute seule ? Le géniteur devra participer — au moins financièrement.

Sa sœur haussa le menton.

— Je ne veux pas de son aide, et j'engagerai une nounou comme n'importe quel parent.

— Tu pourrais aussi prendre un congé parental, suggéra Brittany.

Brooke regarda les visages autour de la table.

— Ecoutez, je ne dis pas que j'ai songé à tous les détails. C'était une surprise pour moi aussi. Mais je vais avoir ce bébé, avec ou sans votre soutien. Maintenant, s'il vous plaît, peut-on parler d'autre chose ?

Lauryn percevait la tension d'Adam, et elle fut touchée qu'il ressente le besoin d'aider sa sœur, mais ce n'était pas le moment qu'il prenne la parole. Brooke semblait trop à cran. Aussi posa-t-elle la main sur le poing serré d'Adam pour attirer son attention. Quand il la regarda, elle lui enjoignit en silence de changer de sujet. Il inclina légèrement la tête et se retourna vers ses frères et sœurs.

— Il faut qu'on fasse quelque chose au sujet de l'alcoolisme de maman. C'était déjà grave avant, mais ça a empiré depuis la mort de papa.

— Qu'est-ce que tu suggères ? demanda Parker. Fermer à clé le bar ? Ça ne marchera pas.

— Et une cure de désintoxication ? lança Megan.

Adam serra le poing sur la table.

— C'est notre meilleure option. Maman ne guérira pas toute seule.

— Elle n'ira pas non plus en cure de son plein gré, souligna Brittany.

A cet instant, Lauryn songea qu'Adam semblait assez dur pour forcer sa mère à capituler — aussi dur que le regard de sa mère sur elle tout à l'heure, dans l'entrée.

Un frisson de malaise monta le long de sa colonne vertébrale. Adam était un adversaire redoutable.

Quelques moments tendus et silencieux passèrent, puis Brittany s'éclaircit la gorge.

— Sur une note plus positive, Emilio et moi avons décidé de nous marier à Noël. Vous êtes tous invités.

Parker regarda Emilio d'un œil noir, puis reporta son attention sur sa sœur.

— Est-ce sage, étant donné que nous avons un espion chez *Garrison, Inc.* qui fournit des informations à la famille de ton fiancé ?

— Bon sang, Parker, grommela Emilio, Jordan n'a pas d'espion dans ta compagnie !

— Comment peux-tu en être aussi sûr, alors que tu as admis que ton frère et toi ne vous parliez plus ?

— Je pourrais m'en occuper, proposa Adam.

— Laisse tomber. C'est moi qui m'en occupe, rétorqua Parker d'un ton cassant.

— Tu n'as rien réglé, insista Adam. Les fuites durent depuis des mois. Un regard neuf…

— J'ai dit que je m'en occupais.

— Je veux apporter mon aide, persista Adam, et je suis plus persuasif que toi.

— Oublie ça, petit frère. Il ne s'agit pas de séduire des femmes, ta spécialité. Il s'agit d'affaires.

Lauryn rougit d'embarras. N'était-elle pas une des femmes qu'Adam était supposé avoir séduite ? Mais Parker ne semblait pas conscient de l'insulte que ce qu'il venait de dire pouvait représenter. A l'évidence, Adam, lui, en était tout à fait conscient, et elle le sentit se raidir à côté d'elle. Craignant un instant que les deux hommes en viennent aux mains, Lauryn posa une main sur le bras d'Adam puis toisa Parker d'un regard noir.

— Vous ne devriez pas sous-estimer les compétences et la perspicacité d'Adam en affaires. L'*Estate* est extrêmement profitable, grâce à lui, et le turn-over des employés est quasi nul. C'est un homme avisé, qui sait comment comprendre et diriger des employés.

Tous les yeux se posèrent sur elle.

Elle eut le ventre noué. Bonté divine. Elle avait réagi au quart de tour. Pourquoi avait-elle ouvert la bouche ? Parce que le ton insultant de Parker avait touché un point très sensible. Mais ce n'était pas son combat à elle. Et se disputer avec Parker n'allait pas faire bonne impression sur sa belle-famille.

Parker lui décocha un regard impassible — rien de nouveau pour Lauryn puisque son père utilisait le même — et comme elle ne fléchit pas, il regarda les autres.

— Je n'ai pas besoin de l'aide d'Adam parce que j'envisage de faire une proposition à Jordan Jefferies, pour maintenir la paix entre nos deux familles.

Presque tout le monde poussa des cris de surprise... sauf Brooke, qui semblait soulagée, sans doute parce que sa grossesse n'était plus le sujet de la conversation. Pendant que Parker exposait les grandes lignes de son projet, Lauryn balaya la table du regard.

Ce soir, songea-t-elle, quelque chose de très important s'était passé à cette table. Et ce n'était pas l'annonce de Parker.

Lauryn se souvint de la recherche qu'elle avait faite pour un cours de psychologie à l'université. Sur la façon dont l'ordre de naissance influait sur la personnalité et le comportement — elle avait été fascinée, surtout parce qu'elle avait eu besoin de comprendre la dynamique compliquée de sa propre famille, et ses réactions épidermiques devant les édits de son père.

Si sa mémoire était bonne, les manuels disaient que les enfants cadets avaient souvent le sentiment d'être invisibles et négligés. Ce n'était pas inhabituel pour eux de rechercher la reconnaissance.

Elle observa son mari.

Oh là. Son *mari*.

Adam semblait bien trop sûr de lui pour avoir besoin de l'approbation des autres — en dehors du comité de nomination du *Business Council*, en fait. Il avait affirmé que ce n'était pas la présidence du Conseil qui comptait pour lui, mais ce que cela représentait.

Qu'est-ce qu'Adam cherchait à obtenir à travers ce poste à responsabilités ? La reconnaissance de son succès par les pontes de Miami ?

Ou le respect de sa famille ?

7.

Lauryn avait pris sa défense.

Adam ne se souvenait pas de la dernière fois où quelqu'un avait fait cela pour lui. Ses parents et ses frères ne l'avaient jamais fait. Il ne s'attendait pas à ce que ses sœurs le fassent, car en tant que frère aîné, c'était à lui de veiller sur Brooke et Brittany.

Pourtant, Lauryn s'était interposée, sans hésitation, et sans qu'il le lui demande. L'éclair de feu dans ses yeux, quand elle avait regardé Parker de haut, avait été diablement sexy. Cela la rendait encore plus désirable.

Serait-elle aussi passionnée en tant qu'amante ?

Ses pensées concentrées sur la femme qui utilisait en ce moment sa salle de bains, il s'assit sur le lit de sa chambre en mezzanine, fixant le muret qui donnait sur le living-room en dessous. Lauryn n'était pas la première fille à se servir de sa douche, loin de là, mais elle était la seule qui lui ait jamais donné envie de prendre une chaise et de regarder l'eau ruisseler sur ses courbes nues. Mieux encore, il mourait d'envie de la rejoindre, et de laisser ses mains et sa bouche suivre le chemin des gouttes d'eau.

C'est parce que quand une fille est sous ta douche, tu as déjà couché avec elle, et que tu n'as qu'une envie, la mettre dans un taxi et la renvoyer chez elle.

Ses conquêtes ne dormaient pas ici. Lauryn serait la première.

Quelques instants plus tard, la porte de la salle de bains s'ouvrit, et Lauryn émergea d'un nuage de vapeur.

Elle avait relevé ses cheveux, mais des mèches mouillées s'accrochaient à ses joues humides et rougies.

Comment avait-il pu la prendre pour une fille insipide ? Elle était si désirable, perdue dans son vieux T-shirt trop grand, qu'il en avait mal.

— Pourquoi avez-vous pris ma défense ce soir ?

Elle s'arrêta net, et serra plus fort contre elle la robe noire qu'elle avait portée durant le dîner. Le vêtement l'avait couverte des pieds à la tête, soulignant une silhouette féminine, qui le faisait frémir et faisait picoter ses mains de l'envie de la toucher. La petite fente sexy au dos de sa robe l'avait fait gémir à chaque aperçu de sa cuisse. Il voyait bien plus de chair sur les pistes de l'*Estate*, tous les soirs, mais parce que Lauryn s'habillait de manière classique, cet aperçu d'un territoire interdit l'avait frappé comme une décharge électrique.

Elle s'agita d'un pied sur l'autre.

— Quelque chose dans le ton condescendant de votre frère m'a contrariée. Il m'a rappelé...

Elle se mordilla la lèvre, et secoua la tête comme si elle regrettait ses mots.

Il se leva et lui fit face, ne laissant que quelques centimètres entre eux.

— Qui ?

Elle leva les yeux vers lui et soupira.

— Mon père. Il voulait tout contrôler, lui aussi. Il était très autoritaire, psychorigide.

L'idée que Lauryn soit contrainte à la soumission provoqua chez lui une étrange colère. Etait-ce pour cela que Lauryn était si posée et sage maintenant ?

— Lauryn, je n'ai pas besoin que vous vous battiez pour moi, dit-il doucement.

— Je sais.

Elle se baissa, lança sa robe sur l'arrière de son valet de chambre, puis, dos tourné, fouilla dans sa valise comme si elle allait y trouver un trésor enfoui.

Adam se plaça juste derrière elle. Le parfum de Lauryn taquina ses narines, et sa chaleur l'attira comme un feu attire un naufragé. Il posa une main sur sa hanche ronde, et écarta une mèche humide collée sur sa nuque.

Elle se raidit, mais pas assez vite pour qu'il ne la sente pas frissonner.

— Je n'ai pas besoin que vous preniez ma défense, mais j'apprécie, dit-il tout contre son oreille.

— C'est ce que fait une épouse, non ? dit-elle sans bouger.

— Je l'ignore. Je suis novice en la matière.

Elle se tourna lentement. Il décela une lueur de désir dans ses yeux, et eut le souffle coupé.

— Adam… Vous y êtes allé un peu fort ce soir. Je sais que faire croire à votre famille que ce mariage est vrai…

— Vous m'avez rendu mes baisers. Sur la plage. Près de la piscine. Dans l'allée.

Elle eut un air méfiant.

— Peut-être suis-je aussi bonne actrice que vous.

— Vous ne pouvez pas feindre le désir qui fait rosir vos pommettes et agrandit vos pupilles.

Il posa les yeux sur les tétons pointant sous son T-shirt.

— Vous ne pouvez pas feindre ce genre de réaction.

Elle croisa les bras et haussa le menton.

— Où voulez-vous en venir ?

— Vous me désirez.

— Oui, comme des dizaines de femmes. Mais devenir adulte, c'est prendre conscience qu'on ne peut pas tout avoir.

— Lauryn, vous pouvez m'avoir, dit-il en ouvrant les bras. De toutes les façons que vous voulez.

Elle se mordilla la lèvre puis afficha une moue.

— Oui, c'est ce que j'ai cru comprendre.

Il sentit la déception l'envahir. Ce n'était pas l'invitation à partager l'unique lit de l'appartement qu'il avait espérée.

— Est-ce là le problème ? dit-il. Vous attendez les résultats des tests sanguins ?

— Non. Je m'en tiens à notre accord.

A un moment, pendant le dîner calamiteux, oubliant qu'il devait convaincre ses frères et sœurs qu'il s'était rangé, il avait commencé à se chercher des excuses pour toucher Lauryn, lui faire perdre le souffle, la faire rougir.

Il avait activement provoqué des occasions de l'embrasser, car cela l'emplissait d'une excitation et d'une anticipation qu'il n'avait ressenties pour rien ni personne depuis bien longtemps.

Combien de baisers lui avait-il volés ce soir ? Quatre ? Non, cinq. Après le dernier, près de la voiture, il avait été si fou de désir qu'il avait eu toutes les peines du monde à se comporter comme un gentleman. Et voilà que ça recommençait...

— Les accords peuvent être modifiés, observa-t-il.

Il la prit par la nuque, savourant la douceur de sa peau sous sa main.

— Laissez-moi vous montrer à quel point ce serait bon entre nous, Lauryn.

Elle ferma les paupières, prit une courte inspiration et rouvrit les yeux.

— Non.

Ce n'était pas comme si on ne lui avait jamais dit « non » avant, mais il n'avait jamais entendu cela d'une femme qui l'avait embrassé fougueusement à trois reprises. Il pouvait accepter le refus de Lauryn et s'effacer, si elle ne le désirait pas. Or, elle le désirait.

Alors, pourquoi ces signaux contradictoires ? Pourquoi les faire souffrir tous les deux ?

Il voulait l'embrasser jusqu'à ce qu'elle le supplie de la déshabiller, de la jeter sur le lit et de s'enfouir dans son sexe chaud et moite.

Comme si elle avait lu dans ses pensées, elle ouvrit de grands yeux et laissa échapper un souffle tremblant. Et son visage s'empourpra.

Oh, oui. Elle avait envie de lui. Il l'attira contre lui.

— L'approbation de votre famille, dit-elle à brûle-pourpoint, alors qu'il n'était plus qu'à un centimètre de sa délicieuse bouche. C'est pour ça que vous voulez la nomination du Conseil. N'est-ce pas ?

Comme rabat-joie, elle se posait là. Il se redressa et la relâcha.

— C'est personnel.

— Oui, c'est ce que vous dites toujours. Seulement, Adam, le jour où je suis devenue votre femme, je suis entrée dans votre vie personnelle. Si vous ne me racontez pas ce qui ne va pas, je ne peux pas vous aider.

Ce n'était pas encore ce soir qu'il ferait l'amour. A moins qu'elle ne change d'avis, il allait dormir sur le canapé, en bas de l'escalier.

Passant une main dans ses cheveux, il se dirigea vers le muret et s'appuya sur le bord. Il hésita à lui révéler ses motivations. Mais, comme elle venait de le dire, elle faisait partie de sa vie, maintenant.

— Je veux être plus impliqué dans la *Garrison, Inc.*

— Pourquoi ? L'*Estate* ne vous suffit pas ?

— Non. Mon père m'a écarté des bureaux de la *Garrison, Inc.* de son vivant, et maintenant, Parker fait pareil. Et j'en ai plus qu'assez de devoir prouver ma valeur, et qu'on me refuse un rôle que je mérite dans les affaires de la famille.

— Mais pourquoi cela importe-t-il ? dit-elle en approchant de lui. Vous avez du succès, avec ou sans l'approbation de Parker.

— Ce n'est pas son approbation que je veux.

Le soupir de frustration qu'il poussa la surprit.

— Je me suis marié pour prendre ma place dans la compagnie. J'ai les compétences et l'expérience pour jouer un rôle plus actif. Je ne peux m'empêcher de me demander si on m'a refusé une place dans la *Garrison, Inc.* parce que j'étais au courant de la liaison de mon père avec la mère de Cassie, et que j'ai eu le cran de le sermonner là-dessus.

— Vous pensez que vous êtes puni parce que vous n'avez pas gardé le silence ?

— Exactement. Mais je ne le saurai jamais. Non ?

— Vous vous rendez bien compte qu'on ne vous tient pas à l'écart parce que vous manquez de compétences, n'est-ce pas ? Je ne mentais pas quand j'ai dit à Parker que vous dirigiez une organisation de premier ordre. J'ai travaillé dans plusieurs sociétés, alors je sais de quoi je parle.

Son soutien fit vibrer quelque chose dans sa poitrine.

Elle inclina la tête, et l'observa en silence pendant un instant.

— Vous êtes un enfant cadet typique, vous savez ?

— Qu'est-ce que ça veut dire ?

Etait-ce une insulte ?

— Les enfants situés au milieu d'une fratrie doivent trouver leur place, leur propre façon d'exceller, pour se distinguer.

— C'est... tout à fait ça. Parker et Stephen ont toujours été proches l'un de l'autre, et de notre père. Brooke et Brittany sont des filles, et elles étaient inséparables. J'ai appris très tôt à m'occuper seul, et à me battre pour obtenir ce que je voulais. Seul. Si je voulais l'attention de mes parents, je devais faire quelque chose de plus grand, de plus fou ou de plus remarquable que mes frères et sœurs. A la longue, je me suis fait une réputation sulfureuse que je ne semble pas pouvoir faire oublier, même si j'ai abandonné ce comportement juvénile il y a des années.

— Et vous pensez qu'être marié vous aidera à effacer votre mauvaise réputation ?

— Avec l'épouse qu'il faut, oui.

Elle se tourna vers la fenêtre qui faisait deux étages de haut et Adam suivit son regard. Les lumières d'un bateau quittant le port de Miami scintillaient dans le ciel de velours. C'était la vue sur l'océan qui l'avait décidé à acheter cet appartement, se rappela-t-il, mais ce soir, elle ne suffisait pas à l'apaiser.

Il regarda Lauryn dans les yeux.

— Vous êtes fille unique ?

— Oui.

— Et comment sont les enfants uniques typiques ?

Lauryn s'agita, détournant les yeux.

— Les enfants uniques ont deux options. Se conformer, ou se rebeller.

— Laquelle avez-vous choisie ?

Le regard prudent de Lauryn trouva de nouveau le sien.

— A votre avis ?

Il observa ses vêtements sages, ses cheveux attachés, sa posture, et songea à sa vie solitaire.

— Le conformisme. Ce qui est une bonne chose, puisqu'une femme avec une réputation sulfureuse est la dernière chose dont j'aie besoin.

Et pourtant, l'envie de la rendre sulfureuse au lit l'avait excité au point d'envoyer au diable sa promesse d'abstinence. Il se tourna abruptement, alla s'asseoir sur le lit et tapota le couvre-lit.

— Si on dormait maintenant ?

Elle resta immobile.

— Je vous ai dit que je ne partagerais pas votre lit.

— Lauryn, je n'ai qu'un lit. Puisque nous emménageons dans la maison demain, je n'ai pas changé le bureau en chambre.

— Si je voulais partager un lit, nous serions dans la maison de Sunset Island ce soir. Je prends le canapé. Vous avez un oreiller supplémentaire ?

— Quel est le problème ? Vous craignez de ne pas pouvoir vous retenir de me sauter dessus ?

Un long silence emplit l'air avant qu'elle ne détourne le regard.

— Peut-être.

Sa franchise le prit au dépourvu.

Lui non plus n'était pas sûr de pouvoir se contrôler si elle était dans le lit à côté de lui. Mais il avait beau avoir très envie d'elle, il ne la prendrait pas tant qu'elle ne serait pas prête, suppliante, humide d'envie.

Jusqu'à ce que ce moment arrive, il pourrait survivre à quelques nuits sans sommeil.

— Je vous laisse le lit.

Lauryn avait le cœur battant et les mains moites. En haut de l'escalier de la maison de Sunset, elle considérait ses choix.

Trois couloirs partaient du balcon qui encerclait le

vestibule. A gauche ? A droite ? Droit devant ? Lequel menait à la chambre de sa mère ?

En bas, Adam ferma la porte derrière les déménageurs. Il avait insisté pour vider l'appartement de Lauryn, et ils avaient stocké l'essentiel de ses meubles et de ses affaires dans un appartement de fonction vide, au-dessus d'un des garages. Ils avaient laissé ses valises ainsi que celles d'Adam dans l'entrée.

Elle entendit les pas d'Adam dans l'escalier, et se tourna pour le voir monter. Son jean usé et son T-shirt blanc épousaient son corps comme une seconde peau. Ses biceps saillaient sous le poids des valises qu'elle avait remplies à ras bord.

Il était si sexy qu'elle en eut la bouche sèche.

Mais le sexe pour le sexe ne suffit plus. Tu te souviens ? Plus de liaisons sans lendemain. Tu en avais fait le serment.

Mais ce serment ne pouvait empêcher ses sens d'être en alerte quand Adam était près d'elle. Elle n'avait jamais été si troublée — si constamment, complètement troublée — par quelqu'un. Et plus elle en apprenait sur lui, plus elle était fascinée.

— Vous avez trouvé la chambre principale ? demanda-t-il en arrivant à côté d'elle.

— Eh bien… non.

Ses pieds avaient refusé de la porter jusqu'au palier. Maintenant qu'elle était là où elle avait rêvé d'être depuis près d'une année, elle avait peur de découvrir que sa quête n'était qu'une chimère, et que les carnets n'étaient pas là.

Mais s'ils étaient là ? Elle ne doutait pas que l'issue — quelle qu'elle puisse être — allait changer sa vie. Et peut-être pas dans le bon sens.

— Par ici, dit-il.

Elle suivit Adam dans le vaste hall central à l'arrière de la maison, et elle ne put retenir son regard de passer de ses larges épaules à ses fesses, que moulait si bien son jean.

Contrôle-toi, pour l'amour du ciel.

— Notre chambre se trouve au-dessus du solarium.

261

C'est la partie la plus récente de la maison, ajoutée il y a environ quinze ans.

Avant la mort de sa mère.

Adam passa une double porte. Le hall menait à un dressing aussi vaste que le salon de son appartement. Adam s'arrêta le temps d'y poser ses bagages, puis ils passèrent devant une salle de bains ultramoderne, décorée de marbre blanc, et disposant d'une cabine de douche circulaire et d'une immense baignoire d'un luxe décadent. Face à la salle de bains, une troisième porte révéla un salon confortable, où trônait le nouveau canapé-lit. Etait-ce là qu'elle dormirait ?

Elle suivit Adam dans la chambre baignée de soleil et semi-circulaire, décorée dans des tons sable, perle et abricot. Un lit plateforme de bois massif était plaqué contre un mur. La tête de lit sculptée en forme de coquille avait été peinte pour ressembler à l'intérieur opalescent d'un coquillage. Il y avait une large baie vitrée, comme dans le solarium, qui offrait la même vue sur la piscine, le quai et les courts de tennis. Un fauteuil, une méridienne et une petite table bistrot flanquée de deux chaises offraient des endroits parfaits pour partager un café ou lire un livre.

— C'est magnifique, dit-elle, et la vue est stupéfiante.

La suite était plus petite que celle de la maison de la plage, et bien plus intime que celle de l'appartement d'Adam. Pourrait-elle partager cet espace et ne pas céder à son désir qui montait en elle avec la force de la marée ? Une image passa dans son esprit — une image qui l'avait hantée toute la journée. Elle tenta de l'effacer, sans succès. Ce matin, elle s'était réveillée avant Adam, et avait marché sur la pointe des pieds jusqu'au muret, pour le voir étendu sur le sofa, juste en dessous de sa chambre. Quasi nu. Elle avait passé un temps infini à la regarder, et à espérer que le drap recouvrant son sexe tombe au sol.

Voyeuse. La culpabilité la fit rougir.

C'est juste de la saine curiosité. Non ?

Non. C'était plus que ça. Son béguin des premiers jours était réapparu, se rendit-elle compte avec angoisse. Et il n'était pas réapparu à cause des cadeaux comme la luxueuse voiture ou les diamants, mais à cause de petites choses. Comme la façon dont Adam avait été bon perdant quand elle l'avait battu au Scrabble, ou la façon dont il ouvrait les portes et reculait les chaises pour elle, et la traitait toujours avec respect même si, en substance, elle s'était vendue à lui.

C'était la façon dont il s'inquiétait pour sa sœur et sa mère, et comment il ne s'était pas moqué de sa peur panique des petits avions. Au contraire, pendant le trajet sur le petit jet, il lui avait expliqué comment un avion fonctionnait, et au retour, il l'avait encouragée à prendre les commandes pendant quelques minutes. Quand elle avait avoué avoir apprécié, il lui avait proposé de lui donner des leçons de pilotage.

Et puis, elle comprenait la relation conflictuelle d'Adam avec son père, et compatissait devant son besoin de faire oublier un passé peu reluisant. Ils avaient cela en commun.

Si elle n'était pas mariée avec lui, elle voudrait sortir avec lui.

Peut-être qu'Adam n'était pas le tombeur que les pages mondaines décrivaient. Peut-être n'était-il pas un de ces types qui ne pensent qu'à accumuler les conquêtes d'un soir.

Ce n'était pas un homme à fuir les tâches difficiles, et s'il était le play-boy que la presse affirmait qu'il était, il laisserait ses employés faire tout le travail, mais il avait aidé les déménageurs toute la journée aujourd'hui, et jouait souvent les petites mains.

Et peut-être que tu t'accroches à des illusions, parce que tu as envie de lui.

Adam effaça la distance entre eux en deux longues enjambées. Il s'appuya contre la fenêtre à côté d'elle et se pencha vers elle.

— Le lit est assez grand pour nous deux.

Elle ne devrait pas être tentée. Mais elle l'était.

— Adam. Nous avons déjà eu cette conversation.

— Lauryn, rétorqua-t-il avec le même ton exaspéré qu'elle avait employé, mais l'amusement et l'invitation brillaient dans ses magnifiques yeux bleus — une invitation qu'elle avait envie d'accepter à chaque seconde qui passait. Tu ne me facilites pas la tâche.

Aïe, il était passé au tutoiement, comme lorsqu'ils étaient en public. C'était le signal que ce qui allait suivre allait être très… sensuel. Et qu'elle allait avoir un mal à fou à résister. Une fois de plus…

Il lui prit le visage entre ses mains. La chaleur de sa paume était si agréable, que l'envie de s'abandonner à sa caresse la submergea presque.

Et il y avait autre chose. Il était honnête — malgré leur mariage malhonnête. Il la désirait, et il n'en faisait pas mystère. Elle se sentait un peu coupable de ne pas être à cent pour cent disponible avec lui.

Il se rendait si désirable.

Coucher avec lui ne serait pas un acte désespéré pour avoir son approbation, ou pour mettre ton père en rage.

Mais ce serait mal, pourtant. S'abandonner à ses envies charnelles ne la ferait pas avancer vers ses objectifs à long terme, et ces derniers temps, elle pensait constamment à l'avenir.

Elle voulait reculer, mettre fin à cette étreinte et instaurer une saine distance entre eux, mais ce mariage était une question d'apparences. Adam avait demandé au chef de leur préparer un repas spécial pour leur première soirée dans la maison. S'ils voulaient rendre crédible le fait de faire lit à part, des témoignages d'affection en public et même de passion seraient nécessaires. Adam avait dû voir quelques employés regarder à travers les fenêtres.

Avant qu'elle puisse lui demander si tel était le cas, il pencha la tête et l'embrassa. Il but ses lèvres et les taquina avec sa langue, caressant et aspirant sa lèvre inférieure. Elle adorait la façon dont il embrassait. La saveur de sa bouche.

Le baiser d'hier, dans l'allée de la maison de sa mère, avait été passionné, mais loin d'être aussi brûlant que celui-ci. Ce baiser était un assaut sans retenue sur ses sens. Aussitôt, la faim monta en elle comme le mercure dans un thermomètre, annihilant la prudence, le bon sens, la retenue, et lui donnant envie de bien davantage que de simples baisers.

Adam la plaqua contre la vitre. Il glissa une cuisse entre les siennes et approfondit le baiser. De sa main large et puissante, il recouvrit son sein. Il effleura son téton sensible, encore et encore. Lauryn sentit son ventre se tendre de désir. L'érection d'Adam appuyait contre elle, et la chaleur de son torse marquait sa poitrine au tison. Elle serra les poings pour réprimer son envie de prendre son sexe durci entre ses mains.

Une petite voix dans son esprit lui criait qu'elle allait trop loin. Pour donner le change à un éventuel spectateur, elle n'avait pas besoin de s'abandonner autant. De laisser Adam la caresser comme il le faisait. Mais le reste de son corps se mutinait contre la petite voix. Lauryn voulait cela. Elle voulait Adam. Ses caresses. Voulait ressentir la passion qu'elle s'était refusée si longtemps. Elle se frotta contre sa cuisse, et des ondes de plaisir la traversèrent.

Ce fut alors qu'il posa la main sur son sexe. Son short de toile ne fit rien pour amoindrir l'effet du contact indécent et excitant. Elle interrompit le baiser pour reprendre son souffle, et laissa sa tête retomber contre la vitre. Adam la caressa à travers ses vêtements et elle ne put retenir un gémissement de plaisir.

Tu ne devrais pas le laisser faire cela.

Arrête-le. Tu es trop vulnérable à cet instant pour penser de façon claire.

Adam l'embrassa dans le cou, tout en continuant de faire des merveilles avec sa main.

Repousse-le.

Mais elle en était incapable. Pour l'instant. Le plaisir, enivrant et incontrôlable, monta rapidement jusqu'à ce qu'elle soit balayée par un orgasme dévastateur.

A peine capable de tenir debout, elle s'accrocha aux épaules d'Adam, et s'affala contre la vitre. Elle se força à ouvrir les paupières et regarda les yeux assombris de désir d'Adam.

— Ça t'a plu ? dit-il entre deux souffles.

Sa pudeur la fit rougir.

— Tu sais que oui. Mais cela n'aurait pas dû arriver.

Elle avait fauté. Vraiment. Embarrassée, elle tourna la tête pour regarder le patio vide en dessous d'eux. Un rapide coup d'œil vers l'escalier lui apprit que personne ne les observait.

— Nous n'avons pas de public.

Adam se redressa, la maintint en équilibre puis la relâcha, en souriant lentement.

— J'ai fait cela pour moi, dit-il. Je te l'ai dit, je me bats toujours pour obtenir ce que je veux. Et je te veux, Lauryn Garrison. Te voilà prévenue.

Il lui fit un clin d'œil et quitta la pièce.

Les genoux de Lauryn cédèrent et elle glissa sur le sol. Qu'avait-elle fait ?

Elle avait ouvert la boîte de Pandore, voilà ce qu'elle avait fait.

Et elle n'était pas sûre de pouvoir en refermer le couvercle.

Elle avait recommencé.

L'estomac de Lauryn fit des siennes. Elle s'était laissé emporter par la musique, et avait envoyé des signaux qu'elle n'avait pas eu l'intention d'envoyer à son mari — des signaux disant qu'elle était disponible, et disposée à consommer son mariage de façade.

Pas étonnant qu'Adam l'étreigne si fort sur la piste de danse. La chaleur de son torse pressait contre son dos, et ses bras, l'un autour de sa taille et l'autre juste sous ses seins, la maintenaient serrée tandis qu'il se balançait au son de la musique du gagnant du Grammy Award qui chantait sur la scène principale de l'*Estate*.

Les lèvres d'Adam taquinaient la peau sensible sous son oreille, et son sexe en érection appuyait contre ses hanches. C'était l'envie de se coller à lui, sans la barrière de leurs vêtements, qui emplissait Lauryn de panique.

Chaque jour, ses raisons pour résister à une relation physique étaient plus nébuleuses. Pire, Adam le savait. Elle le voyait dans ses yeux chaque fois qu'il la regardait, sentait la confiance, l'assurance dans ses caresses accrues, dans la séduction de ses lèvres. Les gestes passionnés étaient censés être pour le spectacle, pour leur public. Mais elle savait bien qu'il n'y avait pas que cela — car Adam avait ces gestes même quand personne n'était dans les parages.

Il semblait décidé à la séduire avec des fleurs, des bijoux, et quelques petits cadeaux, qu'elle trouvait près de son assiette, sur son oreiller, sur son bureau. Mais c'étaient les conversations joyeuses chaque matin autour du petit déjeuner qui érodaient lentement ses défenses.

Cet homme savait comment faire la cour aux femmes.

Mais elle ne tenait pas à être une conquête parmi tant d'autres.

Elle se dégagea, et fit face à Adam sur la piste bondée. Elle dut se pencher pour se faire entendre, assez près pour respirer le parfum d'Adam, mélange de virilité et de fragrance citronnée. Son pouls s'accéléra.

— Ça t'embête si je rentre tôt ce soir ?

Adam la dévisagea, l'air soucieux, puis il la mena à l'écart de la piste.

— Il y a un problème ?

Oui, il y avait un problème. Elle avait perdu de vue son objectif, et devait encore sonder les placards à la recherche d'une latte de plancher décollée. Outre la chambre principale, elle n'avait fait qu'une rapide inspection à l'étage. C'était en partie la faute d'Adam. Il insistait pour maintenir l'image du couple de jeunes mariés inséparables, et ils étaient toujours ensemble. Son seul moment de solitude était l'après-midi, quand elle travaillait à l'*Estate*. Même là, il n'était qu'à dix pas de son bureau.

A 18 heures chaque soir, il la raccompagnait chez eux. Ils se changeaient avant d'aller dîner dans un restaurant pour voir et être vu. Ensuite, ils retournaient au club et y restaient jusqu'à 3 heures du matin. Des caresses publiques s'ensuivaient, ainsi que quelques danses occasionnelles. Les gestes d'Adam sur la piste étaient si sensuels qu'elle ne pouvait s'empêcher de se demander quel amant il serait.

Et maintenant, elle était aussi excitée qu'une ligne à haute tension.

Quelle idiote. Quatre jours qu'elle vivait dans la maison de sa mère — *quatre jours !* — et qu'avait-elle récolté ? Rien, sauf des hormones trop actives et une horloge biologique qui ne savait plus faire la différence entre la nuit et le jour.

— J'ai du sommeil à rattraper.

Le mensonge lui causa un pincement de culpabilité. Elle avait besoin d'une maison vide pour faire ce qu'elle avait à faire.

Si tu étais honnête avec Adam à propos de ta mère biologique, tu n'aurais pas à mentir.

Bientôt, se promit-elle. Elle lui dirait tout, bientôt. Elle l'appréciait et le respectait trop pour continuer à mentir sur les raisons qui l'avaient mise sur son chemin.

— Je te raccompagne.

Si elle le laissait faire, il l'embrasserait pour lui souhaiter bonne nuit. Or elle sentait déjà sa résistance flancher. Il fallait qu'elle évite la bouche talentueuse et persuasive d'Adam avant que cela ne les mène droit dans son lit.

— Non. Adam, j'ai raccourci tes nuits de travail trop souvent. Reste au club jusqu'à la fermeture, comme tu le faisais avant.

Adam ne s'était jamais inquiété pour une de ses conquêtes auparavant, mais il n'avait pu s'ôter Lauryn de l'esprit depuis une heure.

Pourquoi avait-elle quitté le club si vite ? Etait-elle malade ?

L'instant d'avant, elle dansait de manière si séductrice qu'il avait été excité et prêt à l'attirer dans son bureau, pour reprendre là où ils en étaient restés l'autre jour. Et tout à coup, elle s'était figée, puis s'était brusquement dégagée. Sa décision fut vite prise. Dès qu'il aurait personnellement remercié le chanteur de ce soir pour sa venue, il quitterait l'*Estate*, et rejoindrait Lauryn à la maison.

Quand, une demi-heure plus tard, il se gara devant

la maison, il la trouva silencieuse. Etonné, il montait l'escalier sans faire de bruit, quand une lumière dans une chambre du couloir sud attira son attention, provoquant une montée d'adrénaline.

Y avait-il un intrus dans la maison, ou Lauryn était-elle encore debout, en train d'explorer les pièces ? Le besoin de la voir, de s'assurer qu'elle allait bien, lui sembla soudain aussi vital que de respirer. Il sortit son téléphone portable, prêt à appeler les secours si nécessaire, et monta d'abord vers la chambre principale, pour voir si Lauryn allait bien.

Le lit était vide, le couvre-lit impeccablement tiré.

Il revint sur ses pas. La salle de bains était sombre, et déserte. Il alluma la lumière. La robe que Lauryn avait portée ce soir était posée sur une chaise : elle était donc rentrée, et s'était changée. Alors, c'était sans doute elle qui était dans l'autre chambre, songea-t-il en remettant son téléphone dans sa poche.

Pour essayer de l'attirer dans son lit, il avait fait monter la température d'un cran depuis ce soir où elle s'était atomisée entre ses bras, et ce matin, il avait laissé les résultats du laboratoire, les déclarant tous deux sains, sur sa commode. Il avait aussi rangé une boîte de préservatifs dans chaque table de chevet, et glissé un porte-préservatif en or dans son sac à main. Rien de subtil là-dedans.

Etait-il allé trop loin, trop vite ?

Avait-il fait fuir Lauryn, au point qu'elle prenne une autre chambre ?

Il se dirigea vers la chambre éclairée et perçut un bruit sourd à mesure qu'il avançait. De plus en plus intrigué, il avança dans la pièce. Elle était vide, et la lumière et les bruits sourds provenaient du dressing. Etrange. Il traversa la pièce et regarda par l'entrebâillement de la porte. Lauryn était agenouillée, et tapotait de ses poings sur les lattes du plancher, en appuyant sur chaque extrémité.

— Qu'est-ce que tu fais ?

Elle poussa un cri, se leva d'un bond, et se tourna pour lui faire face, une main sur le cœur.

— Tu m'as fait une de ces peurs !

— Qu'est-ce que tu fais ? répéta-t-il.

La culpabilité se peignit sur son visage.

— Je… je suis à la recherche d'une cachette.

Cela n'avait pas de sens. Il avait dû mal entendre.

— Quoi ?

Elle passa une main dans ses cheveux, détourna le regard un instant.

— C'était la maison de ma mère — ma mère *biologique*. Je cherche son journal intime.

Cela avait encore moins de sens.

— Lauryn, mais de quoi parles-tu bon sang ? Tu es ivre ?

Pourtant, elle avait les yeux clairs, et semblait sobre. Il ne l'avait rien vue boire ce soir, hormis son eau pétillante habituelle, avec un zeste de citron.

— C'est une longue histoire. Que j'aurais dû te raconter depuis longtemps, et je suis navrée de ne pas l'avoir fait. Mais je ne savais pas par où commencer.

Le regard qu'elle lui lança l'inquiéta. Il n'allait pas aimer ça — quoi que ce fût.

— Pouvons-nous… il faut que je te montre quelque chose.

Elle passa devant lui pour sortir. Il la suivit jusqu'au placard de leur chambre, d'où elle sortit sa valise. Elle en extirpa deux dossiers, et une pile de lettres soigneusement attachées avec un ruban. Elle les posa près de lui.

L'adresse de l'expéditeur était la même que celle de la maison. Pas de nom. Juste les initiales *A. L.*

— Après la mort de mon père, expliqua-t-elle d'une voix un peu tremblante, j'ai découvert qu'Adrianna Laurence était ma vraie mère. Elle a rencontré mon père quand il était stationné en Floride. Ils ont eu une aventure, et ma mère est tombée enceinte de moi. Les lettres qu'elle lui a écrites mentionnent un compartiment caché dans le sol du placard de sa chambre, où elle conservait son journal intime. Elle a écrit : « Seuls toi, moi et mon journal connaissons la vérité. »

Elle se tut un instant, l'air si troublée qu'il crut un instant qu'elle allait s'effondrer, mais elle prit une grande inspiration et ajouta :

— Voilà, c'est pour ça que je fouillais ce placard. J'espérais trouver le journal et en savoir plus sur leur liaison. Enfin, pas les choses intimes, juste la partie qui me concerne. Et pourquoi elle m'a abandonnée.

Adam tenta de jongler avec les pensées qui le bombardaient. Il était impossible que Lauryn soit venue de Californie, l'ait rencontré par coïncidence et l'ait épousé — lui, le propriétaire de la maison que sa mère avait habitée autrefois. Il saisit les dossiers, et vit le nom d'Adrianna Laurence sur l'une des étiquettes, et le sien sur l'autre.

— Tu m'as tendu un piège ?

— Pas exactement.

— Tu peux préciser ?

Elle expira lentement, comme si elle cherchait à gagner du temps.

— Je suis venue en Floride peu après les funérailles de mon père. Je voulais rencontrer Adrianna, mais elle était déjà morte, et elle n'avait pas de parents en vie. J'ai demandé autour de moi, et j'ai découvert que la maison avait été vendue. Presque personne ne voulait me parler. Les rares qui acceptaient juraient qu'elle n'avait jamais eu d'enfant.

Elle tapota le fichier.

— C'est tout ce que j'ai pu trouver. Ce n'est pas assez.

— Tu voulais récupérer sa maison ?

Il avait entendu des plans plus tortueux pour gagner de l'argent facile. Mais il n'aurait jamais cru Lauryn cupide. Bon, d'accord, elle l'avait épousé pour un million de dollars, mais il ne l'avait pas vue dévaliser les boutiques.

— Non. Je veux juste les carnets de son journal. Après de longues recherches, j'ai découvert que tu avais acheté la maison des Laurence, et j'ai su que la seule façon d'obtenir ce que je voulais était de passer par toi.

Un goût amer emplit la bouche d'Adam.

— Tu t'es servie de moi.

— J'imagine qu'on peut dire ça, concéda-t-elle d'une petite voix. Mais tu dois comprendre, Adam, je venais de perdre mon père. Et j'avais l'impression d'avoir perdu

271

mon identité aussi. La femme que j'appelais « maman » depuis vingt-six ans n'était pas ma mère ! Le mariage supposé parfait de mes parents était juste un mirage. Mon père a épousé Susan, la veuve de son meilleur ami, pour me donner une mère et pour donner un père au bébé de Susan. Tout ce en quoi j'avais cru avait été un mensonge. Je ne sais pas ce qui est réel, et ce qui est fictif. Il faut que je découvre la vérité — la pure vérité, pas le conte de fées que mes parents m'ont servi.

C'était trop à la fois.

— Tu disais être enfant unique. Est-ce un mensonge, ça aussi ?

Elle tressaillit.

— Hormis ce soir, quand je t'ai dit que je voulais rattraper des heures de sommeil, je ne t'ai menti que par omission. Le bébé de Susan était mort-né. Mon père et elle n'ont jamais eu d'autres enfants.

— Pourquoi jouer cette comédie ? Pourquoi ne pas m'avoir dit ce que tu voulais ?

— Oh, je t'en prie, Adam. Penses-tu sérieusement que tu m'aurais crue si j'étais venue te raconter cette histoire de but en blanc ? Que tu aurais accepté de m'aider ?

Probablement pas.

Elle avait dû lire la réponse sur son visage. Elle poursuivit :

— Quand j'ai fait des recherches sur toi, je suis tombée sur le site web de l'*Estate*, et j'ai vu l'annonce pour le poste de comptable : c'était comme un signe du destin. Alors, je t'ai envoyé mon C.V. Tout ce qui y figure est vrai, tu peux vérifier mes références. J'ai pensé qu'une fois que nous nous connaîtrions, une fois que tu aurais eu l'occasion de voir que je n'étais pas une détraquée, je pourrais t'expliquer la situation et te soumettre ma requête. Mais ça n'a pas marché comme je le pensais. Nous nous voyions au maximum deux heures par semaine, et c'était toujours avec d'autres employés autour de nous.

Il se souvint de la condition qu'elle avait posée. Elle avait dit qu'elle l'épouserait, mais seulement s'ils vivaient ici.

— Alors tu m'as épousé pour entrer dans cette maison.

— Le mariage était ton idée, Adam.

Vrai.

— Mais c'est la maison qui t'a décidée.

— Oui. Ça, et l'occasion de rencontrer Helene Ainsley, et quiconque pouvait m'aider à connaître ma mère.

Adam eut soudain l'impression qu'un étau glacé se refermait dans sa poitrine. Lauryn l'avait traqué, et elle lui avait menti.

Les mensonges par omission restaient des mensonges, et ils étaient potentiellement dangereux. Il n'y avait qu'à voir les ravages que la liaison de son père avait faits sur sa famille. Sur Cassie.

— Qu'aurais-tu fait si je ne t'avais pas demandée en mariage ?

— J'essayais de rassembler mon courage pour te parler, mais je craignais que tu ne refuses de m'aider. Mes questions seraient alors restées sans réponse. A jamais.

Elle leva la main comme pour lui toucher le bras, mais il recula. Il ne pouvait laisser l'alchimie entre eux obscurcir son jugement.

— Adam, je suis désolée de ne pas t'avoir parlé plus tôt. C'est juste que… je ne savais pas comment m'y prendre.

La colère, la confusion, la déception, et le sentiment d'être idiot, d'avoir été trahi, tourbillonnaient en lui.

Il voulait rayer Lauryn de sa vie, mais s'il dissolvait le mariage après une semaine à peine, cela ruinerait tous ses projets. Le siège de président du Conseil. Un plus grand rôle dans la *Garrison, Inc.*

Mais pouvait-il faire confiance à Lauryn pour qu'elle joue la comédie jusqu'au bout ?

— Et la manière dont tu réponds à mes baisers, ça faisait aussi partie de ton plan pour me mener en bateau ? C'était faux, aussi ?

Il n'avait pas remarqué sa pâleur, jusqu'à ce qu'elle rougisse, mais elle ne détourna pas le regard.

— Tu sais bien que non.

Elle l'implorait du regard de comprendre, mais il ne savait que penser. Que dire. Que faire.

— Quand tu auras trouvé le journal — s'il existe — alors quoi ?

— Nous continuerons comme prévu. Je t'ai promis deux ans. Je ne manquerai pas à ma parole.

Ses yeux étaient clairs et honnêtes. Si elle mentait, elle méritait un Oscar.

Il prit les dossiers et les lettres.

— Nous discuterons de cela demain.

Elle se dirigea vers lui.

— Adam…

— Ne m'approche pas, intima-t-il en haussant la main. J'ai besoin d'être seul.

Puis il sortit de la pièce et descendit les marches de l'escalier quatre à quatre.

Il voulait croire Lauryn, même si tout en lui disait qu'il ne devrait pas. Sa raison lui criait que toute son histoire était invraisemblable. Et Dieu sait s'il avait été brûlé par les mensonges autrefois.

Les mensonges de son père pour masquer sa liaison. Ceux de sa mère pour cacher son alcoolisme.

Parvenu sur la terrasse, il prit une longue inspiration. D'abord, il lirait les lettres et les dossiers que Lauryn venait de lui donner, puis il parlerait à Brandon, pour savoir où il se situait dans ce désastre légal.

Quand il aurait connaissance de tous les faits, il lui faudrait prendre une décision.

Garder son épouse. Ou la jeter dehors.

8.

— Je vais t'aider à chercher ce journal.

La voix d'Adam fit sursauter Lauryn si fort qu'elle faillit renverser son jus d'orange.

Alors, il la croyait ! La vague de bonheur qui montait en elle l'avertissait que ce n'était pas seulement à cause des carnets.

Elle tourna sa chaise vers lui. Adam semblait avoir aussi mal dormi qu'elle. Des traces sombres entouraient ses yeux. Il s'était déjà rasé, et avait revêtu un pantalon anthracite et une chemise de soie noire, pourtant il n'irait pas au club avant des heures.

Le samedi était un jour chargé à l'*Estate*. Normalement, Lauryn travaillait du lundi au vendredi, mais à cause du mariage, de la lune de miel et du temps passé à former son assistante sur le nouveau logiciel de traitement des chèques récemment installé, elle avait pris du retard et voulait le rattraper avant que le déluge des livraisons du lundi ne s'abatte sur le club.

— Pourquoi voudrais-tu m'aider ?

— Brandon dit que tu n'as pas brisé notre contrat. Même si je te mettais à la porte, je te devrais quand même le million promis.

Elle tressaillit.

— Je n'accepterais jamais d'argent pour un travail que je n'ai pas achevé. Mais, s'il te plaît, laisse-moi chercher ces carnets avant d'en finir avec ce mariage.

— Nous n'allons pas en finir maintenant, Lauryn,

répondit-il d'une voix plus douce. J'ai perdu mon père récemment, moi aussi, alors je sais que ça peut altérer notre jugement. Et... je sais ce que c'est que de vivre avec des questions sans réponse.

Ce fut à cet instant précis que Lauryn sut avec certitude qu'elle était amoureuse de lui. Mais elle étouffa ces sentiments tout au fond d'elle. Sa relation avec Adam était temporaire. Elle ne pouvait se permettre de perdre son cœur pour lui. D'ailleurs, même si elle décidait qu'elle attendait plus de ce mariage, elle n'était pas le genre de femme avec qui Adam pourrait finir sa vie. Il fallait être aveugle pour ne pas voir la différence entre elle et les autres invités à la réception des Ainsley, ou dans les restaurants chic dans lesquels Adam et elle avaient dîné.

Être bien élevée et sage ne lui venait pas naturellement. Elle avait travaillé chaque jour depuis l'annulation de son premier mariage pour y parvenir.

Adam se versa une tasse de café mais s'appuya contre le comptoir au lieu de la rejoindre à table.

— Ton histoire tient la route. J'ai trouvé la nécrologie de ton père sur internet. On dirait que c'était un sacré type. Dommage pour l'accident.

— Il est mort en faisant ce qu'il aimait, dit-elle. Voler. Tester de nouveaux avions. Et porter l'uniforme. L'aviation militaire, c'était toute sa vie. C'est mieux qu'il soit mort avant d'avoir dû prendre sa retraite.

— Mon père était comme ça aussi. Il vivait pour son travail.

Un instant de silence passa, comme si Adam était lui aussi perdu dans ses souvenirs. Et puis, il secoua la tête et se concentra sur Lauryn.

— J'ai toujours besoin de toi pour mon but premier. Je veux gagner cette élection.

Elle se leva et traversa la pièce, s'arrêtant à peine à quelques centimètres de lui.

— Je ne te laisserai pas tomber, Adam.

Elle ferait tout ce qui était en son pouvoir pour l'aider à

devenir président du *Business Council*, et elle essaierait de faire comprendre à Parker à côté de quel atout il passait.

Se levant sur la pointe des pieds, elle déposa un baiser sur sa joue.

— Merci, Adam.

Alors qu'il aurait dû reculer, il la prit par la taille.

— De quoi ?

— De m'aider. De me croire, et de me faire confiance.

— Tu aurais dû tout me dire, Lauryn.

— Je sais. Je suis désolée.

— Y a-t-il d'autres squelettes dans ton placard dont je devrais connaître l'existence ?

Elle fut un instant tentée de lui parler de sa jeunesse dissolue. Mais ses jours rebelles étaient bien loin, et n'affecteraient pas Adam. Tommy était à l'autre bout du pays — sans doute derrière les barreaux, vu sa tendance à vouloir gagner de l'argent rapidement et pas toujours légalement. Et puis, l'annulation signifiait que le mariage n'était jamais arrivé. Grâce au père de Lauryn, la cérémonie dont elle ne pouvait se rappeler avait été effacée des registres officiels. Toute cette débâcle était trop embarrassante pour en parler. Elle avait honte de son passé, de son comportement d'adolescente odieuse, de ses erreurs stupides, et de sa crédulité. Et elle avait peur qu'Adam la méprise à cause de tout cela.

— Non.

— Bien.

Il lui caressa doucement les cheveux. Puis il l'embrassa.

Elle se moquait que ce baiser soit pour l'employée de maison. Tout ce qui lui importait, c'était la chaleur de sa bouche, la force de son corps contre le sien. Il fallait le reconnaître, elle en était venue à apprécier et même à attendre avec un peu trop d'impatience ces témoignages d'affection.

Soudain, posant les mains sur ses fesses, Adam la plaqua contre lui. Elle sentit ses muscles se raidir sous ses mains tandis qu'elle explorait ses bras, ses épaules. Ses cheveux étaient soyeux et légèrement mouillés après la douche, sa mâchoire douce et rasée de frais.

Adam leva la tête, et riva son regard assombri au sien.

— Assez. Je ne peux plus aller jusqu'au bord de mon contrôle et ensuite reculer. J'ai envie de toi, Lauryn, et je suis fatigué de jouer.

Le ton rauque de sa voix la fit frissonner. Adam avait raison. Ils ne pouvaient continuer indéfiniment ainsi. La tension et les jeux de séduction étaient en train de devenir incontrôlables.

— J'ai envie de toi aussi, Adam, avoua-t-elle en un souffle.

Elle vit un sourire fleurir sur ses lèvres.

— Dans ce cas, dit-il alors, nous avons deux options… Soit nous prenons notre journée pour chercher ces fameux carnets. Soit nous retournons au lit. Ensemble.

Lauryn sentit son ventre faire un soubresaut. Elle n'allait pas se bercer d'illusions, cette liaison ne durerait pas. Mais elle appréciait et respectait Adam. Et elle était déjà à moitié amoureuse de lui.

— J'ai attendu des mois pour trouver ces carnets. Je pense que je peux attendre encore quelques minutes.

Il fronça les sourcils, comme si elle l'avait insulté. Mais le feu luisait dans ses yeux.

— Quelques minutes ? Tu me sous-estimes, ma chérie.

— Eh bien, fit-elle, un sourire aux lèvres, prouve-le.

Adam souleva Lauryn dans ses bras et avança dans le couloir. Ce geste de pur romantisme fit sursauter le cœur de Lauryn, et elle enroula les bras autour de son cou.

— Adam, tu ne vas tout de même pas me porter dans l'escalier ?

— Tu veux parier ?

De fait, Adam grimpa les marches sans effort, puis il arpenta le couloir et ne s'arrêta que quand il eut atteint leur chambre. Alors, il la posa à terre, mit une main sur sa nuque, et prit sa bouche. Avec avidité.

Lauryn laissa dériver ses doigts des épaules d'Adam vers son torse, en passant sur son cœur aux battements rapides, en rythme avec le sien. A tort ou à raison, elle avait décidé d'aller jusqu'au bout, de déchaîner la passion qu'elle avait réfrénée depuis si longtemps. Et maintenant, elle n'avait qu'une hâte, déshabiller Adam.

Elle agrippa sa chemise et la fit sortir de son pantalon, lui donnant accès au ventre ferme qu'elle avait admiré dans l'appartement, l'autre jour. Elle étala les mains sur ses muscles ondoyants et s'imprégna de leur chaleur.

Adam rejeta la tête en arrière tandis que Lauryn ouvrait les boutons de sa chemise en commençant par le bas. Adam ouvrit ceux du haut, et leurs mains se rencontrèrent à mi-chemin. Quand le dernier bouton céda, Lauryn fit glisser le vêtement de soie sur ses épaules, révélant la toison sombre qui menait à son bas-ventre. Gourmande, elle suivit le tracé des boucles serrées du bout des ongles, et elle sentit Adam se contracter sous sa caresse. Il attrapa ses mains, embrassa chaque paume puis, avec des gestes enfiévrés, lui enleva prestement sa veste, et sa chemise.

Prenant une profonde inspiration, il recula pour contempler le spectacle qu'elle lui offrait, les globes laiteux de ses seins prisonniers de son soutien-gorge de dentelle lavande. Du bout des doigts, il suivit les bretelles fines sur ses épaules, la courbe de ses seins gonflés de désir. Il fit glisser les bretelles sur ses épaules, puis, doucement, il dégrafa le sous-vêtement et se perdit dans la contemplation de ses seins enfin nus.

Ses tétons se durcirent sous son regard gourmand, et les muscles de son sexe se contractèrent d'anticipation. Elle retint son souffle tandis qu'il penchait la tête et que sa bouche chaude explorait son sein, aspirait son téton dressé. Elle se mordilla la lèvre, étouffant un gémissement. Alors, comme pour la remercier de cette marque d'approbation, Adam se mit à caresser son autre sein, et le désir tourbillonna tout au fond d'elle. Elle plongea les doigts dans les cheveux d'Adam et ne bougea pas, pour savourer le flot des sensations qui la parcouraient jusqu'à ce que son impatience l'empêche de rester immobile.

Elle avait besoin de toucher Adam, de sentir sa peau nue contre la sienne. Elle en avait rêvé si longtemps ! Elle commença par ôter la ceinture de son pantalon. Et puis, lentement, elle descendit la fermeture Eclair, et plongea la main dans l'ouverture pour toucher son sexe. Dur. Chaud. Lisse.

Nu.

Haletante, elle sursauta. Le pantalon glissa sur les jambes d'Adam.

— Tu ne portes pas de caleçon ?

— Je n'en porte jamais.

Adam jeta ses chaussures et son pantalon au loin. Son sexe tendu d'envie se dressait au milieu de boucles denses. Les doigts se recroquevillèrent involontairement, dans l'attente de le toucher enfin, mais Adam captura ses mains et la fit reculer jusqu'à ce qu'elle bute contre le lit.

Il l'étreignit, plaquant son torse contre ses seins, et son sexe en érection contre son ventre. Lauryn poussa un soupir d'anticipation. Adam ouvrit la fermeture de sa jupe et la laissa tomber au sol, révélant le slip en dentelle lavande assorti à son soutien-gorge.

— Bien.

Sa voix rauque donnait une nuance indécente à ce mot si neutre… Adam s'agenouilla et fit glisser le slip sur ses chevilles, puis, il appuya la joue contre le triangle de boucles.

Elle chancela, mais Adam se redressa, et, la prenant dans ses bras, il la déposa délicatement sur les draps de coton égyptien. Le tissu était froid contre son dos, en contraste avec les paumes chaudes d'Adam qui lui retiraient son slip, tout en lui laissant ses sandales aux talons aiguilles.

Adam s'assit et la contempla tout son soûl.

— Tu es magnifique.

Elle avait déjà entendu ces mots. Mais elle voyait dans les yeux d'Adam qu'il les pensait. Il n'était pas en train de l'abreuver de flatteries vides de sens pour obtenir ce qu'il voulait. Il la désirait. Pas seulement pour le sexe. Pas seulement pour son plaisir. Il la voulait *elle*.

Et soudain, elle se rendit compte que ce n'était pas du sexe primaire, vide de sens, l'envie de défier son père ou de tester sa féminité. C'était… plus que ça. Et cela l'inquiétait, parce que ce « plus » ne faisait pas partie de leur contrat de mariage.

Adam lui prodigua les plus légères des caresses sur ses chevilles, sur ses mollets et ses cuisses, avançant de plus en plus près de son sexe, avec des détours tentants derrière ses genoux, vers l'extérieur de ses cuisses, et enfin, enfin, à l'endroit où elle avait tant envie de lui.

Elle se cambra sous le contact électrisant de sa main sur le sexe brûlant, et lorsqu'il s'insinua entre ses replis moites et se mit à taquiner sa chair sensible, elle laissa échapper un gémissement de plaisir.

C'était trop. Pas assez. Parfait.

Et puis, la bouche d'Adam suivit le même chemin que sa main, et sa langue explora son intimité, lui arrachant un cri de plaisir. Adam la fit monter rapidement vers les cimes du plaisir, mais s'interrompit quand il fut tout près du but. Il répéta son assaut sensuel encore et encore jusqu'à ce que, tendue et folle de désir, elle n'en puisse plus.

Folle de désir, elle agrippa ses cheveux, ses épaules, son dos, et se pressa contre lui, suppliante.

— S'il te plaît, maintenant !

Adam se redressa. Son regard assombri se riva au sien pendant des secondes interminables, et puis, il s'éloigna. Lauryn voulut hurler sa frustration, mais elle comprit soudain.

Une protection. Comment avait-elle pu oublier ? Même durant ses années de rébellion et d'imprudence, jamais elle n'avait oublié de se protéger.

Quand Adam revint avec un préservatif à la main, elle s'en saisit et le regarda avec un petit sourire. Il voulait la rendre folle de désir, au point qu'elle le supplie ? Eh bien, elle pouvait lui rendre la pareille. D'un geste langoureux, elle laissa glisser sa main le long de son torse, son ventre, caressant, griffant, traçant de ses doigts un long chemin sensuel jusqu'à ses hanches, et enfin, son sexe, qu'elle cajola jusqu'à ce que les gémissements d'Adam, ses frissons, ne la rendent à son tour folle d'excitation. Alors, ne pouvant plus attendre une seconde de plus, elle déchira l'emballage et déroula le préservatif le long de son sexe rigide.

Mais avant qu'elle puisse imaginer le supplice qu'elle aimerait lui faire subir, Adam la força à passer sur le dos, et se plaça entre ses cuisses, sexe contre sexe. Il glissa les mains sous ses fesses, les souleva, et entra enfin en elle.

Elle ne put retenir un cri. Adam se figea, la mâchoire tendue, le regard surpris.

— Lauryn ?

— Ne t'arrête pas. Je t'en prie, ne t'arrête pas.

— Tu es si étroite. Tu es…

— Non. Mais ça fait longtemps. C'est… si bon.

La lueur malicieuse réapparut dans les yeux d'Adam, mais n'effaça pas complètement la lueur d'inquiétude.

— Juste bon ?

Elle se cambra pour l'accueillir plus profondément en elle.

— Vraiment bon. *Génial*. Adam. Je. Ne peux pas. Attendre. S'il te plaît…

Elle n'eut pas à répéter sa requête. Il alla et vint en elle, encore et encore, répandant en elle une chaleur qui s'intensifiait à chaque ondulation. Avec ses mains, sa bouche, ses caresses et ses coups de reins, il lui offrit l'orgasme le plus rapide et le plus époustouflant de sa vie, qui la dévasta comme une tornade, la laissant faible et languide, hors d'haleine et bouleversée. Mais Adam n'en avait pas fini avec elle. Il lui en procura un deuxième, puis un troisième, avant de la rejoindre, son cri d'extase résonnant entre les murs de la chambre.

Enfin, il s'affaissa sur elle, leurs deux corps en sueur toujours en fusion. Epuisée mais comblée, elle le tint serré contre elle, lissa ses cheveux emmêlés, caressa son dos lisse, en essayant de reprendre son souffle.

Eh bien. Ses liaisons d'adolescente ne l'avaient pas préparée à ça.

Quand Adam se retira et s'étendit à côté d'elle, elle sentit un sentiment de vide grandir tout au fond d'elle, ralentissant le rythme effréné de son cœur.

Elle n'était pas juste un peu amoureuse.

Elle était totalement et complètement amoureuse d'Adam Garrison. Un homme qui n'avait toujours connu que des relations temporaires.

Elle n'avait pas brisé le serment qu'elle s'était fait, celui de se préserver pour l'amour de sa vie. Malheureusement, elle avait choisi un homme qui ne pouvait l'aimer en retour.

— Depuis combien de temps ?

Lauryn pivota sur ses genoux dans le coin du placard vide.

— De quoi parles-tu ?

— Depuis quand n'as-tu pas fait l'amour ?

Elle se mordilla la lèvre et ses joues rosirent.

— Environ deux heures.

Il lui décocha un regard qui voulait dire « ne plaisante pas avec moi ». Elle avait fait preuve d'expérience, l'avait rendu fou de désir. Mais elle était si étroite… presque comme une vierge. La contradiction avait taraudé Adam dans les heures qui avaient suivi leurs multiples ébats — dans le lit, puis sous la douche, et enfin sur le sol de la chambre. La brûlure du tapis sur ses genoux le piquait encore. Mais cela en valait la peine, et il espérait que Lauryn partageait la même opinion.

— Neuf ans, avoua-t-elle enfin.

Il resta bouche bée, puis émit un sifflement.

— Eh bien, pas étonnant que tu aies été certaine de pouvoir tenir deux ans !

Un sentiment de fierté le saisit, et un sourire s'accrocha à ses lèvres.

— Mais c'était avant que tu ne m'embrasses.

— Ne laisse pas le succès te monter à la tête, tempéra-t-elle en roulant les yeux.

— Ma tête n'est pas ce que tu as épuisé, mon cœur.

Mon cœur ? Mais qu'est-ce qui lui prenait ? Jamais il n'appelait les femmes par des noms affectueux.

Il se remit à taper sur les lattes, passa à un autre carré et recommença sa recherche systématique. Cinq minutes plus tard, une latte céda sous la pression de sa main. Il tapota de nouveau dessus, et entendit distinctement un son creux. Il appuya sur l'extrémité de la planche, et l'autre extrémité se souleva.

— Bingo.

— Tu l'as trouvé ?

Lauryn approcha à la hâte et regarda fébrilement Adam tandis qu'il retirait la latte de plancher pour révéler le compartiment qu'elle dissimulait.

L'histoire insensée était donc vraie. Il n'avait cru Lauryn qu'à moitié jusqu'à maintenant.

Une douzaine de carnets recouverts de cuir, de la taille de romans de poche, étaient posés sur un morceau de tissu bleu — une écharpe de soie, peut-être. Il y avait d'autres objets aussi. Des enveloppes, liées par un ruban jauni. Une petite boîte de bois sculpté, et quelques bibelots.

Il regarda Lauryn. Les mains jointes devant sa poitrine, elle fixait le trésor caché, comme hypnotisée, mais ne fit aucun mouvement.

— Est-ce que ça va, Lauryn ?

Elle cligna des yeux, et prit une inspiration tremblante.

— J'avais presque perdu l'espoir de les retrouver.

Après la fouille infructueuse de trois placards aujourd'hui, lui aussi avait presque perdu espoir.

— J'ai… j'ai un peu peur de les lire.

Ce fut à cet instant qu'il comprit enfin.

— Tu as peur de ne pas aimer ce qu'Adrianna a à dire, c'est ça ?

— Oui. C'est stupide ?

Son air inquiet l'émut.

— Non. Moi, je veux savoir pourquoi mon père m'a tenu à l'écart de ses affaires, mais je ne suis pas certain que j'aurais apprécié la réponse. Il n'était pas du genre à mâcher ses mots.

Il vit un éclair de compassion traverser les yeux de Lauryn, et il prit ses mains jointes dans les siennes, partageant un lien qu'il n'avait jamais ressenti avec personne d'autre. Il n'était pas du genre sentimental, plutôt du style à fuir le bouleversement émotionnel qui suivrait les découvertes de Lauryn. Elle aurait sûrement besoin de son soutien dans les prochaines heures.

— Tu veux que je te laisse seule ?

— Non, dit-elle rapidement.

Trop rapidement. Puis elle secoua la tête et redressa les épaules.

— Excuse-moi. C'était stupide. Aide-moi juste à porter tout ça dans la chambre, et tu pourras t'en aller. Tu peux encore arriver à l'*Estate* avant l'ouverture. Ça ira. Je t'assure.

Il ne put nier la vague de soulagement qui déferla sur lui, pourtant, il éprouvait une étrange réticence à la laisser seule.

Rassemblant les coins du carré de tissu, il souleva le tout et se leva. Mais Lauryn plongea la main dans la cachette et en sortit un denier objet. Un morceau de papier.

Elle passa la page en revue.

— C'est mon certificat de naissance. L'original.

Le mélange d'émotions turbulentes dans les yeux de Lauryn lui donna envie de faire quelque chose. Il ne savait trop quoi. La serrer dans ses bras ? Non, surtout pas.

— Allons poser ça dans la chambre, dit-il.

Il attendit pendant qu'elle se redressait sur ses pieds tremblants puis la suivit jusqu'à leur suite, où il déposa le fruit de leur quête sur la petite table installée près du bow-window. Il étudia son visage livide, le certificat qui tremblait dans ses mains, et décida de sortir avant de faire quelque chose de mièvre, comme la prendre dans ses bras.

Le sexe était une chose. Etre émotionnellement impliqué dans la vie de Lauryn en était une autre.

— Tu es sûre que tu ne veux pas que je reste ?

— Non. Le samedi est le soir le plus chargé à l'*Estate*. Et je… je crois que je devrais faire ça toute seule.

Vulnérable. C'était le mot. Lauryn semblait vulnérable

— un adjectif qu'il ne lui avait jamais appliqué avant. Elle était beaucoup de choses — intelligente, posée, belle, sexy — mais jamais vulnérable.

Il lui caressa la joue.

— Tu as mon numéro de portable. Appelle-moi en cas de besoin.

Adam s'éloigna. Mais cela ne fut pas aussi facile que cela aurait dû.

— Tu es encore debout ? s'étonna Adam.

Surprise, Lauryn le regarda puis consulta le réveil. Déjà 6 heures du matin. Elle avait lu toute la nuit. Huit heures d'affilée. Elle ferma le carnet qu'elle venait de relire pour la troisième fois — celui détaillant la grossesse de sa mère, et sa propre naissance.

— Elle m'a désirée, dit-elle d'une voix rauque d'émotion.

Elle essuya ses yeux rougis.

— Tu en doutais ? dit Adam en s'approchant doucement.

— Bien sûr que j'en doutais. Elle m'a abandonnée, et n'a jamais essayé de me revoir, alors qu'elle savait très bien où je vivais.

Et Lauryn avait pensé bien pire — qu'elle avait été un bébé que même sa propre mère ne pouvait pas aimer.

— Mais elle m'a gardée avec elle pendant deux semaines. Elle a essayé d'être ma mère.

Lauryn tapota la pile de carnets.

— Il y a certains termes médicaux que je ne comprends pas, mais Adrianna avait un cœur fragile. Les docteurs et sa famille lui ont dit d'avorter, parce que c'était risqué de mener une grossesse à terme. Elle a refusé, et s'est enfuie. Personne à Miami ne connaît mon existence, car elle n'a jamais dit à personne qu'elle a eu un bébé et l'a fait adopter. Sa famille croyait qu'elle avait plié bagage pour se faire avorter.

Adam s'agenouilla face à elle et scruta son visage.

— C'est une bonne nouvelle ?

Elle percevait sa méfiance. S'attendait-il à ce qu'elle

s'effondre sur lui ? Certes, elle avait eu quelques moments pénibles lorsqu'elle avait lu les journaux consacrés à son père, et les lettres qu'il avait envoyées à Adrianna, mais c'était privé. Elle n'allait pas infliger ça à Adam.

— Oui, dit-elle, un timide sourire aux lèvres. C'est une bonne nouvelle. J'ai les réponses que je cherchais, celles qui m'obsédaient, et je te remercie infiniment pour ça.

— Inutile de me remercier.

Elle ne put s'empêcher de le toucher. Prenant son visage dans sa main, Lauryn passa les doigts sur la barbe naissante ombrant sa mâchoire. Malgré leur folle nuit d'amour, le désir l'étreignit.

— Adrianna est morte à trente-six ans. J'en ai vingt-six. Il fallait que je sache s'il y avait des bombes dans mon ADN. Mais sa maladie n'était pas héréditaire. Elle a contracté une infection durant l'adolescence, qui a affaibli son cœur. Elle dit que ses parents l'ont étouffée à partir de là, l'empêchant de vivre comme une femme normale.

Lauryn s'interrompit, la gorge nouée par l'émotion, puis se reprit.

— Et puis, elle a rencontré mon père à Fort Lauderdale pendant qu'il était en permission. C'était le premier homme à ne pas la traiter comme un bien fragile, car il ne savait rien d'elle. Elle est tombée amoureuse du fringant pilote des forces de l'air, même si elle savait qu'il n'y avait aucun avenir pour eux. En plus de la différence de classe sociale, mon père avait déjà été réaffecté en Californie, et partait à la fin du mois. Lorsqu'elle a découvert qu'elle était enceinte, huit semaines plus tard, elle a vu dans le fait de me donner naissance une chance de faire ce que les femmes normales font, et elle a décidé de me garder. Mais la grossesse a affaibli son cœur, et elle craignait de ne pas être assez solide pour élever un enfant, si toutefois elle survivait à l'accouchement. Elle a appelé mon père à sept mois de grossesse.

Lauryn sentit les larmes lui monter aux yeux. Sa mère avait risqué sa vie pour lui donner naissance.

— J'ai lu les lettres que mon père lui a écrites, Adam.

Quand il a su pour moi, il l'a demandée en mariage, mais Adrianna a refusé. Il y a quelques allusions dans ses lettres, quand elle dit qu'elle ne peut pas faire ce qu'il lui demande, et qu'il ne devrait pas tenter de transformer une amourette de vacances en relation durable. Mais je ne savais pas qu'il l'avait demandée en mariage.

Elle s'essuya les yeux du revers de la main.

— Il me voulait. Quand Adrianna a compris qu'elle n'était pas assez en bonne santé pour me garder avec elle, elle m'a confiée à mon père, qui a trouvé la solution idéale en épousant Susan, la veuve de son meilleur ami. Après m'avoir confiée à mon père, Adrianna est revenue vivre ici, et a vécu une vie en recluse. C'est si triste.

La voix de Lauryn se brisa sur ces mots.

Adam se leva, la prit dans ses bras, et la serra fort. Elle appuya la tête contre son cœur, tirant de la force de ses battements forts et réguliers. Etre avec Adam semblait naturel. C'était comme si elle avait trouvé son passé mais aussi son avenir dans cette maison, auprès de lui. Elle releva la tête et rencontra son regard.

Il n'y avait pas que son ADN qu'elle avait en commun avec sa mère, songea-t-elle. Comme Adrianna, Lauryn était tombée amoureuse d'un homme avec qui elle n'avait aucun avenir et, comme elle, elle avait bien l'intention de profiter au maximum du temps qui lui serait offert avec lui.

Et ensuite, elle le laisserait s'en aller. Même si cela lui déchirait le cœur.

9.

Lauryn sentit l'odeur du café, et son énergie endormie se raviva.

Elle se tourna dans son fauteuil de bureau, et aperçut son mari, une tasse de café à emporter à la main, et un sac portant le même logo familier dans l'autre, une lueur taquine au fond des yeux. Le genre de lueur qui affolait son pouls.

Elle leva l'index et désigna son casque téléphonique. Mais Adam entra quand même et se hissa sur le coin de son bureau.

Presque chaque jour depuis qu'elle travaillait ici, elle prenait une pause vers 15 heures pour aller chercher un café à emporter dans une boutique non loin de là, mais aujourd'hui, son assistante avait découvert une erreur dans une livraison qu'elle n'avait pu expliquer, et Lauryn était encore son bureau, à essayer de réparer les dégâts.

— Alors, vous nous livrez les articles manquants demain à la première heure ? Il nous les faut absolument pour Thanksgiving.

Elle attendit une confirmation, puis raccrocha. Retirant son casque, elle sourit à Adam, qui lui tendit sa tasse de café.

— Merci.

Elle but le cappuccino avec reconnaissance. Parfait. Savait-il que c'était ce qu'elle commandait toujours ? Ou la serveuse le lui avait-elle dit ?

Il posa le sac sur le bureau.

— Tu savais que ta boutique préférée vendait cinq

marques différentes de préservatifs, en plus du café, des milk-shakes protéinés et des croissants ?

— Je mentirais si je te disais non.

Les boutiques de South Beach avaient leurs particularités, alors cela ne l'avait pas surprise outre mesure.

— Tu peux me demander de t'apporter du café quand tu veux, ainsi que quoi que ce soit d'autre en vente dans cette échoppe, dit-il avec un clin d'œil.

Si c'était sa façon de charmer les femmes, pas étonnant qu'elles soient une flopée à ses pieds, ne put-elle s'empêcher de penser.

Il ouvrit le sac pour en révéler le contenu. Des dizaines de préservatifs.

— Quelle est ta marque préférée ?

Elle eut le corps en feu.

— Celle que tu portes, quelle qu'elle soit.

— Bonne réponse, ma charmante épouse.

Il lui prit le visage entre les mains et caressa ses lèvres avec le pouce. Elle sentit son sexe se contracter, et ses orteils se recroqueviller. Les nuits d'amour avec Adam étaient époustouflantes. Elle aurait dû être rassasiée, car elle n'avait quitté le lit que quelques heures auparavant, mais ses hormones semblaient en ébullition dès qu'Adam était près d'elle.

Il ne manquait jamais une occasion de la toucher. Pour les employés qui passaient devant la porte ouverte de son bureau, ceux qui rentraient chez eux et ceux qui arrivaient, Adam donnait vraiment l'image d'un mari amoureux et dévoué. Parfois, elle-même était bluffée.

— Tu as l'air d'avoir besoin d'une sieste, dit-il. Tu veux rentrer à la maison quelques heures, avant de revenir ce soir ?

Son ton de velours impliquait que le repos n'était pas la seule chose qu'il prévoyait. Elle en eut des picotements d'anticipation.

Elle était fatiguée, mais plus heureuse que jamais. Depuis leur première nuit d'amour, trois jours auparavant, Adam avait abandonné le canapé-lit dans le salon. Faire l'amour avec lui, et s'endormir dans ses bras, était bien meilleur que tous les fantasmes qu'elle avait nourris au sujet de son mari.

Oh, bien sûr, elle savait qu'il y avait de grandes chances pour que le rêve se termine très brutalement, mais elle ferait face au fait de perdre Adam quand le moment serait venu — *si* le moment venait. En attendant, elle essaierait de lui montrer pourquoi ils devraient renégocier la clause de deux ans dans leur contrat de mariage.

Elle posa la main sur sa joue.

— Il y a des hôtels pour ça, lança Ricco, le responsable des réservations de l'*Estate*, depuis le couloir.

L'équipe des employés avait bien accepté le mariage, ce qui était plutôt surprenant. S'il y avait eu des commentaires sournois, ils n'étaient pas parvenus aux oreilles de Lauryn.

— Lauryn, j'ai les estimations que tu voulais, annonça Ricco.

Adam descendit sa main sur la nuque de Lauryn, marquant clairement son territoire comme il le faisait au club, quand ils s'y montraient ensemble, ou durant les dîners de famille. Elle savait que le geste était feint, mais tout au fond d'elle, elle souhaitait qu'il soit vrai.

Lauryn saisit d'une main tremblante la feuille que Ricco lui tendait. Quand son mariage se terminerait, elle devrait quitter l'*Estate*, et elle redoutait ce moment. Elle appréciait ses collègues, son travail, et même l'atmosphère excentrique de South Beach. Mais il lui serait impossible de survivre aux rumeurs sur les dernières petites amies d'Adam, ou aux photos dans les rubriques people des journaux — des photos sur lesquelles c'était elle qui figurait en ce moment.

L'acharnement médiatique qu'Adam avait prédit avant leur mariage était arrivé. Lauryn prenait chaque matin son courage à deux mains avant d'ouvrir le journal. Elle avait retrouvé son visage plusieurs fois dans les pages mondaines depuis douze jours, date à laquelle Brandon avait fait un communiqué de presse.

Adam se leva.

— Elle verra ça avec toi demain, Ricco. Nous nous

absentons pour quelques heures, mais nous revenons ce soir avant l'ouverture.

Le ton ne laissait pas de place au moindre commentaire.

— Aucun problème, dit Ricco avant de s'éloigner.

Lauryn attrapa son sac, et accompagna Adam dehors. Il l'aida à monter dans sa voiture, et passa en revue les alentours du club.

— Au fait, la serveuse m'a dit qu'un type lui avait demandé l'autre jour si tu étais bien Lauryn Lowes. Il disait qu'il voulait t'inviter à prendre un café. Tu as une idée de qui ça pourrait être ?

Elle sentit son cœur sursauter, mais elle étouffa son appréhension momentanée.

— C'est sans doute un journaliste.

Qui d'autre, sinon ?

— Tu as bien changé, bébé.

La voix de son passé figea Lauryn tandis qu'elle approchait de la boutique. Son estomac se noua. Elle se tourna vers l'homme qui baissait lentement son journal.

Tommy.

Un froid glacial monta dans ses veines.

Il était assis près d'une fenêtre qui donnait sur l'entrée de service de l'*Estate*. Son ex ressemblait toujours à un mauvais garçon, avec ses cheveux longs, sa barbe de trois jours et son jean usé. Il recula sur sa chaise, un air dédaigneux sur le visage qu'elle avait trouvé fascinant par le passé. Ce n'était plus le cas.

Qu'avait-elle bien pu lui trouver ?

Ses tatouages et ses cheveux longs rendaient ton père hystérique, voilà ce que tu lui as trouvé.

Ce qu'elle avait été idiote de penser que se rebeller allait lui apporter le respect de ses parents ! Et se convaincre qu'elle aimait Tommy avait été le comble de la stupidité.

— Je n'aurais jamais cru que tu deviendrais comme ton père. Comment va le Sergent ?

— Il est mort, dit-elle d'un ton glacial. Qu'est-ce que tu fais là ?

— Je suis venu finir une affaire avec toi.

— C'est fini depuis bien longtemps — c'est fini depuis le jour où tu m'as demandé de passer de la drogue pour toi, murmura-t-elle.

Elle jeta un regard à la serveuse, à trois mètres d'eux, qui les regardait avec les yeux écarquillés, la boisson de Lauryn à la main. Pourvu qu'elle n'ait rien entendu.

Lauryn prit le sac contenant son café, le paya et quitta la boutique sans un regard en arrière. Mais elle savait que, quoi que veuille Tommy, il ne partirait pas tant qu'il ne l'aurait pas eu. Elle entendit ses bottes résonner derrière elle sur le trottoir, tandis qu'elle se pressait vers le parc d'Ocean Drive, tout en espérant qu'il n'y avait pas de paparazzis dans le coin.

— Quoi ? Tu ne veux pas me parler devant tes amis ?

Elle lança la boisson dans une poubelle. Impossible d'avaler quoi que ce soit. Elle jeta un regard noir à Tommy.

— Qu'est-ce que tu veux ?

Il détailla Lauryn des pieds à la tête.

— Je vois que tu t'es dégoté un millionnaire. Les vêtements chic, ça te va bien. Un peu tristes, mais pas mal.

Elle croisa les bras et garda le silence.

— Dommage que ce mariage ne soit pas réglo, ajouta-t-il.

Comment pouvait-il être au courant de son contrat de mariage avec Adam ?

— De quoi parles-tu ?

— Notre annulation n'était pas légale.

Le cœur de Lauryn cogna dans sa poitrine, et son ventre se noua.

— Bien sûr que si !

— Eh non. Ce qui veut dire que ton mariage avec M. plein-aux-as ne l'est pas non plus.

Il tapota la poche poitrine de sa veste de cuir.

— J'ai des preuves que notre annulation n'était ni signée, ni effective. Ton papa a oublié de remplir toutes les cases.

— Tu mens, il n'a pas oublié !

Il n'aurait pas fait ça. Il n'aurait pas pu faire ça.

Son père était — avait été — très pointilleux. Jamais il n'aurait oublié une chose aussi importante que séparer sa fille de l'homme qu'il considérait comme un voyou — à juste titre, d'ailleurs.

— Tu en es sûre, chérie ? Car je suis prêt à montrer mes preuves à la presse. Ils pensent que tu es la femme parfaite. Mais ils ne te connaissent pas comme moi je te connais. Et je parie que ton nouveau mari non plus.

La panique la saisit et elle lutta pour le cacher. Tommy, elle l'avait appris à ses dépens, tirait profit des émotions incontrôlables. En fait, maintenant qu'elle y songeait, il les avait souvent provoquées — comme quand il l'avait convaincue qu'elle méritait d'aller à Tijuana pour prendre des vacances.

— Tu mens.

— Tu veux parier ?

Le père de Lauryn s'était occupé de tout dès l'instant où il était venu la chercher à Mexico. Elle avait alors dix-huit ans, et elle avait été tout à fait prête à laisser Rodney Lowes prendre les choses en main. Le seul rôle que Lauryn avait joué, c'était de se prêter à un test sanguin pour savoir si elle était droguée, et de signer là où il le lui avait demandé sur les formulaires d'annulation. Une pile sans fin de documents.

Tout ce qu'elle avait à faire, c'était obtenir une copie du décret d'annulation, qui se trouvait dans les affaires de son père. Mais ces papiers étaient conservés dans un coffre en Californie, et sa mère, qui détenait la clé de ce coffre, était en croisière jusqu'à jeudi.

— Fais-moi voir tes preuves.

Tommy sortit ce qui ressemblait à un document officiel, mais le tint hors de sa portée.

— Non, non, non. Pas touche. Tu pourrais t'enfuir avec.

— Quel est le problème ? Le document me semble parfaitement en règle.

— Ah oui ? Et ça ?

Il écarta son pouce pour révéler un tampon « Refusé » d'un rouge délavé.

Lauryn eut l'impression que son monde s'écroulait. Pouvait-on refuser une annulation ? Son père le lui aurait dit. Il l'aurait aidée à obtenir le divorce. Non ?

— Nous sommes toujours mariés, bébé.

Tommy devait bluffer. Il le devait. Mais elle n'avait aucun moyen de le prouver pour l'instant. Même si elle parvenait à appeler la banque, à obtenir qu'ils lui ouvrent le coffre, demain, c'était Thanksgiving. Ce serait impossible d'obtenir une place sur un vol de dernière minute pour la Californie, et elle se voyait mal prendre le jet du groupe Garrison, ou demander à Adam de la conduire là-bas, si elle voulait garder le secret sur Tommy et son passé honteux.

— Tu sais que ce sont des mensonges, Tommy. Qu'est-ce que tu veux ?

Il se balança en arrière sur ses bottes à talons, et remit les papiers dans la poche de sa veste.

— Quelques billets verts pourraient faire disparaître ça.

— C'est du chantage !

— J'appelle ça une assurance sur ton avenir.

Elle regarda vers le parc. Comme d'habitude, il y avait des policiers en uniforme qui pourraient l'entendre crier.

— Je pourrais appeler un de ces flics là-bas et te dénoncer.

— Vas-y. Mais la presse aurait vent de ta bigamie.

Elle sentit ses genoux chanceler. *La bigamie.* Vraie ou non, le moindre soupçon détruirait la crédibilité d'Adam, et sa candidature à la présidence du Conseil. Elle tenait trop à lui pour laisser cela se produire, et pour le laisser découvrir quelle imbécile égoïste et irresponsable elle avait été autrefois.

Il avait dit à plusieurs reprises qu'il voulait une épouse classique et convenable. Et elle avait été aussi loin de cette image que possible. Lui dire la vérité signifiait perdre son respect, et toute chance de le convaincre de rendre leur mariage permanent.

Il n'aurait que mépris pour elle. Autant qu'elle en avait pour elle-même.

Et puis, un terrible doute s'insinua en elle, glacial. Elle ne se souvenait pas avoir jamais vu le décret final d'annulation.

Peut-être Tommy ne mentait-il pas ?

Une terrible angoisse l'envahit, mais elle se reprit.

Elle avait besoin de temps. Du temps pour prouver que les accusations de Tommy étaient fausses. Et il lui faudrait acheter ce temps.

— Je n'ai pas beaucoup sur moi.

— Allons, bébé, c'est un Garrison. Un des plus riches célibataires de Miami, si j'en crois internet.

— Il n'est plus célibataire.

Il inclina la tête vers la poche de sa veste.

— Ah oui ?

— Combien pour te faire taire ? Cinq mille ?

— Chérie, je ne suis pas né de la dernière pluie. Cent mille.

— Mais je n'ai pas cette somme !

Tout ce qu'elle avait, c'était le premier paiement mensuel de son million.

— Ton mari si.

— Nous avons des comptes séparés. Je ne peux pas toucher à l'argent d'Adam.

— Dans ce cas, je vais tout dire aux médias.

Il fit mine de s'éloigner.

Lauryn le rattrapa par le bras. Elle ne pouvait le laisser partir, ne pouvait le laisser détruire les projets d'Adam.

— Tommy, je ne mens pas. Je n'ai pas cette somme et je ne pourrai pas me la procurer.

— Alors combien as-tu ?

Si elle lui proposait trop peu, il s'en irait. Mais cela la contrariait de devoir récompenser son machiavélisme.

— Vingt-cinq mille.

— Pas assez.

Il tenta de se dégager, mais elle enfonça plus profondément ses ongles dans son biceps.

Elle n'arrivait pas à croire à ce qui arrivait.

— Je peux avoir quarante et un mille dollars. C'est tout. Je te le jure.

Il plissa les yeux pour la jauger, et il dut lire la vérité sur son visage.

— Allons à ta banque. Mais, souviens-toi, bébé, un regard suspect, et je déballe tout dans la presse.

— Lauryn, est-ce que ça va ? interpella Adam tandis que Lauryn passait devant la porte de son bureau.

— Oui, s'empressa-t-elle de répondre sans s'arrêter.

Dis-lui.

Mais elle ne pouvait pas. Pas encore. Pas avant d'avoir remédié à ce désastre. Elle posa son sac dans un tiroir de son bureau et appuya ses doigts froids contre ses tempes.

— Tu es partie plus longtemps que d'habitude, souligna Adam derrière elle, la faisant sursauter et lui prenant les mains.

— J'ai… j'ai une migraine et j'ai fait une balade sur la plage pour m'en débarrasser.

Elle mentait. En quelque sorte. Penser à Tommy lui donnait effectivement la migraine, et elle avait pris l'air pour se débarrasser de ces noires pensées. Mais elle détestait déformer la vérité.

— Tu es toute pâle.

Le regard soucieux, Adam la prit par les épaules et examina son visage.

— Tu as besoin de rentrer à la maison ?

Elle avait besoin de prendre une douche pour chasser le parfum de Tommy, et de mettre un plan au point. Comment obtenir une copie du document dont elle avait besoin ? Elle ne savait même pas le nom de l'avocat que son père avait appelé à l'époque. Susan le saurait, mais sa mère serait partie encore six jours. Y avait-il un moyen de l'appeler à bord du bateau ? Quand bien même elle obtiendrait un nom, la plupart des cabinets, publics ou privés, seraient fermés jusqu'à lundi inclus.

Lauryn sentit sa poitrine se serrer. Elle pourrait perdre

Adam à cause de cette histoire. Et elle n'était pas encore prête à le laisser partir. Qui essayait-elle de duper ? Elle ne serait *jamais* prête à en finir avec ce mariage.

— Lauryn ?

— Serre-moi. Serre-moi fort.

Elle enroula les bras autour de sa taille et appuya sa joue contre son épaule, les yeux clos.

Et puis, elle sentit Adam s'éloigner. Elle entendit la porte de son bureau se fermer, puis les bras d'Adam autour d'elle de nouveau. Il déposa un baiser sur ses cheveux.

Elle leva la tête, trouva sa bouche. Il la serra plus fort, mais ne la repoussa pas comme elle l'avait cru. Il ouvrit la bouche, sa langue caressant la sienne. Lauryn lui rendit son baiser, avec tout l'amour qu'elle avait en elle, et pendant un instant, Adam lui fit presque oublier le désastre que sa vie était devenue, le désastre que la vie d'Adam pourrait devenir.

Elle le caressa, mémorisant les angles aigus de sa mâchoire, la largeur de ses épaules. Elle appuya les paumes sur les muscles de son dos, sa taille, ses fesses rondes et fermes, tandis qu'Adam retenait son souffle.

Elle recula, et le regarda dans les yeux, les yeux de l'homme qu'elle aimait. L'homme qu'elle perdrait si elle ne pouvait rectifier la situation.

— Si nous n'arrêtons pas, nous allons violer une part du manuel de l'employé, dit-elle.

Les yeux d'Adam lancèrent des éclairs.

— A qui vont-ils se plaindre ? Je suis le patron. Où est ton sac ?

— Dans mon tiroir. Pourquoi ?

— Parce que j'ai passé l'âge de garder des préservatifs dans mon portefeuille.

— Moi aussi.

— Donne-moi ton sac.

Lauryn fut prise de panique. La copie de son retrait bancaire était encore dans son sac.

— Pourquoi ?

— J'y ai mis un porte-préservatif la semaine dernière.

Elle n'avait jamais entendu parler d'un porte-préservatif, mais pas besoin d'être une lumière pour comprendre ce que c'était.

— Je vais le prendre.

Pendant qu'elle fouillait son sac, Adam ferma la porte à clé.

Lauryn sentit sous ses doigts un carré métallique qu'elle n'avait pas remarqué avant, mais à sa décharge, elle fouillait rarement son propre sac. Adam payait tout, et ses clés, son rouge à lèvres et son téléphone portable étaient dans une poche extérieure. Elle sortit l'objet. Le couvercle en or brossé était gravé à ses initiales. *LLG*. Lauryn Lowes Garrison.

Son cœur tressauta. Combien de temps porterait-elle ce nom ?

Mais elle n'eut pas le temps d'y penser plus avant. Déjà, Adam lui avait pris le préservatif des mains et l'attirait contre lui pour l'embrasser.

— Rappelle-moi d'acheter un canapé pour ton bureau, murmura-t-il contre son cou.

Lauryn s'imprégna du désir à peine contenu d'Adam, et s'abandonna à ses caresses empressées. Sa chaleur, son parfum, sa saveur, elle les grava tous dans sa mémoire. Juste au cas où.

Elle devrait tout lui dire sur Tommy. Seulement, quand elle l'aurait fait, Adam la détesterait sans doute. Il lui avait demandé si elle avait d'autres squelettes dans le placard, et elle avait dit non. Jamais il ne croirait qu'elle avait sincèrement pensé que son passé était sans importance. Ce qu'elle avait pu être naïve !

Mais d'abord, elle voulait surmonter le dîner de Thanksgiving chez Bonita Garrison, et peut-être aussi la fête pour son soixantième anniversaire, qu'Adam organisait au club. Et ensuite, elle dirait à Adam toute la sordide vérité, et prierait pour qu'il comprenne. Prierait pour qu'il ne retienne pas ses erreurs de jeunesse contre elle. Prierait pour qu'il ne la mette pas dehors.

La bouche d'Adam dériva sur son cou, pendant que ses

mains trouvaient la fermeture de sa robe. Lauryn tira sur les boutons de sa chemise, sur la boucle de sa ceinture, sur son pantalon. Adam les déshabilla tous les deux en quelques secondes. Sa peau chaude lui brûlait les paumes, les lèvres, la langue. Elle ne pouvait être rassasiée de lui. Elle se mit à genoux, et prit son sexe dans sa bouche.

— Lauryn ! gémit-il en plongeant les mains dans ses cheveux.

Et, bien trop tôt, il la fit se redresser et l'embrassa.

— J'aime ce que tu me fais, beaucoup trop… Si tu continues, je ne vais pas pouvoir me retenir. Or j'ai bien d'autres projets pour nous deux…

Il la plaqua contre un meuble à deux tiroirs, la fit asseoir sur la surface froide et se plaça entre ses jambes. Avec des mouvements aussi frénétiques que les siens, ses mains prirent ses seins, taquinèrent ses tétons, trouvèrent le cœur de son plaisir.

Consciente que les employés de l'autre côté de la porte étaient à portée de voix, Lauryn mordilla son poing pour étouffer un cri. Elle enroula son autre main autour du sexe dressé d'Adam, et le caressa. Le gémissement étouffé d'Adam vibra contre ses seins, faisant accroître le désir qui brûlait entre ses cuisses.

Adam se redressa, agrippa l'arrière de ses genoux et l'attira vers lui. Dès qu'elle eut déroulé le préservatif sur lui, elle le guida en elle, et haleta quand il la pénétra. Il ondula en elle, vite et fort, encore et encore.

Ses mains sur ses seins et la fusion de leurs deux sexes la précipitèrent vers les cimes du plaisir. *Trop tôt. Attends.* Elle voulait faire durer le plaisir, savourer la chaleur qui montait en elle, la tension grandissante, mais l'orgasme la frappa comme la foudre, et elle ne put empêcher les vagues d'extase de déferler en elle.

La bouche d'Adam contre la sienne absorba ses cris, puis il les lui rendit tandis qu'à son tour, un orgasme le balayait. Il laissa tomber la tête contre son épaule et le bruit de leurs deux respirations saccadées emplit la pièce.

Lauryn sentit soudain les larmes lui monter aux yeux.

Elle serra Adam encore plus fort, jusqu'à ce qu'on ne puisse glisser un cheveu entre leurs deux torses moites de sueur.

Une sensation de vide la parcourut. Elle ne pouvait pas perdre Adam !

Qu'elle soit damnée si elle laissait Tommy Saunders tout gâcher sans se battre !

10.

— Je veux plus d'argent.

Tommy.

Lauryn faillit faire tomber le téléphone de sa chambre. Elle se retourna et vit Adam, à quelques mètres à peine, dans la salle de bains, occupé à se raser, en préparation du dîner familial de Thanksgiving.

— Je n'ai pas d'argent, murmura-t-elle.

— Arrête de te payer ma tête, Lauryn. Je suis en train d'observer ta masure, à cet instant même. Si tu ne me crois pas, regarde par la fenêtre arrière. Cette baraque vaut des millions.

Elle alla jusqu'à la fenêtre, regarda vers le canal, et aperçut un petit bateau de pêche. Avec Tommy à la barre. La nausée la saisit.

— Je ne peux pas avoir plus.

— Tu n'as qu'à voler quelque chose.

— Hors de question.

— Alors, donne-moi le caillou que tu portes au doigt. Dis à M. plein-aux-as que tu l'as perdu. Il t'en achètera un autre. De toute façon, je parie que la bague est assurée. Il ne sentira même pas la douleur.

Elle regarda ses bagues de fiançailles et son alliance, et ferma le poing. Elle avait peut-être obtenu ces bijoux par une voie peu orthodoxe, mais elle ne s'en séparerait jamais. Elle jeta un coup d'œil vers la salle de bains et vit Adam qui essuyait la dernière trace de mousse blanche.

— Je ne peux pas faire ça.

— Alors, tu peux dire adieu à ton mariage.

— Non ! S'il te plaît. Donne-moi un peu de temps…
une semaine.

Jeudi, sa mère serait rentrée, et Lauryn pourrait aller
en Californie pour récupérer les papiers dont elle avait
besoin. Elle ne donnerait plus d'argent à Tommy. Car elle
venait de comprendre qu'il ne la laisserait jamais en paix.

— Tu disais quelque chose, chérie ? demanda Adam à
l'autre bout de la chambre.

— Ne me rappelle pas, chuchota-t-elle dans le combiné,
et elle raccrocha.

Elle se tourna vers Adam.

— C'était quelqu'un qui sollicitait un don.

Un autre travestissement de la vérité.

*Il y a un prix à payer pour chaque mensonge. Avant
d'en prononcer un, sois sûre d'être prête à payer ce prix.*

Elle fit face à Adam. Il marcha vers elle, torse nu, les
yeux rivés sur elle. Elle n'arrivait pas à croire qu'elle
l'aimait à ce point. Elle n'avait jamais ressenti quoi que
ce soit d'aussi fort pour personne.

— Prête pour un autre repas chez les Garrison ?

Elle ne pensait pas pouvoir avaler quoi que ce soit tant
que le problème « Tommy » ne serait pas résolu.

— Oui. Il me tarde d'y être.

— Menteuse.

Lauryn sentit sa tête se vider de son sang avec une telle
rapidité qu'elle en eut mal au cœur. Adam n'avait pas idée
à quel point il avait raison.

— Tu as survécu à deux dîners dominicaux déjà. Tu
peux survivre à celui-ci.

Adam la prit dans ses bras et déposa un baiser juste
sous son oreille.

— L'année prochaine, nous inviterons toute ma famille ici.

Elle pria pour qu'ils soient encore mariés d'ici là, mais
au train où allaient les choses, cela semblait peu probable.

Vendredi matin, Adam fut tiré d'un sommeil profond par la sonnerie de son téléphone portable.

Il se força à ouvrir un œil, et consulta le réveil. 8 heures. Il n'était rentré que depuis deux heures, et les draps avaient à peine eu le temps de refroidir après ses ébats avec Lauryn. Elle s'agita à côté de lui.

— Rendors-toi, dit-il en déposant un baiser sur sa tempe. Je m'en occupe.

Une autre sonnerie. Adam sortit du lit, et marcha en titubant jusqu'à la commode. Il attrapa son téléphone et se dirigea vers le bureau pour ne pas déranger Lauryn. Ses yeux étaient trop voilés pour lire le nom de l'appelant.

— Adam Garrison.

— Tu as vu les journaux ?

Parker.

— Non. Je dormais. Nous avons eu une grosse soirée à l'*Estate* hier. Tu sais que je suis un oiseau de nuit.

— Ta femme est en première page.

Adam s'arrêta au milieu du couloir. Il se retourna pour regarder vers le lit.

— Lauryn ? Pourquoi ?

— Son mari prétend qu'elle est bigame.

— Je n'ai pas…

— Pas toi. Son *précédent* mari.

Un raid de la brigade des stups aurait été moins dévastateur.

— Son précédent mari ? Mais Lauryn n'a jamais été mariée.

La jeune femme en question se redressa soudain, les yeux grands ouverts, et Adam fut saisi par un sentiment amer.

— Ce n'est pas ce que ce type prétend, continua Parker. Pire, il affirme que c'est une traînée qui a quelques délits à son actif. Tu es dans un sale pétrin, petit frère. J'ai déjà appelé Brandon pour toi. Tu ferais mieux de demander à ta femme qui est ce Tommy Saunders, et si elle est toujours mariée avec lui.

Parker raccrocha.

304

Adam baissa lentement son téléphone et regarda Lauryn. Elle était aussi pâle que les draps blancs.

— Qui est Tommy Saunders ?

Elle ferma les yeux, et la douleur se peignit sur ses traits.

— Mon ex-mari, finit-elle par balbutier.

— Tu disais que tu n'avais jamais été mariée.

— C'est le cas, fit-elle en remontant le drap jusqu'à ses épaules. Techniquement.

La brûlure de la trahison le consuma. Il enfila son peignoir d'un geste rageur.

— C'est-à-dire ? fulmina-t-il.

— J'ai fui avec Tommy juste après mes dix-huit ans. A Tijuana, au Mexique. C'était juste pour des vacances. Là-bas, il m'a demandé de l'épouser. J'ai refusé, mais le lendemain, je me suis réveillée avec la bague au doigt. Il m'avait droguée. Je ne me souviens même pas de la cérémonie. Et ensuite, il m'a dit qu'il voulait nous rendre riches, en m'utilisant comme mule pour faire passer de la cocaïne à la douane. J'ai paniqué, et j'ai appelé mon père. Il est venu à ma rescousse, il m'a retrouvée, et il s'est occupé de l'annulation du mariage.

Les mots s'étaient déversés en cascade, mais le sens était clair.

— Tu étais mariée, donc.

— Non. Une annulation signifie que le mariage est effacé. Comme s'il n'avait jamais existé.

— Mais il a existé.

— Oui, mais…

— Tu as menti. Une fois de plus.

Ce fut comme si quelque chose en lui mourait.

— Adam, s'il te plaît…

— Combien d'autres mensonges, Lauryn ? De combien d'autres façons comptes-tu me mener en bateau ?

— Je ne pensais pas que mon passé comptait…

— Ah non ? Alors sache qu'il fait la une des journaux ! Je t'avais pourtant dit que j'avais besoin d'une épouse bien sous tous rapports !

— Et c'est ce que tu as eu. Je ne suis plus la fille égoïste que j'étais à l'époque.

— Non, tu es la femme que cette fille est devenue. Une fille qui m'a menti, et qui s'est servie de moi, ton mari ! Si tant est que nous soyons légalement mariés.

Il passa une main dans ses cheveux, frustré.

— Nous le sommes ?

— Je crois, avança-t-elle en se mordillant la lèvre.

Bon sang !

— Comment ça, tu crois ?

— Tommy prétend que notre annulation n'a jamais été validée. Je crois qu'il ment. Je l'ai payé pour qu'il se taise…

— Tu l'as payé ? Combien ?

Elle ramena ses genoux contre sa poitrine.

— Il m'a demandé de l'argent, en me menaçant de tout raconter à la presse si je ne le payais pas. Je lui ai donné quarante mille dollars pour qu'il garde le silence, le temps que je trouve les papiers qui prouvaient qu'il mentait. Mais il en voulait plus, et je ne pouvais pas le lui donner.

— C'est lui qui a appelé hier ?

L'hésitation de Lauryn fut comme un coup de poignard dans le cœur.

— Oui.

Un autre mensonge.

Elle sortit du lit. La vue de son corps nu le troubla avant qu'elle n'enfile un peignoir. Comment pouvait-il la désirer encore après ça ?

— Mon père avait le sens du détail, et contrôlait tout. Je sais qu'il n'aurait pas été négligent comme Tommy l'affirme. Si l'annulation avait été refusée, papa aurait tout fait pour que je divorce. Mais je n'ai jamais eu de copie de l'annulation, alors je ne peux pas prouver que Tommy ment. Du moins, pas encore. Les papiers de mon père sont dans un coffre à Sacramento, et ma mère est toujours en croisière. Dès son retour, j'irai la voir et je ferai une copie de tous les documents.

Après avoir tout débité d'une traite, elle leva des yeux malheureux sur lui, et s'approcha doucement. Mais quand elle posa la main sur son bras, Adam se raidit. Malgré toutes ses explications, elle l'avait dupé. Sur le plan personnel. Et professionnel.

— Adam, je t'en prie. Laisse-moi m'expliquer.

— Je crois que tu en as assez dit.

— Je t'aime, murmura-t-elle.

Un autre mensonge. Mais celui-ci faisait plus mal que tous les autres réunis.

Parce qu'il aimait Lauryn.

Oui, il était tombé amoureux de sa magnifique et vénale épouse.

Et maintenant, il ne pouvait même pas supporter de la voir. Adam ouvrit le placard d'un geste furieux, sortit sa valise et se mit à la remplir de vêtements.

— Qu'est-ce que tu fais ?

— Je m'éloigne de toi. Je retourne à l'appartement.

— Je vais tout arranger. Je vais réparer. Je t'en prie, laisse-moi une chance ! Tout ce dont j'ai besoin, c'est d'un peu de temps !

— Tu as épuisé toutes tes chances avec moi, Lauryn. Garde ta salive pour ton prochain pigeon.

Elle le regarda s'habiller sans dire un mot. Une larme unique coula le long de sa joue avant qu'elle ne l'essuie.

Il revint dans la chambre, et lui lança un carnet et un stylo.

— Ecris-moi tout ce que tu sais sur ton petit copain. Son nom. Sa description physique. Où il habite. Je vais le faire arrêter pour extorsion de fonds.

Elle hésita. Et ce bref moment, ajouté au regret et à l'inquiétude qu'il lisait dans ses yeux, acheva son pauvre cœur meurtri. Elle avait encore des sentiments pour ce salaud !

Et puis, un sentiment amer et horrible lui noua l'estomac.

Tu n'es pas aveugle à ce point, Garrison ?

— Dis-moi, Lauryn, tu as appelé ton amant à la minute où je t'ai demandée en mariage, et tu as mis ce plan au point pour obtenir plus d'argent ?

— Non ! s'écria-t-elle. Tommy n'est pas mon amant. Il ne l'est plus depuis neuf ans.

— Excuse-moi si j'ai un peu de mal à te croire.

Il ferma la valise.

— Toi et ce bâtard, vous vous êtes bien trouvés.

— Adam, fit-elle d'une voix suppliante, tu te trompes.

— Oublie tes grands projets. Tu n'auras pas un sou de plus de ma part, *chérie*.

Elle tressaillit au son de sa voix acide.

Il empoigna sa valise, ses clés, et se dirigea vers la porte. Quand il fut en bas de l'escalier, il ne put s'empêcher de se retourner.

Lauryn était sur le palier, serrant son peignoir.

— Adam, je suis désolée. Je n'ai jamais voulu te faire de mal.

— Désolée ? Tu es *désolée* ? Lauryn, tu as détruit tout ce qui comptait pour moi. *Tout*. Désolée, c'est un peu court.

Il tourna les talons, sortit et claqua la porte derrière lui.

Les paparazzis se pressaient de l'autre côté du portail, tels des vautours autour du cadavre de son mariage.

— Je ne veux pas d'autres surprises, dit Adam à Brandon. Je veux connaître chaque détail que Lauryn a négligé de mentionner.

— Alors, il te faut un détective privé. Ace Martin est le gars qu'il te faut. Il est discret et rapide.

Brandon sortit une carte de visite de son portefeuille.

— Bon sang, pesta Adam en avalant son bourbon, si ça se trouve, c'est peut-être Lauryn, l'espionne à la solde des Jefferies.

Brandon releva la tête et lui lança un regard aiguisé. En tant qu'avocat de la *Garrison, Inc.*, il était au courant des fuites d'informations confidentielles de la compagnie.

— Je l'ignore. Peut-être. Elle a accès à beaucoup d'infos financières confidentielles, mais davantage sur l'*Estate* que sur *Garrison, Inc.* Je vais demander à ton ami détective de mener l'enquête sur ça aussi.

— Tu penses qu'elle est impliquée ?

— J'espère que non.

Parce que dans le cas contraire, la *Garrison, Inc.* devrait intenter un procès. Et même si Adam était furieux, blessé, anéanti, il ne voulait pas envoyer Lauryn derrière les barreaux.

Brandon tendit la carte à Adam.

Adam se leva et traversa la bibliothèque pour la prendre, mais à la dernière seconde, Brandon éloigna la carte.

— Tu es amoureux.

— Hein ? fit Adam avec un mouvement de recul. Pas du tout.

— Si. Tu es fou de Lauryn Lowes. Même Cassie l'a remarqué.

— C'était juste physique, se défendit-il.

Il n'avait jamais menti à Brandon avant, mais il refusait d'avouer que Lauryn l'avait rendu fou. Pris dans ses filets. Et qu'elle lui avait donné les meilleures nuits de sa vie.

— D'autres femmes t'ont menti avant elle, et ça ne t'a jamais atteint à ce point.

Adam se dirigea vers le bar et se servit. Il se sentait chez lui chez Brandon, et inversement. En fait, il se sentait plus à l'aise chez Brandon que chez ses propres frères.

— Je ne suis pas atteint. Je suis furieux. Tout ce à quoi j'ai œuvré depuis des mois a été détruit. Une bigame, tu te rends compte !

— Elle serait seule coupable de ce délit *si* son ex dit la vérité.

— J'espère vraiment qu'il ment. Et, tu te trompes, personne ne m'a jamais menti comme ça avant.

— Adam, tu en es à ton troisième verre. Une des choses que je respecte chez toi, c'est que, bien que tu sois entouré d'alcool en permanence, tu n'en abuses pas. Tu comptes changer ça ce soir ?

Adam se versa un doigt de bourbon.

— Je vais prendre un taxi pour rentrer. Rassure-toi, tu ne seras pas poursuivi pour non-assistance à personne en danger pour m'avoir laissé prendre le volant.

— Ce n'est pas ça qui m'inquiète. Et je persiste, tu as déjà été mené en bateau. Tu te souviens, cette rousse qui sortait en secret avec Parker et toi en même temps ? Ou la brune qui a fait semblant d'être enceinte pour se faire épouser ? Ou encore…

— C'est bon, j'ai compris, interrompit Adam. Mais je n'étais pas amoureux de ces filles.

Brandon accueillit l'aveu en penchant la tête sur le côté.

Bon sang. Adam vida son verre. L'alcool lui brûla la gorge et l'estomac comme de l'acide. Il voulait boire pour tout oublier. Oublier Lauryn Lowes et son amant. Son mariage. Ses plans pour gagner plus de pouvoir dans la *Garrison, Inc.* réduits à néant.

Parker ne le prendrait plus jamais au sérieux après ça.

Néanmoins, noyer ses chagrins dans l'alcool ressemblait un peu trop à ce que ferait sa mère.

— Au moins, Cassie est honnête, marmonna-t-il.

— Cassie et moi, nous pensons que Lauryn l'est aussi.

Brandon remplit son propre verre.

— Lauryn a raison, dit-il. Aux yeux de la loi, une fois qu'un mariage est annulé, c'est comme s'il n'avait jamais existé, et les motifs pour obtenir une annulation légale ne sont pas faciles à obtenir. Peut-être devrais-tu te concentrer sur ça.

Adam regarda Brandon avec surprise. Son meilleur ami ne l'induisait pas en erreur, d'habitude. En tout cas, pas de manière intentionnelle.

— Qu'elle ait été droguée et qu'elle ne se souvienne de rien, ça tient la route pour toi ?

— L'absence de consentement est une raison valable pour l'annulation, mais Lauryn devra le prouver. Laissons Ace découvrir les détails pour toi. Il peut aussi vérifier ses autres histoires douteuses.

— L'histoire sur sa mère biologique semble abracadabrante, mais elle est vraie. J'ai vu les lettres, le journal et le certificat de naissance, comme je te l'ai dit.

— Et tu es sûr que Lauryn ne veut pas réclamer le domaine des Laurence ? Si elle voulait de l'argent, elle se serait d'abord rapprochée des exécuteurs testamentaires. D'après ce que tu dis, la confirmation de son identité est tout à fait possible.

Adam se frotta la nuque. Brandon avait raison. Le domaine des Laurence valait bien plus que le million que Lauryn devait recevoir contre deux ans de mariage. Et c'était lui qui lui avait proposé ce marché. Pas l'inverse.

Se pouvait-il qu'il ait tort au sujet de Lauryn ? Disait-elle la vérité ? Ou Saunders et elle avaient-ils mis au point un plan pour le saigner à blanc ?

Etait-ce si important de le savoir ? Oh que oui.

Lauryn était-elle toujours amoureuse de ce Saunders ? Etait-elle toujours mariée avec ce salaud ?

Adam ne pouvait songer à tout cela maintenant, alors qu'il avait assez de bourbon dans le corps pour lui donner envie de mettre son poing dans quelque chose. Ou quelqu'un. Saunders.

Il surprit Brandon qui regardait discrètement sa montre, et se souvint qu'il était tard.

— Pourquoi n'es-tu pas avec Cassie ce soir ?

— Parce que tu avais besoin de moi.

— Ah. Merci.

— Ça ne te dérange pas que j'épouse ta demi-sœur ?

— Brandon, dit-il en lui donnant une accolade, je suis plus proche de toi que je ne le suis de mes propres frères. Rien ne pouvait me faire plus plaisir que t'accueillir officiellement dans ma famille. Et tu remercieras Cassie de m'avoir laissé te monopoliser ce soir.

— Elle me rejoint demain si rien ne la retient à l'hôtel, sinon, c'est moi qui la rejoindrai aux Bahamas.

— Tu fais beaucoup d'allers-retours, dis-moi.

— Oui, et pour ton information, je compte ouvrir un cabinet à Nassau. Inutile de se marier si je ne peux jamais voir ma femme.

— Tu vas fermer ton cabinet ici ?

— Non. J'ajoute juste une succursale à *Washington et Associés*.

— Bien. Parce que j'ai besoin que tu t'occupes de mon divorce.

— Pourquoi venez-vous me voir alors que tous les Garrison se refusent à tout commentaire ?

— Parce que vous avez commis une terrible erreur, expliqua Lauryn de l'autre côté du bureau encombré de la journaliste. Adam est totalement innocent.

Elle avait décidé de contre-attaquer de la seule façon qui puisse mettre un terme au scandale que l'histoire de Tommy avait lancé, et même si elle avait horreur d'être le centre des attentions, si jeter son passé en pâture aux gens blanchissait Adam, alors elle était prête à s'humilier. Elle espérait aussi qu'envoyer la presse sur la piste du document manquant allait être un raccourci pour franchir les barrières du week-end de Thanksgiving, qui l'empêchaient d'aller chercher la vérité en Californie.

Les journalistes l'avaient traquée sans relâche durant les dernières vingt-quatre heures. La presse à scandale surtout l'avait suivie partout, et Lauryn avait retourné la situation à son avantage — du moins, elle l'espérait. A la première heure ce matin, elle était allée voir la police, suivie par une horde de paparazzis, et avait déposé une plainte pour extorsion de fonds.

Adam avait déjà déposé plainte comme il l'avait dit, mais Lauryn pensait que c'était son erreur à elle, et que c'était donc à elle de faire les démarches pour la réparer. L'argent qu'elle avait donné à Tommy n'était pas à elle. Il était à Adam, et elle voulait le rembourser. Alors, peut-être, Adam croirait qu'elle n'essayait pas de l'escroquer.

Après avoir quitté le bureau de police, elle avait appelé la journaliste qui avait la première relaté l'histoire de Tommy, lui offrant une exclusivité et organisant un rendez-vous avec elle. Lauryn avait raconté toute la sordide histoire. Le seul détail qu'elle avait passé sous silence, c'était le fait que son mariage soit de convenance.

— Croyez-vous que ce que vous me dites exonère Adam Garrison ? demanda la journaliste.

— Oui. Il n'a rien fait de mal. Les erreurs venaient toutes de moi. Adam n'était pas au courant de mon passé ou de mon annulation de mariage. Je croyais en toute sincérité que c'était hors de propos, et j'avais trop honte de mon adolescence rebelle pour lui en parler. Je ne suis plus cette jeune fille révoltée, et cela depuis longtemps. Mais, que l'histoire de Tommy soit vraie ou fausse, j'ai sous-estimé son désir de gagner de l'argent facile et rapide. Je lui ai donné de l'argent pour qu'il se taise, car j'aime mon mari et je ne voulais pas le voir souffrir. Mais maintenant, à cause de mes erreurs, le meilleur candidat pour la présidence du *Miami Business Council* est pris au piège d'un scandale médiatique.

La journaliste lui décocha un regard aiguisé.

— Alors, vous annoncez officiellement l'intérêt d'Adam Garrison pour ce poste ?

— Adam ferait un grand président pour le Conseil. Il connaît les affaires, et il a beaucoup de relations à Miami. Mais lui seul peut annoncer sa candidature. Mon but est de m'assurer que vous compreniez qu'il est une victime, pas un complice.

Elle prit son sac et se leva.

— Est-ce que cela paraîtra dans le journal de demain ?

— Dès que j'aurai vérifié quelques faits.

L'attitude condescendante de la femme durant tout l'entretien avait mis Lauryn sur les nerfs. Cette dernière remarque était la goutte d'eau. *C'en était trop.*

— Peut-être auriez-vous dû vérifier les faits avant de faire paraître votre premier article ! asséna-t-elle. Avez-vous pensé à ce qui arrivera si Tommy Saunders a menti, et que vous ayez accusé un Garrison de bigamie à tort ? Vous pourriez être accusée de diffamation, et votre job comme votre crédibilité seraient en danger.

La femme pâlit, et abandonna sa posture indolente pour se redresser, bouche bée.

Lauryn tourna les talons et s'en alla. Elle ne croyait pas

un instant que les Garrison se battraient pour laver son nom à elle, mais ils le feraient pour laver celui d'Adam.

Malgré les tensions dans cette famille, il y avait un lien très fort dans le clan Garrison, qu'elle enviait. Et peut-être que sacrifier sa fierté et sa réputation allait faire réfléchir Parker, et lui montrer à quel point Adam était aussi important que lui.

— Qu'est-ce que c'est ?

Le cœur de Lauryn tressauta devant la colère dans la voix d'Adam. Elle pivota sur son fauteuil. Adam était devant sa porte, un exemplaire du journal du dimanche ouvert à la page de l'interview qu'elle avait donnée.

Tous les espoirs de Lauryn s'écroulèrent. Il lui avait manqué durant ces trois derniers jours, et elle ne s'était pas attendue à le revoir aujourd'hui, puisque l'*Estate* était fermé. Adam semblait sous pression, et ses yeux bleus étaient durs, impitoyables. Elle avait mis son âme à nu pour cette interview, en espérant qu'il la lirait, et qu'il comprendrait les choix qu'elle avait faits. Lui pardonnerait-il un jour d'avoir gardé ses secrets ? Apparemment non.

Il ferma la porte derrière lui et avança, l'air furieux. Désemparée, elle se leva et s'arrêta à quelques centimètres à peine de lui. Il fallait qu'elle lui explique. Il fallait qu'il comprenne. Elle prit une longue inspiration.

— C'est ma façon d'essayer d'arranger les choses, dit-elle en le regardant dans les yeux. Jusqu'à ce que je puisse aller en Californie pour retrouver le document original de l'annulation, c'est le mieux que je puisse faire. J'ai besoin de quelques jours de congé. Je prends l'avion à 5 heures demain matin. Je devrais être revenue d'ici à mercredi soir.

Un muscle tressauta dans la mâchoire d'Adam.

— Je ne veux pas de ton aide. Je vais me débrouiller. En fait, tu peux rester en Californie. Je te ferai envoyer tes affaires avec les papiers du divorce — s'ils sont nécessaires.

Elle faillit chanceler sous les coups de poignard verbaux,

mais elle tint bon. C'était une bataille qu'elle ne pouvait se permettre de perdre.

— Tu ressembles à ton manipulateur de frère à cet instant.

Il se rembrunit encore.

— Adam, tu m'as dit que tu essayais de faire oublier un passé dont tu n'étais pas fier. Pourquoi est-ce différent quand il s'agit de moi ?

— Je n'ai pas menti sur mon passé, moi.

— Moi non plus. C'est juste que je ne t'ai pas parlé de choses qui me semblaient inutiles, et que tu n'aurais pas aimé entendre.

Il poussa un soupir de dégoût.

— Tu es en train de dire que tu essayais de me protéger ?

— Je le croyais, oui, mais j'imagine que c'était moi que je voulais protéger. Tu te souviens de cette conversation que nous avons eue sur la façon dont l'ordre de naissance affecte la personnalité ? Je t'ai dit que les enfants uniques étaient soit conformistes, soit rebelles. C'est toi qui as conclu que j'étais conformiste, et avant que je puisse te corriger, tu as ajouté qu'une femme avec un passé de rebelle était la dernière chose dont tu avais besoin. Mais c'était exactement ce que tu avais, et il était trop tard pour changer ça. Je n'ai rien dit à ce moment-là parce que je ne voulais pas que tu aies une piètre opinion de moi.

Adam resta muet, et Lauryn inspira, rassemblant son courage avant de poursuivre :

— Je n'étais pas une fille docile, Adam. Pendant cinq ans, j'ai fait vivre un enfer à mes parents. Je m'habillais et je me comportais comme une traînée, parce que ça m'attirait le genre d'attentions qui rendaient mon tyran de père fou de rage. Je ne m'estimais pas, et je n'estimais pas ceux qui m'aimaient. Je n'en suis pas fière, mais je ne peux rien y changer. Je peux juste faire en sorte que la personne que je suis devenue prenne les bonnes décisions, pour les bonnes raisons. Et la personne que je suis maintenant a promis de t'aider à remporter la nomination au Conseil. J'essaie de faire en sorte que le public sache que tu n'as rien à voir dans ce désastre avec Tommy. C'est ma faute, pas la tienne. Tu n'as rien à te reprocher.

Adam gardait un visage dur et impénétrable. Ecoutait-il même ce qu'elle disait ?

— Alors, dis-moi, Adam, qu'est-ce qu'un homme assez amoureux pour se marier en secret avec l'élue de son cœur ferait dans cette situation ? Fuirait-il devant le premier obstacle ? Parce que quand nous aurons exposé le mensonge de Tommy — et je suis sûre que ce sera le cas — les médias se demanderont pourquoi tu m'as épousée, si tu cesses de m'aimer au premier coup dur, après seulement deux semaines de mariage. Il y a fort à parier que tu passeras pour quelqu'un d'instable aux yeux de tes pairs du Conseil. Et ton faux mariage, contracté uniquement pour obtenir ta nomination, sera mis au jour.

Il se raidit.

— Est-ce une menace ?

— Non, voyons ! Je ne ferai jamais quoi que ce soit pour te blesser.

— C'est toi qui devrais t'inquiéter si mes mensonges sont dévoilés. Cette histoire de coup de foudre que tu as racontée à la journaliste est absurde.

Lauryn se sentit rougir d'embarras. Tant pis, elle s'était promis d'être totalement honnête avec Adam désormais.

— C'est la vérité. J'ai été attirée par toi dès notre première rencontre. L'attirance n'a fait que s'accroître quand j'ai commencé à travailler pour toi. Mais ensuite, j'ai entendu les rumeurs sur tes nombreuses liaisons sans lendemain. Alors je me suis dit que je devais t'oublier. Tu vivais le genre de vie que moi j'avais abandonnée — une vie que je ne voulais plus jamais mener. Seulement, je ne t'ai pas oublié. Ça m'était impossible.

Elle lui avait déjà dit ce qu'elle s'apprêtait à dire, mais Adam l'avait rejetée. Il fallait qu'elle le lui redise, pour voir son visage quand elle prononcerait les mots.

— Je t'aime, Adam. Je suis tombée amoureuse le jour où tu m'as offert de passer des heures à genoux pour m'aider à fouiller ces placards, et trouver la vérité sur ma famille, car la famille est importante pour toi. Elle est importante pour moi aussi.

Une lueur d'incrédulité passa dans ses yeux, puis il se détourna brusquement.

— Je vais organiser la fête d'anniversaire de ma mère ici mercredi soir. Je ne veux pas que tu sois présente.

La douleur la prit par surprise.

— Il faut que nous soyons unis si tu veux sortir de tout ça avec un peu de crédibilité, plaida-t-elle.

— Tu ne comprends donc pas ? Toutes mes chances pour être nommé, ou pour être pris au sérieux par Parker, sont détruites ! Anéanties par tes mensonges !

— Je crois que tu te trompes. Et je compte bien te le prouver.

11.

— Tu es sûre d'être prête pour ça ? demanda Lauryn à
Susan tandis que le taxi quittait l'aéroport de Miami pour
se diriger vers l'*Estate*, en ce mercredi soir.

— Bien sûr, je veux rencontrer ton mari et ta belle-
famille. Si Adam est du genre à ne pas pardonner, alors
il ne te mérite pas, et j'ai bien l'intention de lui dire ses
quatre vérités.

Eternelle optimiste, sa mère sourit et lui serra le bras.

— Mais je suis persuadée que ce ne sera pas nécessaire,
ajouta-t-elle. D'ailleurs, je n'ai jamais gâché une soirée.
Ça pourrait être amusant.

L'idée que sa mère si bien élevée puisse se rendre
quelque part sans y avoir été invitée fit sourire Lauryn.

Comment avait-elle pu oublier que Susan Lowes avait
toujours été là pour elle ? Dès l'instant où Lauryn avait
salué sa mère à sa descente du bateau, puis pendant la
confession difficile de la recherche du journal, de son
mariage, de la réapparition de Tommy, et du scandale
qui avait secoué la communauté aisée de Miami, Susan
lui avait apporté un soutien sans faille. Sa seule question
avait été : « Est-ce que tu aimes Adam ? »

Quand Lauryn avait répondu par l'affirmative, Susan
avait alors déclaré qu'elles feraient mieux de rentrer à
Miami et de régler ça.

Aucune mère, biologique ou adoptive, n'aurait pu faire
mieux.

— Merci d'être venue. Après la façon dont j'ai agi…,

commença-t-elle, les larmes aux yeux. Je ne mérite pas ton soutien.

— Tu étais blessée, dit Susan en resserrant son étreinte. Je le comprends. J'aurais dû insister auprès de ton père pour qu'il te dise la vérité le jour de tes dix-huit ans, comme nous l'avions prévu, mais avec Adrianna qui était déjà décédée…

— Et mon comportement rebelle…

— Eh bien, oui, j'admets que nous avons pris cela en considération. Nous ne voulions pas faire empirer la situation. Malgré tout, tu avais le droit de savoir. Et ensuite, tu as été si bouleversée après cette histoire avec Tommy que nous ne voulions pas ajouter à tes problèmes.

— Je ne pourrai jamais assez m'excuser pour mon comportement à l'époque. Chaque règle me mettait hors de moi, et provoquait des réactions tout à fait disproportionnées.

— Ton père était autoritaire parce qu'il t'aimait, et qu'il craignait pour ta sécurité, car tu fréquentais des gens dangereux. Mais, il faut bien le dire, la plupart du temps, il avait la subtilité d'un char d'assaut.

— Je suis bien d'accord.

— Et il ne semblait pas comprendre que tu n'étais pas une nouvelle recrue qui avait besoin d'être matée. Plus il était autoritaire, plus tu résistais.

Elle secoua la tête.

— Vous vous ressembliez tant tous les deux !

— Quoi ? Papa et moi ?

— Oh, oui. Deux forts caractères. Tous les deux déterminés à tester vos limites. La différence c'est que ton père a trouvé un travail qui lui permettait de canaliser son côté sauvage, et de se confronter aux barrières de la lumière, de la vitesse et du son — littéralement.

— Je croyais que je tenais mon côté rebelle d'Adrianna.

— Ton père était du genre indomptable lui aussi.

— Mais tu l'aimais.

Susan afficha un sourire mélancolique.

— Pas au début. A l'époque, nous étions en conflit plus

souvent qu'à notre tour. Je ne l'avais épousé que parce que j'étais enceinte et seule, et que j'avais l'impression de ne pas avoir d'autres choix. Mais j'ai vu son côté tendre quand il est resté près de moi après que j'ai perdu mon petit Daniel, et peu de temps après, quand il t'a ramenée à la maison, je suis vraiment tombée amoureuse de lui. Lui a été un peu plus lent à partager mes sentiments. Mais il a fini par m'aimer aussi, et nous avons été heureux ensemble. Il me manque tant.

Avalant la boule d'émotion dans sa gorge, Lauryn serra la main de sa mère. Le mariage de ses parents n'avait pas commencé comme un mariage d'amour, mais il en était devenu un. Pouvait-elle en espérer autant pour elle-même ? Ou Adam ne lui pardonnerait-il jamais ?

Le taxi s'arrêta devant l'*Estate*. Lauryn paya la course, descendit de la voiture, et prit les bagages.

— Nous allons les mettre dans mon bureau et ensuite, nous irons trouver tout le monde.

La porte de service était fermée à clé le soir, et elle n'avait pas de clé pour la porte principale, aussi conduisit-elle Susan le long de la file de gens élégamment vêtus, qui attendaient sur le vaste trottoir en espérant entrer, et s'arrêta devant un vigile à la corpulence impressionnante.

— Bonsoir, Deke.

— Ah, bonsoir Lauryn. Vous étiez en voyage ?

— Oui, j'ai ramené ma mère avec moi. Où se déroule la fête de Mme Garrison ?

Elle se raidit, espérant qu'il ne lui refuserait pas l'entrée. Mais il décrocha le cordon.

— En haut. La salle rouge.

— Merci.

A l'intérieur, la musique jouée par le DJ pulsait autour d'elles. Lauryn s'éloigna de la foule de clients, et utilisa son badge pour ouvrir une porte menant aux bureaux. Elle déposa ses sacs derrière son bureau. Elle était si nerveuse qu'elle en avait la nausée. Elle poussa un soupir, et redressa les épaules.

Il n'y avait aucune raison de temporiser avant de rejoindre

la fête. Sa mère et elle avaient revêtu une tenue de soirée à l'aéroport. Mais elle avait peur. Peur de perdre Adam, ce soir. Du moins, si elle ne l'avait pas déjà perdu. Mais si elle ne montait pas, pour essayer d'arranger les choses, alors elle devrait dire adieu à son mari pour toujours.

— Lauryn ?

— Je suis prête, maman.

Elle retira le petit cadeau qu'elle avait acheté pour Bonita de sa valise.

— Allons gâcher cette fête.

Le cœur n'y était pas.

Adam se tenait à l'écart de la fête de sa mère, et observait deux cents des gens les plus puissants de Miami discuter ou danser au son de la musique s'échappant des haut-parleurs.

Il n'était pas en train de jouer de son charme, de tapoter le dos de ses invités, de serrer des mains, à essayer de gagner leur confiance, pour la nomination au *Business Council*. En fait, il se moquait même de savoir si ses invités s'amusaient ou non. Une première pour lui.

Tous ceux à qui il avait parlé lui avaient demandé des nouvelles de Lauryn. Apparemment, son interview larmoyante les avait impressionnés.

— Adam ?

La voix d'un des hôtesses le tira de ses pensées.

— Il y a quelqu'un qui insiste pour vous parler.

Lauryn ?

— Qui ça ? Où ?

— Là-bas, près de la porte.

Au lieu de sa femme, Adam aperçut Ace Martin, le détective privé. La déception l'envahit. Pourtant, c'était lui qui avait ordonné à Lauryn de ne pas venir. En ce moment même, elle était peut-être en Californie, avec Saunders, à dépenser quarante mille dollars.

Etait-il encore marié, ou non ? Ses muscles se raidirent, mais il se força à les mettre en marche pour rejoindre Ace. Ace avait-il trouvé les réponses ? Adam n'était pas sûr de vouloir connaître la vérité. Son mariage était très probablement terminé, d'une façon ou d'une autre.

— Ace, merci d'être venu.

Le détective privé hocha la tête.

— On peut discuter dans un endroit privé ?

— Oui, mon bureau.

Il prit le monte-charge plutôt que l'escalier. Il n'était pas dans le bon état d'esprit pour charmer les invités qu'il rencontrerait devant le club, et il ne voulait pas être pris dans une conversation qui pourrait retarder les révélations d'Ace ne serait-ce que d'une minute.

Le bureau était désert, et sombre, et pendant une seconde, Adam crut respirer une bouffée du parfum de Lauryn. *Ton esprit te joue des tours, mon gars.* Il secoua la tête. Mais bon sang, Lauryn lui manquait ! Stupide, non, alors qu'elle lui avait menti et qu'elle en aimait peut-être un autre ?

Mais quand il était allongé seul dans son lit, le soir, il revoyait son regard, la sincérité dans ses yeux, et il se mettait à douter — ce qui ne lui était pas arrivé souvent dans sa vie.

— Saunders ment, annonça Ace dès qu'Adam eut fermé la porte.

Il sortit un dossier de sa mallette, l'ouvrit, et étala des documents sur le bureau.

— L'annulation de mariage de votre femme s'est passée sans accroc. Saunders l'a droguée, exactement comme elle l'a dit. Les rapports médicaux l'attestent.

Adam eut une montée d'adrénaline. Lauryn et lui étaient toujours mariés. Avait-elle menti quand elle lui avait dit l'aimer ?

— Tout ce que vous m'avez demandé de vérifier s'est avéré exact. D'après tous les témoignages, son père n'était vraiment pas commode. Il lui a mené la vie dure dans ses années d'adolescence. Elle l'avait défié comme une jeune fille de son âge, mais en dehors de boire de l'alcool avant l'âge autorisé, elle n'a jamais commis de délit — ou en tout cas, il n'y en a aucune trace. Etudiante brillante. Populaire. Une enfant normale, hormis quelques turbu-

322

lences durant ses années lycée. Et je ne pense pas qu'elle soit l'espionne de la *Garrison, Inc.* Ça ne colle pas avec son caractère. Et il n'y a aucune trace de grosse somme d'argent inexpliquée.

— Et Saunders ?

— Les flics de Californie l'ont coincé hier. Cet imbécile avait encore l'argent et le document falsifié sur lui. Encore un qui n'a pas inventé la poudre ! Il propose de rendre l'argent pour qu'on réduise les charges retenues contre lui. Notre joli cœur n'a pas trop envie de passer plus de temps derrière les barreaux. Figurez-vous qu'il y est déjà allé pour vol de voitures et revente de drogue.

— Il était seul ?

— Oui. Aucune trace de Lauryn.

Une vague de soulagement déferla sur Adam.

Ace ferma sa mallette.

— S'il y a autre chose que je peux faire ?

Trouver ma femme.

Mais Adam ne le demanda pas. Même si Ace retrouvait Lauryn, Adam ne pourrait pas la contraindre à lui pardonner, ou à cesser d'aimer son ex.

— Rien d'autre. Merci pour votre aide.

— Je ne fais que mon travail. Ça fait plaisir de découvrir que quelqu'un est innocent, pour une fois.

Lauryn était innocente. Pourtant, il l'avait condamnée. Il avait été son juge, son juré, et son bourreau. Elle le haïssait sans doute de tout son cœur.

Il fit un chèque à Martin et le raccompagna. La dernière chose qu'Adam voulait, c'était rejoindre la fête. Il voulait retrouver Lauryn et lui faire des excuses.

Pour avoir douté d'elle.

Pour ne pas lui avoir dit qu'il l'aimait.

Trop tard ? Sans doute. Mais il fallait qu'il essaie.

Il retourna vers la salle rouge, et aperçut Jordan et Emilio Jefferies, qui se faisaient face, les poings fermés, l'air prêt à en découdre.

Adam entendit le ton de leurs voix furieuses tandis qu'il approchait, mais ne distingua pas les mots. Il avait des videurs pour ce genre de situations, mais étant donné qu'Emilio ferait bientôt partie de la famille, Adam décida de s'en occuper lui-même.

— Jordan, je ne me souviens pas avoir vu ton nom sur la liste des invités.

Et si cet homme avait placé une taupe chez *Garrison, Inc.*, alors il n'était vraiment pas le bienvenu.

— Quoi ? Tu ne veux pas que je souhaite à ta mère un joyeux anniversaire ?

— Si je te croyais sincère, je pourrais l'envisager. Mais ce n'est pas le cas. Qu'est-ce que tu veux ?

Jordan passa en revue la pièce, ses yeux bleus s'arrêtant sur une cible qu'Adam ne put identifier dans la foule mouvante.

— Rien. Rien du tout.

L'air dépité, il tourna les talons et partit en trombe.

— Tu sais pourquoi il est venu ? demanda Adam à Emilio.

Son futur beau-frère hésita.

— Non.

Adam était prêt à parier sa BMW qu'Emilio Jefferies savait exactement pourquoi son frère était là. Mais insister pour obtenir une réponse devint la dernière de ses priorités quand il parcourut la salle du regard et vit la magnifique jeune femme blonde qui discutait avec Brooke et leur mère.

Lauryn.

— Vous lui ressemblez, observa Bonita Garrison avant que Lauryn ne puisse s'échapper, une fois qu'elle lui avait donné son cadeau et souhaité bon anniversaire.

— A qui donc ? demanda Lauryn d'un air absent.

Elle nota l'expression inquiète de Brooke, et regarda dans la direction de sa belle-sœur. Emilio Jefferies et Adam. *Adam.* Le cœur de Lauryn battit plus fort, et ses paumes devinrent moites.

— Votre mère, dit Bonita, captant de nouveau l'attention de Lauryn.

Les yeux de Bonita, si semblables à ceux d'Adam, se portèrent sur Susan Lowes, la détaillèrent, puis se reportèrent sur Lauryn.

— Votre mère biologique. Adrianna Laurence.

Aussitôt, Lauryn tendit l'oreille, et sentit sa gorge se nouer. Elle mourait d'envie d'en savoir plus, mais elle ne voulait pas mettre Susan mal à l'aise.

Ce fut Susan qui prit l'initiative.

— Comment ça, madame Garrison ? Je n'ai jamais vu de photo d'Adrianna, même si mon mari parlait d'elle de temps à autre.

Bonita semblait avoir regretté d'avoir lancé cette conversation. Elle serra les lèvres, et regarda vers le bar un instant.

— La couleur de cheveux est différente, elle était aussi brune que Lauryn est blonde. Mais, dit-elle en se tournant vers Lauryn, vous avez la même forme de visage. Votre profil, vos yeux, votre menton.

Bonita parlait de façon claire et distincte ce soir. Etait-ce elle qui avait décidé de ne pas boire, ou Adam avait-il donné des consignes aux barmans ?

— Vous la connaissiez ? s'enquit Lauryn, un flottement d'excitation dans le ventre.

— Elle accompagnait souvent sa mère dans les réceptions.

— Vraiment ? Comment était-elle ?

— Elle donnait du fil à retordre à ses parents, et passait son temps à trouver des façons de causer des problèmes et d'attirer l'attention sur elle. Quand j'ai lu votre interview dans le journal, cela m'a rappelé Adrianna. J'espère que vous avez dépassé votre besoin d'attirer l'attention. Ou non ? Je n'en suis pas si sûre après cette débâcle.

— Maman ! s'exclama Brooke.

— Je l'ai dépassé, madame Garrison. Tout ce que je veux, c'est être une bonne épouse pour Adam.

S'il veut bien de moi.

Bonita haussa le menton et regarda Lauryn de haut.

— Adrianna a pris des risques pour sauver son enfant. Vous avez pris des risques pour sauver le mien. Peut-être avez-vous des qualités qui rachètent vos défauts. Mais cela reste à prouver.

— Maman ! répéta Brooke.

— Ce n'est rien, Brooke, intervint Lauryn. Elle a raison. Je…

— Lauryn.

La voix d'Adam fit galoper son cœur.

Elle se retourna. Il était là, grand et mince, avec ses cheveux savamment décoiffés et ses yeux azuréens. Elle rougit violemment, puis frémit d'appréhension. Allait-il la mettre dehors ?

— Tommy a menti, lâcha-t-elle de but en blanc.

— Oui, je sais.

Il y avait quelque chose dans ses yeux, une émotion que Lauryn ne pouvait identifier, qui la troubla.

— Adam, va me chercher un gin tonic, ordonna Bonita. Ton barman refuse de me servir.

— Désolé, maman. Tout le monde a des ordres pour faire en sorte que tu sois sobre ce soir, dit-il, sans quitter Lauryn des yeux.

— Alors, ce n'est pas vraiment joyeux comme anniversaire, n'est-ce pas ? pesta Bonita avant de s'éloigner, suivie de Brooke.

— Mes excuses pour le comportement de ma mère. Je suis Adam Garrison.

— Susan Lowes, la mère de Lauryn.

Le sourire d'Adam n'effaça pas totalement la tension sur son visage.

— Enchanté, madame Lowes. Vous avez élevé une fille épatante.

— Oui, je suis bien d'accord, approuva Susan en serrant fort la main de Lauryn avant de la relâcher. Ma chérie, je vais aller me repoudrer le nez.

— Par ici, dit Adam en désignant une double porte.

— Merci.

Susan s'éloigna et Lauryn n'eut qu'une envie, la rappeler à la rescousse. Elle n'était pas prête pour cette conversation. Elle n'était pas encore prête à utiliser sa dernière cartouche.

Mais il le fallait. Alors, elle redressa les épaules.

— Comment sais-tu pour Tommy ?

Adam la prit par le bras et la mena vers un coin isolé où la musique et les murmures de la foule étaient moins intrusifs. Elle voulait prendre sa main, et ne plus jamais la lâcher.

— J'ai engagé un détective privé, annonça-t-il.

Elle ne put réprimer la déception qui l'envahit.

— Que tu me croies sur parole, c'était trop espérer, dit-elle d'une voix mélancolique.

— Lauryn…

— Ce n'est rien, Adam. Je comprends. Tout mon plan pour emménager ici, apprendre à te connaître et rechercher le journal était stupide et totalement égoïste. Je n'aurais jamais dû faire ça. J'ai blessé trop de gens, et j'ai menti trop souvent.

— Tu n'as pas menti, Lauryn. Tu as passé des choses sous silence. Des choses que tu ne considérais pas comme importantes. Et elles ne l'auraient pas été, si Saunders n'avait pas décidé de déformer les faits. Ton passé comme le mien font partie de nous. Nous avons commis des erreurs, mais nous en avons tiré des enseignements. J'ai changé, et toi aussi.

Alors, il ne la détestait pas, songea-t-elle, le cœur plein d'espoir.

— Je ne m'attendais pas à ce que mon passé me rattrape, avoua-t-elle. Mais j'aurais dû te donner des informations et te laisser prendre ta décision. C'est toi qui avais le plus à perdre. La nomination…

— Oublie la nomination. Si les membres du Conseil sont trop étroits d'esprit pour se rendre compte que je suis qualifié pour le job, alors ce sont eux les perdants.

— Mais, et l'implication dans la *Garrison, Inc.* que tu voulais tant ?

— Ça ne m'intéresse plus. Tu avais raison. Je fais ce que je veux faire, j'investis quand et comme je le veux, sans avoir à répondre de mes choix devant quiconque. Et je suis doué pour ça. J'ai toujours été un joueur solitaire, alors je ne devrais pas essayer de rentrer dans une équipe.

— Tu en es certain ?

— Oui, tout à fait.

Il regarda la foule puis reporta son attention sur elle.

— Et, moi non plus, je ne suis pas irréprochable, concéda-t-il. Mes motifs pour t'épouser étaient… comment déjà ? Stupides et totalement égoïstes.

Cela voulait-il dire qu'ils avaient une chance, ou qu'il était prêt à tout arrêter ?

— Mais assez sur nos erreurs, décréta-t-il. Tu sais que tu as le droit de contester la liquidation du domaine des Laurence, n'est-ce pas ? Tu hériterais de millions.

Elle fut interdite.

— Je… je l'ignorais.

— Le domaine était censé revenir au dernier héritier en vie. Toi, en l'occurrence. Après une année de recherches infructueuses, puisqu'il n'y avait pas d'héritier, les propriétés ont été vendues, mais l'argent est actuellement géré en fiducie.

— Mon Dieu… Je ne sais pas quoi répondre.

— Songes-y. Parle à Brandon. Il te dira quelles sont tes options.

— D'accord. Mais… pourquoi me dis-tu tout ça ?

Il dessina de petits cercles sur son bras. Elle sentit son pouls s'accélérer, et la tension monter au fond d'elle.

— Parce que tu es assez riche pour faire ce que tu veux. Pour vivre où tu le souhaites, et avec qui tu le souhaites.

— Tu sais que ce n'est pas pour l'argent que je voulais retrouver le journal d'Adrianna, n'est-ce pas ? J'avais besoin de savoir que j'étais désirée — que je n'étais pas un bébé que même sa propre mère ne pouvait aimer.

Voilà. Elle l'avait dit à haute voix, pour la première fois. Et Adam la comprenait, elle le voyait dans ses yeux.

Après quelques secondes, il hocha la tête, et caressa la phalange qui portait son alliance et sa bague de fiançailles.

— Le détective m'a dit que la police avait arrêté Saunders

en Californie hier. Saunders a déjà rendu l'argent. Il sera reconduit ici pour faire face aux accusations d'extorsion.

Adam marqua un temps, l'air soucieux.

— A moins que tu ne veuilles que j'abandonne les charges contre lui, finit-il.

Confuse, Lauryn fronça les sourcils.

— Pourquoi le voudrais-je ?

— Parce que tu tiens encore à lui. Je sais que tu as porté plainte pour m'aider, mais si tu veux vivre avec lui, alors, je ne veux pas que tu sois l'épouse d'un détenu, et je ne veux pas que tu dilapides ton héritage pour ses frais de justice.

Lauryn fut prise d'un accès de panique. Adam voulait-il toujours divorcer ?

— Adam, je me fiche de Tommy ! Et je ne veux pas abandonner ma plainte. Ce qu'il a fait était illégal, et il t'a fait du tort.

— Alors, pourquoi as-tu hésité quand je t'ai demandé d'écrire des informations sur lui pour la police ?

Elle se rappela leur dernier matin ensemble, dans la maison de Sunset Island. Le dernier matin où elle avait été heureuse.

— Parce que je me suis rendu compte que tout ce que mon père m'avait répété était vrai. Je me suis aventurée sur un chemin dangereux. Si j'étais restée avec Tommy, je serais très probablement en prison à l'heure actuelle. Je n'étais peut-être pas un bébé que sa propre mère ne pouvait pas aimer, mais pendant cinq ans, j'ai fait de mon mieux pour devenir une adolescente que son propre père ne pouvait pas aimer. J'ai beaucoup de chance que Susan et lui aient eu assez d'affection pour rester près de moi quand je les repoussais de toutes mes forces.

Adam serra sa main.

— Tu n'as pas hésité parce que tu aimais Saunders ?

— Comment le pourrais-je alors que je… je t'aime ? Mais je sais que je me suis conduite comme une imbécile en gardant mes secrets. Et je sais que tu n'es peut-être pas capable de me pardonner ou de me faire confiance de nouveau. Alors, Adam… si c'est ce que tu veux… je te rendrai ta liberté. Mais je veux vraiment essayer de faire fonctionner ce mariage.

Il ferma les yeux et prit une profonde inspiration. Quand il les rouvrit, l'amour qu'elle vit luire au fond de ses prunelles faillit la faire chanceler.

Elle appuya son poing contre son cœur si débordant d'espoir qu'elle avait du mal à respirer.

— Si tu peux me pardonner pour avoir été un parfait imbécile quand mon cœur me dictait de te faire confiance, alors je veux renégocier notre accord.

Elle s'agita, mal à l'aise.

— Renégocier dans quel sens ?

— Deux ans, ce n'est pas assez. En fait, cinquante ans ne suffiront pas. Je veux l'éternité. Pas une seconde de moins.

Il lui embrassa l'annulaire gauche.

— Je veux que ces bagues symbolisent les vœux que nous avons échangés sur la plage.

Il lâcha sa main, mais seulement pour essuyer ses joues mouillées. Elle n'avait même pas remarqué qu'elle pleurait.

— Je t'aime, Lauryn Garrison. Je veux passer le reste de ma vie à te montrer que tu es désirée. Aimée. Et, si tu es d'accord, je veux remplir la maison de ta mère de ses petits-enfants.

Lauryn avait les larmes aux yeux, tant le bonheur la submergeait.

— A une condition, Adam.

— Laquelle ?

— Que tu ne me paies pas pour être ta femme. C'est un travail que je veux faire gratuitement.

Il lui fit un clin d'œil, et elle sentit son cœur fondre.

— Marché conclu, ma chérie, et je vais m'assurer que tu ne le regretteras jamais.

CATHERINE MANN

Un bébé
chez les Garrison

éditions **HARLEQUIN**

Cet ouvrage a été publié en langue anglaise
sous le titre :
THE EXECUTIVE'S SURPRISE BABY

Traduction française de
MARIEKE MERAND-SURTEL

Ce roman a déjà été publié en avril 2009

Prologue

Juillet, cinq mois plus tôt.

Tendant la main à travers le comptoir de teck poli, Brooke Garrison saisit le verre de vin tendu par le barman vieillissant du *Garrison Grand*. Elle avait encore les mains tremblantes après le choc émotionnel subi ce jour-là, à la lecture du testament de son père et la révélation de sa vie secrète. A vingt-huit ans, c'était la première fois qu'elle buvait de l'alcool, mais au moins n'avait-elle aucun contrôle d'identité à redouter, étant donné que le lieu appartenait à sa famille. De toute façon, elle avait l'âge légal pour boire.

— Merci, Donald, dit-elle en lisant furtivement le nom de l'homme sur son badge.

— Je vous en prie, mademoiselle Garrison.

Il glissa d'un geste obséquieux une serviette supplémentaire vers elle et ajouta d'un ton suave :

— Et veuillez accepter toutes mes condoléances pour votre père. Il va nous manquer.

Il allait manquer à plus de gens qu'elle ne l'aurait cru, songea Brooke.

— Les mots de réconfort nous vont à tous droit au cœur. Merci encore, répliqua-t-elle.

— N'hésitez pas à me demander quoi que ce soit d'autre.

Quoi que ce soit d'autre ? Oui, elle voulait effacer toute cette horrible journée et repartir de zéro. Ou, au moins, cesser d'y penser, et encore plus d'en parler. Elle avait déjà ignoré quatre messages de son frère Parker laissés par la réceptionniste.

Le pianiste du bar passa en douceur d'un morceau à un autre, tout aussi sirupeux.

Brooke avala une gorgée de vin avec hésitation, et grimaça. Pensive, elle fit tournoyer le chardonnay, contemplant la flamme de la bougie à travers le liquide. Au fond de ce verre se trouvaient les réponses à ce qui avait éloigné sa mère d'elle. A ce qui avait poussé son père à mener une seconde vie secrète durant les années précédant sa mort.

Les paroles amères de sa mère, ce matin, après la lecture du testament de John Garrison, résonnaient en boucle dans l'esprit de Brooke : « Le sale traître. Je suis contente qu'il soit mort. »

Quelle abominable façon d'apprendre qu'ils n'étaient pas cinq rejetons Garrison, mais six ! En plus de trois frères et d'une vraie sœur jumelle, Brooke avait donc une demi-sœur illégitime qui vivait aux Bahamas, une sœur dont son père ne leur avait jamais parlé de son vivant. Au lieu de quoi, il avait choisi de les en informer par son testament, en transmettant une portion considérable de son empire à Cassie Sinclair — la fraîchement découverte sœur en question.

Non que Brooke se préoccupât de l'argent. Néanmoins, songea-t-elle amèrement en avalant une nouvelle gorgée, la trahison faisait sacrément mal.

Le son des conversations et les tintements des verres de gens plus joyeux enflaient dans le bar tandis qu'elle sirotait son vin. Mais elle ne voulait pas se mêler à ces réjouissances, et évitait même soigneusement tout contact visuel avec deux hommes qui tentaient de capter son attention.

Brooke porta de nouveau l'élégant verre de cristal à sa bouche. Elle savait que ce vin était aussi admirable et parfait que les fleurs fraîches et les nappes sur les tables environnantes. Mais ses papilles gustatives n'enregistraient rien. Le chagrin l'engourdissait trop.

Elle avait toujours blâmé sa mère des fréquents voyages professionnels de son père. Son alcoolisme avait forcément poussé son merveilleux papa à fuir. Désormais, elle ne pouvait s'empêcher de se demander si le comportement de John Garrison n'avait pas d'une certaine manière contribué à la tristesse de Bonita.

Et comment démêler tout ça alors qu'elle-même pleurait la perte d'une figure si importante dans sa vie ? Les souvenirs de sa présence éclataient dans tout l'hôtel. Elle voyait l'empreinte de son père sur chaque lustre richement orné du bar, sur chacune des imposantes colonnes de l'entrée.

Brooke fit courir son doigt sur le bord de son verre à moitié plein, une gâterie qu'elle ne s'était jamais accordée en raison de l'addiction de sa mère.

Mais ce soir n'était pas un soir normal.

Ses yeux accrochèrent les colonnes du spacieux vestibule menant au bar et elle tressaillit imperceptiblement. La soirée devenait même encore plus *anormale* qu'elle l'aurait imaginé.

Sous l'arcade venait d'entrer le dernier homme qu'elle se serait attendue à voir ici, mais qu'elle reconnut fort bien malgré l'éclairage tamisé. Leurs familles respectives étaient rivales en affaires depuis des années, une compétition qui semblait s'être encore accrue depuis que Jordan Jefferies avait repris la suite après le décès de son père.

Alors, que faisait Jordan ici ?

Brooke s'obligea à penser davantage comme ses frères et sœur, et moins selon son propre esprit conciliateur... et la réponse s'imposa : il était venu au *Garrison Grand*, l'hôtel de son frère Stephen, pour étudier la concurrence.

Brooke profita qu'il ne l'ait pas remarquée pour observer Jordan Jefferies arpenter la salle avec la grâce nonchalante d'un fauve. Non, nonchalante n'était pas le bon terme.

Elle devait raisonner comme ses frères et sa sœur, se remémora-t-elle. En fait, Jefferies ne simulait la nonchalance que pour mieux fondre sur sa proie, trop occupée à admirer sa remarquable splendeur blonde et musclée.

Splendeur que Brooke avait déjà remarquée plus d'une fois. Jordan avait beau être l'ennemi, elle n'était pas aveugle. Néanmoins, elle l'avait toujours considéré comme tabou à cause de la discorde que cela susciterait dans sa famille. Elle avait souvent entendu son frère aîné Parker enrager des jours durant à propos d'une réunion d'affaires litigieuse avec Jefferies. Or, en tant que diplomate de la famille, elle faisait toujours de son mieux pour éviter les conflits, apaiser les disputes et les sentiments blessés.

Pour le bien que ça lui avait fait ! Mais de toute façon, le clan Garrison tout entier avait été déchiré vif aujourd'hui.

La voix de sa mère siffla de nouveau dans sa tête : « Le sale traître. Je suis contente qu'il soit mort. »

Le barman se pencha vers elle, interrompant le fil de ses pensées.

— Je peux vous apporter autre chose, mademoiselle Garrison ?

Garrison. Aucun moyen d'échapper à son identité dans les parages. L'imaginer était aussi futile que croire qu'elle pouvait maintenir la paix dans sa famille.

Alors, pourquoi s'embêter à essayer ?

Un feu s'embrasa soudain dans ses veines et se mua en idée, en désir. Et, à coup sûr, en envie de rébellion ouverte après une journée d'enfer.

— Oui, Donald, vous pouvez faire quelque chose pour moi. Veuillez dire à ce monsieur — elle désigna Jordan — que ses boissons sont pour la maison.

— Pas de problème, mademoiselle Garrison.

Avec un sourire discret, le barman longea les rangées de verres suspendus pour gagner l'autre extrémité du bar. Il transmit le message et Brooke attendit, l'estomac noué.

Qu'allait penser Jordan du fait qu'elle prenne ses consommations à son compte ? Selon toute probabilité, il penserait qu'un Garrison manifestait avoir noté sa présence, rien de plus.

Se souviendrait-il seulement d'elle ? Bien sûr que oui. En homme d'affaires avisé, il connaissait forcément chaque élément de la famille.

Meilleure question : serait-il capable de la distinguer de sa sœur jumelle ?

Elle le vit se détourner du barman et braquer son

regard vers elle. Leurs yeux se rencontrèrent, et malgré la faible lumière, elle put distinguer le bleu ensorcelant de ses iris. Ainsi qu'une lueur d'intérêt qui vint illuminer son lent sourire.

Jordan ramassa son cocktail sur le bar et se fraya un passage parmi les clients, avançant vers elle d'un pas décidé et ferme. Puis, posant son verre près du sien, il lança :

— Je ne m'attendais pas à si charmant accueil de la part d'un membre du clan Garrison. Vous êtes sûre de ne pas avoir ordonné au barman de verser du poison dans mon verre, Brooke ?

Tiens, il la reconnaissait ? Ou il l'avait dit au hasard ?

— Comment savez-vous que je ne suis pas Brittany ? demanda-t-elle, piquée au vif.

Sans la quitter des yeux, il leva une main vers elle, et s'arrêta presque avec timidité à un centimètre d'une boucle de cheveux qui refusait obstinément de rester en place.

— A cause de ça. Cette mèche rebelle est signée Brooke.

Mazette. Il la reconnaissait vraiment, alors que même son propre père s'était parfois trompé.

A ce moment précis, Brooke se rendit compte qu'elle possédait davantage de la fameuse détermination Garrison que quiconque ne l'aurait soupçonné. Elle leva son verre et porta un toast silencieux à Jordan.

Elle l'avait vu bien des fois. Et l'avait toujours désiré.

Ce soir, au diable sa famille. Elle l'aurait.

1.

Aujourd'hui.

— Joyeux Noël. Je vais avoir un enfant. Ton enfant.

Brooke Garrison s'entraînait à trouver la bonne formulation avant que le père de son futur bébé passe la porte de son bureau.

C'est-à-dire d'un instant à l'autre.

Elle remua dans le fauteuil design d'où elle dirigeait le *Sands*, une des nombreuses branches de l'empire familial. Puis tripota nerveusement ses cheveux. Elle ne tenait pas en place. Et avait envie d'une nouvelle glace à la menthe — oui, elle en avait mangé une boule au petit déjeuner.

Zut, les minutes s'égrenaient à une cadence plus rapide que celle des lumières clignotantes sur l'arbre de Noël dans l'angle du bureau, et elle ne trouvait toujours pas la manière parfaite d'annoncer à Jordan son imminente paternité.

Elle essaya une autre tactique :

— Je suis enceinte, et de toi. La méthode contraceptive que nous avons utilisée a visiblement raté. Probablement quand nous étions dans le bain à remous.

Hum. Elle hocha la tête. Penser au bain partagé avec Jordan s'avérait une très mauvaise idée. Sourcils froncés, elle balaya en arrière une mèche échappée de son chignon banane, et ramena son esprit sur l'urgence du moment. Allons, en tant que directrice du *Sands*, elle devrait se montrer plus décidée que ça.

Sauf que rien n'avait jamais été plus important et décisif

pour sa vie future que les paroles qu'elle était sur le point d'échanger avec Jordan.

— J'attends…

Quoi ? Ça sonnait comme « j'attends un colis ». Elle se débarrassa de ses talons hauts qui martyrisaient ses pieds gonflés depuis un moment, malgré leur forme ouverte et assez décolletée sur le devant. Grâce à son bronzage permanent, conséquence non négligeable de la vie à Miami's South Beach, elle pouvait se passer de bas, et mettre des chaussures ouvertes toute l'année.

Mais pourquoi tournait-elle ses pensées vers les accessoires vestimentaires ? se demanda-t-elle soudain, furieuse contre elle-même. Vraisemblablement pour éviter le sujet qui lui mettait les nerfs à vif…

Seigneur, elle devrait déjà avoir mis au point un discours irréprochable ! Etant la perfectionniste de la famille Garrison, celle qui ne faisait jamais de vagues, elle était toujours parfaitement organisée.

Enfin, jusqu'ici…

Et le pire, c'était que son manque de préparation était absolument inexcusable. Car depuis qu'elle avait largué la bombe de l'annonce de sa grossesse au dîner hebdomadaire qui réunissait tous les membres de la famille, elle savait que ce ne serait qu'une question de temps avant que la nouvelle s'ébruite. Emilio, son futur beau-frère, finirait bien par lâcher le morceau à son propre frère — et associé.

A savoir Jordan Jefferies.

Lorsque sa secrétaire l'avait prévenue par Interphone que le plus gros rival professionnel des Garrison désirait la rencontrer, Brooke avait compris que l'heure avait sonné.

Et la minute de vérité approchait. Aussi s'obligea-t-elle à reprendre ses essais de formulation.

Bon, alors, pourquoi pas quelque chose comme : « Tu te souviens de cette soirée il y a cinq mois, après l'ouverture du testament de mon père ? Quand je me suis accordé trois gorgées de vin ? » Ce qui, en soi, était déjà stupide vu qu'elle ne buvait jamais, de crainte de devenir alcoolique comme sa mère. « Et qu'ensuite, on a fait l'amour comme des bêtes dans une chambre d'hôtel jusqu'à… »

La porte du bureau s'ouvrit à cet instant et Brooke ravala ses paroles, priant pour que l'homme en costume gris à fines rayures qui venait de se matérialiser devant elle n'ait pas entendu le début de sa phrase.

Jordan Jefferies ne claqua pas la porte à la volée contre le mur. Il n'en avait pas besoin. Il avait le genre de présence qui vibrait davantage dans une pièce que l'écho du bois heurtant une paroi. Bouche bée, elle le détailla du regard. Les boutons de manchette étincelants et sa tenue impeccable contrastaient totalement avec les souvenirs qu'elle avait de leur nuit sauvage et fiévreuse. Sauf qu'il était toujours aussi séduisant. Avec son mètre quatre-vingt-dix, il frôlait le gui accroché au chambranle.

Aussi calmement qu'il était entré, il referma la porte derrière lui. Le pêne cliqueta. Brooke tressaillit, et elle sentit aussitôt son bébé lancer un coup de pied dans son ventre arrondi.

Jordan se retourna vers elle et s'approcha en longues enjambées, un masque impénétrable sur son visage terriblement séduisant. A mi-chemin, Jordan s'agenouilla une seconde devant le bureau d'acier poli puis se redressa, tenant à la main les escarpins qu'elle avait envoyés valser un peu plus tôt. Une bouffée d'after-shave vint chatouiller ses narines, la ramenant à ce matin où elle avait serré un oreiller d'hôtel contre elle pour respirer son odeur virile. Avant de le quitter, encore endormi.

— Salut, Brooke, dit-il en posant un seul escarpin de vernis noir sur le meuble. Je t'en prie, ne te donne pas la peine de te lever.

— Comme tu tiens mes chaussures, je pense rester assise, en effet.

Et dissimuler encore quelques minutes son ventre arrondi derrière le bureau. C'était un peu ridicule, d'accord, mais elle avait l'impression de mieux maîtriser la situation.

Au moins Jordan ne poussait-il pas de hauts cris, mais à vrai dire, il avait sans doute eu le temps de digérer la nouvelle de sa grossesse. Elle voulait juste être sûre qu'il savait — croyait — que l'enfant était de lui.

Une drôle de pensée lui traversa soudain l'esprit : est-ce que dans son inconscient, annoncer sa grossesse à sa famille au complet — et donc devant le frère adoptif de Jordan, qui était fiancé avec sa sœur Brittany — aurait été pour elle un moyen détourné de l'en aviser, lui ? Elle avait beau se considérer comme une femme d'affaires futée ayant su conquérir sa place dans l'empire familial, elle avait aussi la réputation d'avoir évité les grosses confrontations dans sa vie personnelle.

Alors, avait-elle esquivé le problème ? Ou tout simplement aggravé les choses ? Brooke tenta de percer l'expression de Jordan, mais il ne lui opposait qu'un masque impénétrable.

Il caressait du pouce le cuir de son escarpin — et Seigneur, elle détestait que ce geste si banal lui fasse crisper les orteils, afin de réprimer l'envie de sentir de nouveau ses mains sur elle. Ça devait venir des hormones. Elle avait lu dans un de ces livres pour future maman que le premier trimestre de la grossesse s'accompagnait d'un regain de sensualité, ce qu'elle n'avait pas cru jusqu'à cet instant.

— Je suis enceinte, lâcha-t-elle enfin.

Au diable le discours plein de dignité. Et tant qu'à faire, mieux valait laisser tomber le « joyeux Noël ».

— Il paraît, répliqua Jordan avec un calme déconcertant.

Ses yeux bleus, brûlants, la parcouraient sans sourciller.

— De toi, ajouta-t-elle.

— Evidemment.

Espèce de mufle arrogant et sexy ! Une impulsion totalement inhabituelle lui fit oublier aussi sec tous ses souhaits d'éviter la confrontation. C'était fou comme, devant cet homme, elle était incapable de prévoir ses propres réactions.

— Pourquoi en es-tu si certain ? riposta-t-elle.

— Parce que tu me le dis.

Il contourna le bureau et déposa le second escarpin sur le tapis à souris.

— J'ai doublé la fortune de mon père en sachant reconnaître une personne fiable d'un menteur, poursuivit-il.

— Tu es sacrément sûr de toi.

— Je ne me suis jamais trompé jusqu'ici, Brooke. Je suppose que ça s'est produit dans le bain à remous. On s'est un peu laissé emporter à ce moment-là.

Son fascinant regard bleu déborda de sensualité à la simple évocation de cette séance torride.

Brooke déglutit avec peine.

— Euh, oui. C'est aussi mon avis.

Jordan leva la main vers son visage et repoussa derrière son oreille la mèche folle qui s'était échappée de son chignon.

— De plus, tes attendrissants yeux marron ne sont pas des yeux de menteuse, poursuivit-il.

Elle s'obligea à garder le regard fermement noué au sien — tout en agrippant le bord du bureau pour ne pas reculer avec son siège. Elle n'était pas prête à dévoiler son ventre. A se montrer aussi vulnérable. Pas encore.

— Selon toi, je suis une cruche, c'est ça ?

— Non, je te considère comme quelqu'un de bien. De nettement mieux que moi, à vrai dire. D'ailleurs, ajouta-t-il en laissant retomber sa main sur le bureau, que gagnerais-tu à me faire croire que je suis le père si c'est faux ? Rien.

— Si je comprends bien, si tu me fais confiance, c'est uniquement une question de logique ?

— Brooke. Cesse d'essayer de gagner du temps.

Brooke la Jacasse. Son père l'appelait toujours ainsi quand elle devenait nerveuse. Pourtant, Dieu sait combien elle avait travaillé dur à cultiver une façade calme, après des années à subir les blessantes railleries alcoolisées de sa mère.

Jordan avait raison. Elle cherchait à gagner du temps, tout ça parce qu'elle vivait un ridicule moment de timidité. Décidément, elle était loin de la femme qui s'était jetée sous les draps avec Jordan cinq mois auparavant. Mais aussi, pourquoi n'était-il pas resté sagement assis de l'autre côté du bureau pour cette conversation ?

Tant pis pour la vanité.

Elle fit rouler son fauteuil en arrière et offrit à Jordan une pleine vision de la robe verte qui moulait si bien son ventre bombé.

Bon Dieu. La bouche de Jordan s'assécha.

Il avait entendu des amis et des collègues parler de « l'aura de la grossesse », et franchement, il croyait que c'était du pipeau. Jusqu'à maintenant.

La peau crémeuse de Brooke avait un éclat excitant. La soie brune de sa chevelure brillait encore plus vivement que la dernière fois qu'il l'avait vue, et Dieu sait si à ce moment-là, il avait déjà été frappé par l'éclat de sa chevelure.

Quant au nouveau renflement de ses seins… L'envie de les explorer de nouveau lui démangeait les mains.

Il finit enfin par poser son regard sur la courbe du ventre abritant le bébé. Et là, ça remua quelque chose en lui. Quelque chose de primitif.

C'était *son* enfant.

Dès qu'il avait appris la date du terme, il avait su que l'enfant était de lui. N'empêche qu'en voir la preuve devant lui, voir Brooke si étonnamment pleine de son bébé… Il se sentit soudain relié à elle et à la vie qu'ils avaient créée ensemble. Non, se promit-il alors, il ne se laisserait pas écarter de ses responsabilités, surtout par une Garrison entêtée et barricadée derrière le soutien de sa famille !

Jordan rassembla ses pensées et concentra son attention sur le menton de Brooke, un menton signé Garrison avec son petit creux au milieu. On pouvait le traiter de dur à cuire en réunion quand il s'agissait de négocier pour *Jefferies Brothers, Inc.*, car jamais il ne trahissait ses sentiments, mais dans le cas présent, il décida que ça ne ferait pas de mal de faire comprendre à Brooke à quel point la situation le secouait.

Il s'assit sur le bord du bureau.

— C'est tout de même incroyable, Brooke.

Le sourire magnifique qu'il obtint en réponse indiqua qu'il avait tapé juste.

Elle posa la main sur le léger arrondi, et dit :

— Je suis moi-même seulement en train de me faire à l'idée. Ce qui explique pourquoi je n'ai pas encore trouvé le temps de t'en parler.

Jordan jugea préférable de ne pas lui faire remarquer

343

qu'elle avait pourtant trouvé le temps d'en parler à toute sa fichue famille. Elle risquait de se braquer. Or, se la mettre à dos ne lui apporterait rien, et était précisément la dernière chose qu'il souhaitait.

— Ce qui compte, c'est que nous soyons ici, maintenant, et ensemble, déclara-t-il.

Ensemble. Ce mot raviva en lui les souvenirs de leur folle nuit. Souvenirs qui ne firent qu'augmenter encore la fièvre qui le traversait à présent, juste en la regardant, juste en observant ses pupilles se dilater en réaction. Elle aussi se rappelait…

Pourquoi ne pas tourner à son avantage l'attirance qu'il éprouvait pour Brooke — une attirance qui avait d'ailleurs été tout à fait réciproque, cette nuit-là ?

Il leva une nouvelle fois la main vers son visage pour écarter avec douceur la mèche folle. Il prit le temps d'en éprouver la texture soyeuse entre ses doigts, puis caressa sa joue, à la peau veloutée et fraîche.

Brooke fronça les sourcils, et à ce simple signe, il sut avec certitude qu'elle s'apprêtait à se lancer dans *la* discussion qu'il comptait justement éviter. Le moment était donc venu de passer à l'attaque.

— Jordan, commença-t-elle. Je sais que tout ça pourrait devenir compliqué, mais mes avocats vont contacter les tiens et garantir que tu…

Il ne la laissa pas finir. Baissant la tête, il cueillit le mot suivant sur ses lèvres. Elle avait un goût de menthe et de tentation.

La menthe, c'était nouveau. Le reste, il se le rappelait parfaitement. Des souvenirs qui s'étaient gravés en lui lors de cette nuit fatidique, cinq mois plus tôt, lorsque leurs chemins s'étaient croisés au *Garrison Grand*.

Il était venu jeter un œil sur la concurrence dans le cadre de la construction de son nouvel hôtel, le *Victoria*. Bien sûr, il avait déjà vu Brooke auparavant, à de nombreuses reprises, mais ce soir-là, elle dégageait quelque chose de vulnérable qui l'avait interpellé. Et avant qu'il puisse se dire que c'était une très mauvaise idée, ils étaient déjà en train de se jeter l'un sur l'autre et de se dévorer littéralement dans l'ascenseur qui les menait à une chambre.

Lèvres et langues mêlées, comme c'était le cas à présent. Oh oui, il s'en souvenait parfaitement, ainsi que de la courbe gracile de son dos tiède sous ses paumes. De la sensation de ses doigts agrippant ses épaules. Tout cela lui fit une fois de plus un effet étonnant.

Mais il ne pouvait pas se permettre de perdre le contrôle. Il devait au contraire mobiliser ses pensées à cet instant où il y avait tant en jeu concernant leur enfant, sans parler des implications professionnelles d'une union avec une Garrison...

Jordan s'écarta et, tout en s'efforçant de ralentir son rythme cardiaque, laissa Brooke nicher sa tête au creux de son cou. A son souffle précipité, il s'aperçut qu'elle était aussi ébranlée que lui — ce qui ne l'aida guère à se calmer.

Néanmoins, il glissa les mains le long de son dos. Il devait s'en tenir à ce qu'il avait en tête en venant la trouver, et la séduire. Même si le moment tombait mal, avec les préparatifs pour l'ouverture de son hôtel, le mois prochain. Son établissement serait moins important que le *Garrison Grand*, mais Jordan était certain qu'il égalerait largement en luxe celui des Garrison — et attirerait la même clientèle. Ah ça, il n'avait pas volé sa réputation d'impitoyable homme d'affaires !

La même énergie lui serait maintenant nécessaire pour convaincre Brooke. Pas seulement à cause de l'enfant, mais aussi parce qu'il savait que l'alchimie qui existait entre eux deux était rare. En fait, il ne se souvenait d'aucune autre femme capable de le mettre dans un tel état d'une simple caresse de la main, pas même l'ancienne Playboy Bunny avec qui il était sorti — et avec qui il avait rompu peu de temps avant cette nuit torride avec Brooke.

Mordillant délicatement le lobe de son oreille, Jordan joua avec le diamant qui l'ornait.

— Pas d'avocats. Un maire. Deux anneaux.

Sa main se déplaça jusqu'au ventre doucement arrondi.

— Car cet enfant naîtra avec des parents mariés.

2.

L'épouser ?

Il était tombé sur la tête ?

A moins que ce ne soit elle qui ait perdu la sienne. Brooke s'écarta et se laissa tomber dans son fauteuil, s'efforçant de recouvrer ses esprits. Les baisers de Jordan lui faisaient un effet invraisemblable, et c'était d'ailleurs en grande partie pour cette raison qu'elle avait fui son lit avec autant de précipitation cinq mois auparavant.

La perte totale de contrôle qu'elle éprouvait en sa compagnie l'avait terrorisée alors, et la terrorisait encore à présent.

— T'épouser ?

Il recommença à caresser son éternelle mèche rebelle, et, presque malgré elle, elle se demanda si elle n'allait pas adopter cette coiffure, à l'avenir.

— Bien sûr, répondit-il. Tu portes mon enfant. Ça fait suffisamment longtemps que nos familles se querellent, tu ne trouves pas ? Grandir dans ce type d'environne-ment conflictuel est très mauvais pour un enfant. Et puis, maintenant qu'Emilio et Brittany sont fiancés, le clivage entre les clans a commencé à s'atténuer. Nous pouvons contribuer à consolider cela en nous mariant. Et en fusion-nant complètement nos deux entreprises familiales.

Brooke tressaillit, comme si les mots qu'il venait de prononcer l'avaient blessée de leur pointe. Dire qu'il avait failli lui faire croire qu'il avait un cœur, jusqu'à ce dernier mot… *entreprises*. Elle quitta son siège et s'éloigna d'un pas raide en direction du sapin de Noël, puis pivota de nouveau vers lui avec une moue vexée.

— Ton romantisme me bouleverse ! Et si je t'offrais une massue pour compléter ta panoplie d'homme des cavernes ?

Jordan la toisa entre ses paupières mi-closes, ce qui conférait à ses yeux bleus un regard terriblement sexy.

— Tu veux que je te fasse du charme ? Je peux t'en faire. Je pensais juste qu'une femme pragmatique comme toi apprécierait l'approche rationnelle des négociations commerciales.

— Oh, doucement, monsieur Roméo. Tu m'as fait bien assez de charme comme ça il y a cinq mois, merci.

Et celui qu'il dégageait à présent la brûlait encore tout autant…

— Alors, réponds à ma question, riposta-t-il.

Elle ne pouvait pas regretter cette nuit avec lui, car elle refusait que son bébé ait l'impression d'être le fruit d'une erreur. Sans compter que le sexe entre eux avait été fabuleux. Pour autant, elle ne se lancerait pas dans une union fondée sur une simple attirance physique et des fusions commerciales ! Tout comme il était hors de question de risquer de vivre un simulacre de mariage comme celui de ses parents. Ça, jamais !

Elle croisa les bras sous ses seins et répliqua :

— Non. Je ne t'épouserai pas.

Elle vit Jordan se raidir.

— Sois raisonnable, Jordan, poursuivit-elle. Toi et moi nous connaissons à peine.

— On se connaît depuis des années, tu le sais bien.

— Oui, comme des relations professionnelles qui se sont à peine croisées plus de trois fois, dans une grande réunion, ou dans le même restaurant !

Etrange, d'ailleurs, comme chacune de ces occasions lui semblait mémorable, même si elle se serait fait tuer sur place plutôt que de le lui avouer aujourd'hui. Chaque fois que Jordan Jefferies s'était trouvé sur son chemin, elle l'avait toujours remarqué, quelle que soit la foule autour de lui. Et chaque fois, elle l'avait rangé dans la catégorie tabou, « intouchable ».

Jusqu'à ce fameux soir.

Ce soir où elle pleurait la mort de son père. Et la disparition de l'image qu'elle avait toujours eue de lui. Une double perte. Toute sa vie, elle avait été la petite fille adorée d'un père adulé, courant vers lui lorsque les piques de sa mère ivre devenaient trop insupportables. Pour finir par découvrir qu'il leur avait menti à tous, lui aussi…

Mais elle ne voulait pas penser à cela maintenant. Il fallait qu'elle tienne compte de son propre enfant. Donner à son futur bébé un foyer stable devait primer sur son désir absurde de se perdre dans un nouveau baiser de Jordan. Aussi s'efforça-t-elle de chasser cette idée aussi déplacée qu'obsédante de son esprit.

Jordan frappa alors le talon d'un de ses escarpins sur le bureau.

— Si on se connaît à peine, comment expliques-tu que tu aies soudain décidé de m'éviter, et que tu aies fait tout ton possible pour ne plus me croiser nulle part ? Depuis cinq mois !

— Parce que je n'étais pas encore prête à te parler du bébé, plaida Brooke.

Elle estima inutile de lui fournir une arme supplémentaire en expliquant pourquoi elle l'avait fui, terrorisée, le lendemain matin de leur folle parenthèse sensuelle.

— A moins que le feu d'artifice entre nous ne t'ait semblé trop puissant à assumer ? susurra Jordan.

Elle tressaillit de nouveau. Apparemment, il possédait plus d'intuition qu'elle ne lui en avait accordé. La partie se corsait…

— On pourrait en dire autant pour toi, riposta-t-elle. Toi aussi, tu t'es montré très discret !

De fait, songea-t-elle avec un léger pincement d'orgueil, il ne s'était pas donné le mal de lui courir après.

— Je t'ai téléphoné, rappela-t-il.

— Seulement une semaine après.

Revoilà sa fierté qui parlait.

Une lueur de prédateur s'alluma dans les yeux de Jordan.

— Et tu m'as demandé de te laisser tranquille. Laisse-moi bien comprendre. Tu me dis de rester à l'écart, et je suis censé ne pas en tenir compte ? Est-ce que cela signifie que quand tu déclares ne pas vouloir m'épouser, je suis supposé l'ignorer également, et faire comme si cela signifiait tout le contraire ?

Brooke s'enfonça un peu plus dans son fauteuil. Décidément, oui, cet homme était rusé. Il décortiquait et démontait à merveille tout raisonnement. Aucune faille ne lui échappait. Pas étonnant que Parker, son frère aîné, le considère comme un adversaire redoutable en réunion. Ce qui compliquait encore son problème. Car Jordan Jefferies, le père de son futur enfant, ne s'était pas caché de vouloir mettre la main sur l'entreprise de sa famille à elle. Se marier avec elle lui donnerait cette connexion avec l'empire Garrison dont il rêvait depuis toujours.

Seigneur, elle détestait le cours que prenaient ses pensées. Mais est-ce que oui ou non, c'était bien lui qui avait parlé de fusion entre les deux sociétés ? Si ça ne donnait pas à une femme de droit de se méfier, alors elle voyait mal ce qui le pourrait.

— Ne sois pas obtus, Jordan. Je ne t'épouserai pas. Nous ne savons rien d'important l'un de l'autre sur le plan personnel, en dehors de… l'entente qui règne entre nous dans une chambre à coucher.

« Evite d'aller par là », s'enjoignit-elle mentalement avant de poursuivre :

— Construire un mariage sur la base fragile du sexe et d'intérêts commerciaux serait catastrophique et affreusement malhonnête pour notre enfant.

— Bon, très bien, concéda Jordan.

Il sourit — et mon Dieu, quel sourire — puis s'écarta du bureau pour s'avancer d'un pas vif vers elle.

— Alors apprenons à mieux nous connaître, proposa-t-il. Pour notre enfant. Nous serons liés par ce gosse pour le restant de nos jours. C'est la période de Noël. Profitons-en pour prendre le temps de nous fréquenter et établir une base plus solide à notre relation.

Pensive, Brooke le dévisagea un instant sans rien dire.

— Ça paraît logique, finit-elle par lâcher.

Après tout, le connaître un peu mieux lui permettrait de juger les motivations pour lesquelles il voulait faire partie de sa vie ainsi que celle du bébé.

— Parfait, conclut Jordan.

Puis il passa à grandes enjambées devant elle en direction de la sortie.

Elle le contempla, bouche bée. C'était tout ? Pas de baiser ? Finies, les tentatives pour la persuader de l'épouser ?

— Jordan ?

L'œil méfiant, elle le vit s'arrêter devant la porte et lui lancer par-dessus son épaule :

— Je viendrai te prendre à 8 heures ce soir.

Ce soir ?

Comment pouvait-il avoir le culot de décider sans la consulter, comme s'il était certain qu'elle serait d'accord ? Et si elle avait eu autre chose à faire, ce soir ? En plus, quand il avait parlé d'apprendre à se connaître, elle avait plutôt imaginé qu'ils iraient prendre un café de temps à autre. Et non qu'il se comporterait comme un petit ami dominateur… Bien sûr, *sortir ensemble* était une bonne idée, au fond, elle le voyait bien. Mais n'empêche que ça l'énervait qu'il présume qu'elle se conformerait à ses plans.

Sans compter qu'elle ne voulait pas encore que tout le monde soit au courant, pour eux deux.

Il était temps de montrer à Jordan Jefferies que, tout en étant la plus pacifique de tous les Garrison, elle n'en était pas moins déterminée que les autres.

Et quant à la manière d'apprendre à mieux se connaître, elle avait ses propres plans.

A 18 h 30 ce soir-là, Brooke gara son cabriolet devant une rangée de palmiers et d'hibiscus, sur le parking latéral du *Victoria* — une impressionnante bâtisse de huit étages, toute de cuivre et de verre, posée sur la plage de South Beach.

Les ouvriers devaient avoir fini leur journée et être partis. Emilio lui avait appris au détour d'une conversation que Jordan s'était installé un bureau dans l'une des suites achevées de l'hôtel, d'où il pouvait superviser les dernières étapes de la construction, et qu'il y restait toujours tard le soir. L'établissement était connu pour être le projet auquel il tenait le plus parmi tous ceux que comptait la *Jefferies Brothers, Inc.*, et il voulait sans aucun doute consacrer le moindre instant libre à contrôler les touches finales du bâtiment.

Avant de descendre de voiture, Brooke avait chaussé des lunettes noires dans l'espoir de passer incognito. Certes, que personne ne s'attende à trouver une Garrison dans le coin aidait. Mais le reste du monde apprendrait sa relation avec Jordan quand elle l'aurait décidé, et pas avant.

A présent, elle devait franchir le barrage de la sécurité.

Brooke sortit son téléphone portable et composa le numéro privé que Jordan lui avait donné cinq mois plus tôt, numéro qu'elle connaissait par cœur pour l'avoir pianoté une centaine de fois.

Il décrocha très vite.

— Jordan ?

— Brooke. Il n'est pas question que tu recules.

— Qui te dit que j'annule le rendez-vous ? rétorqua-t-elle.

Il croyait la connaître. Eh bien, elle se réjouissait de le surprendre.

— Je suis en bas, ajouta-t-elle.

— En bas de quoi ?

— De chez toi. Au pied du *Victoria*. Tu peux dire au type de la sécurité de me laisser entrer ?

Ses deux secondes d'hésitation furent le seul signe qu'elle l'avait déstabilisé.

— Je descends tout de suite.

Effectivement, avant qu'elle ait quitté sa voiture, Jordan franchissait déjà la porte à l'arrière du bâtiment et s'approchait à grands pas. Elle attrapa le pique-nique sur le siège passager et claqua la portière du véhicule.

Jordan ralentit brièvement, le regard fixé sur son panier de Petit Chaperon rouge.

— J'ai réservé pour dîner à 20 h 30, remarqua-t-il.

— Je ne peux pas attendre jusque-là pour manger. Je mourrai de faim bien avant. Tu veux être responsable d'avoir affamé notre enfant ?

Elle s'arrêta devant lui, le panier entre eux deux.

— A quoi joues-tu, Brooke ? demanda-t-il en effleurant du pouce le creux dans son menton.

Elle sentit aussitôt les lettres du mot « danger » s'allumer en rouge dans sa tête. Elle ne voulait pas se laisser tenter par ses attouchements, d'autant qu'ils allaient être seuls toute la soirée. Mais sortir en public ensemble ? Non, elle n'était pas encore prête pour ça. Elle fit un pas prudent en arrière.

— Je n'ai pas envie de sortir. Je suis fatiguée et j'ai mal aux pieds. Je veux profiter de mon dîner et me détendre sans que toute une bande de curieux nous observe, ou pire, pose des questions.

Jordan céda.

— D'accord. Allons à l'intérieur.

Il lui prit le panier des mains et l'entraîna vers l'entrée.

Malgré sa main qui lui brûlait la taille en la guidant, Brooke ne pouvait nier sa curiosité de jeter un œil au futur rival du *Garrison Grand*. Une fois dans le hall, elle respira une odeur de peinture fraîche, qui serait certainement bientôt remplacée par des parfums plus exotiques.

Elle regarda autour d'elle. Aucun doute, cet endroit visait la même clientèle que l'établissement de sa famille, mais le contraste du décor la frappa néanmoins.

Si le *Garrison Grand* se parait de tons essentiellement blancs et purs, avec des accents de bois précieux, de marbre fin et d'acier mat, le *Victoria* explosait de rouges incendiaires et de jaunes éclatants, soulignés de notes de cuivre. Abondance de merisier luxueux et de marbres somptueux était le seul thème décoratif commun.

Hum, songea-t-elle, mieux valait éviter de penser au marbre, qui rappelait trop volontiers la baignoire à remous dont ils avaient tant profité naguère...

Les portes cuivrées de l'ascenseur s'écartèrent, et elle y pénétra avec Jordan — et des souvenirs supplémentaires s'y engouffrèrent avec eux. Avait-elle pris la bonne décision en venant ici ? Elle essaya de ne pas croiser son regard, mais les miroirs sur les parois rendaient la chose impossible.

— Ton hôtel est superbe, affirma-t-elle.

— *Tu* es superbe.

— Et *tu* ne parviendras pas à me plaquer de nouveau aussi facilement contre la cloison de cet ascenseur, Roméo.

Le rire bas de Jordan la poursuivit tandis qu'elle se ruait hors de la cabine, avant de se rendre compte qu'elle ignorait quelle direction prendre. Il lui prit le coude et la guida vers une porte à double battant, à l'extrémité du couloir. Il utilisa sa clé magnétique et Brooke resta bouche bée en découvrant la pièce devant eux.

Qui n'était pas du tout ce à quoi elle s'attendait.

— Je pensais qu'on dînerait dans ton bureau !

Et non dans un salon manifestement relié à une chambre à coucher.

Sa fragile maîtrise de soi s'évapora sur-le-champ. Elle aurait voulu pouvoir dire « pouce » et s'affaler simplement sur un des confortables canapés de cuir crème et bordeaux qui parsemaient le hall d'entrée. Ou mieux encore, se débarrasser de ses chaussures, gagner la plage derrière la baie vitrée, et marcher dans les eaux turquoise.

— En ce moment, je vis et travaille ici, répliqua Jordan. Jusqu'à ce que les finitions de l'hôtel soient terminées. Ça me fait gagner du temps et m'évite de venir de chez moi au moindre coup de fil.

Tout en parlant, il défit le nœud de sa cravate et tira dessus, la faisant lentement glisser sous son col. Au chuchotement délibéré et sensuel de la soie sur le coton, Brooke sentit des remous dans son ventre qui n'avaient rien à voir avec un bébé acrobatique.

Elle inspira à fond et demanda :

— Bon, je peux t'offrir quelque chose à boire ? J'ai apporté de l'eau, et euh, de l'eau. Ah, et du lait.

L'idée était qu'il ait un aperçu de ce que serait la vie avec elle. Pas de folles soirées dans les bars, pour commencer. Bien sûr, rien ne l'empêchait d'aller chercher dans son propre minibar de quoi se préparer une boisson plus excitante. Elle attendit…

— Eh bien, je crois que je vais prendre de l'eau, répondit-il.

Brooke saisit une bouteille d'eau gazeuse dans le panier, emplit deux verres de cristal, ajouta des glaçons pris dans le minibar, puis une rondelle de citron, reboucha la bouteille, la remit dans le panier… et lorsqu'elle releva enfin la tête, ce fut pour surprendre Jordan, debout dans l'encadrement de la porte menant à la chambre, un téléphone à la main.

— J'annule nos réservations au restaurant d'Emilio, expliqua-t-il. Tu sembles avoir notre repas bien en main.

Le restaurant d'Emilio ? Evoquer la fabuleuse cuisine cubaine servie au *El Diablo* la fit saliver. Enfer et damnation, ragea-t-elle. Etre la proie des fringales de grossesse était parfois franchement pénible. Elle se mordit la lèvre et baissa les yeux sur le panier rempli de… elle ne se souvenait même plus de ce qu'il contenait.

Jordan couvrit le téléphone d'une main.

— Tu sais, on peut laisser tomber ton pique-nique et se faire livrer un repas par *El Diablo*. Pour le bien du bébé, j'entends.

— Pour le bien du bébé ? répéta-t-elle.

— Absolument.

— D'accord.

Et elle débita sa commande à toute allure avant que sa fierté ne reprenne le dessus, les papilles excitées d'avance à simplement nommer chaque mets délicat.

— Ça roule, dit Jordan.

Son sourire et le clin d'œil ironique qui l'accompagna piqua quelque peu sa fierté au vif tandis qu'elle mesurait qu'une partie de son plan venait de lui échapper.

Après avoir passé commande, il remit le téléphone dans

sa veste qu'il balança sur le dossier d'une chaise, le vaste lit visible par l'entrebâillement de la porte.

Brooke détourna son regard et se concentra sur les tirages encadrés qui ornaient les murs, représentant chacun une étape de la construction de l'hôtel. Il n'y avait qu'une seule petite photo de famille posée près de l'ordinateur… Curieuse, elle voulut s'en approcher, mais Jordan l'arrêta au passage.

Il prit son verre dans une main et lui saisit le coude de l'autre.

— On va sur le balcon ?

Puisqu'il l'avait formulé comme une question plutôt qu'un ordre, elle décida d'accepter.

Béni soit-il, car une fois assise, il pensa même à lui apporter une chaise pour relever ses pieds las tandis qu'ils profitaient des derniers rayons du jour. Il faisait vraiment de gros efforts.

Enfoncée dans son fauteuil, elle soupira devant la vue sublime des vagues roulant contre la plage privée.

— Cet endroit est exceptionnel, dit-elle d'un ton sincèrement admiratif. Je te félicite.

— Merci.

Elle se délecta du splendide aménagement paysager, pour le moment désert, mais certainement bientôt amené à être bondé de monde.

— Quel meilleur antistress que ce spectacle ? ajouta-t-elle.

Jordan fronça les sourcils.

— Tu es beaucoup sous tension, ces derniers temps ? demanda-t-il avec inquiétude.

Brooke posa une main sur son ventre.

— Comprends-moi bien, je suis ravie de ce bébé. Mais au début, l'idée m'a franchement paniquée.

Il fallait dire qu'elle n'était guère gâtée, question modèle positif de maternité…

— J'aurais aimé que tu m'en parles.

— La simple pensée de le faire m'affolait, avoua-t-elle en passant une main dans ses cheveux.

355

Et, machinalement, elle ôta les épingles de son chignon et secoua sa chevelure libérée dans la brise océane.

— Je suis si effrayant que ça ?

Effrayant ? Intimidant, plus exactement.

— Je ne dirais pas ça. Dominateur, plutôt.

Voilà qui sonnait mieux, non ?

— Tu es aussi diplomate que les autres Garrison, à ce que je vois, ironisa-t-il.

Elle sourit. En fait, elle était en général LA diplomate de la famille.

Mais Jordan ne lui rendit pas son sourire. Il garda le silence, le visage impénétrable, tout en l'étudiant durant un long moment, tandis que les mouettes arpentaient le rivage d'un blanc immaculé en quête d'un casse-croûte de fin de journée.

— Alors, reprit-il enfin, explique-moi ce que j'ai fait pour justifier que tu aies autant peur de moi. Tu me tiens à l'écart de cette grossesse pendant des mois. Et quand, après ne pas avoir été mis au courant de l'existence de mon propre enfant, je l'apprends, je viens directement te voir : quoi de plus normal ? D'autant qu'au lieu de m'emporter comme j'aurais été en droit de le faire, je suis resté très calme, non ?

C'était juste. Mal à l'aise, elle scruta ses pieds, et sentit la culpabilité l'envahir. Otant ses escarpins, elle remua ses orteils endoloris.

— Ecoute, je suis déso…

— Attends, je n'ai pas terminé, l'interrompit Jordan en levant une main. Ensuite, je te fais cette odieuse, atroce proposition de mariage. Et lorsque tu me sapes le moral en me repoussant, je t'invite à dîner. Bon sang, poursuivit-il en se frappant le front, je dois vraiment être un crétin fini.

Brooke sentit un rire monter en elle.

— D'accord, d'accord, tu as raison. Tu as été plus que correct, et j'ai eu tort de ne pas t'informer plus tôt. Je te présente mes excuses, et elles sont sincères. J'avais simplement besoin de temps pour m'habituer moi-même à l'idée, mais maintenant je suis là, avec toi. Quoi qu'il ressorte de ce rendez-vous, tu feras partie de la vie de notre enfant, si c'est que ce que tu souhaites.

— N'en doute pas une seule seconde.

La détermination farouche de son ton la fit frissonner, et elle serra des bras protecteurs autour de sa taille arrondie.

— Quand Emilio t'a appris ma grossesse, tu lui as raconté que nous avons couché ensemble ? demanda-t-elle.

Jordan secoua la tête en s'adossant à son fauteuil.

— Non, je voulais te parler d'abord. Donc, si je comprends bien, poursuivit-il en agrandissant son regard, toute ta famille ignore encore que je suis le père ? Même ta sœur jumelle ?

Brooke fit un léger signe de tête.

— Eh bien, reprit-il. Tu es une sacrée cachottière. Je t'embaucherais volontiers dans ma société.

— C'est pour ça que je ne voulais pas sortir ce soir. J'ai gardé le secret au sujet du bébé en portant des vêtements vagues et en restant le plus possible à l'écart de la vie sociale, mais mon ventre a vraiment pris de l'ampleur ces dernières semaines. Une fois qu'on nous aura vus en public, toi et moi, les gens feront le lien. Je dois d'abord annoncer notre liaison à ma famille.

— Faisons-le, alors. Organise une réunion de famille.

Elle le dévisagea, interloquée. Il devait blaguer. Il tenait réellement à être présent lorsque tous les Garrison apprendraient qu'elle avait couché avec Jordan Jefferies ? Cela dit, il fallait bien qu'elle leur apprenne la chose, un jour ou l'autre… L'idée germa dans son esprit, et elle finit par annoncer :

— En fait, nous dînons tous ensemble chaque dimanche, ce serait peut-être l'occasion la plus simple et la plus logique.

— Bien, si tu penses que c'est la meilleure façon. C'est ta famille, après tout.

Le problème, c'était qu'il n'existait aucune meilleure façon de les mettre au courant pour Jordan Jefferies — le patron de l'entreprise rivale de la leur. Un conflit toujours vivace, même si l'intégration de son frère Emilio dans le giron familial l'avait un tantinet atténué.

Brooke regarda les étoiles qui s'allumaient peu à peu dans le ciel, et souhaita que les battements de son cœur ralentissent. Elle devait conserver son sang-froid. Il lui restait tout un week-end parsemé de rendez-vous avec Jordan à traverser avant la grande confrontation familiale.

Et pour l'instant, le simple fait d'arriver à passer la porte de Jordan sans jeter un coup d'œil en direction de son lit lui semblait herculéen.

3.

Devinez qui j'ai amené avec moi pour le dîner ?

La phrase tournait en boucle dans la tête de Brooke durant le trajet jusqu'à la propriété de sa famille, le dimanche suivant en fin de journée.

Le martèlement des mots s'accrut encore lorsque Jordan franchit les grilles et remonta l'allée de brique menant à la grande demeure au toit de tuiles rouges — la maison de son enfance. Elle ne se faisait aucune illusion sur la possibilité que cela se passe en douceur. La haine professionnelle entre les Garrison et Jordan était ancienne et profonde.

Elle avait encore du mal à croire que sa mère et ses frères aient accepté qu'Emilio entre dans la famille, bien qu'étant associé dans la *Jefferies Brothers, Inc.* Cela en disait long sur l'amour que Brittany portait à son fiancé. Mais cette fois, il n'était pas question d'amour, et elle craignait que tous le devinent.

Jordan gara sa Jaguar à l'extrémité d'une file d'autres voitures luxueuses. Apparemment, le reste de la fratrie était déjà arrivé.

Brooke savait avoir de la chance d'être venue au monde dans une famille aussi aisée, et elle se démenait pour diriger le *Sands* afin de prouver qu'elle le méritait. Cela n'empêchait pas certaines personnes de la cataloguer comme une gosse de riche née avec une cuiller en argent dans la bouche. Ni de nombreux hypocrites d'essayer de lui soutirer sans cesse quelque chose.

Elle se frotta les bras, recouverts de chair de poule

malgré la température clémente de décembre à Miami. Jordan contourna la voiture pour lui ouvrir la portière et ils montèrent ensemble l'escalier menant aux massives portes d'acajou et de verre. Guirlandes et rubans tendus dans l'encadrement lui rappelèrent que Noël approchait, et qu'elle n'avait pas encore trouvé le temps de le préparer.

Avant qu'ils aient atteint la dernière marche, les portes s'ouvrirent sur une vieille dame en robe bleue amidonnée et tablier blanc.

— Bonsoir, mademoiselle Brooke, dit-elle.

— Bonsoir, Lisette. Voulez-vous s'il vous plaît prévenir en cuisine qu'il y aura un convive de plus à dîner ?

— Entendu, mademoiselle Brooke.

De la salle à manger parvenaient des bruits d'argenterie tintant contre la porcelaine, des voix demandant de passer tel ou tel ingrédient. Bref, un dîner familial ordinaire.

Les membres de sa famille étaient loin de se douter…

Jordan lui lança un regard en biais.

— Tu es toute pâle. Ça va ? Tu veux t'asseoir ? On n'est pas obligés de faire ça aujourd'hui. On peut s'en tenir à nos dîners chez l'un ou l'autre.

Dîners qu'elle avait appréciés pour leur tranquille simplicité. Comme elle aurait voulu que tout puisse rester aussi simple, et oui, caché pendant encore quelque temps !

— Tout va bien, répondit-elle pourtant. Mais c'est gentil de t'inquiéter.

Il lui fit un clin d'œil, et ils entrèrent.

Les talons de Brooke claquaient sur le sol carrelé, résonnant sous le très haut plafond du vaste hall, tandis qu'elle passait devant l'imposant escalier. Un sapin de presque quatre mètres de haut scintillait de mille feux au centre, des cadeaux parfaitement emballés à son pied. Cette année, les décorations étaient particulièrement somptueuses, en raison du mariage de Brittany et Emilio, qui serait célébré à Noël, trois semaines plus tard, et dont la réception se tiendrait sur place.

Elle s'efforça de respirer avec calme. Raison de plus

pour tout révéler, et laisser à la poussière le temps de retomber afin de ne pas gâcher le grand jour de Brittany.

Ils s'arrêtèrent sur le seuil de la luxueuse salle à manger. Brooke profita de ce moment où personne ne les avait encore remarqués pour étudier sa famille installée autour de la table.

Son frère Parker allait piquer une crise, c'était certain. Malgré l'influence apaisante d'Anna, sa nouvelle femme, son frère aîné restait implacable lorsque ses affaires étaient en jeu. Son antipathie — quel euphémisme — pour Jordan était notoire.

Adam, quant à lui, avait toujours gardé une distance affective avec eux tous, et ne commençait à s'ouvrir que depuis son récent mariage surprise avec la discrète Lauryn.

Au moins manquait-il Stephen. Un frère en colère de moins à se soucier.

Son regard survola sa mère — qui vidait un verre de vin — et se posa sur ses alliés les plus probables. Sa jumelle extravertie, Brittany, assise près de son fiancé Emilio Jefferies.

Malgré le nouveau statut d'Emilio au sein du clan Garrison, Brooke ne se berçait guère d'illusions. Jordan était la force motrice derrière les tentatives de la *Jefferies Brothers, Inc.* pour surpasser la *Garrison, Inc.* par tous les moyens possibles.

Un verre brisé instaura soudain le silence dans la pièce.

Brooke sursauta alors que tous les regards se tournaient vers Bonita, la matriarche. Son verre de vin en éclats à ses pieds, celle-ci plaqua une main sur sa bouche et pointa un doigt tremblant vers la porte.

Tout le monde suivit sa direction, et sept paires d'yeux convergèrent vers les nouveaux venus.

Peut-être aurait-elle dû faire cette annonce seule, après tout, songea Brooke, avant de respirer un grand coup.

— Maman, vous tous, j'ai amené quelqu'un pour dîner. Il est manifestement inutile de le présenter.

Brittany renifla.

Brooke lui jeta un regard signifiant : « Tu ne m'aides pas. »

Sa malicieuse jumelle fronça le nez et articula un « pardon » muet.

Brooke répondit d'un bref signe de tête avant d'avancer dans la pièce, s'obligeant à plaquer un sourire sur ses lèvres. Faire comme si tout était normal. Le silence devint de plus en plus lourd.

Elle s'arrêta devant son couvert, ayant pleinement conscience de Jordan qui avançait derrière elle.

— Je me rends bien compte que cela doit être un choc, poursuivit-elle, mais pour l'harmonie familiale, j'apprécierais que nous puissions nous comporter en adultes civilisés et accueillir convenablement un invité.

Elle évalua les convives silencieux autour de la table. Stupéfaction coite ou résignation muette ? Il était vrai que pour une femme d'ordinaire hostile à la confrontation, elle était en train de leur faire une sacrée démonstration.

— Nous allons tous être amenés à nous voir souvent à l'avenir, étant donné que...

Elle avala la boule qui bloquait sa gorge, évita de regarder sa mère et tenta de finir sa phrase :

— Etant donné que...

Mais elle ne put terminer sa phrase. Malgré les dizaines et les dizaines de répétitions qu'elle avait faites de ce moment, dans sa chambre, les mots ne voulaient pas franchir sa gorge.

La main de Jordan se posa sur son épaule.

— Etant donné que je suis le père de l'enfant que porte Brooke, lança-t-il.

Elle lui jeta un bref regard de gratitude pour avoir dit à sa place les paroles qu'elle trouvait si difficiles à prononcer.

Bonita poussa un gémissement et tendit la main vers le verre de bloody mary qui attendait près de son gobelet d'eau — tout à fait plein — tandis qu'une domestique à genoux près de ses pieds entreprenait de balayer les bris de verre. Mais où dénichait-elle toutes ces boissons ? Les frères de Brooke étaient en général plus efficaces pour tenir les bouteilles hors de sa portée. Décidément, les choses partaient en vrille dans cette famille.

La chaise de Parker racla le sol lorsqu'il se leva et s'approcha d'eux, menaçant.

— Brooke, pousse-toi de là, ordonna-t-il d'une voix dure en fusillant Jordan du regard.

Elle secoua la tête.

— Pas question, Parker.

Son frère garda les yeux rivés sur ceux de son rival.

— Bon sang, Brooke, je te dis de te pousser.

Elle sentit les doigts de Jordan se crisper sur son épaule.

— Ne lui parle pas comme ça, gronda-t-il.

Une veine palpita sur la tempe de Parker.

— Tu es qui, pour me dire comment m'adresser à ma sœur ?

— Je suis l'homme qui va l'épouser, riposta Jordan.

Avant qu'elle puisse lui rappeler qu'elle n'avait pour l'instant accepté que des dîners en sa compagnie, il l'obligea doucement à s'éloigner sur le côté.

— C'est ce qu'on va voir, rugit Parker.

En un clin d'œil, les deux hommes se jetèrent l'un sur l'autre à travers la table.

Les chandeliers basculèrent dans un plat d'asperges en cristal, qui glissa, emportant un bon morceau de nappe. Des exclamations fusèrent. Quelqu'un cria. Porcelaine et argenterie s'éparpillèrent bruyamment.

Brooke avait vu ses frères se battre durant leur jeunesse, mais il s'agissait de simples bagarres entre garçons. Jamais elle n'avait encore assisté à un combat en règle. Une vraie rixe entre des hommes tout muscles bandés, prêts à se taper dessus jusqu'au sang.

Eh bien, cela n'avait rien de joli. Ni de sexy. Le vernis de leurs manières quotidiennes lorsqu'ils négociaient en salle de réunion craquait pour révéler la véritable nature meurtrière qui les avait propulsés au sommet. Elle fut terrorisée par leur violence primitive en les voyant rouler du bord de la table jusqu'au sol dans un fracas de verre brisé et de corps athlétiques heurtant le carrelage. Ils semblaient totalement enragés, incapables de se maîtriser.

Les femmes sautèrent sur leurs pieds, firent un pas en avant, puis reculèrent. Les deux autres hommes présents se contentèrent de s'écarter. Mais qu'est-ce qui leur prenait ? se demanda Brooke. Pourquoi n'intervenaient-ils pas ?

Trépignant sur ses talons, elle les interpella.

— Adam, Emilio ! Séparez-les avant que l'un d'eux ne se blesse !

Son frère et celui de Jordan avancèrent pesamment vers les combattants, comme s'ils n'étaient guère pressés d'arrêter le spectacle.

En passant devant elle, Adam lui glissa :

— Ça couvait entre eux depuis longtemps. Tu es sûre de ne pas vouloir les laisser se défouler encore un peu ?

— Adam !

A peine l'eut-elle mis en garde, que Parker frappait Jordan au menton. Lequel ne vacilla même pas. Au contraire, le futur père de son enfant répondit d'un tel coup dans le dos de son rival, que le mouvement les projeta tous les deux sur la table roulante.

Où se trouvaient les desserts. Il ne restait plus grand-chose du repas...

Un tourbillon d'émotions submergeait Brooke. Elle éprouvait une culpabilité folle d'avoir amené Jordan dans le repaire familial sans avoir prévenu personne. Mais aussi, comment imaginer que Parker, aussi bien que Jordan, allait perdre toute notion de savoir-vivre.

Et un tiraillement entre deux loyautés. Qui devait primer ? La famille ou le père de son enfant ?

— Bon, d'accord, soupira Adam.

Le milieu de fratrie des Garrison quêta d'un signe de tête l'aide d'Emilio, et les deux hommes s'approchèrent du duo toujours en plein échange furieux.

Entre deux gorgées de bloody mary, Bonita se mit à gémir :

— Encore un bâtard dans la famille Garrison.

Brooke dut faire un immense effort sur elle-même pour

garder son calme, et elle chercha à garder son équilibre en agrippant le bord de la table. Malgré sa volonté de défendre son bébé et sa sœur illégitime Cassie, la dernière chose dont elle avait besoin en cet instant précis, c'était bien que sa mère la condamne. D'abord et avant tout, elle devait arrêter ce pugilat, afin de pouvoir s'asseoir et reposer ses pieds douloureux. Et son cœur déchiré.

Emilio et Adam esquivèrent les poings qui volaient pour attraper qui un coude, qui un poignet, et séparer les deux adversaires, tâche d'autant plus ardue que ceux-ci étaient surexcités.

Brooke se fraya un passage parmi les restes du repas éparpillés sur le sol.

— Arrête ça, Jordan. Tout de suite.

D'une certaine manière, ses paroles calmement scandées, conjuguées au martèlement de ses talons aiguilles, durent pénétrer le halo de rage qui l'enveloppait, car il se retourna vers elle.

Dieu merci, Adam emprisonna rapidement les poignets de Parker avant qu'il ne profite de l'inattention de Jordan pour l'attaquer dans le dos.

Anna repoussa une chaise renversée pour venir se mettre à côté de Brooke, glissant un bras sur ses épaules.

— Parker, stop, maintenant. Tu bouleverses ta sœur, et ça peut être mauvais dans son état.

Elle posa une main sur son propre ventre arrondi.

— Ou dans le mien aussi, en l'occurrence. Tu ne vois pas que Brooke est sur le point de tomber dans les pommes ?

Brooke fronça le nez. Elle détestait passer pour une poule mouillée, mais cela parut désarçonner les deux hommes. Parker regarda avec méfiance Jordan se précipiter vers elle.

— Tu te sens bien ?

Pas vraiment, mais elle ne voulait surtout pas lancer une nouvelle dispute où chacun reprocherait à l'autre d'avoir perturbé une femme enceinte.

— Je suis toute retournée. Normal, non ? Je ne m'attendais pas à des cris de joie, mais au moins que tout le monde se comporte avec courtoisie.

Anna foudroya son mari du regard.

— Bon sang, désolé, Brooke, déclara Parker en grimaçant. Loin de moi l'idée de faire quoi que ce soit de nuisible pour toi ou ton bébé. Tu es ma petite sœur, j'ai simplement… je n'ai simplement pas réfléchi, compléta-t-il en secouant la tête, comme pour dissiper la fureur qui lui brouillait l'esprit.

Brooke nota qu'il ne s'excusait pas auprès de Jordan, mais enfin, il valait mieux laisser ça de côté pour le moment. Au moins ne se tapaient-ils plus dessus.

Anna, toujours aussi efficace, prit les choses en main.

— Lisette, la table du dîner est devenue impraticable pour ce soir. Je pense donc que nous prendrons un repas léger sous la véranda. Il fait divinement bon. Demandez à la cuisinière de nous servir quelque chose de simple, ce qu'elle pourra accommoder rapidement.

Brooke perçut le sous-entendu pressé, signifiant que cette insupportable réunion devait s'écourter autant que possible.

Anna glissa un bras sous le sien et l'entraîna.

— Viens, essayons de trouver une chaise longue pour que tu puisses relever ces pieds.

— Ça se voit qu'ils sont gonflés, hein ?

Bonita leur emboîta le pas d'une démarche mal assurée.

— Tu devrais laisser tomber ces talons aiguilles, jeta-t-elle, la voix presque pâteuse. Lorsque j'étais enceinte de Brittany et toi, mes chevilles étaient comme des ballons. Vous deux m'avez posé des problèmes dès les premières semaines de ma grossesse, et n'avez jamais cessé depuis.

Puis elle vida le fond de son verre, et le tendit à l'aveuglette pour qu'on le lui remplisse de nouveau.

Où trouver de quoi se caparaçonner contre sa mère, se demanda Brooke. Des bouchons d'oreilles, peut-être ? Comment se faisait-il que tout le monde sauf elle semble capable d'ignorer ses remarques acides ?

Heureusement, Lisette était occupée à autre chose, ce qui obligea une Bonita mécontente à se charger elle-même de renouveler sa dose d'alcool. Avec un peu de chance, les bouteilles seraient vides.

Brooke ouvrit en grand la porte-fenêtre donnant sous la véranda. Une bouffée d'air nocturne la caressa, lui apportant une fraîcheur purifiante bienvenue. Elle se retourna pour parler à Jordan, mais découvrit qu'il était resté avec Parker.

Ils ne se battaient plus, mais l'intensité de leurs expressions montrait que leurs paroles étaient aussi virulentes que leurs poings. Manque de chance, la hauteur des plafonds en renvoyait l'écho, et chaque mot de leur discussion la frappa comme autant de coups.

— J'ai toujours su que tu n'avais aucun scrupule, grondait Parker, les mains fourrées au fond des poches. Mais de là à imaginer que tu couches délibérément avec ma sœur pour t'assurer une part du gâteau Garrison…

Elle entendit Jordan nier. L'entendit traiter Parker de crétin et lui rappeler qu'Emilio possédait déjà une part de *Garrison, Inc.* Et que d'ailleurs, il n'avait besoin de personne pour que sa propre société attaque l'empire des Garrison.

Brooke entendit tout cela. Toutefois, après avoir grandi dans une famille qui semblait n'avoir jamais assez de pouvoir, elle ne pouvait s'empêcher de se demander si Parker n'avait pas raison.

4.

Devant l'appartement de Brooke, après cet infernal dîner familial, Jordan faisait jouer sa mâchoire d'un côté et de l'autre. Parker Garrison avait une sacrée droite.

Au moins, se consola Jordan, il avait frappé autant qu'il avait pris de coups. Et, il le confessait, après tant d'années de conflit entre eux deux, ça lui avait fait un bien fou de se lâcher sur le bonhomme.

Jusqu'à ce qu'il lève les yeux de son adversaire et voie le visage livide de Brooke.

Jusque-là, Jordan ne s'était pas rendu compte à quel point cette beauté froide était émotive. Mais il était incontestable que la désapprobation de sa famille la tracassait vraiment. Et lui-même s'en serait pris à eux s'il n'avait constaté qu'en remarquant eux aussi combien cette confrontation la bouleversait, ils faisaient tous rapidement machine arrière.

Enfin, tous sauf leur ivrogne de mère. Bonita avait continué de cracher ses réflexions blessantes.

Pauvre Brooke, songea-t-il en lui effleurant l'épaule.

Certes, Jordan n'avait pas prévu qu'on lui déploie le tapis rouge, mais il s'attendait au moins à une courtoisie basique, plus proche de ce qui avait régné ensuite, lors du bref et froid dîner sous la véranda.

Brooke pénétra dans l'appartement. Il la suivit et referma la porte derrière eux, les verrouillant dans son intérieur à l'opulent décor. Le moment était un peu étrange pour se rendre compte que, s'il connaissait chaque centimètre de son sompteux corps nu, il n'avait jamais vu l'endroit où elle vivait. Il comprenait maintenant qu'elle lui avait caché une partie d'elle-même en insistant pour qu'ils se retrouvent toujours chez lui.

Il embrassa du regard l'espace luxueux qui s'étendait devant lui, sa décoration recherchée déclinant l'argent brillant, le blanc et toute la gamme des roses. C'était indéniablement le domaine d'une femme. Il n'y avait rien à dire, c'était chic et haut de gamme, mais pas un endroit où lui-même pourrait se détendre.

Il revit en un éclair sa propre maison d'enfance, aussi huppée que la propriété des Garrison… Mais diablement plus chaleureuse.

Jordan chassa ces pensées qui ne changeaient rien à ce qu'il avait entrepris de faire avec cette femme. S'il laissait Brooke discerner la moindre faille dans sa détermination, ils seraient fichus, et son projet tomberait à l'eau.

Même à présent qu'elle était rentrée, il voyait à ses épaules raides et la façon dont elle jetait son sac sur le canapé, que la tension persistait.

Il franchit la distance qui les séparait et posa les mains sur ses épaules. La sentir sous ses paumes provoqua une réaction immédiate de son corps. Réaction qui se produisait d'ailleurs systématiquement dès qu'il l'approchait, ces temps-ci. Elle exerçait sur lui un effet qui ne se démentait pas.

En tout cas, oui, elle était drôlement tendue. Jordan massa doucement les muscles crispés de sa nuque, réfléchissant à toutes les façons dont un homme pouvait aider une femme à évacuer ce genre de stress. Les possibilités étaient alléchantes…

Mais l'état d'esprit actuel de Brooke le préoccupait davantage, pour le moment.

— Tu vas m'expliquer les raisons de ce silence, ou dois-je m'amuser au jeu des mille questions ?

Il se pencha pour l'embrasser sur la nuque, prenant le temps de respirer son odeur. Elle fit volte-face en laissant échapper un gémissement ténu. Puis repoussa ses mains d'un mouvement d'épaules, et tourna les talons.

Enfin, son menton de Garrison fermement relevé, prête à la bataille, elle le regarda droit dans les yeux et lança :

— C'est vrai, ce que mon frère a dit à la maison, juste après votre bagarre ? Tu as couché avec moi uniquement pour poser un pied supplémentaire dans l'empire Garrison ? Tu as essayé de me mettre enceinte exprès ?

Nom d'un chien, elle avait donc entendu ? Jordan serra les dents, puis grimaça de douleur. Pourvu que Parker souffre au moins de quelques côtes cassées, de son côté !

— Ah, la fameuse rivalité Garrison-Jefferies ! railla-t-il.

Comment la rassurer ? Elle ne le croirait vraisemblablement pas s'il niait d'un ton catégorique, fût-il sincère. Et à dire vrai, il avait dans le passé fait tout son possible pour être mieux placé que la *Garrison, Inc.* dans certaines transactions. N'importe quoi pour être en tête.

— Cette rivalité entre nos clans est une réalité que nous devons affronter tous les deux, Brooke. D'ailleurs, est-ce que *toi*, tu as couché avec *moi* pour ça ? Pour enquiquiner ta famille ? Quelle meilleure façon de rendre la monnaie de leur pièce à grand frère Parker et à ta mère, pas vrai ?

— Comment peux-tu penser une chose pareille ? protesta Brooke.

Ses yeux bruns s'élargirent, puis une incontestable lueur coupable s'y alluma.

Il se remémora la pâleur de son visage et contint la colère qui montait en lui.

— Pour la même raison que toi, tu crois que je suis avec toi uniquement pour accéder aux actions de ta famille.

Certes, songea-t-il, une union entre eux serait judicieuse en termes d'affaires. Mais il ne lui échappait pas non plus que plus il passait de temps en compagnie de Brooke, moins il pensait aux entreprises. Leurs tête-à-tête dans son appartement lui en avaient davantage révélé sur elle que s'ils étaient sortis deux fois plus souvent en public, au milieu d'une foule à même de distraire l'attention qu'ils se seraient portée mutuellement. L'intimité de leurs petites soirées avait facilité la détente, et hors du carcan social, chacun s'était davantage laissé aller aux confidences, à un comportement plus naturel.

Il soutint ostensiblement son regard, jusqu'à ce qu'elle détourne les yeux et file à grands pas vers la cuisine, dans le but évident de l'éviter.

— Nous n'avons pas beaucoup de raisons de nous faire confiance, hein ? lança-t-elle par-dessus son épaule.

Jordan observa sa démarche chaloupée, la douce ondulation de ses hanches sous le tissu moulant, le morceau de mollet nu à travers la fente de sa robe. Il remonta mentalement ce pan de peau jusqu'à une cuisse soyeuse.

— Je suppose, en effet, admit-il en la suivant.

Il s'appuya nonchalamment contre l'arcade menant de la cuisine à la salle à manger, s'efforçant d'oublier ce corps tentant et de s'accrocher assez longtemps à la conversation pour aborder les craintes qu'elle nourrissait à son égard.

— Et comment surmonter ça ?

— Avec du temps ? En nous voyant plus, suggéra Brooke tout en sortant une bouteille d'eau du réfrigérateur.

— Exactement.

Le principe de leurs rendez-vous se trouvait renforcé. Tant mieux, il gagnait ainsi du temps. Apparemment, il avait bien fait de masquer son impatience. Alors que ses pensées ne cessaient de vagabonder vers la lingerie que Brooke était susceptible de porter... Pour se distraire, il chercha ce qui le chiffonnait dans cet endroit et dans la maison de sa mère.

Brooke remplit deux verres et fit mine de les porter dans le salon. Il les lui prit des mains et alla les poser sur la table basse. Puis il s'avança vers le canapé.

— Et si on commençait dès ce soir ? suggéra-t-il.

Elle lui coula un regard méfiant.

— Qu'est-ce que tu veux dire ?

— Viens t'asseoir.

Pour la mettre à l'aise, il devait utiliser le moyen de communication qu'il savait être le meilleur. S'ils risquaient de s'opposer par les paroles, l'alchimie entre eux avait toujours été parfaitement harmonieuse.

Brooke se percha avec suspicion sur le bord du canapé.

— Bon. Et maintenant ?

— Tu me fais confiance pour tes pieds ?

— Drôle de question, grommela-t-elle.

S'agenouillant devant elle, Jordan lui ôta ses escarpins, puis s'installa à son tour. Il saisit les pieds de Brooke et étendit ses jambes sur ses genoux. S'interdit de suivre des yeux l'ourlet qui remontait sur ses cuisses, car il savait que jamais il ne tiendrait le coup s'il continuait à se torturer avec l'idée de la déshabiller.

Il ramena ses pensées dans le droit chemin, et ses pouces entamèrent un doux massage le long de sa plante de pied.

Brooke posa la nuque contre le dossier et ferma les yeux.

— Ahhh… c'est bon.

L'exquis ronronnement d'approbation qui montait de sa gorge aurait encouragé n'importe quel homme, et Jordan attendait avec impatience de l'entendre quand le moment serait enfin venu de la toucher à de nombreux autres endroits.

— Je prends ça pour un encouragement à continuer.

— Oui, tout à fait, admit Brooke.

Elle écarta la moitié des coussins roses qui encombraient le profond canapé blanc afin de mieux s'y blottir. En bougeant les épaules pour s'installer confortablement, ses seins pleins se tendirent en avant, terriblement tentants. La bouche de Jordan s'assécha, et il se jeta sur son verre d'eau. Il avait beau avoir été avec d'innombrables femmes, aucune ne lui faisait un effet pareil.

Après avoir bu, il replaça ses pouces sur la gracieuse voûte plantaire de Brooke, et décida de voir s'il pouvait ramener un sourire sur son visage.

— Puisque tu es d'humeur conciliante, que dirais-tu de m'épouser ?

Ce fut à peine si elle broncha. Sans même ouvrir les yeux, elle riposta :

— Ne tire pas trop sur la corde.

— Qui ne risque rien n'a rien.

Mais en effet, les coins de sa bouche se relevèrent tandis

qu'elle s'enfonçait plus loin dans le canapé, serrant un de ces coussins roses chichiteux contre elle.

Le monde des affaires n'avait pas catalogué Jordan comme un type persévérant sans raison. Il réussirait à conquérir Brooke. Il était aussi patient que persévérant, la combinaison du succès.

Jamais les enjeux n'avaient été aussi élevés, et pas seulement sur le plan professionnel. Il refusait que son enfant naisse sans porter son nom. Depuis son plus jeune âge, il ne savait que trop combien un gamin sans père était vulnérable.

On lui avait raconté comment le père biologique d'Emilio avait abandonné ses responsabilités. Au décès de sa mère, Emilio serait devenu pupille de l'Etat, si les parents de Jordan n'avaient adopté le fils orphelin de leur nounou.

Il était hors de question que Jordan fasse comme celui qui avait laissé un gosse innocent seul et sans défense. Certes, Brooke avait une famille nombreuse, mais il ne permettrait jamais que son enfant se demande pourquoi son propre père ne s'était pas senti assez concerné pour être présent.

Ses mains serrèrent plus fort les pieds de Brooke, comme s'il pouvait en quelque sorte l'adjurer de rester avec lui.

— Tu serais aussi sexy en sandales qu'en talons hauts, dit-il d'un ton léger.

Elle souleva juste une paupière et lui jeta un coup d'œil.

— Tu prends le train de ma mère en marche en prétendant que j'ai de gros pieds ?

Mieux valait détourner la conversation de la pensée de cette ivrogne…

— Tu as des pieds magnifiques, avec de ravissants ongles rouges. Je veux juste comprendre pourquoi tu refuses de te dorloter. Ménage-toi un peu pendant ta grossesse.

— Je te laisse me dorloter en ce moment même, répliqua Brooke. Ne gâche pas tout en me râlant dessus.

La moue qui s'esquissa sur ses lèvres donna à Jordan une envie irrésistible de s'emparer de sa bouche.

— D'accord. Excuse-moi.

Il fit glisser ses mains vers ses chevilles, tout en allégeant la pression de son massage.

Comme Brooke ne protestait pas, il remonta doucement jusqu'aux mollets. Le massage se muait à présent en caresse sur sa peau nue, encore bronzée.

Sa poitrine se soulevait régulièrement. S'était-elle endormie ? Il effleura l'arrière de ses genoux, une zone qu'il se rappelait très sensible. La respiration de Brooke se suspendit une fraction de seconde, puis reprit de plus belle.

Non, malgré ses yeux clos, elle était parfaitement réveillée. Et ne l'arrêtait pas du tout.

Il pouvait vraisemblablement continuer à monter plus loin sous la robe sans qu'elle proteste. Mais il préférait ne pas prendre le risque. Il venait de gagner du temps en sa compagnie. Autant l'utiliser avec sagesse.

Il ôta ses mains et aussitôt, Brooke ouvrit les paupières, puis leva les bras vers lui.

Bon Dieu. Il ne put s'empêcher de sourire, et elle sourit en retour. Alors il attendit qu'elle fasse le geste suivant.

Brooke noua ses bras derrière sa nuque tout en écartant les lèvres pour accueillir sa bouche avec un soupir de consentement. Il mourait d'envie de la toucher partout, mais la retenue semblait jouer davantage en sa faveur. Il planta les mains de part et d'autre de son corps sur le sofa, prenant soin de ne pas trop peser sur elle. Malgré son désir d'un contact plus étroit, il devait faire attention au renflement de son ventre. Mais elle resserra son étreinte, et il s'abandonna au baiser, heureux de communiquer avec elle sur un mode où ils s'entendaient si bien. Appuyé sur un coude, il laissa sa main libre vagabonder jusqu'aux courbes pleines qui l'avaient tenté toute la soirée. Particulièrement celles de ses seins. Il savoura leur douce fermeté. Un mamelon pointa aussitôt à travers le tissu sous sa paume, suivi de ce délicieux souffle de plaisir qu'il avait tant espéré entendre.

Les yeux clos, Brooke commença à se tortiller contre lui.

Bien qu'ainsi encouragé à poursuivre son exploration, l'impitoyable stratège en lui freina ses ardeurs.

Sa raison lui criait que, s'il choisissait la solution de

facilité pour obtenir ce qu'il convoitait si fort, il risquait de ne jamais comprendre pourquoi Brooke résistait à s'engager avec lui. A l'épouser. Et sans cette information capitale, son projet échouerait en fin de compte. Il avait un intervalle de temps pour le finaliser, et ne laisserait aucune quantité de baisers fougueux ou de soupirs approbateurs le dévier de la plus importante transaction de sa vie.

Après avoir une dernière fois titillé les lèvres que Brooke lui offrait, Jordan recula.

— Loin de moi l'idée de me plaindre, mais qu'est-ce qui se passe ? Moi qui pensais devoir te supplier pour obtenir ne serait-ce qu'un baiser…

Les ongles de Brooke jouèrent dans sa nuque.

— Tu as dit que mes pieds gonflés étaient jolis.

Il retint le soupir qui montait en lui. Décidément, les femmes étaient plus compliquées que n'importe quelle négociation qu'il ait jamais menée.

— Tes pieds sont parfaits, et s'ils sont gonflés, j'en suis à moitié responsable, vu qu'il faut être deux pour faire un bébé.

Brooke avait mentionné la remarque acide de Bonita. Se pouvait-il qu'une phrase idiote lâchée par une mère ivre bouleverse une jeune femme aussi accomplie et assurée ?

A l'évidence, oui. D'ailleurs, maintenant qu'il y pensait, il ne voyait aucune photo de ses parents dans cet appartement. En fait, seules des aquarelles ornaient les murs. L'unique photo qu'il repéra se trouvait sur une table basse à l'extrémité du canapé. Un tout petit cliché dans un cadre d'argent. Jordan s'en approcha et découvrit cinq jeunes Garrison sur une plage, Brooke et Brittany guère plus âgées que cinq ou six ans. Il prit la photo, et son pouce s'attarda sur l'image de Brooke, sachant sans hésitation laquelle des jumelles elle était, grâce à la mèche folle échappée de sa queue-de-cheval.

Brooke s'approcha de lui et caressa doucement sa mâchoire encore douloureuse.

— Je suis désolée que mon frère t'ait frappé, dit-elle.

Malgré lui, il sourit et reposa la photo.

— Pas moi. Ça faisait longtemps que je ne m'étais pas autant amusé.

— Tu es cinglé.

— C'est un truc de mec. Je m'y attendais.

Puis il se rassit, non sans une grimace de douleur.

— Maintenant qu'on a mis ta famille au courant, reprit-il en attirant Brooke au creux de son bras, si on sortait dîner tous les deux demain soir ? Je passerai te prendre après le travail.

Elle se mit à tirailler sur l'ourlet de sa robe.

— Pourquoi ne pas se retrouver ici, plutôt ? Ou chez toi, pour dîner encore sur la terrasse.

— Tu ne veux pas sortir en ma compagnie ?

Brooke continua de tripoter un fil de son ourlet avec une attention fixe.

— Ce n'est pas ça. Simplement je ne suis pas prête à rendre les choses si… publiques.

Il ne restait plus à Jordan qu'à ronger son frein. Il commençait à apprendre que si elle avait la réputation de moins rechercher la confrontation que les autres Garrison, Brooke était à sa manière aussi têtue qu'eux.

— Et quand as-tu prévu d'annoncer au reste du monde que ce bébé est de moi ?

— Je le saurai quand le moment sera venu, répondit-elle avec un sourire pincé, avant d'arracher enfin le fil à son ourlet.

Jordan voyait bien combien l'idée de devoir prendre cette décision la torturait déjà. Informer sa famille lui avait demandé des mois. L'amener dîner chez eux l'avait rendue presque malade.

Alors, quelle tension supplémentaire lui procurerait le fait de trouver comment apprendre leur liaison à ses collègues et à tout le gratin de South Beach ? Nul doute que les cancans iraient bon train. Si les choses commençaient à peine à se calmer au sujet d'Emilio et Brittany, et si Emilio avait ses propres problèmes avec la *Garrison, Inc.*, l'animosité entre Jordan et Parker battait tous les records.

Brooke devait savoir que la paternité du bébé apporterait du grain à moudre au moulin vorace de la rumeur.

Il observa les cernes sombres sous ses yeux et prit soudain une décision de chef d'entreprise : plus tôt tout le monde serait au courant de leur idylle, mieux ce serait. Et par « tout le monde », il pensait tout South Beach d'un seul coup.

Jordan pinça gentiment le menton de Brooke et effleura une dernière fois ses lèvres.

— Très bien. Quand le moment sera venu, tout le monde l'apprendra.

Le matin suivant, Brooke passa en trombe devant son assistante personnelle, qu'elle salua d'un sourire. Elle arrivait en retard au bureau, après une nuit blanche à rêver de Jordan. Le massage de la veille avait déclenché l'éveil de tous ses sens, la convainquant que recoucher avec lui serait une idée exquise. Mais alors qu'elle était prête à succomber, Jordan avait brusquement fait machine arrière, la forçant à songer à leur avenir et pas seulement à son désir intense pour lui. Aussi la nuit avait-elle été très agitée...

Ses pensées éveillées ne l'étaient pas moins : elle se remémorait leur baiser... et la façon dont il était allé droit sur son image en touchant la photo. Il savait la différencier de sa jumelle, même enfants. Et mon Dieu, ça la troublait.

Elle prêta à peine attention à son assistante qui la prévenait d'une visite, et ouvrit à la volée la porte de son bureau pour tomber sur...

Son propre reflet.

Enfin, son reflet sans gros ventre, sa jumelle n'étant pas enceinte de cinq mois.

— Bonjour, Britt. Si tu voulais la primeur sur Jordan, on aurait pu déjeuner ensemble et parler de tes projets de mariage en même temps.

Bien que jumelles, les deux sœurs n'avaient jamais été aussi proches que Brooke l'aurait souhaité. Brittany s'était souvent plainte que tout le monde la traitait comme une gamine. Néanmoins, depuis ses fiançailles avec Emilio, elle s'était rapprochée de sa famille.

Brittany se pencha en avant, les mains serrées sur un porte-documents posé sur ses genoux.

— Tu vas bien ? demanda-t-elle avec inquiétude.

Brooke s'affala dans un fauteuil en face de sa sœur.

— L'épreuve familiale d'hier n'a pas été marrante du tout, mais au moins cette étape est franchie. Maman a réagi exactement comme prévu, et les deux hommes s'en sont sortis sans rien de cassé.

— Et ?

— Et quoi ?

Brittany s'enfonça dans son siège, le regard compatissant.

— Tu n'as pas lu les journaux ce matin.

Les journaux ? Brooke sentit un mauvais pressentiment remonter le long de sa colonne vertébrale.

— J'ai eu une panne d'oreiller. Comme je n'avais pas le temps de petit-déjeuner, j'ai juste attrapé un bagel en sortant.

Un bagel dans lequel le bébé semblait soudain déterminé à ruer sans discontinuer.

Sa sœur ouvrit le porte-documents monogrammé, en tira un journal — le *South Beach Journal*, qu'elle déplia.

— Tu es le sujet principal des pages « Société ». Ou plutôt, Jordan et toi, rectifia-t-elle.

L'estomac de Brooke s'emplit de plomb, et un grondement de refus emplit ses oreilles. Battant nerveusement des cils, elle s'empara du journal et effectivement, tomba nez à nez avec un article pleine page où s'étalait une photo d'elle à côté d'un cliché de Jordan.

— Combien d'autres du même genre ? s'enquit-elle, les mains tremblantes.

— Trois à ma connaissance, sans parler, bien sûr, d'internet, répondit Brittany en tournant autour de son doigt sa bague de fiançailles ornée d'un diamant jaune. J'entends déjà les offres se bousculer pour monnayer une photo de vous deux ensemble.

Brooke referma le journal avec fracas.

— Génial, se désola-t-elle. C'était exactement ce qu'il me fallait pour me remonter le moral.

— Tu pourrais donner l'argent à une œuvre de charité.

— Ne prends pas ça à la légère, s'il te plaît. Il s'agit de ma vie. De la vie de mon enfant, ajouta-t-elle, refoulant des larmes de frustration. Cela explique pourquoi Parker a tenté de me joindre toute la matinée. Je pensais qu'il voulait me tanner avec Jordan, alors je n'ai pas répondu aux messages de sa réceptionniste, Sheila quelque chose…

Brooke pressa ses tempes douloureuses. Le nom complet de la femme en question lui échappait.

— McKay, compléta Brittany. Sheila McKay.

— C'est ça. Bien qu'apprendre la raison de ses appels ne me donne pas plus envie d'y répondre. Je me demande si Jordan est déjà au courant, reprit-elle en baissant les yeux sur le journal. Mais qu'est-ce que je raconte ? Bien sûr qu'il est au courant ! M. Parfait n'a jamais de panne d'oreiller et n'oublie jamais de lire les nouvelles au petit déjeuner.

— Emilio est parti le voir pour vérifier qu'il n'a pas explosé de rage.

Brooke essuya une larme solitaire. Elle détestait cette impression de si peu contrôler sa vie, sans aucun doute une conséquence d'avoir grandi avec une mère alcoolique. Elle imaginait trop bien comment un homme aussi volontaire que Jordan réagirait en voyant sa vie étalée ainsi au grand jour.

— Je me demande qui, parmi les domestiques de maman, a vendu la mèche, murmura-t-elle.

— Ça peut être n'importe qui. Il y a tellement de gens qui entrent et sortent de la maison pour des livraisons, avec mon mariage dans moins de trois semaines.

Brooke s'enfonça dans son fauteuil et prit sa tête entre ses mains.

— Britt, je suis désolée d'ajouter du stress à ce qui devrait être une période joyeuse.

— Tais-toi. Le monde n'a pas à tourner qu'autour de moi. Et puis à dire vrai, ajouta-t-elle en passant une main apaisante sur l'épaule de Brooke, ça fait du bien pour une fois de pouvoir offrir du soutien, au lieu de toujours être celle qui en a besoin.

— Merci d'être là, Britt. Ça va être coton de gagner l'approbation de nos frères. Et je ne veux même pas penser à maman, gémit Brooke.

— Evidemment que je suis là. Je te dois bien ça. Tu te souviens quand cette feuille de chou avait obtenu des photos de moi avec le chauffeur, et que tu as dit à papa et maman que c'était toi ? Vu que tu ne causais jamais de soucis, ils se sont contentés de te taper sur les doigts. Moi, ils m'auraient au moins supprimé la voiture.

Brooke fut soulagée de sentir le rire remplacer les larmes.

— La tête que faisait le chauffeur, tu te rappelles !

— Sans blague. S'il était incapable de nous différencier l'une de l'autre, il ne me méritait pas, renchérit Brittany.

— Tu as bien raison.

L'esprit de Brooke repartit cinq mois en arrière, à cette nuit durant laquelle Jordan et elle avaient conçu ce bébé, et où il l'avait distinguée sans la moindre hésitation de sa jumelle. N'empêche que...

— Tout bouge un peu trop vite pour moi, soupira-t-elle.

Brittany lui pressa gentiment la main.

— Emilio et moi une fois mariés, nos frères seront bien plus disposés à comprendre qu'ils doivent accepter tous les Jefferies dans la famille Garrison. Et qui sait ? Peut-être même qu'un jour la *Garrison, Inc.* pourra fusionner avec la société des Jefferies.

— Pourquoi pas, en effet.

Brooke se força à sourire, alors qu'elle avait plutôt envie de hurler. Même sa sœur voyait cette relation en termes de transaction commerciale.

Mais elle doutait fort que les choses avec sa famille s'arrangent si facilement.

Pourquoi n'avait-il pas encore réussi à régler ce problème de mariage ? se demanda Jordan à la fin de la semaine.

Il tenta de se consoler avec le fait que leur idylle était désormais publique. Dîner un vendredi soir à une table reculée du restaurant de son frère constituait un progrès.

Bien sûr, Brooke n'avait pas du tout apprécié les articles dans les journaux, mais comme il l'avait espéré en chargeant sa secrétaire de divulguer l'histoire, Brooke avait cessé de se préoccuper de secret. Ils s'étaient donc mis à sortir ensemble ouvertement.

Il devait admettre qu'il avait passé une semaine extrêmement agréable, même si le devoir lui ordonnait de plutôt se concentrer sur l'ouverture prochaine de son nouvel hôtel, le *Victoria*. Mais il avait un peu laissé traîner les choses de ce côté-là. Une tonne de travail et de messages téléphoniques l'attendait près de son ordinateur — encore qu'il pouvait ignorer les cinq messages de son ex…

Quelle entêtée, celle-là ! Lorsqu'elle avait appelé sans crier gare la veille, il lui avait annoncé qu'il voyait une autre femme à présent. Si elle refusait de comprendre les mots, autant essayer la distance. Il chargerait sa secrétaire de lui dire qu'il était désormais indisponible.

Jordan remisa son ancienne maîtresse dans son passé. Et se rendit compte qu'il n'éprouvait aucun regret. Son esprit et ses intentions étaient à présent fermement dirigés ailleurs, et les autres commençaient à le remarquer, eux aussi. Emilio l'avait même surpris à regarder sa montre durant une réunion qui se prolongeait.

En fait, il ne prenait pas la peine de cacher l'attirance qu'il éprouvait pour Brooke. Tout en lui faisant la cour chaque soir cette semaine, il avait également cherché à gagner sa confiance en allégeant la tension avec sa famille.

Une famille malheureuse, qui rendait Brooke malheureuse.

Alors il l'avait emmenée dîner un soir dans le restaurant de Brittany. Un autre dans le club de son frère Adam. Il s'était efforcé d'aller là où se rassemblaient ses proches, et effectivement, la presse fascinée s'en était donné à cœur joie avec les photos. Mais comment le leur reprocher ? Brooke était si belle. La lueur des chandelles jouait si bien sur son visage — et causait des ravages sur son propre sang-froid.

Néanmoins, malgré tous ses efforts, l'accueil du clan Garrison, exception faite de Brittany, restait plus que glacial. Leur désapprobation devenait franchement irritante.

Jordan voulait profiter de ce vendredi soir loin de la famille de Brooke, et *surtout* éviter de penser à un nouveau dîner dominical en leur compagnie. Sa mâchoire lui faisait encore mal depuis la dernière réunion.

Mais pas question que l'arrogant Parker le sache, songea-t-il avec férocité. Peut-être que s'il proposait à Brooke un meilleur plan pour le week-end, une tactique différente pour la conquérir, ils pourraient sécher la rituelle réunion de famille.

Jordan attendit que leurs cafés soient servis pour lui prendre la main et suggérer :

— Que dirais-tu de t'envoler aux Bahamas et échapper aux paparazzis ?

Les yeux de Brooke brillaient autant que la flamme des bougies entre eux.

— Je dirais oui.

Il caressa doucement sa paume.

— Nous pourrions rendre visite à ta demi-sœur, ajouta-t-il.

— Oui, mille fois oui !

Elle se détendit sur son siège. Visiblement, l'ambiance décontractée et la musique du *El Diablo* l'apaisaient davantage que n'importe quoi d'autre cette semaine.

Autant essayer de jouer son va-tout. Il s'attarda sur la peau veloutée et les doigts effilés, parfaitement manucurés.

— Et nous marier.

Brooke retira sa main d'un geste sec.

— Non merci.

Sans se départir de son sourire, Jordan lui reprit le poignet et la calma d'un baiser au creux de la paume. Puis il titilla des lèvres l'anneau d'or qui entourait son index.

— Tu ne peux pas me reprocher d'essayer. Je suis un homme…

— Mais je peux cesser tout rendez-vous avec un homme qui refuse d'écouter, rétorqua-t-elle, les yeux plissés.

Cela prit Jordan au dépourvu. Il ne poussait jamais son

avantage trop loin. Il avait dû perdre un peu la main. Après tout, sa dernière liaison remontait à un certain temps. En fait, il y avait mis un terme peu avant cette première nuit avec Brooke. Et il n'y avait eu personne depuis, même s'il préférait ne pas s'appesantir sur ce genre de détail.

— Tu nous priverais vraiment de nos rencontres, après cette super semaine passée ensemble, juste parce que je veux t'épouser ?

— Je n'aime pas être manipulée.

Les hommes intelligents écoutaient, et personne n'avait jamais accusé Jordan d'être stupide.

— C'était une simple question. Tu as répondu, je n'insisterai pas.

— Jordan, déclara-t-elle alors d'un ton soudain très sérieux, j'ai vu mes parents vivre un mariage sans amour. Ça les a détruits, et cela nous a fait du mal à tous. Je n'ai aucune envie de reproduire ce genre de choses. Mais c'est quelque chose que tu ne peux peut-être pas comprendre...

Il semblait qu'il n'ait pas forcé sa chance, tout compte fait, se dit Jordan. Brooke venait de lui confier une information essentielle. Mais il comprenait également qu'il était allé aussi loin que possible pour la soirée. Il avait remporté la manche concernant leurs moments passés ensemble, lesquels s'avéraient efficaces. Puisque ça marchait bien, il poursuivrait dans ce sens. Ferait en sorte que Cassie l'aide à convaincre sa sœur. Puis il laisserait le romantisme des Bahamas exercer sa magie.

Et garderait la bague de fiançailles dans sa poche, prête à servir.

5.

Le soleil des Bahamas tapait sec au-dessus de la limousine. Brooke étira ses jambes devant elle, et l'ourlet de sa jupe frôla ses mollets d'une façon délicieuse. Son corps tout entier réagissait à la moindre caresse depuis que Jordan avait réveillé ses hormones affamées. Qui aurait cru qu'une femme enceinte serait aussi excitée ?

Etouffant soudain dans l'habitacle, Brooke écarta sa tunique de sa peau brûlante. Ils avaient décollé très tôt, et le vol avait été un peu fatigant, mais elle sentait déjà la tension quitter ses muscles à mesure qu'elle se rapprochait de la propriété de sa demi-sœur. Et surtout, quelle joie d'être loin de la surveillance pesante des médias !

Si seulement son désir pour Jordan ne la mettait pas autant à cran...

Elle ne pouvait nier que sa proposition de week-end était géniale. Elle aurait juste voulu deviner ses sentiments à lui. Cet homme ne laissait jamais rien paraître. Il se contentait de fixer sur elle ce sourire et ces yeux mi-clos, tellement sexy, en la touchant sans cesse d'une manière légère et un peu taquine.

Comme à présent, alors qu'il caressait du pouce l'intérieur de son poignet.

— Comment te sens-tu ? lui demanda-t-il.

Oh, s'il savait. La nuit précédente elle avait laissé son imagination débridée concevoir des rêves saisissants le concernant, et inventer toutes les choses qu'il serait susceptible de faire à son corps de ses doigts si agiles.

— Bien, juste un peu fatiguée, répondit-elle. Mais tout à fait relaxée. D'ailleurs qui ne le serait pas dans un endroit pareil ? ajouta-t-elle en désignant le merveilleux paysage.

Au-delà des palmiers qui se balançaient doucement dans une brise tiède, la route longeait une mer turquoise, bordée de sable blond, en direction de la résidence luxueuse au sein de laquelle se trouvait la maison de Cassie.

— Tu devrais te ménager, répliqua Jordan.

C'était au moins la cinquantième fois de la semaine qu'il le lui disait, et Brooke se demandait s'il n'évitait pas son lit par égard pour sa santé, tout compte fait.

— Mais, Jordan, ce n'est pas comme si j'avais travaillé ce matin, voyons ! Je n'ai fait que prendre un avion. J'ai même appelé mon médecin pour avoir la permission officielle de voyager, souviens-toi.

Un tic nerveux agita soudain la paupière de Jordan.

— A propos, je veux rencontrer ce type, déclara-t-il. Vérifier ses références, tout ça.

Brooke repoussa son envie de se rebiffer. C'était parfaitement légitime qu'il veuille connaître la personne qui mettrait leur enfant au monde. Elle-même en ferait autant à sa place.

— Pas ce type, cette nana, corrigea-t-elle. Et tu n'as qu'à m'accompagner à la prochaine consultation.

Le tic cessa aussitôt.

— C'est tout ? Tu ne discutes même pas ?

— Je te signale que ma famille dit toujours que je suis d'une nature conciliante, remarqua-t-elle, un peu piquée au vif.

— Conciliant. Hum. Mais je préfère que tu sois honnête avec moi plutôt que de me cacher tes sentiments.

Voilà qui ressemblait fort aux prémices d'une conversation désagréable, songea Brooke. Dieu merci, la limousine s'arrêtait devant chez Cassie. Si Brooke avait revu sa sœur plusieurs fois depuis la lecture du testament de leur père, c'était la première fois qu'elle lui rendait visite aux Bahamas.

Le chauffeur ouvrit sa portière, et Brooke s'extirpa de

la limousine. Sur le perron de sa maison à la construction quelque peu disparate, Cassie attendait auprès d'un homme de haute taille — Brandon Washington, son fiancé et l'avocat des Garrison.

Des guirlandes dorées et vertes encadraient la porte d'entrée, rappelant à Brooke que les fêtes de fin d'année se passaient d'ordinaire en famille. Or Cassie avait non seulement perdu son père cette année, mais aussi sa mère. Brooke se réjouissait de voir que sa demi-sœur paraisse surmonter son chagrin et reprendre le fil de sa vie.

Si seulement elles avaient pu se consoler mutuellement ! Mais après les révélations fracassantes du testament de leur père, et le bouleversement que cela avait provoqué dans leurs existences, il avait fallu du temps à toute la fratrie Garrison pour construire une relation avec Cassie. Brooke prit la résolution d'attirer Brittany ici, une fois les choses calmées après le mariage.

L'ombre de Jordan s'allongea près d'elle. A croire qu'il était capable de sentir quand elle *pensait* seulement le mot « mariage »…

Cela lui rappela combien il serait dangereux de donner libre cours à ses fantasmes avec Jordan ce week-end. Elle devait prendre garde à ne pas aller trop loin avec cet homme, chose qu'elle craignait hélas de faire trop facilement, vu l'indéniable sortilège qu'il exerçait sur elle.

Brooke pencha la tête en arrière et chuchota :

— Jordan, tu sais ce qui me détendrait vraiment le plus, là, tout de suite ?

— Je t'écoute.

— Que Brandon et toi vous éclipsiez pour que je puisse rester seule un petit moment avec ma sœur.

— Considère que c'est chose faite, ma beauté.

Jordan lui pressa l'épaule, geste qui s'avéra une véritable torture car il évoquait toutes les choses qu'ils ne devraient *pas* faire ensemble ce week-end.

Puis elle monta l'escalier de pierre, un sourire fermement planté sur les lèvres, espérant que sa demi-sœur serait aussi heureuse de l'accueillir qu'elle-même était heureuse d'être là. Elle fut exaucée : Cassie lui tendit chaleureusement les bras, et Brooke s'abandonna à l'étreinte bienveillante qui lui manquait tant de la part de sa famille depuis qu'elle les avait informés du bébé à venir.

A côté d'elles, les hommes se serraient la main et se donnaient de grandes tapes cordiales dans le dos.

Comme les yeux de Brooke s'emplissaient de larmes, Cassie la gronda avec douceur :

— Allons, c'est un moment de joie. Sèche-moi ces larmes, tu veux bien.

— Ce sont les hormones, répliqua Brooke en essuyant ses joues. Je n'y peux rien. Je suis triste, je pleure. Je suis contente, je pleure aussi.

— Bon, si tu le dis.

Puis Cassie recula d'un pas pour poursuivre :

— Mais laisse-moi te regarder. Décidément, la grossesse te va à merveille. Tu es superbe.

Brandon émit un petit sifflement admiratif.

— Tout à fait d'accord !

— Dis donc, mon chéri, le railla Cassie. Tu devrais mettre un peu moins d'enthousiasme dans ce commentaire.

L'avocat de haut vol mit un bras sur les épaules de sa fiancée et déposa un baiser plein d'adoration sur sa joue mate.

— Je suis l'homme d'une seule femme, tu le sais bien.

Cassie se coula amoureusement contre lui tandis que sa bague ornée d'un splendide diamant étincelait au soleil.

— Tâche juste de ne pas l'oublier.

Encore une bague. Brooke voyait des bagues partout. La frustration lui donnait des envies de hurler. A croire que Jordan avait commandé exprès tous ces couples de fiancés radieux dans le simple but de la tenter…

Alors qu'au contraire, la relation harmonieuse de ses frères et sœurs avec les élus de leur cœur la mettait au supplice. Car c'était ainsi que les choses devaient se passer. Et elle avait raison de camper sur ses positions et de vouloir s'en tenir à leurs rendez-vous, au lieu de se précipiter dans un mariage de convenance.

Jordan posa la main sur l'épaule de Brandon.

— Si tu me faisais visiter les lieux pendant que ces dames papotent progéniture ?

— Excellente idée, approuva Brandon. Commençons par le bar de la piscine.

La brise marine emporta leurs voix, laissant les deux sœurs seules.

Brooke serra encore Cassie dans ses bras, heureuse de constater que ce nouveau geste d'affection ne la rebutait pas.

— Merci de nous accueillir ainsi, au pied levé.

— Aucun problème, assura Cassie.

— Tu es sûre ? C'est vraiment une visite décidée à la dernière minute. On peut aller à l'hôtel, tu sais.

Cassie dirigeait le tout proche *Garrison Grand-Bahamas*.

— Ne dis pas de bêtises. La maison a plein de chambres, et j'ai gardé le personnel de maman après sa mort.

— Alors, d'accord.

Et bras dessus, bras dessous, elles franchirent le seuil de la splendide demeure de Cassie, un merveilleux et excentrique mélange de styles contemporain, colonial et Queen Anne. Le hall de ce palais biscornu était orné de photos.

— J'avoue que ce moment en ta compagnie me ravit. Nous avons plein d'années à rattraper, affirma Brooke.

Les yeux de Cassie s'attardèrent sur un portrait de John Garrison en compagnie de sa mère, la beauté à peau sombre qui avait pris son cœur, à défaut de son nom.

— J'ai toujours été comblée par ma vie ici, et maman se passait sincèrement d'alliance ou de certificat de mariage. Mais maintenant que la tension est retombée depuis la lecture du testament de papa, je suis vraiment contente d'avoir des frères et sœurs. Bien sûr, une grande famille n'a rien de neuf pour toi, ajouta-t-elle en se retournant vers Brooke.

Détachant le regard de la photo, celle-ci la suivit en direction d'une porte vitrée qui donnait sur un jardin luxuriant.

— Avoir grandi avec des frères et une sœur ne signifie

nullement que je t'apprécie moins, lui assura-t-elle. Il m'a juste fallu un peu de temps pour passer sur…

— Le fait que j'hérite d'une si large part de votre fortune familiale ? compléta Cassie en s'asseyant sur un banc près d'une grande et ravissante fontaine.

Brooke s'installa à son côté. Les riches senteurs des fleurs tropicales de ce jardin n'étaient pas assez fortes pour recouvrir l'odeur âcre de la trahison.

— Sur le fait que papa ait menti, rectifia-t-elle. Durant toutes ces années, ta mère et toi connaissiez la vérité. Nous, nous avions un mensonge. Pour moi, c'est ce qui a été — et est encore — le plus dur à avaler.

Elle posa une main protectrice sur son ventre et ajouta d'une voix brisée :

— Je veux que mon enfant ait une vie sans mensonges.

— Si je comprends bien, dit doucement Cassie, tu n'es pas venue ici chercher uniquement un endroit pour reposer tes pieds et mettre ton visage au soleil.

Un tourbillon d'images envahit l'esprit de Brooke : ce portrait de son père avec sa seconde famille, toutes ces bagues de fiançailles, et la plus imposante, le visage de Jordan s'approchant du sien pour un baiser époustouflant.

— Je suis peut-être venue chercher des réponses.

— Ah, petite sœur chérie, répliqua Cassie. Ce n'est pas parce que moi, ou tes frères et ta sœur, sommes arrivés à surmonter tout ceci, que la façon dont nous nous y sommes pris, et les motivations qui nous ont poussés, te conviendront. Chacun doit trouver sa propre voie.

Brooke n'était guère avancée. Si seulement la vie pouvait être aussi simple que de jeter une pièce de monnaie dans cette fontaine et faire le vœu que son univers se remette d'aplomb… Elle observa les bulles danser dans l'eau chantante, tandis que dans sa tête se mêlaient les images du portrait, des bagues, et du visage séduisant de Jordan.

Penser à ses baisers suffisait à la couvrir de frissons, comme si elle-même avait plongé dans la fontaine.

A ce train-là, comment réussirait-elle à ne pas plonger au lit avec lui ?

Le clair de lune faisait étinceler la crête des vagues. Pieds nus sur le sable encore tiède, Jordan glissa un bras autour de la taille de Brooke, et s'amusa de sentir le pied de son enfant gigoter sous ses doigts. Le petit monstre semblait drôlement agité ce soir.

Et quelque chose tracassait aussi sa mère. Il ignorait ce qui tournicotait dans sa jolie tête brune, mais elle était nerveuse depuis leur arrivée. Or, ce n'était pas du tout la réaction qu'il avait prévue. Il l'avait emmenée ici avec l'espoir de faire avancer sa cause, d'apaiser ses inquiétudes et la convaincre du bien-fondé de ses projets de mariage. Cela semblait pour l'instant mal parti ! Allons, se raisonna-t-il, avec un peu de chance, le charme de cette promenade nocturne sur la plage la calmerait. Mais il voulait d'elle davantage que du simple romantisme. Il voulait un vrai engagement. Il voulait voir briller sa bague à son doigt de la même manière que Cassie arborait le diamant que Brandon lui avait offert.

Il tourna la tête vers elle, et sentit un étrange sentiment l'envahir.

Brooke était une femme enceinte extrêmement sexy.

Sa robe rose et le châle vaporeux drapé autour de ses épaules mettaient ses nouvelles formes en valeur. Cette élégance toute simple semblait encore plus parfaite avec ses pieds nus foulant le sable. Il ne put s'empêcher de noter que la robe s'attachait aux épaules par de simples bretelles, très faciles à défaire…

Stop. Se laisser aller à de pareilles pensées serait la meilleure façon de la faire fuir derrière une dune. Il devait s'en tenir à des sujets a priori plus anodins… et qui serviraient ses desseins. Du moins l'espérait-il.

— Comment ça s'est passé avec Cassie ? demanda-t-il.

Il songea aux innombrables photos disposées à chaque coin de la maison de la demi-sœur de Brooke. A première vue, l'endroit n'avait pas grand-chose à voir avec le domaine Garrison de South Beach, mais il ne faisait aucun doute que John Garrison avait trouvé ici un foyer. Un foyer dont il manquait sans doute cruellement à South Beach. Voilà ! comprit-il soudain, c'était l'élément qui manquait à la maison de Bonita, et même à l'appartement de Brooke. La chaleur d'un foyer. Il n'avait pas été capable de mettre le doigt dessus jusqu'à maintenant. Brooke était-elle capable de percevoir la différence ?

— Bien, répondit Brooke en se rapprochant de l'eau. Très bien, en fait. Ce n'est pas évident de forger un lien de sœurs une fois adultes, mais nous sommes bien parties pour être d'excellentes amies, toutes les deux. Cassie est une fille étonnante.

— Tous les Garrison sont des gens extrêmement étonnants, remarqua Jordan en se penchant vers elle pour humer son parfum sur sa nuque. Et de vrais bosseurs.

— C'est un compliment, j'imagine ?

Elle releva la tête vers lui, puis recula, comme si elle se souvenait qu'elle ne devait pas céder à ses impulsions.

À quoi pourraient bien ressembler leurs relations, une fois qu'ils auraient franchi les négociations par à-coups de ce mariage ? Il était curieux de voir à quoi ressemblait Brooke débarrassée de toute contrainte. Ou plutôt, de la retrouver libre de toute contrainte, comme elle l'était lorsqu'elle s'était donnée à lui cette fameuse nuit. La nuit où ils avaient conçu leur enfant.

— Pour moi, oui, sans aucun doute, répondit-il.

Il sourit. Avec leurs caractères respectifs, leur enfant risquait de leur donner du fil à retordre, mais il était impatient de relever le défi.

— Tu ne prends jamais de vacances ? reprit Brooke.

— Et qu'est-ce que je fais ici, à ton avis ?

— Tu es ici parce que tu veux me convaincre de t'épouser, ça n'a rien à voir avec des vacances.

Tiens, elle l'avait deviné ? Il aurait dû s'en douter. Mais cela n'avait pas grande importance, surtout s'il parvenait à ses fins.

— J'ai la chance que mon métier m'envoie dans des

endroits formidables. Dans ces cas-là, si je le peux, je complète mon séjour d'une journée de tourisme.

— Et quand le bébé sera né ?

Ah, il voyait à présent où elle voulait en venir, et se réjouit qu'elle tourne enfin ses pensées vers l'avenir.

— Il est évident que l'arrivée d'un enfant nous imposera à tous deux de changer notre mode de vie. Mais j'y suis prêt. Et j'ai même hâte, crois-moi.

Le croyait-elle sincère ? Impossible à dire, et comme elle ne disait plus rien, Jordan chercha quelque chose de rassurant pour remplir le silence.

— Tu sais, si je dois arrêter de voyager, cela ne me manquera pas. J'ai beaucoup voyagé dans ma vie, et j'ai déjà vu beaucoup de pays. Quand j'étais plus jeune, raconta-t-il avec le sourire, j'ai même pris mes cliques et mes claques et suis parti, six mois après mon bac. Emilio et moi avons sillonné l'Europe en sac à dos.

Il n'avait pas repensé à ces semaines géniales depuis… Bon sang, pas moyen de se rappeler à quand remontait la dernière fois qu'il avait déterré les souvenirs de cette époque.

Brooke se serra contre lui tout en marchant.

— Tu es vraiment très proche de ton frère.

— Oui. Et depuis qu'on est tout gosses. Il est désormais la seule famille qu'il me reste. Ou plutôt, rectifia Jordan, il l'était. Maintenant, j'ai cet enfant — et toi.

— Ça a dû être des vacances extraordinaires, non ?

— Oui, parfaites, jusqu'à ce que…

Zut. Il ne voulait pas remuer des moments si sombres, mais n'évoquer que des choses plaisantes, dans le but de l'apaiser.

Brooke leva les yeux vers lui, et demanda d'un ton insistant :

— Jusqu'à ce que quoi ?

— Jusqu'à ce qu'on rentre, se contenta-t-il de répondre. Mais pas dupe, elle lui secoua doucement le bras.

— Allez, Jordan. Je t'ai parlé de mon père et de ces

derniers mois si difficiles. Partager les choses, ça doit marcher dans les deux sens.

La douleur de cette période revint frapper Jordan de plein fouet. Avec une violence qui le surprit, tant d'années après.

— Nous sommes rentrés plus tôt que prévu parce que nos parents sont morts.

Brooke pila net, et posa les mains sur son torse.

— Mon Dieu, Jordan, excuse-moi. Je savais qu'ils étaient décédés, mais je n'avais pas compris que vous les aviez perdus tous les deux en même temps. Ça a dû être tellement affreux. Comment sont-ils morts ?

— Dans un accident de bateau. Emilio et moi sommes rentrés d'Europe, puis nous avons assumé la direction des affaires de papa à sa place.

— Et tu n'as plus repris de vacances depuis.

La compassion qu'il lisait dans les yeux de Brooke le mit mal à l'aise. Il voulait la conquérir, mais pas de cette manière.

— Comme je te le disais, c'était ma façon de fonctionner jusqu'ici. Mais le bébé une fois né, je m'organiserai comme je le voudrai puisque je suis le patron. Ne t'inquiète pas, cet enfant ira à Disneyland, c'est promis.

Elle le regarda fixement, et il se demanda si elle allait le pousser plus loin sur le thème de ses parents. Il s'arma mentalement pour cette épreuve.

Mais elle détourna le regard et se remit à marcher dans l'eau.

— Bon. Et quand il voudra savoir comment son papa et sa maman se sont rencontrés et ont décidé de fonder une famille, qu'est-ce qu'on lui dira ?

Soulagé de quitter des sujets trop émotifs, il lâcha la première réponse qui lui traversa l'esprit :

— On lui dira la vérité.

Brooke rit amèrement.

— La vérité ? Ce n'est pas un peu beaucoup pour un enfant ?

— Pas telle que je la vois, rétorqua Jordan.

Encore ébranlé par le chagrin qui avait déferlé en lui

lorsqu'il avait évoqué la mort de ses parents, il fut content de se distraire en posant les mains sur les épaules de Brooke, puis en les glissant dans ses cheveux. Aussitôt, une exquise et tentatrice bouffée de parfum, portée par la brise tiède, revint le titiller.

— Et tu la vois comment ? demanda Brooke d'une voix un peu hachée.

Jordan s'approcha davantage, jusqu'à la frôler, ce qui aiguillonna encore son attirance.

— Je dirai à notre enfant que je suis tombé en admiration devant une femme unique dans son genre.

Les seins de Brooke se soulevèrent sous une exclamation muette, et s'écrasèrent légèrement contre lui.

— C'est gentil, murmura-t-elle.

— C'est surtout malin. Je sais reconnaître ce qui est exceptionnel quand ça se présente sous mes yeux.

Non seulement quand il le voyait, mais quand il le sentait. Comme à présent. Il se pénétra de la douceur soyeuse de ses cheveux sous ses doigts.

Brooke ferma les yeux un instant, puis les rouvrit.

— Tu appliques sur moi une des brillantes techniques dont tu uses en salle de réunion, lança-t-elle.

— Pourquoi as-tu tant de mal à croire ce que je dis ? Tu ne peux pas me faire confiance ?

Certes, songea-t-il avec une bouffée de culpabilité, il y avait bien eu la fuite dans les journaux. Mais il l'avait fait pour sa tranquillité d'esprit, rien de plus...

— Ces derniers mois ont été difficiles, répondit-elle. Apprendre tout ça — elle désigna la maison de Cassie —, découvrir cette autre vie de mon père. Ça peut ébranler la confiance de n'importe qui, d'autant que j'avais déjà des doutes sur le cliché « vivons heureux jusqu'à la fin de nos jours ».

— Je peux le comprendre, assura Jordan, tout en fouillant son esprit à la recherche d'un moyen d'orienter la conversation vers des terrains moins minés.

S'il l'avait emmenée ici, ce n'était pas pour qu'ils parlent de mariages malheureux et de l'impossibilité de vivre une histoire d'amour heureuse…

— Tu sais, Brooke, mes parents ont vécu un mariage merveilleux. Jusqu'à leur mort, ils nous ont donné l'image d'un couple amoureux et soudé. Alors je suis sûr que ça existe.

— Ils s'aimaient ?

— Oui, à la folie, répondit-il, la gorge de nouveau nouée.

Brooke le dévisagea. Comme si elle attendait. Quoi ? Ah. Elle pensait au mot « amour ».

Ou plutôt à l'absence d'amour entre eux.

Il avait promis d'être honnête avec elle. Donc il ne lui mentirait pas en prétendant l'aimer comme elle le désirait, juste pour la tranquilliser. Bien sûr, il s'était arrangé pour que la presse s'empare de leur idylle, mais c'était uniquement pour apaiser Brooke, et leur permettre de sortir en public sans qu'elle redoute qu'on ne les surprenne. Mais l'amour fou que la presse avait mis en avant n'était qu'une invention de journalistes. Entre eux deux, les choses étaient différentes. Il ne voulait l'épouser que parce qu'elle était enceinte. Et parce que cela servait ses desseins…

Il la prit par la taille, regrettant que les choses ne puissent être plus simples, regrettant qu'ils ne soient libres de prendre le temps de laisser la passion et les sentiments s'épanouir entre eux.

Cela dit, auraient-ils seulement pris le temps pour cela sans cette grossesse ? Tandis que ses pieds s'enfonçaient dans le sable, Jordan songea à tout ce qu'il aurait raté s'il était resté à l'écart de Brooke Garrison.

— Les sentiments grandissent avec le temps, finit-il par lui dire. Il y a beaucoup de choses sur lesquelles nous pouvons miser.

— Merci de ta franchise.

Au moins, il avait répondu juste. Un soupir de soulagement lui échappa à l'instant où une vague se retirait. La lame suivante qui s'enroula autour de leurs chevilles propulsa une poussée de désir à travers tout son corps.

— Alors montrons-nous honnêtes avec les sentiments que nous avons déjà.

Sentiments ?

En ce moment précis, elle en était inondée. Une envie sensuelle la faisait vibrer tout entière. La brûlait tant qu'elle aurait voulu s'enfoncer dans les vagues pour la soulager.

Ou plonger dans l'exquis apaisement qu'elle savait pouvoir trouver entre les bras de Jordan...

Peut-être était-ce là sa réponse, après tout. Cesser de se préoccuper de bagues et d'images de famille au bonheur éternel. Et puis, le bébé ne naîtrait pas avant plusieurs mois : pourquoi se refuser le délice d'explorer ce que Jordan et elle avaient découvert ? A savoir, la meilleure manière de s'apporter l'un l'autre un insurpassable plaisir...

Avant de changer d'avis, Brooke noua ses mains dans la nuque de Jordan et se hissa sur la pointe des pieds pour atteindre sa bouche. Elle perçut la vibration de son grognement appréciateur contre ses seins déjà hypersensibles au moment où il l'enfermait dans ses bras.

L'eau tiède léchait langoureusement ses chevilles tandis que Jordan jouait avec les liens qui retenaient sa robe. Brooke sentit soudain un frisson remonter le long de ses jambes, entre ses cuisses, lorsque les lèvres brûlantes de l'homme qu'elle désirait tant recouvrirent les siennes. Son baiser se fit plus profond, plus insistant. Haletante, elle agrippa ses cheveux pendant que le désir la submergeait aussi inexorablement que les vagues dérobaient le sable sous ses pieds nus.

Jordan posa les mains au creux de ses reins, la pressa davantage vers lui, autant que le permettait sa condition — et leur présence sur une plage au vu de tous.

Elle en mourait d'envie, en avait rêvé. Pourquoi hésiter ?

— Allons dans ma chambre, dit-elle.

6.

En sentant Jordan la soulever dans ses bras, Brooke lâcha une exclamation de surprise. Mais, comme sans effort, il traversa la plage à toutes jambes en direction de l'entrée privée de leur suite, à l'arrière de la grande maison de Cassie, et Brooke s'accrocha à sa nuque, savourant sa force physique, la fluidité de ses mouvements.

— Je peux marcher, tu sais, dit-elle, le cœur battant aussi fort que les pieds de Jordan se pressaient sur le sable.

Il resserra son étreinte, et accéléra encore le pas.

— Je n'ai pas l'intention de te laisser le temps de changer d'avis.

Elle rejeta la tête en arrière et rit aux éclats ; les étoiles dans le ciel étaient moins flamboyantes que les sensations qui la transperçaient de toutes parts.

— Aucun risque. J'en ai envie. J'ai envie de toi.

— Je n'ai pas d'objection.

Il grimpa en trombe les marches de la véranda, franchit le petit patio fleuri en deux enjambées et se pencha pour ouvrir la porte de la chambre de Brooke. Laquelle en profita pour effleurer des lèvres les vestiges du bleu sur sa mâchoire, souvenir de la bagarre avec son frère.

Elle associerait à jamais la douce senteur des fleurs du porche, le fracas des vagues sur le rivage de l'île, à cet instant où ses sens se trouvaient totalement en éveil. Jordan la porta au-dessus du seuil avant de la reposer au sol. Elle enfonça ses orteils pleins de sable dans l'épais tapis et se dressa sur la pointe des pieds.

Sa bouche avide se referma sur celle de Jordan, ses doigts agrippèrent sa chemise. Le coton que froissaient ses paumes portait encore la chaleur de son corps, aiguisant son désir. Elle écarta le vêtement d'un geste vif et posa ses mains à plat sur le torse palpitant. Elle mourait d'envie de sentir ce corps vigoureux sur elle, sous elle, en elle, partout.

A la hâte, il fit tomber de ses épaules le châle qui la couvrait, et la fine étoffe voleta comme un papillon jusqu'à ses chevilles. Puis les mains brûlantes de Jordan sur sa peau nue la firent frissonner d'anticipation.

Il dénoua une bretelle, puis l'autre, et le corsage satiné s'abaissa jusqu'à la naissance de ses seins. Pour le moment toujours recouverts. Mais lorsque la robe tomberait complètement, elle serait exposée à son regard. Nue. Offerte.

Tandis qu'elle faisait courir ses doigts sur sa nuque, la pulpe sensible de ses doigts tout excitée par les cheveux drus, il lui murmura des mots d'encouragement à l'oreille. Non qu'elle en ait besoin ; mais le chuchotement de son souffle contre son cou fouetta davantage encore son désir.

Les doigts de Jordan s'immiscèrent sous le satin du corsage, comme pour éprouver la texture crémeuse d'un sein, et elle retint sa respiration tandis que sa robe descendait un peu plus bas sur ses seins gonflés. C'était fou. Jamais de sa vie elle n'avait souhaité quelque chose aussi ardemment que de sentir ses paumes sur sa poitrine alourdie de désir.

— Jordan…

Ce gémissement suppliant, c'était donc elle qui l'avait lâché ? Seigneur, la convoitise la rendait folle.

Le regard brûlant de Jordan traversait le satin. Une bretelle dénouée entre les doigts, il s'amusa à lui effleurer le cou, la gorge, le haut des seins. Petit à petit, il tira sur le tissu, piquetant de baisers chaque centimètre de peau découverte. La robe finit par glisser le long de son corps, la laissant uniquement vêtue d'une culotte, minuscule rempart de dentelle qui la séparait de lui. Avec un grognement impatient, Brooke se pressa contre Jordan.

Mais un instant d'embarras la traversa soudain. Depuis qu'ils avaient fait l'amour la première fois, son corps avait beaucoup changé. Allait-il aimer ses formes épanouies par la grossesse ? Immobile, le désir mêlé d'inquiétude, elle attendit sa réaction.

La brise nocturne qui pénétrait par les portes de la véranda rafraîchissait à peine sa peau échauffée. Le regard ardent et ô combien appréciateur de Jordan augmenta encore sa température. Son cœur battait si vite que sa tête lui tournait.

— Dire que je te trouvais déjà belle avant, murmura-t-il, alors que ses mains lâchaient ses seins pour venir s'arrondir autour de son ventre bombé.

Comme il semblait sincère, elle poussa un soupir soulagé.

Le bébé donna alors un coup de pied contre la paume qu'il devait percevoir au-delà de sa bulle protectrice, et Jordan ôta vivement sa main, les yeux agrandis.

— Wow, c'est… c'est incroyable.

Brooke éclata de rire, ravie de partager ce moment avec lui, ravie qu'il touche leur enfant en plein développement.

— Impressionnant, hein ? Mais ça ne fait pas mal, même si ce petit footballeur me réveille parfois la nuit.

Il observa le doux renflement avec stupéfaction, puis y reposa la main, diffusant un large halo de chaleur sur sa peau frémissante.

— Etonnant, s'extasia-t-il encore.

Il finit par relever les yeux.

— Tu es certaine que nous pouvons continuer sans risque ?

Elle sentit un léger sentiment de malaise — et même de vulnérabilité — remonter le long de son dos.

— Tu serais un de ces hommes effrayés à l'idée de toucher une femme enceinte ?

— Bon Dieu, non, répondit-il sans l'ombre d'une hésitation. Mais il me semble normal de vérifier s'il existe des contre-indications…

— Aucune. Hormis le trapèze, ajouta-t-elle avec un sourire.

— Ça tombe bien, je n'ai jamais été fan de cirque, de toute façon. Et à part le trapèze ?

Rassérénée par son humour tranquille, Brooke se laissa aller contre lui. Ses mains qui la parcouraient avec une impatience évidente la ramenèrent aussitôt sous son charme.

— Rien de particulier, tant que ça reste confortable, répondit-elle avec un petit gloussement heureux.

Puis elle se rappela un chapitre d'*En attendant bébé* qui évoquait des possibilités intéressantes.

— Mais à mesure que le bébé grandira, poursuivit-elle, il me faudra inventer des positions.

— Tu veux dire : il *nous* faudra inventer des positions.

— Tu ne serais pas un peu possessif, non ?

Durant de longues secondes, il garda le silence, le visage grave ; puis il sourit lentement, et se mit à ôter ses propres vêtements sans la quitter des yeux. Quand il fut nu devant elle, il murmura d'une voix pleine de promesses :

— Si on expérimentait ces positions ?

— Je ne suis pas encore grosse à ce point, objecta Brooke.

— On peut toujours s'entraîner dès maintenant.

S'entraîner pour plus tard ? Cela supposait qu'ils restent et couchent toujours ensemble quand sa grossesse atteindrait ce stade d'avancement. Cette évocation intime et fragile la fit frissonner.

— Tu es si sexy maintenant, murmura Jordan en lui mordillant l'oreille. Tu le seras encore plus dans quelques mois, parce que c'est mon enfant que tu portes.

— Quel baratineur !

Elle le poussa vers le lit, effleurant au passage son sexe dressé.

— Je pense vraiment ce que je te dis, assura-t-il, fermant brièvement les yeux sous sa caresse et déglutissant avec peine. Pourquoi te mentirais-je ? Cela ne m'apporterait rien.

— Mais tu gardes quand même une partie de la vérité. Je ne sais pas ce que tu penses ou désires, au fond.

— Alors, peut-être devrais-tu poser les bonnes questions, suggéra Jordan, avec une provocation taquine.

Pile ce qu'elle voulait entendre. Sans le quitter des yeux, Brooke se frotta lascivement contre lui, puis plaqua les mains sur son torse.

— De quoi as-tu envie ?

Le regard indigo se mua en deux flammes bleues.

— A ton avis ?

— Réponds, s'il te plaît.

Oui, elle avait envie de ses mots, besoin qu'il formule son désir, exprime un tant soit peu ce qu'il avait au fond de lui. Comment parviendrait-elle à le cerner, sinon ?

— J'ai eu envie de tes mains sur moi chaque seconde de chaque jour depuis que tu m'as laissé dans ce lit d'hôtel, il y a plus de cinq mois, articula-t-il d'une voix rauque.

Difficile d'être plus clair. Elle aurait voulu savoir si d'autres femmes avaient croisé sa vie entre-temps, mais vu sa propension à la franchise, elle n'était pas sûre de pouvoir encaisser la réponse. Mais ce fut comme s'il avait pu lire en elle.

— Et il n'y a eu personne depuis cette nuit-là, ajouta-t-il en attirant son visage vers le sien pour qu'elle puisse y lire la sincérité de ses paroles.

Elle s'efforça de ne pas laisser paraître à quel point c'était important, s'efforça que cela ne soit *pas* si important, et ironisa :

— Tu devines les pensées ?

— Non, mais je ne suis pas mauvais pour juger les expressions, ajouta-t-il en faisant jouer ses doigts le long de sa colonne vertébrale.

Quand les mains de Jordan atteignirent ses fesses et les empoignèrent doucement mais fermement, elle frissonna de plaisir.

— Pendant que je t'embrasse, susurra-t-elle, tu veux que ma main reste là… ou aille plus bas ?

— Voyons si toi aussi, tu sais lire mon expression.

A en juger par le grognement de plaisir que Jordan laissa échapper quand elle se hissa sur la pointe des pieds et s'empara de ses lèvres, tout en faisant descendre ses mains plus bas, bien plus bas, elle devait posséder un certain talent pour deviner dans les pensées. D'un geste sensuel, elle se mit à caresser son sexe dressé et durci par le désir.

Pas de doute, il la désirait.

Toutes ses appréhensions qu'elle avait eues de lui dévoiler son corps alourdi disparurent sous le regard plein de passion qu'il posait sur elle. Ses sens se mirent au diapason, s'aiguisèrent.

Tandis que leurs langues se mêlaient avec fougue, Jordan la plaqua d'un geste impérieux contre lui. Chair contre chair.

Elle gémit. La friction un peu rugueuse de sa toison fit dresser la pointe de ses seins, lui procurant un plaisir quasi insupportable. Elle se mit à onduler, voulant plus, bien plus, le corps tendu à l'extrême vers le soulagement de sa fièvre.

— Patience, Brooke. Patience.

Comment ça, patience ? Elle était la personne la plus patiente, la plus calme de la planète…

Jordan fit courir un doigt de long de sa colonne vertébrale jusqu'à l'élastique de son slip arachnéen, juste sous le renflement de son ventre, et le fit glisser le long de ses jambes, faisant naître en elle un long et délicieux frisson. C'était fou ! Jordan semblait posséder l'art de jouer de son corps comme un virtuose, comme si elle était un précieux instrument dont il détenait tous les secrets, alors qu'ils se connaissaient à peine…

Il était en train de remonter dangereusement sa main le long de sa cuisse quand elle arrêta sa caresse en lui saisissant le poignet.

— Si tu continues à ce rythme, je vais m'évanouir de plaisir…

Puis elle glissa une main vers son sexe bandé et se mit à le caresser langoureusement.

— A mon tour d'éprouver ta résistance, murmura-t-elle.

Les muscles de Jordan tremblaient, tant il lui en coûtait de rester immobile, et elle pouvait lire dans ses yeux combien il mourait d'envie de se jeter sur elle. Il endura pourtant stoïquement la douce torture à laquelle elle le

soumettait, laissant toutefois échapper quelques grogne-
ments de plaisir. Mais quand elle accéléra le rythme de ses
caresses, elle le sentit se raidir sous ses doigts, et aussitôt,
il la releva vers lui.

— Si tu continues, c'est moi qui vais fondre sous tes
caresses...

Et en lui lançant un regard brûlant de désir, Jordan la
souleva une nouvelle fois dans ses bras.

— Arrête ! Tu devrais cesser de faire ça chaque fois.
Je suis bien trop lourde.

— Pas du tout.

Il la porta jusqu'au lit, où il la déposa avec une douceur
déconcertante.

— A mon tour, maintenant, grogna-t-il.

Et avant qu'elle puisse ajouter quoi que ce soit, il referma
les lèvres sur un sein. Puis entama une lente torture le
long de son corps, une exploration aussi minutieuse que la
sienne, mais avec la bouche, la langue... jusqu'à ce qu'elle
se cramponne au drap et marmonne des supplications.

Alors Jordan lui glissa un oreiller sous les reins afin
de compenser le petit renflement de son ventre. Appuyé
sur les coudes, il s'allongea au-dessus d'elle et, regardant
droit dans ses yeux, pressa son sexe vibrant à l'entrée de
sa grotte secrète.

Elle noua les bras autour de son cou pour l'attirer dans
un nouveau baiser enivrant, mais il refusa de se laisser
distraire de son but. Avec une lenteur délibérée, sans la
quitter une seconde des yeux, il pressa davantage, plongea,
s'enfonça encore. Plus loin. Entièrement. Et attendit.

Si elle n'avait pas senti les muscles tendus de la nuque
de Jordan sous ses doigts, Brooke n'aurait pas su ce que
lui coûtait cette retenue. Qu'il manifeste une tendresse
aussi attentive au milieu de cette passion fébrile la remplit
d'un plaisir tout neuf.

Elle se cambra vers lui, mordit sa lèvre et le supplia :

— Viens, maintenant.

Puis elle roula des hanches, comme pour mieux l'attirer
en elle, et elle fut exaucée. C'était encore meilleur que la

première fois. Il allait et venait en elle, l'entraînant dans la plus sensuelle des danses, lui tirant des gémissements de contentement. Ils ne formaient plus qu'un seul corps, et, assaillie de sensations toutes plus intenses les unes que les autres, elle oublia qui menait la danse et se laissa aller aux déferlantes de plaisir qui la submergeaient. Enfouissant le visage dans l'épaule de Jordan pour se retenir de crier, elle gémit une litanie d'encouragements à continuer, oui, encore, encore…

Le sentir entrer et sortir de son corps lui rappelait leur première fois. Mais à cette impression de familiarité se mêlait un sentiment de danger, car désormais, ils n'avaient plus l'option de s'éloigner à jamais l'un de l'autre ensuite. Pensée effrayante qu'elle chassa avant que cela n'éteigne les sensations divines qui la traversaient. Agrippée aux épaules de Jordan, elle s'imprégna de sa peau moite et chaude. Ses doigts se crispèrent à mesure qu'une exquise volupté montait, montait, et que…

Elle planta les ongles dans sa chair, rejeta la tête en arrière et se noya dans les vagues successives d'un plaisir foudroyant. Elle l'entendit vaguement la rejoindre tandis que la marée reculait, la laissant pantelante, et qu'il s'écroulait à son côté.

Leurs respirations saccadées se fondirent dans la légère brise qui pénétrait dans la chambre. Brooke posa la tête sur l'épaule de Jordan. Quelque part dans un recoin de son esprit, elle savait qu'il existait une raison lui commandant de rassembler ses idées embrouillées. Sauf que pour cela, il aurait fallu qu'elle soit capable de penser.

Pourquoi son cerveau ne fonctionnait-il jamais convenablement dès qu'il s'agissait de Jordan ?

Baignant dans une félicité bienheureuse, les yeux mi-clos, Brooke sentit Jordan soulever le drap, puis l'étendre de nouveau sur elle.

Et s'éloigner.

Entre ses cils, elle le vit enfiler son boxer et gagner

la véranda à pas de loup. Tout alanguie après un second round amoureux, elle n'avait pas la force de quitter le lit, mais cela ne l'empêcherait pas de profiter du spectacle. Le clair de lune illuminait sa stature musculeuse, ses larges épaules, sa peau dorée.

Il semblait à la fois si fort et si sexy… Il aurait fait un divin mari. Mais pouvait-elle se fier à son jugement, ou la passion brouillait-elle sa vision ? De fait, Jordan avait des arguments solides en faveur d'un mariage, et il ne faisait aucun doute que ce qu'ils venaient de vivre au lit était incomparable.

En cédant à son désir pour Jordan, ce soir, elle avait cru pouvoir se contenter de l'aspect sexuel de leur relation, mais l'air frais qui entrait par la porte-fenêtre apportait un souffle de réalité, et elle ne pouvait ignorer les pensées plus rationnelles qui la pressaient avec la même ténacité que les minuscules pieds sous ses côtes.

Etait-elle trop exigeante en voulant davantage de Jordan ? En voulant ce qu'elle voyait dans le regard de Cassie et Brandon l'un pour l'autre ?

Non qu'elle reproche son bonheur à sa demi-sœur ! Dieu sait si Cassie méritait cette sérénité après son enfance tumultueuse en tant que fille illégitime de John Garrison.

Brooke enroula des bras protecteurs autour de son propre enfant et se mit à caresser tendrement son ventre rebondi. L'union confuse et houleuse de ses parents avait fait tant de mal à tant de gens. John Garrison avait blessé Cassie en n'épousant jamais sa mère, de la même façon que Bonita et lui s'étaient entredéchirés.

Mais sans jamais se quitter.

Les relations étaient déjà compliquées en soi. Avec des enfants en plus, les problèmes se multipliaient de façon exponentielle.

Brooke reporta les yeux sur le dos nu et bronzé de Jordan, dans l'encadrement de la fenêtre. Cet homme était capable d'exercer un sacré empire sur sa vie.

Plus que jamais, elle devait tenir ses émotions sous bonne garde.

7.

D'habitude, Jordan détestait ces premiers instants suivant le réveil, au cours desquels il ne contrôlait pas ses pensées.

Ce matin, néanmoins, les raisons d'être joyeux ne manquaient pas. A commencer par la femme blottie de dos contre lui, sa peau tiède et nue, les draps froissés ravivant des images de la nuit précédente.

Ces moments de sensualité avec Brooke avaient été encore plus fabuleux que dans ses souvenirs — et ses souvenirs étaient déjà sacrément fabuleux. Son plan pour qu'ils deviennent plus intimes fonctionnait à merveille. Cela dit, il ne s'était pas attendu à ce que *lui* soit autant attiré par elle.

Pendant cinq secondes, il tenta de se convaincre que c'était parce qu'il n'avait couché avec personne depuis leur nuit au *Garrison Grand*. Même lorsque son ancienne petite amie avait essayé de le remettre dans son lit, il n'avait pas été tenté. Ils étaient liés par des arrangements profession-nels, et rien de plus. En réalité, comprit-il alors, Brooke le hantait déjà, ôtant tout sex-appeal à son ex.

Des fleurs fraîches disposées près du lit projetaient dans la chambre des bouffées parfumées, et une idée fit son chemin dans l'esprit de Jordan. Il prit une orchidée dans le vase. Brooke lui avait dit que ses nausées matinales étaient terminées, aussi estima-t-il pouvoir l'approcher sans crainte.

Délicatement, il lui caressa la joue avec la fleur.

— Tu es réveillée ?

— Un petit peu, répondit-elle avec un soupir ravi.

Il titilla son oreille, puis promena la fleur dans son cou, le long de son bras, au creux de son coude.

— Encore ?

Elle marmonna une réponse à peine compréhensible. Il guida l'orchidée autour de ses seins, les frôlant en douceur jusqu'à ce qu'elle lève vers lui des yeux mi-clos, un sourire langoureux sur les lèvres. Il se rappelait fort bien ce regard sensuel, pour l'avoir vu sur son visage alors qu'elle le chevauchait, au cours de leur exploration des positions les mieux adaptées à sa grossesse.

Il lui rendit son sourire et suggéra d'un ton canaille :

— Je pensais qu'on pouvait recommencer à travailler une autre de ces positions inventives, qu'en penses-tu ?

Elle tenta de rouler pour lui faire face, mais il la bloqua avec ses jambes.

— Je ne vais pas avoir le droit de te toucher ?

— On va bientôt se toucher tant que tu voudras, ma belle, répliqua-t-il, le corps déjà palpitant d'anticipation.

Il poursuivit son périple avec la fleur, descendit plus bas, parcourut le ventre de Brooke, passa de sa hanche au sommet de sa cuisse. Elle se tortilla sous la caresse chatouilleuse, et en sentant ses fesses le frôler de façon tentatrice, ses cheveux frotter contre son torse, il faillit lâcher l'orchidée.

Elle lui arracha la fleur des mains.

— Stop, murmura-t-elle d'une voix rauque. Hmm, continue…

La contradiction de ces paroles le fit sourire, et il laissa ses mains remplacer l'orchidée sur le corps de Brooke en de lentes et sensuelles arabesques. Quand il frôla les boucles soyeuses de sa toison, elle ne put retenir un gémissement, et il accentua sa caresse. Puis, lentement, délicatement, il glissa un doigt dans la moiteur de son sexe brûlant. Elle se cambra avec ce gémissement qui le rendait fou. Lui donnait envie de plus — plus d'elle, plus de temps pour étudier toutes les positions imaginables, même les plus classiques, pourvu qu'elle soit la femme qu'il tenait dans ses bras, sous lui, sur lui, peu importe.

Alors, incapable de contrôler son désir plus longtemps, il se plaqua contre elle, et, laissant glisser ses mains sur ses hanches voluptueuses, il s'insinua en elle et la chaleur moite de son sexe lui arracha un grognement. C'était si bon… Enfouissant le visage dans sa chevelure soyeuse, il profita de cette position avantageuse pour caresser ses seins, si pleins et apparemment si sensibles, à en juger par la manière dont elle ondula en réponse.

Leur lent va-et-vient expédia les draps sur le sol, mais l'air matinal rafraîchissait à peine la sueur recouvrant son corps. Le soleil pénétrait à travers les stores et jouait sur la peau crémeuse de Brooke. Jordan serra les dents pour retarder la montée impérieuse de sa jouissance. Il voulait l'attendre, se délecter du spectacle de voir monter en elle les signes de son plaisir tout proche, encore et encore.

Puis, enfin, elle rejeta la tête en arrière, les joues en feu, la respiration de plus en plus précipitée, murmurant une litanie de mots confus entrecoupés de souhaits d'une précision indéniable, jusqu'à ce qu'elle se mette à crier de plaisir, l'embarquant avec elle dans une explosion vertigineuse. Il laissa retomber son front sur son épaule, les yeux fermés, concentré sur sa sensation. Il *ressentait* Brooke, tout simplement. Tout autour de lui, contre lui. Les secousses de l'orgasme l'agitaient si fort qu'elle tremblait dans ses bras, jusqu'à ce qu'elle finisse par s'apaiser avec un soupir comblé.

Tout en lui caressant les cheveux, il songea de nouveau à quel point il aimait qu'elle exprime ses désirs au lit. Si seulement il pouvait l'amener à être aussi communicative avec ses pensées. Car elle avait beau s'être montrée réceptive physiquement, il avait le sentiment que cette fois encore, elle avait retenu quelque chose. Au dernier instant, elle avait fermé les yeux, comme si elle se fermait à lui.

Il perdait du terrain alors qu'il aurait dû être en train d'en gagner. Qu'est-ce qui clochait, bon sang ?

Plus important encore, il lui fallait trouver comment revenir à son projet de lui glisser sa bague au doigt.

Ce dimanche soir, Brooke s'obligea à gravir les marches menant à la maison familiale, soutenue par Jordan. Elle ne savait pas ce qui était le pire — affronter sa mère ou repartir en arrière et franchir de nouveau le portail sous les flashs des journalistes acharnés.

Elle se cramponna plus fort au coude de Jordan. Bien que refaire l'amour avec lui l'ait considérablement ébranlée, et que la facilité avec laquelle il anéantissait sa volonté l'effrayait, elle aurait voulu pouvoir rester plus longtemps avec lui aux Bahamas. Mais elle avait promis à Brittany de venir ce soir mettre au point les derniers détails de son mariage.

Sur la dernière marche, Jordan s'arrêta devant l'imposante porte richement décorée de guirlandes scintillantes et lui caressa la joue, le pouce s'attardant sur ses lèvres avec la familiarité sensuelle des amants.

— Hé, ma belle. On dirait que tu montes à l'échafaud. Rien ne nous empêche de tourner les talons et de repartir illico, tu sais.

Bonita ou les médias ? Rude choix. Mais il fallait également prendre les autres en considération.

— On a déjà sauté la partie dîner de la soirée, répliqua-t-elle, réprimant un frisson à l'idée d'un repas au milieu d'une telle discorde. Le moins que nous puissions faire est d'arriver pour le dessert, je l'ai promis à Brittany. Je ne peux quand même pas éviter ma famille toute ma vie.

— Tu n'es désormais plus seule pour les affronter.

Le cœur de Brooke se serra.

— C'est à la fois une bénédiction et une malédiction, murmura-t-elle avec un sourire triste.

— Merci, ironisa Jordan.

Elle eut un peu honte de sa remarque. Elle n'avait pas à rejeter sa mauvaise humeur sur lui.

— Pardon. Je n'ai pas voulu dire que...

Jordan lui ferma la bouche du pouce.

— Chut. Pas la peine de faire la conciliatrice avec moi. Je suis un grand garçon. Je me rends bien compte que ce ne sera pas du gâteau de me mettre ta famille dans la poche. Le problème, c'est que je suis un type tenace et déterminé.

Ses paroles, soulignées par une lueur implacable dans ses yeux, la réconfortèrent et l'inquiétèrent à la fois.

— Ils sont ma famille. Je les connais bien et je suis capable de les assumer. Appliquons-nous simplement à ce que les choses se passent vite et en douceur.

— Comme tu dis, il s'agit de ta famille. C'est toi qui décides.

Tant qu'elle n'essayait pas de l'envoyer paître, compléta-t-elle pour elle-même. Car alors, il intervenait et insistait pour qu'ils passent du temps ensemble et apprennent à se connaître. C'était d'ailleurs pour cela qu'elle avait accepté ces rendez-vous, mais, à présent, elle se demandait si elle ne s'était pas menti à elle-même. Car elle connaissait depuis le début le côté volontaire, pour ne pas dire coriace, de Jordan. Alors, qu'est-ce qu'elle cherchait à apprendre en acceptant ces rencontres ? Certes, elle voulait savoir qui il était au fond, mais elle s'apercevait chaque jour un peu plus qu'elle n'y arriverait pas, car Jordan avait l'art de dissimuler ses pensées intimes sous des sourires charmeurs.

Une voix leur parvint à travers la porte d'entrée et la tira de ses pensées. A l'évidence, Bonita était en train de se défouler sur quelque chose, une fois de plus. Brooke s'appuya contre le chambranle. Elle aurait dû s'y attendre. Est-ce que l'alcoolisme et les explosions intempestives de sa mère avaient empiré ? Ou bien sa grossesse lui mettait-elle les nerfs à vif ?

La main de Jordan la rattrapa.

— Laissons tomber, et fichons le camp.

Brooke était sur le point d'accepter sa proposition quand la porte s'ouvrit à la volée sur Brittany. Une lueur éperdue dans les yeux, elle saisit sa sœur par le poignet et la tira vivement à l'intérieur. A croire que tout le monde était à la recherche d'une planche de salut.

— Tu vois, maman ? Brooke est là quand même.

Bonita titubait entre le salon et le hall d'entrée, un gobelet de cristal contenant un liquide couleur thé glacé à la main. Mais qui n'était sûrement pas aussi inoffensif que du thé.

Sa chevelure d'ordinaire impeccable était tout ébouriffée, les mèches grises plus visibles que d'habitude. Pendant des années, Lisette l'avait aidée à garder un minimum de contenance. Mais apparemment, même leur gouvernante ne résistait plus à ses beuveries, qui semblaient s'aggraver chaque mois davantage depuis la mort de son mari.

Bonita trébucha et s'appuya sur Brittany, ses doigts serrés sur son gobelet exhibant un vernis écaillé.

— Eh bien, ma chère fille, mieux vaut tard que jamais. Où étiez-vous, toi et ton… comment doit-on l'appeler ? Vous n'êtes pas fiancés, et « petit ami » sonne mal. Quel est le masculin de fille mère, Brooke ?

Les dents serrées de colère, Jordan prit Brooke par la taille, et lança d'une voix dure :

— Madame Garrison, Brooke et moi sommes les parents de votre petit-enfant à venir.

— Oh, mais je le sais. D'ailleurs tout South Beach le sait ! rétorqua Bonita avec un grand geste de son verre, en renversant une bonne partie sur le sol de marbre. Tout le monde est au courant, grâce à ces horribles médias fascinés par les enfants nés hors mariage.

Brooke ne put s'empêcher de tressaillir sous la violence des propos. Sa mère était en pleine forme, ce soir. Jordan lui-même serra les dents à la dernière remarque.

Le reste de la famille quittait petit à petit le salon d'un pas méfiant mais restait en retrait, sauf Parker, qui s'avança jusqu'au milieu du hall.

— Maman, je pense qu'il est peut-être temps de…

Bonita lui tendit son verre.

— D'accord, mon fils. Tiens. Prends-moi ça. Il est tiède, de toute façon.

Et elle prit en vacillant la direction de l'escalier.

Brooke poussa un soupir de soulagement, dont elle entendit chacun se faire l'écho.

Puis Bonita se retourna, le regard étonnamment lucide — et venimeux.

— Non que je te blâme, Brooke. Tu ne fais que suivre le modèle donné par ton père. Tes frères et ta sœur ont montré l'exemple. Brittany a toujours été une dévergondée. Et Stephen ne savait même pas qu'il avait un enfant avant que sa fille ait eu trois ans.

Stephen s'écarta du groupe et rejoignit Parker.

— Maman, tu dépasses les bornes ce soir ! Parker et moi allons t'aider à monter, et Lisette te mettra au lit.

Il s'avança à côté de son frère, et tous deux attrapèrent chacun un bras de leur mère avec une synchronisation qui stupéfia Brooke. Ils étaient visiblement rompus à l'exercice.

Mais Bonita les repoussa avec violence et fit un pas vers Brooke.

— Fais gaffe, ma petite, ou les gènes l'emporteront chez toi aussi.

Brooke essaya d'articuler quelque chose pour arrêter le flot de poison que crachait la bouche de sa mère, mais elle tenait à peine debout. Que Jordan voie l'affreux secret de sa famille lui paraissait déjà mortifiant, alors qu'il le vive en direct…

Lentement, elle s'appliqua à inspirer par le nez puis expirer par la bouche. Elle avait lu des techniques de relaxation dans ses livres de grossesse. Puis elle choisit un point pour focaliser son attention — l'étoile en haut du sapin de Noël — et le fixa en respirant à fond. Peu à peu, la diatribe de sa mère disparut derrière un voile de sons brouillés.

Au loin, elle entendit la voix de Jordan, basse, ferme, teintée d'une colère glaciale. Brooke voulut prévenir sa mère qu'elle ferait bien de tenir compte de ce ton, mais elle en était soudain incapable. Tandis qu'une violente nausée montait en elle, elle eut le sentiment que l'étoile fixée en haut du sapin était en train de s'élever, à mesure que la pièce s'assombrissait.

Dans un éclair de lucidité, Brooke comprit qu'elle s'évanouissait ; en même temps, elle entendit Jordan crier et sentit ses bras la rattraper avant qu'elle ne touche le sol.

Alors voilà à quoi ressemblait la peur.

Jordan Jefferies ne l'avait jamais connue avant, mais se retrouver assis dans la salle d'attente de l'hôpital, sans savoir ce qu'avaient Brooke et leur enfant, lui flanquait une peur bleue. Heureusement, elle avait vite repris connaissance dans la voiture, mais était restée groggy durant l'interminable trajet jusqu'aux urgences, où l'examinerait sa gynécologue.

Au moins, la bande des Garrison se taisait depuis qu'ils étaient tous arrivés à l'hôpital. Ça valait mieux pour eux.

Frères, sœur et conjoints s'alignaient sur les banquettes. Bonita occupait une chaise, une cafetière pleine à côté d'elle. Il faudrait un moment pour que son organisme élimine tout l'alcool qu'elle avait ingurgité. Pour l'instant, ils avaient une ivrogne bien éveillée sur les bras, mais qui avait en tout cas le bon sens de la fermer.

Il lui en voulait terriblement d'avoir bouleversé Brooke à ce point. Le simple fait de la regarder le faisait bouillir de rage. Comment osait-elle parler ainsi à sa fille ?

Brooke était une personne forte et assurée dans le monde du travail. Il l'avait vue à l'œuvre lorsque les Garrison avaient lancé leur projet du *Sands*. Cette année-là, elle en avait fait l'entreprise immobilière la plus rentable de South Beach, vendant tous les biens à des prix records. Il avait du mal à faire coïncider son sens aigu des affaires avec l'aspect plus doux qu'elle montrait à sa famille.

Un bip le ramena au présent. Les trois Garrison mâles vérifièrent chacun leur portable.

Parker grimaça.

— C'est le mien. Désolé. Ma réceptionniste. Mais le boulot attendra.

Jordan dévisagea son vieil ennemi, incrédule. Parker

Garrison remettant les affaires à plus tard ? Un vrai scoop, mais Jordan était trop inquiet pour se pencher dessus.

Les portes battantes s'ouvrirent et le médecin surgit, une femme d'une cinquantaine d'années qui, Dieu merci, avait le genre de regard auquel il se fierait en salle de réunion. Ils s'étaient brièvement salués avant que Brooke soit emmenée dans une salle d'examen.

La gynécologue fit un signe de tête à Anna, l'épouse enceinte de Parker, puis se tourna vers le groupe.

— L'état de Brooke est stable. Le bébé semble aller bien.

« Semble » ? Jordan se rapprocha du médecin, voulant, *ayant besoin* de plus amples détails.

— Je suis Jordan Jefferies. Nous n'avons pas eu l'occasion de discuter quand Brooke a été admise, mais je suis son fiancé et le père du bébé.

Le médecin hocha la tête.

— Vous n'êtes pas officiellement un parent, mais Brooke m'a donné l'autorisation de vous parler. Elle savait que vous seriez inquiet, comme toute sa famille.

Inquiet ? Le terme était faible. Il se faisait violence pour ne pas franchir ces fichues portes en trombe et se ruer auprès d'elle.

Brittany vint se placer à côté de lui, ses frères s'alignèrent derrière comme un rempart de soutien, pour une fois tous unis avec lui contre la même chose.

— Et quel est le diagnostic ? demanda-t-elle.

La gynécologue enfouit les mains dans les poches de sa blouse et répondit :

— La tension de Brooke reste assez élevée pour que je lui ordonne de rester cette nuit en observation.

Jordan eut le sentiment que le sol s'ouvrait sous ses pieds. Si le médecin ne voulait pas laisser sortir Brooke, c'était forcément grave. Livide, il se rappela toutes les lectures qu'il avait faites au cours des dernières semaines, et tandis que le nom et la description de maladies toutes plus terribles les unes que les autres tournoyaient dans sa tête, il bredouilla :

— Vous voulez dire qu'il y a un risque pour le bébé ?

Le médecin abandonna sa posture officielle et lui sourit avec sympathie.

— Rassurez-vous, ce sont juste des précautions d'usage. Malgré sa tension un peu élevée, la maman va bien, et le bébé se porte comme un charme. Nous voulons juste nous assurer que sa tension va baisser. Pour autant, il va falloir du repos et du calme. Car cette hausse de tension est l'indication incontestable que son corps subit un énorme stress.

C'était le stress qui avait provoqué son malaise ? Bien sûr. Il avait été aux premières loges pour voir les dégâts que causait à Brooke la moindre confrontation familiale. Pas étonnant que ce soir, sa tension se soit envolée !

Jordan serra les dents. Ce n'était ni le lieu ni le moment de s'expliquer avec Bonita Garrison, mais à l'avenir, il avait bien l'intention de s'interposer entre Brooke et sa famille. Qu'elle le veuille ou non, il la protégerait d'eux, bon sang.

— Que dois-je faire pour elle ? demanda-t-il au médecin.

— Dans l'immédiat, je veux que Brooke reste allongée pendant deux semaines, avec un rythme de vie calme et un régime strict. Tenez bon, jeune papa, ajouta-t-elle en lui tapotant le bras. Vous pourrez la voir dans cinq minutes. Elle vous réclame.

Brooke le réclamait ? Dieu merci, cela lui éviterait de chercher un moyen de gagner l'endroit où il estimait devoir être absolument en ce moment même… Le soulagement le traversa avec une telle intensité qu'il remarqua à peine le départ de la gynécologue, ni que Bonita s'éloignait en sanglotant vers les toilettes.

Dans cinq minutes, il verrait Brooke. La gorge nouée, Jordan se demanda comment une jeune femme et un enfant à peine ébauché pouvaient le bouleverser à ce point. Jamais encore il n'avait connu d'émotion aussi forte.

Et qu'il trouvait très, très désagréable à vivre.

Lorsqu'il releva les yeux de l'affreux carrelage de la salle d'attente, Jordan constata qu'il n'était pas seul. Emilio se tenait en silence à sa gauche. Et Parker Garrison attendait à sa droite, son œil toujours au beurre noir depuis leur bagarre.

Il observa le reste de la fratrie alignée, et songea que s'ils aimaient sans conteste Brooke, il ne leur faisait aucune confiance pour la protéger des griffes de leur mère. Il n'existait qu'un seul moyen de s'assurer qu'elle ait une paix totale et que tous ses besoins soient satisfaits.

— J'emmène Brooke chez moi, annonça-t-il d'un ton déterminé.

Adam haussa un sourcil.

— Ce n'est pas à elle de décider ?

Jordan leur fit face, les pieds fermement plantés dans le sol et les toisa d'un regard résolu.

— Je suis sûr que chacun d'entre vous ferait la même chose à ma place, non ?

Les trois frères jetèrent un coup d'œil farouche aux femmes à leurs côtés puis ils hochèrent la tête. S'ils étaient ses adversaires dans la course pour le pouvoir, ils étaient tous coulés dans le même moule.

Emilio eut un sourire moqueur.

— Bonne chance pour la convaincre sans la contrarier, mon vieux.

Ils partagèrent un éclat de rire qui tombait à pic, puis Emilio le serra avec force dans ses bras avant d'aller réconforter sa fiancée, le laissant avec Parker.

— Tu tiens à ma sœur, fit alors celui-ci.

C'était plus un constat qu'une question.

Jordan se contenta d'acquiescer. Oui, il tenait à elle, davantage chaque jour. Bien plus qu'il ne s'y serait attendu.

Parker poussa un énorme et long soupir.

— Bon, d'accord, conclut-il. Nous allons ramasser maman et rentrer à la maison. Dis bien à Brooke notre inquiétude pour elle et le bébé.

Jordan tourna la tête vers les toilettes. Pas de Bonita en vue, mais il baissa néanmoins la voix, et dit calmement :

— A propos de Bonita. D'habitude je ne me mêle pas des affaires privées des autres, mais Brooke et notre enfant sont désormais ma famille.

Parker fronça les sourcils.

— Où veux-tu en venir ?

La chose était délicate à formuler comme à entendre, mais après une nuit pareille, Jordan ne pouvait se taire. Surtout quand Brooke avait besoin de son aide.

— J'ai l'impression que cacher les bouteilles d'alcool ne fonctionne plus.

Il attendait une explosion de colère, un coup de poing, ou au moins qu'on lui ordonne de s'occuper de ses oignons. Mais rien de ceci ne survint.

Sauf une pesante résolution, qui s'inscrivit sur le visage de l'aîné des Garrison tandis qu'il opinait.

— Je vais me renseigner pour des cures en clinique dès la première heure, demain matin.

Jordan garda le silence. Ce n'était pas un moment de victoire. Juste de dure vérité.

Parker s'adossa au mur et regarda ses frères et sa sœur.

— Je suis certain que mes frères seront d'accord avec moi pour intervenir au sujet de maman.

La fratrie acquiesça sans mot dire.

— Brittany voudra sans doute rester avec Brooke, poursuivit Parker avant de se retourner vers Jordan. Nous te tiendrons au courant de l'évolution des choses.

L'échange avait été bref, mais suffisant. Ils avaient été adversaires durant des années. Travailler ensemble ne s'annonçait — et ne serait — pas facile. Mais avec le mariage d'Emilio et ce futur enfant, leurs familles seraient bien obligées de s'entendre.

Bonita avait un pouvoir de destruction terrible sur son entourage, et Jordan ne voulait pas de ça pour Brooke et leur bébé.

Restait maintenant à trouver un moyen diplomatique de la convaincre de s'installer chez lui, et sans incidence fâcheuse sur sa tension.

S'il y parvenait, ce serait un vrai miracle de Noël.

8.

Brooke se coula dans l'atmosphère feutrée de la luxueuse limousine, les pieds relevés et une bouteille d'eau fraîche à portée de main.

Affalé près d'elle, Jordan travaillait sur son BlackBerry. Sexy et silencieux.

Il avait été systématiquement présent à chacun de ses moments de réveil, à l'hôpital.

Elle mit une main sur son ventre, comme pour se rassurer que le bébé s'y trouvait toujours, bien à l'abri. L'odeur de l'hôpital et la peur lui collaient encore à la peau, malgré les kilomètres qui l'en éloignaient. Tout s'était passé si vite, entre le moment où elle s'était évanouie et celui où elle avait repris connaissance dans la voiture de Jordan qui fonçait vers les urgences.

A présent, le monde avait ralenti, dans tous les sens du terme. Elle ne pouvait plus travailler. Ni aller nulle part. Pareille impuissance la désespérait, mais elle n'avait pas le choix. Déjà plus fort que tout le reste, l'instinct maternel la poussait à protéger cette précieuse vie qu'elle abritait. Elle ferait n'importe quoi pour garder son enfant en sécurité.

Encore que jusqu'à maintenant, cela se soit limité à s'habiller ! Jordan s'était occupé de tout, les papiers pour sa sortie d'hôpital, la limousine… absolument tout, lui épargnant le moindre souci, la moindre démarche.

Mais dès qu'elle serait arrivée à la maison, elle reprendrait les choses en main. Son assistante lui apporterait le travail le plus urgent, et la nièce de Lisette viendrait à mi-temps s'occuper d'elle et de l'intendance. Avec une autre personne pour donner un coup de main durant la journée, tout irait bien.

Faire au moins des tâches administratives lui éviterait de devenir cinglée en restant enfermée. Parker lui avait même proposé sa propre réceptionniste, Sheila, pour se charger des courses entre le bureau et son appartement, mais elle avait décliné son offre, comptant pouvoir se débrouiller avec son équipe du *Sands*.

Elle n'avait eu qu'une matinée de repos forcé, à l'hôpital, mais elle avait déjà l'impression de tourner en bourrique. Elle devait à tout prix se calmer, pour le bien du bébé.

Par la vitre de la limousine, Brooke détourna ses pensées nerveuses en entreprenant de compter les palmiers… et remarqua que la voiture dépassait la route menant chez elle.

— Hé, on a raté la sortie ! gapit-elle, de nouveau sur les nerfs.

Jordan releva les yeux de son BlackBerry, le rangea posément dans l'attaché-case à côté de lui et planta son somptueux regard bleu sur elle.

— Je sais. Je voulais éviter de te stresser avec ça pendant le trajet. C'est mauvais pour toi et pour le bébé.

— Me stresser avec quoi ?

Est-ce que le médecin lui cachait quelque chose ? Ses doigts se crispèrent sur son ventre.

Jordan allongea le bras sur le dossier de la banquette.

— Je vais prendre soin de toi, lui annonça-t-il.

Elle le regarda un instant sans comprendre, puis soudain, le sens de ses paroles lui apparut.

— Tu te sers de mon malaise pour nous faire vivre ensemble ? Mais je ne veux pas habiter une chambre d'hôtel pendant des semaines !

Il saisit une mèche de ses cheveux entre ses doigts et commença à jouer avec.

— Nous n'allons pas au *Victoria*, répliqua-t-il. Je t'emmène chez moi, où du personnel s'occupera de toi pendant que tu restes allongée.

— Chez toi ?

— Oui, enfin, dans l'ancienne maison de mes parents, mais qui est la mienne, maintenant. J'ai racheté la part d'Emilio il y a longtemps.

Il vivait dans l'ancienne maison de ses parents ? L'idée la toucha droit au cœur, le fait qu'il veuille rester proche des souvenirs de sa mère et de son père. Si seulement il lui montrait plus souvent cette facette moins dure de lui !

C'était son côté fonceur dont elle devait se méfier. Elle s'obligea à fixer de nouveau son attention sur ce qu'il disait :

— Tu ne peux pas rester seule chez toi, Brooke, c'est quelque chose que tu dois comprendre. Tu voudrais que je m'installe dans ton palais rose et blanc ? J'en doute. A moins que tu ne préfères retourner dans la maison de ton enfance et qu'un membre de ta famille prenne soin de toi ?

La pensée de se retrouver dans la propriété familiale en compagnie de sa mère lui fit dresser les cheveux sur la tête. Pour autant, elle se sentait piégée par Jordan. Elle le fusilla du regard.

— Cette manœuvre est malhonnête de la part d'un type qui jure ne pas vouloir me mettre en rogne !

Plongeant les doigts sous ses cheveux, Jordan entreprit de lui masser la nuque, éveillant ses sens au passage.

— Je te présente simplement les options possibles. Tu as une meilleure idée ?

Brittany était en pleins préparatifs de son mariage, donc d'autant moins disponible qu'elle devait désormais se passer de l'aide de sa jumelle. Et Brooke ne connaissait pas assez ses belles-sœurs pour s'installer chez elles, si gentilles soient-elles. Quant à ses copines, toutes travaillaient à plein temps et vivaient seules, comme elle.

— Je pensais embaucher quelqu'un, plaida-t-elle.

— J'ai déjà toute une escouade de personnes qui s'occupent de la maison, rétorqua Jordan en poursuivant son massage relaxant. Regarde les choses autrement. Vu qu'il nous est pour le moment impossible de poursuivre nos sorties, autant continuer à prendre le temps de nous connaître, mais chez moi, d'accord ?

Brooke réfléchit tandis que la limousine s'enfonçait dans

South Beach et que les palmiers filaient sous ses yeux. Les trottoirs étaient bondés de gens en patins à roulettes et de touristes attirés par la température hivernale si douce de la Floride.

Certes, les arguments de Jordan tenaient la route. Mais elle se demandait quand même s'il n'avait pas d'autres motivations derrière la tête.

— Les rapports sexuels me sont interdits pour le moment, avança-t-elle. Je dois attendre le feu vert du médecin.

— Elle me l'a répété dans le hall de l'hôpital. Sur un ton très catégorique, ajouta Jordan avec une grimace.

Le rappel de la scène en question la fit sourire.

— Il n'y a pas beaucoup d'intimité autour de cette naissance, hein ?

— En effet, admit Jordan.

Puis il appuya le front contre sa tempe, et poursuivit, les lèvres contre ses cheveux :

— L'amour avec toi me manquera plus que je ne pourrais le dire, tu sais. Mais si tu peux t'en passer, moi aussi.

Pas de sexe... Elle le regrettait déjà, dans chaque cellule de son corps. Sentir Jordan la toucher en ce moment même lui donnait une idée de ce qu'il lui en coûterait de résister dans les jours à venir.

— Tu es donc sérieux en voulant que nous nous installions ensemble ?

Elle s'imprégna peu à peu de ce qu'impliquait ce nouvel aspect de l'engagement de Jordan à son égard. Elle avait cherché à déceler en lui des motifs cachés, un signe indiquant qu'il entretenait cette relation avec elle pour de mauvaises raisons, dans un but ultérieur, comme démolir l'empire Garrison, d'une façon ou d'une autre. Mais sa tendresse actuelle, sa prévenance généreuse... Elle ne pouvait nier que cela l'émouvait au plus haut point.

— Oui, répliqua-t-il, je suis tout à fait sérieux. Et si tu ne peux penser à ta propre santé, pense au bébé.

Elle soupira. Bon, évidemment, Jordan étant Jordan, il savait être franchement déloyal, comme à l'instant. Sauf qu'il mettait le doigt sur le seul argument capable de la faire céder.

— Bon, j'accepte pour le bébé, mais avec certaines règles.

Il planta sur elle son fascinant regard bleu, celui de l'homme d'affaires sûr de lui.

— D'accord.

— Et tu devras me *promettre* de les suivre, insista Brooke.

Le regard de Jordan se para d'une lueur narquoise.

— Je vois que tu sais saisir les nuances. J'ai entendu dire que tu étais aussi tenace que le reste de ta famille de l'autre côté d'une table de négociation.

— Encore un compliment douteux, riposta Brooke.

Bien qu'elle doive admettre que, si elle se montrait d'ordinaire conciliatrice en privé, au travail, elle adorait lâcher la bride à sa hargne contenue.

— Mais revenons à ces règles, reprit-elle. Ce n'est pas parce que je lâche prise sur ce point que j'abandonne mes réserves quant au mariage.

L'idée même la terrorisait toujours autant, et elle n'avait pas l'intention de penser à quoi que ce soit qui risquait de la mettre dans un état de stress.

— Compris.

— Et je crois préférable que nous ne dormions pas dans le même lit, ajouta-t-elle.

Le sourire de Jordan s'accrut, ses yeux se plissèrent.

— Parce que tu as peur de ne pas pouvoir me résister ?

— Ton ego me sidère !

— Mon ego ou mon sens de l'humour ? riposta-t-il en lui caressant les lèvres du bout du pouce. J'essaye juste de te faire sourire aussi.

La douceur de son geste apaisa le trop-plein d'émotions qui encombraient l'âme de Brooke.

— Excuse-moi. Je suis simplement… affolée.

Le regard de Jordan redevint grave, et il prit son visage entre ses mains.

— Bon Dieu, évidemment que tu es affolée.

— Ce serait moins difficile s'il ne s'agissait que de ma santé, mais me faire du souci pour le bébé, c'est trop.

Elle n'avait jamais rien affronté de plus colossal que l'inquiétude qui la rongeait en permanence.

Jordan posa son autre main sur son ventre, un geste intime qui la bouleversa et qu'elle n'eut pas le courage de repousser.

— Le médecin t'interdit l'angoisse, dit-il. Concentre ton esprit sur autre chose.

Il avait raison. Elle devait faire davantage d'efforts, pour le bien du bébé. Battant des cils, elle repoussa ses peurs.

— Sur quoi, par exemple ?

— Eh bien, as-tu réfléchi aux prénoms ? suggéra Jordan.

La limousine s'arrêta à un feu rouge, et des hordes de piétons traversèrent la rue. Brooke s'abandonna à la réconfortante chaleur de Jordan, à la douceur moelleuse des sièges en cuir, heureuse de partager avec lui ce moment où ils songeaient ensemble à leur futur enfant.

— Si ce petit monstre s'était montré plus coopératif lors des échographies, ça aurait aidé. Nous saurions s'il faut choisir des prénoms de fille ou de garçon.

— Nous ? répéta Jordan.

Elle le regarda, stupéfaite. Il était surpris qu'elle lui demande son avis ? Preuve supplémentaire qu'il la connaissait mal, s'il la croyait assez mesquine pour ne pas l'impliquer dans une décision aussi capitale pour leur enfant !

— Evidemment que tu auras ton mot à dire, à moins que tu ne proposes un truc horrible. Quel est le prénom de ta mère ?

— Victoria.

— Comme ton hôtel, murmura Brooke, surprise.

Comment avait-elle pu l'ignorer ? Cela rappelait une fois de plus quel chemin il leur restait tous deux à parcourir avant qu'elle puisse seulement envisager de lier sa vie à cet homme.

— C'est vraiment touchant, ajouta-t-elle.

Jordan haussa les épaules d'un air détaché. Voilà pourtant le genre de lien intime qu'elle souhaitait partager

423

avec son propre enfant, si différent de la relation qu'elle avait avec Bonita.

— Au fait, dit-elle encore, je suis désolée du comportement de ma mère, hier soir.

Aussitôt, le regard de Jordan redevint dur. Implacable. Presque meurtrier.

— Tu n'as à t'excuser de rien du tout, gronda-t-il.

Si, elle culpabilisait toujours de ne pas avoir mieux réfléchi aux conséquences de ses actes, cinq mois plus tôt.

— La première fois que je t'ai emmené dîner à la maison, mon frère t'a tabassé, et…

— Tu veux dire, a *essayé* de me tabasser, la coupa Jordan.

Ah, l'ego masculin ! Elle réprima un rire, qui se mua en sanglot.

— Et la fois suivante, c'était au tour de ma mère de t'agresser, bien que verbalement et non physiquement, mais tout de même.

— C'est toi qui as été blessée, objecta Jordan. J'aurais dû intervenir plus tôt.

Comme si cela aurait changé quoi que ce soit, songea Brooke en s'efforçant de contenir le tremblement qu'elle sentait monter en elle.

— Personne ne peut l'arrêter quand elle est lancée.

Cela dit, elle devrait trouver un moyen d'y parvenir à l'avenir, car il était hors de question que Bonita mette en péril la santé de son enfant. Repenser à ce que la tirade de sa mère avait failli leur coûter ranima sa colère. Sans s'en rendre compte, elle serra les poings.

Jordan posa ses mains dessus, et déclara avec douceur :

— Je crois que cette discussion est mauvaise pour toi.

Elle s'obligea à respirer calmement, posément.

— Je ne dois penser qu'à des choses joyeuses, c'est ça ?

Il embrassa une à une ses articulations, jusqu'à ce qu'elle ouvre enfin les poings.

— Exactement, répondit-il ensuite. Alors, raconte-moi un souvenir d'enfance joyeux.

Elle sortit la première chose qui lui traversa l'esprit.

— Ma mère peignait autrefois. Elle emportait son

matériel à la plage, et pendant ce temps, Brittany et moi construisions des châteaux de sable et sautions dans les vagues.

— En voilà un joli souvenir.

Il continua à caresser son poignet tandis que la limousine franchissait les grilles de sa maison familiale.

— Je n'y avais pas repensé depuis si longtemps, murmura Brooke en observant les grilles se refermer dans son dos. Les mauvais souvenirs ont tendance à supplanter les bons. C'est vraiment dommage.

Le véhicule traversa un parc impeccablement entretenu, suivit une allée pavée, dépassa une fontaine surmontée d'un ange de marbre et longea des buissons fleuris.

— Toi et moi devrions faire en sorte que le conflit entre nos familles ne l'emporte pas sur la bonne relation que nous sommes en train de construire, poursuivit-elle d'un ton pensif.

— Tout à fait d'accord, tant que cela ne te stresse pas.

— Mmm. Si j'étais machiavélique, je profiterais de la situation pour imposer le prénom que je veux.

— Du moment que je n'ai pas à appeler ce gosse Parker, répliqua Jordan, je pense pouvoir assumer n'importe quoi.

Un rire bienvenu jaillit des lèvres de Brooke.

— Bon, je vais y réfléchir, et je te soumettrai ma liste.

— Ça marche.

Dès qu'ils furent arrivés devant la maison, Jordan descendit de la limousine. Avant qu'elle puisse poser un pied par terre, il la souleva dans ses bras. Elle tenta de protester, mais ce n'était pas la première fois qu'ils vivaient cette scène, et il semblait insister pour la porter. Aussi cessa-t-elle de lutter, et, nouant les mains derrière sa nuque, elle le laissa l'emporter. D'autant qu'elle se sentait épuisée, et qu'il était bien agréable, pour une fois, de laisser Jordan prendre le contrôle de la situation.

Jordan monta les marches de pierre, puis traversa un vaste perron à colonnes jusqu'à la porte d'entrée. Elle eut à peine le temps de noter les chaleureuses teintes miel et bleues de la splendide bâtisse, car il la présenta en hâte aux domestiques avant de se diriger vers le long escalier d'acajou qui courait autour du hall.

A l'étage, le couloir paraissait plus étroit en raison des nombreux tableaux qui ornaient les murs. Des paysages se mêlaient à des portraits attendrissants de Jordan enfant, ainsi que d'Emilio. Mais alors qu'elle voulait rester éveillée et voir ce morceau de paradis familial, ses paupières se fermaient déjà. Les assauts d'assoupissement dus à sa grossesse semblaient devenir plus fréquents chaque jour.

Le monde bascula, et elle luttait encore contre le sommeil lorsque Jordan la déposa au centre d'un imposant lit à baldaquin. Il la recouvrit d'un édredon moelleux. Un seul regard autour de la pièce suffit pour qu'elle comprenne…

Que si elle n'était pas dans le lit de Jordan, elle se trouvait incontestablement dans sa suite.

Une semaine plus tard, Jordan grimpait avec impatience l'escalier conduisant au premier étage de sa demeure. Il apportait à Brooke un plat de nourriture et un cadeau, et selon lui, les deux lui remonteraient le moral.

Pas de doute, l'avoir sous son toit lui plaisait encore plus qu'il ne l'avait imaginé.

Il l'avait installée chez lui parce que c'était le mieux pour elle et pour l'enfant. Mais il n'aurait jamais imaginé que ce serait également aussi bien pour lui.

Surtout après avoir vécu si longtemps seul, tantôt à l'hôtel, tantôt ici. La vie de célibataire collait parfaitement à ses aspirations professionnelles, et il s'était attendu à ce que la présence de Brooke perturbe ses petites habitudes. Mais au contraire, ces derniers jours avaient été très divertissants et agréables, passés à partager des repas, à discuter, à apprendre des choses essentielles l'un de l'autre. Il connaissait désormais ses couleurs, plats, musiques préférés.

Rose — rien de surprenant.

Le chili con carne — pour le moment. Le sujet était manifestement soumis au changement hormonal.

Les bons vieux succès et le soft rock — il envisageait de l'emmener à un concert, une fois remise sur pied.

Pourvu que ce moment arrive bientôt, songea-t-il en montant les dernières marches. Il l'espérait autant pour le bébé que pour la santé mentale de sa mère, car l'agitation croissante de Brooke à mesure que les jours passaient ne lui échappait pas. Il avait fait son possible pour l'occuper, lui envoyant même des entrepreneurs chargés de transformer une chambre en nursery, pour combler les moments où elle ne se consacrait pas à des tâches pour son propre bureau, mais même la perspective d'avoir un budget illimité n'avait pas eu l'air de lui redonner de la joie.

De fait, découvrit-il en entrant dans la pièce, Brooke ne respirait pas non plus la joie ce soir, étendue sur le canapé du petit salon qui séparait leurs deux chambres. Elle semblait même carrément irritable, les yeux fixés sur ses pieds relevés par un coussin. Son fax ronronnait à l'extrémité de la pièce, mais elle n'accordait pas un regard aux papiers qu'il crachait sur son espace travail.

Jordan entra, déposa le paquet enveloppé contre le sofa, et la barquette de nourriture sur la table basse — sans obtenir de réaction de sa part.

— Brooke ? Tu ne veux pas d'un repas qui vient du *El Diablo* ? Regarde, il y a ton nom sur cette barquette de chili. Il l'a fait préparer spécialement pour toi.

La mention de son plat favori ne la dérida même pas.

— On peut commander autre chose, si ça ne te dit rien. Elle secoua la tête.

— Non, c'est parfait. Merci.

Ecartant le coussin de sous ses pieds, il s'assit sur le sofa et les posa sur ses genoux, savourant le plaisir de la toucher, de la regarder. Sa petite robe rouge soulignait avec simplicité l'arrondi appétissant de ses seins et de son ventre, dont le renflement lui rappelait le peu de temps qui lui restait pour cimenter les choses entre eux. Il avait toujours rêvé d'un mariage semblable à celui de ses parents, et cette grossesse l'avait empêché de découvrir ça avec Brooke. N'empêche. Il pouvait toujours espérer qu'ils connaîtraient ensemble cette magie, mais cela ne marcherait que si chacun y mettait du sien.

Malgré son envie de glisser les mains loin sous sa robe, il se limita à ne la caresser que jusqu'aux genoux.

Hélas, après deux minutes de massage, elle ne s'était toujours pas détendue. Qu'est-ce qu'elle avait, à la fin ?

— Bon, je donne ma langue au chat. Qu'est-ce qu'il y a ?

— Tout ça, répondit Brooke en englobant d'un geste énervé les catalogues de papier peint et les nuanciers de peinture.

— Les préparatifs pour le bébé ? J'ai dit à l'entrepreneur et au décorateur de te laisser choisir tout ce que tu voulais.

Agacée, elle replia ses jambes sous elle, le privant du délicieux contact de sa peau soyeuse.

— Peut-être, mais tu embauches des décorateurs et tu casses des murs et tu essayes de prendre ma vie en charge !

Très bien. Au moins, elle était franche, même s'il ne la comprenait pas du tout. Qu'était-il censé faire ? Machine arrière ?

En tout cas, il ne pouvait pas se disputer avec elle, bien que le médecin leur ait assuré qu'elle récupérait rapidement. Sa tension était redevenue normale. Encore quelques jours avec les pieds relevés, et elle obtiendrait la permission d'assister au mariage de Brittany.

— Que tu vives ici ou non, je dois aménager un endroit pour le bébé. J'aimerais que tu y contribues. Si tu finis par rester ici, formidable. Indépendamment de ça, cela t'occupera pendant ton séjour. Je sais que tu as réduit ta charge de travail, et j'imaginais que ce serait une manière agréable de compenser.

— Je pensais pouvoir aider ma sœur pour son mariage en passant des coups de fil, objecta Brooke.

— Tout me va, pourvu que ça ne te stresse pas.

La colère enflamma ses yeux bruns.

— Ce n'est pas toi qui décideras !

Eh bien, lui qui voulait qu'elle cesse de lui cacher ses pensées, il était servi, aujourd'hui ! Son point de vue sur la question était d'une clarté indiscutable.

Le problème était que cela faisait longtemps qu'il décidait lui-même de presque tout dans sa vie. Il inspira à fond et tenta de s'armer de patience.

— Je crains toujours que tu ne saches pas t'arrêter avant d'être surmenée. Et je sais que tu t'ennuies à mort.

— Le mot est faible. Sans les visites de ma famille, je deviendrais cinglée, soupira-t-elle. Bien que j'en vienne à me demander si tu n'as pas interdit ta porte à maman. Je croyais vraiment qu'elle viendrait me voir. Encore qu'elle ne me manque pas, depuis notre dernière entrevue…

Jordan s'apprêtait à diriger la conversation vers un autre sujet que sa mère, moins susceptible d'apporter une tension néfaste, mais changea d'avis. D'après le médecin, le stress refoulé était encore plus dangereux.

— Depuis combien de temps est-elle alcoolique ? demanda-t-il doucement.

— Depuis aussi loin que je m'en souvienne. Même lorsqu'elle peignait sur la plage, elle apportait un pichet de sangria. Mais nous n'avons pas souffert de négligence, ajouta Brooke en le fixant dans les yeux. Nous avions des nounous à plein temps — et nous nous avions les uns les autres.

— Cela n'efface en rien ce que ta mère vous a fait subir.

— Je sais.

Il étudia son regard, et vit la frustration, le chagrin puis l'impuissance assombrir ses prunelles havane. Les frères et la sœur de Brooke avaient souhaité lui cacher que Bonita était entrée en cure de désintoxication, mais il songea qu'il était temps de la mettre au courant. Maintenant. Il affronterait le courroux des Garrison, le cas échéant.

Il envisagea de lui prendre la main, mais sentit qu'elle préférait qu'il garde ses distances.

— Tu sais, Brooke, tes frères ont discuté avec ta mère de son problème.

— Ils ont fait quoi ? s'indigna-t-elle. Ils ont discuté sans moi ? Ils ont décidé que mon avis n'était pas important, c'est ça ? Et toi, tu le savais et tu ne m'as rien dit ?

— Parce que tu crois que dans ta condition actuelle, tu aurais pu intervenir ?

Elle lui lança un regard noir.

— D'accord, finit-elle par admettre, et il vit la tension sur ses épaules se relâcher un peu. Sais-tu ce qu'ils ont décidé ?

— Ils l'ont fait admettre dans une clinique de désintoxication le jour où tu as quitté l'hôpital.

Comment prendrait-elle la chose ? Il n'arrivait pas à lire son expression.

Comme elle restait un instant silencieuse, il insista :

— Ça va ?

— Bien sûr. C'est une bonne décision. Mais je ne peux m'empêcher d'avoir le sentiment que j'aurais dû être présente, répondit-elle avant de lui saisir la main, et la distance entre eux s'évanouit aussitôt. Je te remercie cependant de me l'avoir dit. Je comprends que tu cherches à me ménager, mais je ne supporte pas que tu me caches des choses. Il y a eu trop de secrets dans ma famille. Si je découvrais que tu me mentais…

En sentant ses doigts fuselés s'enrouler autour des siens, Jordan saisit la portée de son geste. Il se trouvait à présent face à un nouveau dilemme : lui avouer la vérité sur son implication dans la fuite à la presse, et tout risquer. Ou bien jouer son va-tout et espérer qu'elle ne le découvre jamais.

La question ne se posait pas. Il savait ce qu'il devait faire.

— J'ai quelque chose à te dire, lança-t-il.

— Tu en fais une tête ? Ça ne peut quand même pas être pire que de savoir ma mère en cure de désintoxication !

— Cette histoire d'honnêteté entre nous. Je veux être réglo avec toi.

Les sourcils délicats de Brooke se froncèrent.

— Tu commences à me faire peur, et c'est mal.

Jordan se jeta à l'eau.

— Cette fuite sur notre liaison dans le journal n'était pas accidentelle.

Sous ses doigts, il sentit la main de Brooke devenir glacée.

— Tu veux dire que c'est toi qui as déclenché toute cette folie médiatique ? compléta-t-elle en libérant ses doigts.

Jamais il n'avait eu l'intention d'éveiller tous ces ragots sur les Garrison, mais ce n'était pas le sujet. La faute lui en revenait, et il assumait la responsabilité de la tension nerveuse que cela avait causé à Brooke, il le savait à présent.

— Je ne vais pas excuser mon acte, assura-t-il. Tout ce que je peux dire, c'est que je ferais autrement aujourd'hui, et que je suis désolé.

Durant un long moment, Brooke entoura son ventre de bras protecteurs, sans prononcer un seul mot. Puis elle hocha la tête.

— En fait, tu cherchais à l'annoncer une bonne fois pour toutes et d'un seul coup, c'est ça ?

Jordan s'était attendu à de la colère, des larmes, mais certainement pas à ce qu'elle comprenne ses motifs. Il s'enorgueillissait de toujours savoir cacher son jeu. Ce qu'on ignorait ne pouvait pas être retourné contre lui.

Tomber pour une fois sur quelqu'un qui le devine autant le mettait mal à l'aise.

— Qu'est-ce qui te fait penser ça ? demanda-t-il.

Elle haussa les épaules.

— C'est ce que Parker aurait fait. Vous deux êtes très semblables.

Voilà qui était vexant. Vraiment vexant.

— Tu m'en veux à mort, non ?

— Je suis déçue, mais je comprends, répliqua Brooke. Mets-toi quand même dans la tête que quand tu prends des décisions unilatérales qui nous concernent tous les deux, et sans m'en parler, tu ne fais rien pour diminuer mon stress. Au contraire, tu l'augmentes, surtout après mon attitude depuis trop longtemps si passive dans mes relations avec ma famille. Que je devine que quelque chose cloche ou que je le découvre plus tard me déchire toujours.

La culpabilité s'abattit sur lui, encore accrue par le fait que Brooke passait l'éponge, allant jusqu'à prendre une part de responsabilité en mentionnant sa façon de gérer ses rapports familiaux dans le passé. Se contenter de dire « Je suis désolé » semblait trop mesquin.

— Je n'excuserai pas ton comportement, Jordan, reprit-elle. Mais je vois comment tu en es venu à prendre cette décision et je te pardonne. A condition que tu me promettes de ne plus jamais me mentir, ajouta-t-elle avec gravité.

— Je te le promets.

Et il le pensait. Certes, il était ambitieux, avait même la réputation d'être impitoyable — une réputation souvent justifiée — mais il se flattait d'être honnête. Et avec le recul, cette histoire de journal n'avait pas été sa meilleure idée.

Il était temps de passer à autre chose.

— Tu es prête pour dîner ? demanda-t-il.

Brooke s'écarta peu à peu de lui, prenant clairement de la distance.

— Tant qu'à être francs l'un vis-à-vis de l'autre, j'ai besoin d'espace ce soir.

Elle hésita un instant et Jordan crut — espéra — qu'elle allait changer d'avis. Elle tendit la main…

… et attrapa la barquette de chili con carne, puis gagna sa chambre.

Constatant avec un sourire qu'elle acceptait au moins l'un de ses présents, il la regarda disparaître derrière sa porte. Il avait envie de la suivre, mais respecterait son désir de solitude et la laisserait dormir. Le repos était ce qu'il y avait de mieux pour elle comme pour l'enfant. Et ce soir, il avait déjà obtenu plus de pardon qu'il ne s'y serait attendu.

N'empêche qu'il ne s'était pas attendu non plus à être aussi déçu de rater l'occasion de partager un chili et un DVD avec Brooke.

Brooke cherchait le sommeil, à la fois frustrée et agitée après sa confrontation avec Jordan.

Un coup d'œil au réveil lui indiqua l'heure : 2 heures du matin. Elle avait dû s'assoupir vers minuit, mais pas longtemps.

Seigneur, elle détestait cette impression d'impuissance et de perdre le contrôle de sa vie !

Ses frères et sa sœur avaient organisé un changement essentiel dans l'existence de leur mère, un moment important, un chamboulement total les concernant tous. Et pendant ce temps, elle était restée allongée, les pieds relevés, incapable de surmonter son stress…

Pas étonnant que Brittany ait paru autant à cran en venant la voir après sa sortie d'hôpital ! Toute la famille avait dû vivre un enfer, mais chacun avait continué à la ménager.

Pourquoi Jordan ne l'avait-il pas mise au courant plus tôt ? Que sa mère cherche de l'aide était une bonne chose, la seule chose à faire. Même si cela n'avait pas dû être facile…

Elle enfonça sa tête dans l'oreiller, partagée entre l'espoir et le scepticisme. Car là résidait son principal souci : faire confiance à sa mère pour qu'elle aille jusqu'au bout du programme de désintoxication. Confiance, après toute une vie de signaux contradictoires de la part de ses parents.

Faire confiance à Jordan.

Malgré leurs soirées et cette semaine de cohabitation, elle avait encore l'impression qu'ils ne se connaissaient pas assez pour s'engager dans le mariage. Ses parents s'étaient fréquentés deux ans avant de s'épouser, et il fallait voir ce que cela avait donné !

Si seulement elle pouvait retrouver cette intense impression de justesse ressentie le soir où elle avait décidé de coucher avec lui pour la première fois.

Quand ils avaient fait cet enfant.

Alors qu'elle glissait peu à peu dans les brumes du sommeil, le souvenir de cette fameuse nuit revint hanter son esprit, et elle eut l'impression de revivre la scène, comme dans un rêve…

Elle l'avait vu bien des fois. Et l'avait toujours désiré.
Ce soir, au diable sa famille. Elle l'aurait.
La décision résonnait dans son cerveau tandis que

*l'ascenseur montait vers la chambre qu'elle avait réservée
pour Jordan Jefferies et elle-même.*

*La tête lui tournait plus du contact de ses mains sur son
corps que des effets de l'alcool. Cela faisait des années
qu'elle percevait leur attirance l'un pour l'autre, mais
jamais elle n'aurait imaginé l'intensité des flammes qui
la consumeraient en sentant ses paumes sur elle.*

*Ses paumes glissant le long de son dos durant leur
baiser passionné dans le hall.*

*Ses paumes empoignant ses fesses pour la rapprocher
de lui alors qu'ils franchissaient la porte en titubant.*

*Ses doigts s'acharnant sur ses vêtements pour la
soumettre à la plus délicieuse des tortures.*

*Et ensuite, alors qu'elle demandait grâce, ces mêmes
mains talentueuses excitant ses sens jusqu'au bord de la
jouissance. S'arrêtant net. La ramenant à deux doigts
de l'explosion, puis reculant encore, jusqu'à ce qu'ils
basculent ensemble dans un déchaînement de bras, de
jambes et de cris...*

Brooke se réveilla avec les draps entortillés autour des
chevilles, le corps brûlant du désir de revivre ce qu'elle
avait connu avec lui, un plaisir passionné qu'elle venait
de retrouver dans son rêve.

Elle alluma sa lampe de chevet. Comme toujours, elle
trouva sur la table de chevet un plateau portant une carafe
d'eau, des fruits frais et de quoi grignoter en cas de fringale
nocturne. Elle croqua dans une poire. A défaut d'assouvir
son appétit sexuel, elle pouvait calmer une autre faim.

Qu'est-ce qui la hantait autant à propos de ces moments
passés avec Jordan, lors de cette première nuit ? Un sentiment d'égalité, de tout maîtriser. Sauf le matin suivant,
où elle s'était sentie tellement dépassée qu'elle l'avait fui.

Ses yeux vagabondèrent vers la porte ouverte de sa
chambre. Jordan avait dû venir vérifier qu'elle dormait
bien sans la refermer ensuite. Elle aperçut dans le salon
les catalogues de tissus et de papier peint près du petit

canapé, et son angoisse se ranima. Il avait beau prétendre la laisser libre de ses choix, elle se sentait étouffer.

Un peu plus loin, son regard tomba sur un paquet bleu appuyé contre le canapé. Elle se souvint vaguement que Jordan portait quelque chose en entrant dans la pièce, tout à l'heure. Un cadeau ? Avait-il projeté de la séduire avec un cadeau ?

Tout en grignotant la poire, elle étudia le paquet avec nervosité. Fragilisée par son rêve, elle n'était pas sûre de pouvoir supporter quoi que ce soit d'autre de la part de Jordan cette nuit.

Mais la curiosité l'emporta.

Jetant le reste de la poire dans la poubelle, Brooke se libéra des draps et posa les pieds par terre. Sa chemise de nuit en satin glissa sur sa peau en une caresse sensuelle qui lui rappela trop bien son rêve, son rêve d'une nuit bien réelle, et source inépuisable de fantasmes.

Elle traversa la chambre et alla s'asseoir au bord du canapé. Ses doigts pianotèrent sur le haut du paquet. Si seulement sa jumelle impulsive pouvait être à ses côtés pour l'aider à décider quoi faire !

Des Noëls de son enfance lui revinrent à la mémoire. Brittany ramassait chaque cadeau au pied du sapin, le tâtait, le secouait, puis déclarait d'un ton assuré ce qu'elle pensait qu'il contenait. Une fois sur deux, elle avait raison. L'autre fois, ses suppositions étaient si extravagantes que personne ne prenait la peine de la taquiner sur ses erreurs.

Brooke examina le paquet. Manifestement pas un bijou. Ni des vêtements. Trop gros pour être un album de photos. Trop petit pour un meuble, même en kit.

Finalement, la curiosité l'emporta sur la prudence. Elle s'empara du cadeau, commença à déchirer le papier bleu et tomba sur du papier bulle. Des mètres de papier bulle qui protégeait quelque chose. Pas étonnant qu'elle ait été incapable de deviner de quoi il s'agissait !

Enfin, elle découvrit que toute cette protection enveloppait une épaisse enveloppe de kraft, qui semblait contenir un cadre.

Il lui avait acheté une photo ? Un tableau ?

En tout cas, force était de constater qu'il la couvrait d'attentions. Du moins, qu'il *essayait*. Car il n'était pas question qu'elle accepte de l'épouser juste parce qu'il la couvrait de cadeaux et d'attentions !

Elle déchira nerveusement le papier kraft, et ce qu'elle vit lui coupa le souffle.

Jordan lui avait bel et bien offert une œuvre d'art. Mais pas n'importe laquelle. Il avait choisi une magnifique aquarelle — visiblement destinée à une nursery — représentant deux petites filles jouant à bâtir des châteaux de sable sur une plage.

Jordan s'était rappelé le meilleur souvenir d'enfance qu'elle lui avait raconté.

La délicatesse de son cadeau la toucha profondément. Cela lui fit autant d'effet que lorsqu'il posait les mains sur elle. Et elle était tout simplement incapable de résister à cet aspect de Jordan.

Surtout pas ce soir, avec le rêve toujours aussi vivace dans chaque recoin de son esprit, pas ce soir, avec ce douloureux sentiment de solitude et de désir qui la rongeait.

Reposant avec soin le tableau contre le canapé, Brooke se leva et tourna la tête vers la porte qui se trouvait à l'autre extrémité de la pièce.

La porte qui menait à la chambre de Jordan.

9.

Jordan se réveilla en entendant couiner les gonds de sa porte.

Il resta immobile, les paupières mi-closes, observant Brooke traverser la pièce dans sa direction. Malgré l'obscurité, il voyait bien qu'elle n'était pas en plein désarroi, aussi garda-t-il le silence, attendant de voir ce qu'elle avait en tête. Il ne savait jamais à quoi s'en tenir avec elle, et cela l'ennuyait beaucoup.

Elle s'arrêta devant son lit, visiblement inconsciente du fait qu'il continuait à l'étudier entre ses cils. Elle souleva un coin des couvertures.

Nom d'un chien, elle n'allait quand même pas…

Quand Brooke se glissa auprès de lui, il fut incapable de s'empêcher de passer un bras autour d'elle. Le parfum fleuri de ses cheveux vint chatouiller ses narines tandis qu'elle se blottissait contre lui.

Il entreprit de lui caresser doucement le ventre, traçant des cercles autour de son nombril bombé.

— Tu as du mal à dormir ? demanda-t-il. Notre footballeur en herbe te réveille avec ses coups de pied ?

En fait, la toucher s'avérait une mauvaise idée. D'autant que cela ne les mènerait nulle part…

Etendue de tout son long contre lui, elle posa la tête sur son épaule, et répondit d'une voix langoureuse :

— Quelque chose m'a réveillée, mais ce n'était pas le bébé.

— Je peux faire quelque chose pour toi ?

Il décida de lui masser le dos. Ces temps derniers, il avait remarqué qu'elle se tenait parfois les reins.

— J'avais besoin d'être avec toi, répliqua Brooke.

Comme elle glissait la main sur son torse, il frémit au contact de ses doigts frais sur sa peau surchauffée. L'anneau qu'elle portait à l'index le griffa légèrement, et il se surprit à penser aussitôt au motif gravé dessus. Il en était venu à la connaître jusque dans ce genre de détail infime.

Mais sa caresse innocente lui mettait les sens à vif ! Serrant les dents, il compta mentalement jusqu'à dix afin d'apaiser la montée de son excitation. A huit, il abandonna et accepta tout simplement d'endurer cette torture.

— Très bien, soupira-t-il. Si tu veux dormir ici, je n'y vois pas d'objection.

Il poursuivit son massage. L'avoir entre ses bras, sentir ses courbes satinées contre lui, sous ses paumes, était un mélange de paradis et d'enfer. Mais s'il se contrôlait et parvenait à la convaincre de l'épouser, il pourrait de nouveau lui faire l'amour. Donner à leur enfant la possibilité d'être élevé par ses deux parents ensemble méritait tous les efforts de patience.

Et l'idée d'une vie avec Brooke devenait de plus en plus attirante à mesure qu'ils passaient du temps ensemble.

— Je n'ai pas très envie de dormir, murmura-t-elle à son oreille.

Lui non plus, mais pour une raison différente. Il se concentra sur le bruit du ventilateur au-dessus de leurs têtes, et s'efforça de changer le cours de ses pensées. Que faire, nom d'un chien ? Discuter ? Il se souvint qu'elle avait déclaré un peu plus tôt ne pas aimer se sentir contrôlée. Aussi opta-t-il pour un sujet neutre.

— Alors, bavardons un peu, lui proposa-t-il. Qu'aimerais-tu faire demain, à mon retour du travail ?

— J'aurais tant voulu pouvoir aller à toutes les fêtes organisées pour Brittany et Emilio cette semaine.

Pas étonnant qu'elle soit si agitée. Tout sa famille s'amusait, et préparait le mariage, tandis qu'elle…

— Je compatis de tout cœur, assura-t-il. Ma pauvre,

rester cloîtrée à la maison doit être horriblement ennuyeux. Et si on demandait au médecin la permission de faire une petite balade en voiture au bord de la mer ? Dans la mesure où tu n'aurais pas à marcher, ça ne devrait pas poser de problème. On pourrait prendre une limousine, ce qui te permettrait de relever tes jambes.

— Ce serait bien, répondit Brooke sans aucun enthousiasme.

Zut, se rappela-t-il, mais trop tard, elle lui avait pourtant dit qu'elle voulait aussi prendre ses décisions elle-même…

— Tu as une autre idée ?

— Excuse-moi, soupira-t-elle. Je ne veux pas te sembler grincheuse. C'est vraiment adorable de ta part, comme le magnifique cadeau que tu m'as acheté.

Ainsi, elle avait fini par l'ouvrir, songea Jordan. Il devait bien avouer qu'il s'était senti déçu que leur dispute l'ait empêché de le lui offrir, tout à l'heure. Au moins avait-il la satisfaction de savoir qu'elle appréciait son présent. Après l'avoir acheté, il s'était demandé si elle n'aurait pas préféré un bracelet de diamants à la place — comme cela aurait été le cas pour toutes les autres femmes avec qui il était sorti. La dernière en date, par exemple, aurait sans conteste préféré des diamants à n'importe quel tableau.

Mais Brooke ne ressemblait à personne.

— Je suis content qu'il te plaise, dit-il. Quand je l'ai vu dans la vitrine de la galerie, j'ai tout de suite pensé que tu l'aimerais.

Elle se nicha encore plus près de lui, glissant dangereusement un genou entre ses jambes.

— Je l'ai déballé après m'être réveillée, expliqua-t-elle. J'étais en train de rêver de toi.

— Ça me fait plaisir.

Lui, il rêvait d'elle *toutes* les nuits. Se le rappeler suffit d'ailleurs à susciter un élancement fébrile dans tout son corps. Mais la nature de leurs rêves ne devait sans doute pas être la même, n'est-ce pas ?

Soudain, la main de Brooke caressa sa hanche.

Etait-il en train de rêver ? Lui saisissant le poignet, il souffla :

— Brooke chérie, j'ai beau adorer te toucher et sentir que tu me touches, on ne peut pas faire l'amour. Pas tant que le médecin y met son veto.

Elle haussa les épaules, et dans le mouvement, le satin de sa chemise de nuit le caressa de façon terriblement tentatrice.

— Je sais. J'avais juste envie de… Juste envie de te remercier pour le tableau que tu as apporté pour la nursery.

— Mais je t'en prie, répliqua Jordan.

Du coup, il s'autorisa à jouer avec une mèche de ses cheveux soyeux.

— Et s'il te plaît, reprit Brooke, excuse-moi pour mon attitude grognon de ce soir. Tu sais, rester coincée ici finit vraiment par me rendre folle.

Elle posa la tête sur son épaule en poussant un profond soupir, ce qui eut pour effet d'écraser ses seins contre la chair enflammée de Jordan. Il se réjouit qu'elle se rapproche plus facilement de lui, même si ses courbes pleines le tentaient d'une façon à peine supportable.

Oui, une promenade en limousine lui ferait du bien. Il appellerait le médecin. Selon elle, l'état de Brooke était satisfaisant. Elle pourrait donc bientôt rentrer chez elle… loin de lui.

Jordan repoussa la pensée que le temps qui leur était imparti s'écoulait trop vite, et se concentra sur les frustrations actuelles de Brooke.

— Je vais dire à ta famille de venir plus souvent te rendre visite, annonça-t-il.

— Ils viennent bien assez, riposta-t-elle. Je papote avec eux jusqu'à saturation. Je craque, je suis tout énervée. J'ai besoin de… de toi. Voilà tout.

Oui, lui aussi. Il recommença à lui masser doucement le dos, tentant de l'apaiser et de l'endormir avant que l'un ou l'autre ne perde les pédales.

— Chut. Détends-toi, Brooke.

Il sentait la tension dans les muscles de ses épaules.

Qu'elle soit autant à cran ne lui ferait aucun bien. Si seulement il pouvait satisfaire ses besoins sexuels…

Et soudain, l'idée fusa dans son esprit, lumineuse. Ce n'était pas parce qu'ils n'avaient pas le droit de faire l'amour qu'ils ne pouvaient rien faire. En l'occurrence, songea-t-il avec un sourire, *lui* pouvait faire beaucoup pour elle, sans mettre leur enfant en danger…

Oubliant toute retenue, il laissa ses mains explorer librement ses seins, gonflés par la grossesse. Il fut aussitôt récompensé par un gémissement impatient, tandis qu'elle se cambrait vers lui.

— Jordan, pas de sexe, tu te souviens ? haleta-t-elle, les yeux clos.

Jamais il ne mettrait sa santé ni celle de leur enfant en péril. Certes, il la désirait comme un fou, mais il saurait être patient.

— Je n'oublie pas. Nous n'allons pas coucher ensemble. Je vais juste t'aider à te sentir moins… agitée. A te détendre…

Il glissa la main vers sa hanche, puis descendit un peu plus bas.

— Si c'est ce que tu souhaites, bien entendu, murmura-t-il contre son oreille.

Brooke s'arqua davantage, comme pour mieux accueillir ses caresses.

— Oui, répliqua-t-elle d'une voix tremblante, mais… et toi ?

— On s'occupera de moi une autre fois, répliqua Jordan en faisant glisser sa culotte de dentelle le long de ses jambes fuselées. Ce soir, tu es prioritaire.

Il s'empara de sa bouche tout en caressant la peau soyeuse de son ventre arrondi, puis il s'insinua entre ses cuisses, lui tirant un soupir de plaisir. Elle était brûlante de désir, et elle se pressa contre sa main, comme pour le supplier de la satisfaire. Mais il prit son temps et entama un lent va-et-vient, arrachant à Brooke un chapelet de soupirs ravis. Puis il accéléra et ralentit le rythme de ses caresses à mesure qu'il la sentait se tendre sous ses doigts, et, bientôt, bien plus tôt qu'il ne l'aurait cru, il vit sa magnifique poitrine se soulever et retomber rapidement, tandis qu'un orgasme dévastateur la submergeait. Haletante, elle le supplia de ne pas cesser et se frotta plus fort contre lui. La manière dont elle réagissait à ses caresses le transporta, et il fut comme transpercé par la beauté de son expression tandis qu'elle chavirait de plaisir, cramponnée à lui.

Puis elle retomba en arrière, la tête enfouie dans l'oreiller. Un souffle court s'échappait d'entre ses lèvres. Savoir qu'il lui faisait un tel effet mettait Jordan au comble de la joie. D'accord, il était à son tour diablement excité, mais il était avant tout heureux de la voir ainsi détendue entre ses bras, les joues encore rosies et la bouche gonflée de son baiser.

— Ça va mieux ? demanda-t-il, incapable de détacher les yeux d'elle.

— Nettement mieux, répondit-elle avec un lent sourire.

Il la serra contre lui, écarta des mèches moites de son front et lui caressa les cheveux jusqu'à ce que sa respiration se calme et qu'elle sombre dans le sommeil.

— Bonne nuit, ma beauté, murmura-t-il.

Il savait à quel point la place de Brooke était là, dans son lit. Pourquoi ne le comprenait-elle pas aussi ? Car même si sa présence à son côté, ou la joie qu'elle avait ressentie devant le tableau qu'il lui avait offert, le réconfortaient, il ne pouvait oublier leur discussion de ce soir. Jamais il n'avait rencontré personne qui soit aussi entêté que Brooke, de cette façon calme et déterminée, tellement surprenante.

Etouffant un soupir, Jordan consulta le réveil : 4 heures du matin.

Le sommeil ne viendrait certainement pas à lui aussi aisément qu'il avait gagné Brooke. Son corps vibrait trop d'un désir inassouvi.

Les trois jours avant le prochain rendez-vous avec la gynécologue risquaient d'être longs.

Brooke s'installa sur la banquette de la limousine et laissa échapper l'énorme soupir de soulagement qu'elle avait contenu dans le cabinet du médecin.

Dieu merci, maintenant qu'elle avait son feu vert, elle allait pouvoir retrouver une vie normale. Pour commencer, elle allait se passer de chauffeur. Le bébé et sa tension semblaient parfaits. Elle regretta que Jordan n'ait pas été là comme il l'aurait voulu, mais il s'était retrouvé coincé dans un embouteillage. Il avait appelé quand ça s'était dégagé, mais elle quittait déjà la salle d'examen.

Au moins pouvait-elle lui faire la surprise de lui apporter ces bonnes nouvelles — ainsi que l'échographie de leur fils.

Car le bébé était un garçon.

Des images d'elle jouant avec son petit bonhomme sur la plage naquirent dans son esprit. Elle intégra ensuite Jordan au scénario de ces rêves. Pour la première fois, elle se permettait d'imaginer un avenir avec lui, une union qui durerait toute leur vie, au cours de laquelle l'amour grandirait entre eux.

L'amour.

Le mot continuait de lui procurer un drôle de pincement au cœur, mais elle l'apprivoisait peu à peu au lieu de se laisser effaroucher comme par le passé.

Elle se concentra sur les nombreuses et heureuses nouvelles qu'elle annoncerait bientôt à Jordan. Non seulement le médecin lui avait donné la permission d'assister au mariage de sa sœur et de retourner travailler, mais également de reprendre *toutes* ses activités habituelles.

Y compris au lit.

Après leur rencontre torride trois nuits auparavant, ils avaient commencé à partager le même lit, exquise torture. Si elle aurait aimé davantage, dormir entre ses bras puissants la réconfortait déjà. Et son sommeil était incontestablement meilleur auprès de lui.

Mais ce soir, ils ne dormiraient pas, ou en tout cas, pas tout de suite.

Et demain ? Elle s'en soucierait au matin. Parce que dans l'immédiat, elle n'avait qu'une idée en tête : filer retrouver Jordan et gagner avec lui le lit le plus proche. Heureusement pour eux, le *Victoria* offrait une multitude de possibilités.

Jordan étudia l'heure sur l'écran de son ordinateur. Il aurait voulu être avec Brooke plutôt que dans son bureau du *Victoria*, ce qui aurait été le cas sans cet embouteillage qui avait fini par lui faire faire demi-tour et retourner à son travail.

Il avait hâte de retrouver Brooke et qu'elle lui raconte sa visite au médecin. Il avait essayé de la joindre, mais elle ne décrochait pas son téléphone.

Son regard revint sur l'horloge. Qu'est-ce qui la retenait ? Le souvenir de cette affreuse nuit aux urgences le hanta de nouveau. Il se rua hors de son siège, prêt à fouiller les rues si elle n'arrivait pas bientôt.

A moins qu'il ait mal compris et qu'elle soit simplement rentrée à la maison ?

Jordan tendait la main vers le téléphone pour appeler sa gouvernante au moment précis où il entendit la porte s'ouvrir.

Ressentant un soulagement dont la force le laissait perplexe, il se retourna vivement.

— Brooke…, commença-t-il.

Sauf que la femme qui s'encadrait sur le seuil n'était pas la mère de son enfant. Mais la dernière personne à laquelle il se serait attendu — ou qu'il aurait souhaité voir.

Son ancienne maîtresse, Sheila McKay.

Il fut aussitôt sur ses gardes. Ces derniers temps, elle s'était montrée très insistante, essayant à tout prix de le joindre. Apparemment, elle acceptait mal d'être éconduite.

— Sheila, dit-il en se levant. Mon assistante n'aurait pas dû te laisser monter.

Lorsqu'il avait quitté Sheila six mois plus tôt, il avait essayé de rester courtois, mais elle n'avait eu de cesse de faire repartir leur relation. Peu après leur rupture, elle avait pris un poste de réceptionniste à la *Garrison, Inc.* — et s'était rapidement efforcée de le ramener à elle en l'appâtant avec de précieuses informations internes.

Sheila s'approcha en ondulant sur ses talons vertigineux.

— Ton assistante doit être en pause-café, car je n'ai vu personne, en dehors des quelques maçons qui m'ont sifflée, roucoula-t-elle.

Comment diable avait-il trouvé attirante cette femme vaniteuse ? Peu importe sa chevelure blonde, ses yeux bleus et son passé de Playboy Bunny. Elle n'arrivait pas à la cheville de Brooke.

Regardant ostensiblement sa montre, Jordan répliqua :

— Tu tombes très mal. J'étais sur le point de partir. Je te raccompagne à ta voiture.

Mais Sheila percha une fesse parfaite sur son bureau.

— Ça vaudrait le coup que tu attendes. J'ai quelques scoops plutôt intéressants à propos de projets du camp Garrison concernant des achats d'actions.

A une époque, Emilio et lui acceptaient toutes les révélations sur les Garrison qu'elle leur offrait. Mais cette époque était révolue. Il avait promis à Brooke d'être honnête, et avait la ferme intention de tenir sa promesse.

Lors de leur dernier échange téléphonique, il pensait avoir clairement signifié à Sheila que leur relation était terminée, et qu'il ne désirait pas qu'elle continue à venir lui rapporter les informations qu'elle obtenait en espionnant ses patrons. Et lorsqu'elle avait persisté en laissant des messages, il avait renforcé sa position en lui répondant par le silence. Mais cela ne semblait pas fonctionner avec elle.

— Sheila, je ne veux pas de tes infos sur les Garrison. Si tu te donnais la peine de jeter un œil à la presse, tu saurais que je sors avec Brooke Garrison. Et de toute façon, il n'y a plus rien entre toi et moi, depuis des mois. Plus rien du tout.

Elle balaya ses longs cheveux par-dessus son épaule.

— Ah, c'est vrai. Tu as tes propres entrées dans cette famille, à présent.

Voilà le genre de ragot qui déstabilisait tant Brooke…

— Fais attention, Sheila, riposta-t-il d'une voix plus dure. Tu dépasses les bornes.

Il contourna le bureau, déterminé à la faire sortir — et à l'éloigner de ses propres dossiers.

— Je dois aller retrouver Brooke. Elle a vu le médecin et je veux savoir ce qu'il en est.

Sheila se posta entre lui et la porte, bloquant le passage.

— Ça doit être dur pour toi, qu'elle soit confinée au repos.

Comment avait-il fait pour sortir avec une femme pareille ? se demanda-t-il. L'image du couple qu'ils formaient à l'époque surgit dans son esprit, et il frémit en se remémorant l'homme qu'il était alors. Le genre d'homme qui, en ce qui concernait ses maîtresses, ne prenait pas toujours le temps de regarder au-delà des apparences.

Et puis six mois auparavant, Brooke avait fait irruption dans sa vie, et même si elle était d'une rare beauté, il avait été soufflé par bien autre chose que les apparences. La passion l'avait transformé en un homme différent, quelqu'un qu'il aimait beaucoup plus. En être conscient rendait ridiculement aisé de repousser cette femme à la beauté toute superficielle.

Le regard résolu, il rétorqua :

— C'est encore plus dur pour elle d'être enfermée, à tourner en rond comme un lion en cage. C'est pourquoi je compte partir d'ici tout de suite.

— J'imagine qu'un homme de ton tempérament tourne aussi en rond comme un lion furieux, mais pour bien d'autres raisons, répliqua Sheila avec un sourire entendu sur ses lèvres fardées.

Assez perdu de temps. Il alla droit au but.

— Sheila, tu perds ton temps. J'ai bien l'intention de construire un avenir avec Brooke et notre enfant.

— Et alors ? Cela ne nous interdit pas de nous amuser. Je ne cherche pas une relation sérieuse. On dirait que tu as besoin de te détendre un peu, ajouta-t-elle en le prenant par le cou.

Son contact le laissa de marbre. Rien d'étonnant. Il lui agrippa les bras, prêt à la repousser fermement.

— Sheila, il est temps que tu partes, maintenant…

Une exclamation l'interrompit.

Nom d'un chien. Il sut ce qui venait de se passer avant même de regarder vers la porte.

Brooke était revenue de son rendez-vous médical.

La vision brouillée de larmes, Brooke pressa encore et encore le bouton d'appel de l'ascenseur. Certes, ça ne faisait pas venir la machine plus vite, mais ça défoulait.

Un embouteillage ?

Quelle idiote elle avait été de croire à la piètre excuse de Jordan ! Combien de fois avait-elle vu ses parents jouer le même scénario ? Son père avançait toujours une bonne explication pour passer si peu de temps à la maison. Alors sa mère pleurait — puis buvait.

Brooke savait à présent ce que faisait son père durant ses absences. Il voyait sa seconde famille. Elle n'aurait pas la naïveté de penser Jordan incapable de lui faire le même coup. Et de le faire avec cette fille trop maquillée.

Sheila ? C'était bien le nom qu'elle l'avait entendu prononcer quand elle était entrée dans la pièce ?

Une seconde. Elle avait déjà vu cette femme ! Elle travaillait comme réceptionniste au siège de la *Garrison, Inc*. Son frère avait même proposé de la lui envoyer pour l'aider avec sa paperasse pendant son repos forcé. Quelle sacrée coïncidence de tomber sur la réceptionniste de Parker ici, non ?

Une femme intime de Jordan, mais qui travaillait pour Garrison ? Voilà qui sentait au minimum le conflit d'intérêt, au pire le coup monté. Et si le rôle de cette Sheila était d'espionner les secrets professionnels de sa famille ? Parker n'avait-il pas souvent affirmé que Jordan était prêt à tout pour écraser les Garrison ?

La déception de Brooke se mêla de fureur. Les poings serrés, elle chassa avec détermination les larmes ridicules qui mouillaient ses joues. Elle serait plus forte que sa mère.

Néanmoins, pour la première fois de sa vie, elle devina la profondeur du mal que des années de trahison avaient dû faire à Bonita.

— Brooke, attends !

La voix de Jordan l'atteignit juste avant qu'elle sente sa présence brûlante derrière elle.

— Brooke, il ne s'est rien passé entre Sheila McKay et moi ! poursuivit-il.

Elle enfonça une nouvelle fois le bouton de l'ascenseur.

— Evidemment, puisque je suis entrée dans la pièce !

Cela dit, rien ne prouvait qu'au contraire, elle ne soit arrivée au moment final d'un adieu torride… La pensée la fit vaciller, et les larmes se reformèrent dans sa gorge.

Jordan s'immisça entre elle et le bouton lumineux.

— Il n'allait rien se passer du tout, assura-t-il.

Prise au piège de sa haute silhouette, Brooke finit par lever les yeux vers Jordan. Soit. Peut-être disait-il la vérité, même si c'était hautement improbable. Mais elle avait une autre question.

— Est-ce que oui ou non, elle a espionné l'entreprise de ma famille en travaillant pour Parker ?

L'hésitation de Jordan lui fit horreur. Mais elle ne recommencerait pas à pleurer. Pas devant lui.

— Tu m'as promis d'être toujours honnête avec moi, lui rappela-t-elle d'une voix glacée.

Les paupières baissées, il se frotta le nez. Agacement ? Ou il mettait juste ses excuses au point ?

Lorsqu'il la regarda de nouveau, la franchise illuminait ses yeux bleus.

— Par le passé, Sheila et moi sommes sortis ensemble, avoua-t-il. Et oui, ces derniers mois, elle m'a offert des informations pour essayer de renouer. Mais, ajouta-t-il en arrêtant d'un geste sa tentative de parler, je n'ai eu aucun rapport avec elle depuis la première fois où toi et moi avons couché ensemble. Quelque chose en moi a changé ce soir-là. Je ne l'avais pas bien compris à l'époque. Je savais seulement que personne d'autre que toi ne m'intéressait depuis.

Ses paroles sonnaient juste, et Brooke brûlait d'envie de le croire. Mais elle n'était pas prête à prendre un tel risque. Car il lui avait menti au sujet de la fuite dans la presse. Et caché sans problème l'entrée en cure de sa mère. Même s'il avait brillamment justifié ses motifs.

Alors, et même si cela lui coûtait la famille dont elle commençait à rêver, elle ne voulait pas d'une relation pleine de secrets. Jamais. Elle avait trop vu sa propre famille s'effondrer à cause de ce genre de secrets.

— Comment savoir si je peux te croire ? demanda-t-elle enfin.

Jordan la saisit doucement par la nuque et posa son front contre le sien.

— Brooke, c'est mauvais pour toi de te tracasser.

— Inutile de t'inquiéter pour moi ou le bébé, rétorqua-t-elle. Le médecin m'a assuré que tout allait bien. C'était ce que j'étais venue t'annoncer.

Et elle en remerciait le ciel et tous les saints. Comment une femme aurait-elle encaissé la scène dans le bureau de Jordan sans éprouver un maximum de stress ?

— C'est génial ! s'exclama-t-il. Je suis si heureux. Viens, rentrons à la maison pour en discuter à l'aise.

Un sourire radieux s'épanouissait sur son beau visage.

Elle le dévisagea d'un œil encore méfiant, l'esprit toujours occupé par l'odieuse vision des mains de cette vipère sur cet homme qui avait fini par prendre toute la place dans sa vie. Cet homme qui se préoccupait d'elle et de leur bébé. Cet homme qui voulait l'épouser, mais qui ne l'aimait pas…

— S'il te plaît, Brooke, insista-t-il, suis-moi. Nous serons plus tranquilles pour discuter à la maison.

Seigneur, l'idée la tentait. Ses paroles semblaient sincères et logiques, son sourire authentique. Elle ne demandait qu'à le croire, et c'était ce qui l'effrayait plus que tout le reste. Car elle ne pouvait pas se laisser embobiner. De plus, elle devait avertir Parker de l'indiscrétion de Sheila, afin qu'il s'assure qu'elle ne remette plus jamais les pieds à la *Garrison, Inc.*

Admettre que Parker avait eu raison au sujet de Jordan depuis le début meurtrissait sa fierté autant que son cœur.

Si seulement elle pouvait poser la tête sur l'épaule de Jordan et lui donner une chance de la convaincre…

Le chuintement des portes de l'ascenseur qui s'ouvraient brisa le silence, la libérant de cette faiblesse momentanée qui risquait de la pousser vers lui. Elle se blinda mentalement contre son allure séduisante, son charme, et tout ce qui l'ensorcelait dès qu'elle le regardait.

Il avait beau la croire vulnérable avec sa famille, elle s'était toujours protégée en gardant espace et distance, préférant isoler calmement son cœur des coups de ses proches, plutôt que se battre avec des mots pleins de colère. Elle ne se disputerait pas avec Jordan, mais elle réfléchirait sérieusement à tout cela avant de lui offrir encore la moindre portion d'elle-même.

Brooke recula d'un pas et pénétra dans l'ascenseur.

— J'ai besoin de temps pour retourner ça dans ma tête.

— Très bien. Je te laisserai tranquille ce soir.

Mais elle savait que si elle revenait chez lui ce soir, dans sa maison, elle finirait dans son lit.

— Tu ne m'as pas comprise, répliqua-t-elle. Je rentre chez moi. Je peux désormais me débrouiller, souviens-toi. Je t'ai donné ce que tu voulais ces dernières semaines, du temps pour apprendre à nous connaître. Maintenant, à ton tour de me donner ce que je veux. De l'espace.

Et Brooke appuya sur le bouton.

La musique de la cabine lui remémora les souvenirs d'un autre ascenseur, avec Jordan et elle si affamés l'un de l'autre.

Tandis que les étages défilaient, elle comprit que son répit serait de courte durée. Le mariage de sa sœur et d'Emilio aurait lieu dans deux jours.

Elle devrait donc l'affronter en remontant l'allée de l'église vers l'autel. Même si elle n'était pas la mariée, le symbole du moment allait être insupportable pour son cœur déjà brisé.

10.

La réception battait son plein. Jordan engloutit un canapé au caviar, l'esprit empli d'images de Brooke à la cérémonie religieuse. Jamais elle n'avait été si belle à ses yeux que cet après-midi, tandis qu'elle marchait dans l'allée en direction de l'autel.

Dommage que la célébration ait été pour Brittany et Emilio. Mais en tant que demoiselle d'honneur de sa sœur, Brooke avait dû s'avancer vers lui, garçon d'honneur de son frère. Splendide dans sa robe rouge, moulant ses formes arrondies, ses cheveux relevés en un délicat chignon, et un petit bouquet qu'elle tenait devant son ventre, comme un bouclier.

C'était à peine s'il avait prêté attention à la mariée, vêtue d'un fourreau brodé de perles et coiffée d'un interminable voile. Son intérêt ne s'était focalisé que sur Brooke, dont la beauté lui coupait le souffle, encore à présent.

La veille, après la soirée d'enterrement de vie de garçon d'Emilio, son frère et lui avaient passé une bonne partie de la nuit à discuter entre hommes ; ils avaient évoqué le fiasco Sheila McKay, et la nécessité de clarifier rapidement les choses à ce sujet avec Parker.

Emilio avait également eu des paroles de sagesse au sujet de Brooke. Il lui recommandait la patience et l'honnêteté dans sa conquête de la jeune femme. Brooke, avait-il dit, était sans conteste la plus sensible du clan Garrison, et Jordan avait acquiescé. Depuis qu'il la connaissait, force lui avait été de reconnaître qu'elle était une jeune femme très sensible. Et à laquelle il était lui-même très sensible…

Même à la réception, qui se tenait dans la propriété familiale, il ne pouvait détacher les yeux d'elle, qui discutait avec ses belles-sœurs sous la véranda. Toutes portaient des robes écarlates semblables, hormis celle de Brooke, dont la ceinture plus haute soulignait le ventre arrondi. Maintenant que les séances de photos étaient terminées, et les mariés partis en voyage de noces, les bouquets des demoiselles d'honneur gisaient sur le muret du patio. En les voyant, il ressentit un pincement au cœur. Ce mariage aux couleurs de Noël lui rappelait un peu trop la fête qu'il rêvait de célébrer avec Brooke. Les cadeaux qu'il aurait voulu partager avec elle et le bébé.

Cueillant un autre canapé sur le plateau d'un serveur, Jordan salua Brandon de la tête. L'avocat venait de passer à côté de lui pour aller chercher sa fiancée au milieu du groupe des femmes. Jordan gardait une excellente impression de l'accueil que lui et Cassie leur avaient réservé aux Bahamas, et, de les voir ainsi amoureux, lui donna un peu d'espoir. Eux aussi avaient eu un début d'histoire difficile, et la manière dont ils se dévoraient à présent du regard, sans se soucier d'être observés, lui donnait l'espoir de sauver quelque chose de la relation qu'il avait cherché à construire avec Brooke.

Sauf qu'elle persistait à le battre froid. Pas un mot, hormis des échanges polis devant les autres. Elle évitait de manière flagrante de se retrouver isolée avec lui.

Elle était magnifique, mais semblait fatiguée. Les rayons de lune et les délicats éclairages de Noël suspendus aux arbustes accentuaient les cernes sous ses yeux, que personne ne pouvait remarquer à moins de bien la connaître.

Des pas dans son dos le firent soudain se retourner. Parker s'approchait et lui tendait un verre. Jordan savait qu'il ne contenait que de l'eau pétillante, étant donné qu'aucun alcool n'était servi à la réception — et tant mieux, vu qu'il préférait garder l'esprit clair. Exceptionnellement sortie de clinique, Bonita Garrison s'était jusque-là tenue à carreau. Elle avait même poliment échangé quelques mots brefs — très brefs — avec Cassie et Brandon.

— Merci, dit Jordan en prenant le verre. Ça tombe bien.

Parker s'adossa au mur orné de décorations florales.

— J'ai appris par Brooke que ma réceptionniste Sheila McKay et toi, vous êtes rencontrés cette semaine.

Jordan se raidit, peu soucieux de s'empoigner une fois de plus avec Parker en pleine réception.

— Ecoute, crois-moi ou pas, mais Emilio et moi discutions justement du besoin de venir t'entretenir de Sheila.

Sheila la sale garce. Il évitait d'ordinaire de nourrir des sentiments aussi malveillants envers une femme, mais dans le cas de Sheila, il ferait une exception.

— Je pensais que Brooke attendrait après le mariage pour t'en parler, reprit-il. Afin de ne pas gâcher ce bel événement.

Parker but une gorgée avant de répondre. Le bruit des vagues roulant sur le rivage se mêlait à la musique de l'orchestre à l'intérieur de la maison.

— Brooke était plutôt remontée quand elle me l'a raconté, dit-il enfin. Elle voulait s'assurer que je flanque Sheila à la porte. Illico presto.

Jordan essaya de déchiffrer l'expression de Parker, mais échoua. Il avait néanmoins l'air assez détendu.

— Dois-je craindre un poison quelconque là-dedans ? demanda-t-il en fixant le fond de son verre.

Un sourire retors naquit sur le visage de son adversaire.

— Il y a trois semaines, peut-être bien. Mais tu ne risques plus rien. A moins, évidemment, que tu ne fasses du mal à Brooke.

— Ta sœur a plus de ressources que vous ne lui en accordez dans la famille. A mon avis, ce serait moi qui aurais matière à me plaindre, riposta Jordan, avec une grimace au souvenir de la mine renfrognée de Brooke quand elle avait attrapé le bouquet de la mariée, à la sortie de l'église. Quoi qu'il en soit, je te dois des excuses pour l'incident McKay.

Parker lui tendit la main.

— Excuses acceptées.

Jordan considéra la main avec suspicion avant de la serrer lentement.

— Tu prends ça aussi facilement ?

— Oh non, je suis furax, riposta Parker, dont le sourire contredisait les paroles. Mais je ne te blâme pas. J'aurais fait pareil à ta place. Ce sont les affaires. Néanmoins, poursuivit-il tandis que son sourire s'effaçait, lorsqu'il s'agit de famille, je ne pardonne pas aussi vite. Si tu joues à l'imbécile avec ma sœur, notre prochaine bagarre se terminera mal pour toi.

— Brooke est l'unique femme de ma vie, aujourd'hui et pour toujours, si elle veut bien de moi.

Jordan la chercha des yeux à travers la foule, juste pour s'assurer qu'elle allait bien, mais aucune trace d'elle sous la véranda. Il ne voyait que quelques invités, et Adam qui dansait sur la plage avec sa femme Lauryn.

Il détourna le regard de l'heureux couple drapé dans son propre monde. Il devait mettre les choses à plat avec le frère de Brooke, et pour cela, se montrer totalement franc.

— Parker, tu dois savoir que Sheila McKay est venue me voir cette semaine pour me proposer des informations confidentielles sur votre entreprise, dans l'espoir de renouer avec moi. Mais j'ai refusé. Elle a voulu me séduire, mais ça aussi, j'ai refusé. Et j'allais la mettre dehors quand Brooke est arrivée. La suite, tu la connais…

— Mais, insista Parker, pourquoi n'as-tu pas parlé à Brooke ? Tu peux la convaincre. Bon sang, je connais ton pouvoir de persuasion pour l'avoir souvent vu à l'œuvre en salle de réunion !

— Peut-être… Sauf que je ne peux pas m'empêcher de me demander si elle me fait confiance ou non.

— Brooke a plein de raisons de ne *pas* faire confiance aux gens. Maman s'est toujours défoulée sur elle et lui a mené une vie d'enfer. Et découvrir ensuite que papa n'avait pas été plus honnête avec nous n'a pas arrangé les choses.

Jordan se souvint que sa première nuit avec Brooke avait en partie été suscitée par le trop-plein d'émotions qu'elle avait subi à la lecture du testament de son père. Il ne faisait aucun doute que sa capacité de confiance avait été sérieusement entamée ce jour-là.

Par les portes-fenêtres, il observa Bonita qui, installée sur un petit sofa, discutait tout à fait convenablement avec un invité. Peut-être restait-il un espoir de guérir les rapports entre Brooke et sa mère, après tout ?

— Je me réjouis que la cure semble efficace pour votre maman, remarqua-t-il.

— Le temps nous le dira, philosopha Parker avant de vider son verre. Bon, je ne prétendrais pas que tu es l'homme que j'aurais choisi en premier pour ma sœur, mais au second coup d'œil, tu n'es pas tout à fait mauvais. Tu te défends bien dans les bagarres.

— Merci, répliqua Jordan, stupéfait.

— Et tu m'as assez souvent énervé en réunion pour que je puisse affirmer que tu es un homme d'affaires du tonnerre.

— Une fois encore, merci.

Décidément, songea Jordan, Parker faisait un réel effort, et méritait quelque chose en retour, pour Brooke, pour le bébé, et parce qu'il ferait un allié astucieux s'ils s'engageaient à travailler du même côté de la barrière.

— Je te retourne les deux compliments, déclara-t-il avec la plus grande sincérité.

Un an auparavant, il n'aurait pas imaginé avoir une conversation aussi courtoise avec l'aîné des Garrison. Mais un an auparavant, il était aussi trop pris par leur rivalité acharnée pour déceler la fourberie de Sheila McKay.

Parker fit tourner les glaçons au fond de son verre.

— On dirait que cette association familiale est jouée d'avance, avec le mariage de Brittany et votre enfant.

— Il semblerait, oui.

— Ces derniers temps, continua Parker, grâce à toutes les réunions de famille autour de la cure de maman, j'ai fait un peu le point sur la vie — les glaçons cessèrent de tinter — et je crois que le temps est venu pour nous deux de déposer les armes et réunir nos forces.

Nom d'un chien. Garrison était en train de suggérer…

— Une fusion entre nos deux sociétés, qu'en dirais-tu ?

Ebahi par la vitesse de la proposition, Jordan retint son souffle. Est-ce que ça marcherait ? Bon sang, il pourrait y avoir de sacrés avantages. Avantages que ce cachottier de Parker voyait sans doute déjà.

— Cela demanderait quelques négociations, finit-il par répondre, mais a priori, je ne suis pas contre.

Il laissa son esprit digérer l'idée de leurs deux sociétés regroupées, et la fin de la compétition qui les avait consumés tous deux durant tant d'années.

Une compétition qui l'avait poussé à rester à distance de Brooke malgré l'indéniable attirance qu'il avait ressentie pour elle, et ce depuis toujours. Dès la première fois qu'elle avait traversé son champ de vision.

En tout cas, le concept comportait de formidables possibilités. Et d'ailleurs, pourrait aussi générer davantage de paix sur le front intérieur. Que ce soit du côté d'Emilio et de Brittany, comme du sien et de celui de Brooke. Bien entendu, pas question de réaliser ce genre de mouvement stratégique sans l'aval d'Emilio. Encore qu'il voie mal son frère s'y opposer, surtout depuis son mariage.

— Je vais devoir en discuter avec Emilio, vu que nous sommes associés, mais ton offre m'intéresse drôlement.

L'excitation et le sens aigu des affaires faisaient briller les yeux de Parker, qui se détendit enfin.

— Je suis sûr qu'établir un quasi-monopole sur le segment hôtelier et festif de la ville nous rendra toi et moi très heureux.

Le potentiel de ce qu'ils pourraient accomplir en combinant leurs deux dynamismes emballait de plus en plus Jordan.

— South Beach uniquement ? plaisanta-t-il alors. Tu vois petit, Garrison !

Parker éclata d'un rire tonitruant, et ils entrechoquèrent leurs verres en se promettant de bientôt fêter ça de manière plus convenable et plus professionnelle.

Si seulement ses problèmes avec Brooke pouvaient

se négocier et se résoudre aussi facilement, songea alors Jordan. Et soudain, la voie à suivre lui apparut, clairement. Pas question d'attendre qu'elle finisse par comprendre tout cela seule. Il devait au moins essayer de lui expliquer.

— Tu as raison, Garrison. Je dois mettre les choses au point avec Brooke. Je ne veux plus qu'elle reste aussi bouleversée, surtout sans raison. Je vais aller lui parler.

Il se remit à la chercher des yeux, déterminé à la convaincre. Mais les demoiselles d'honneur s'étaient dispersées, remplacées par Brandon et Cassie, assis côte à côte sur la rambarde de la véranda, en train de partager une assiette de nourriture.

Il balaya du regard la plage sur laquelle Adam et Lauryn dansaient toujours. Puis jeta un coup d'œil par les portes-fenêtres donnant sur le hall où jouait l'orchestre, où il aperçut Stephen et sa femme Megan, tendrement enlacés.

Ensuite, il examina de loin la salle à manger, où s'étalaient les buffets de nourriture. Bonita aidait Jade, sa petite-fille, à coincer une serviette de table dans son col pour protéger sa jolie robe fleurie.

Aucune trace de Brooke nulle part.

— Elle vient de partir, annonça Anna, qui avait rejoint les deux hommes, et glissait un bras autour de la taille de son mari. Ne me demandez pas où elle est allée, j'ai juré de ne pas le dire.

Elle était partie ? Se cacher, plutôt.

— Donc tu sais.

Anna le jaugea entre ses paupières mi-closes.

— Bien que te voir souffrir un peu me ravirait — je t'en veux encore de cet œil au beurre noir infligé à mon mari — j'ai aussi remarqué combien ma belle-sœur est malheureuse sans toi, dit-elle.

L'apprendre ne fit même pas plaisir à Jordan, car il détestait la pensée de Brooke malheureuse.

— Alors où est-elle, bon sang ?

Anna se mordilla la lèvre, mais n'hésita pas longtemps.

— Réfléchis bien, et tu trouveras. Si elle voulait t'échapper, où irait-elle pour se remettre les idées en place ?

Jordan repassa dans son esprit ce qu'il savait d'elle, ce qu'il avait appris durant leurs intenses moments passés ensemble. La réponse s'imposa aussitôt.

— Elle irait dans sa famille. Mais à part les mariés, tout le monde est ici !

Il survola des yeux chaque membre du clan dans ses beaux atours. Son regard s'arrêta sur Cassie. La demi-sœur de Brooke. Une confidente — qui repartirait chez elle dès le lendemain matin.

— Elle va chez Cassie, c'est ça ?

Anna garda le silence, mais eut un petit sourire.

Celui de Parker, en revanche, s'élargit.

— Je connais cette expression sur le visage de ma femme. Jefferies, je peux t'assurer que tu es sur la bonne piste, déclara-t-il d'un ton sans équivoque.

Ouf. Il ne lui restait plus qu'à la retrouver avant qu'elle gagne l'aéroport.

— Alors j'ai le temps de l'arrêter avant qu'elle ne rejoigne Cassie et Brandon pour prendre l'avion.

Bien que toujours résolue à ne rien dire sur le sujet, la moue d'Anna signifiait clairement « non ».

— Mais pourquoi elle partirait avant eux… ?

— Seigneur, lâcha Anna, pour un type futé et un requin en affaires, ton raisonnement laisse à désirer aujourd'hui. Tu dois être drôlement amoureux. Ça fait des ravages dans le cerveau masculin. Bon, elle a décidé de voyager sur le yacht familial pour arriver aux Bahamas après le retour de Cassie. Et ne commence pas à brailler sur sa santé, elle a emmené une infirmière, au cas où.

Il soupira de soulagement. Il l'avait trouvée, mais en plus, Dieu merci, elle faisait preuve de prévoyance en se préoccupant d'elle-même et du bébé, même pour un si court voyage.

Puis le reste des paroles d'Anna percutèrent son esprit.

Amoureux ?

Amoureux.

Oui, cela ne faisait aucun doute. Il aimait Brooke Garrison. Non seulement parce qu'elle portait son enfant, mais parce que toutes les autres femmes devenaient transparentes auprès d'elle. Elle lui était destinée. Elle était sa chance de vivre ce que ses parents avaient partagé, et il refusait de perdre une seconde de plus sans être à ses côtés.

Maintenant, il devait la convaincre qu'il n'était pas une ordure, mais qu'il l'aimait comme un fou.

Etendue dans une chilienne sur le pont du yacht, Brooke cherchait dans les étoiles des réponses à la confusion qui l'agitait. Un souffle de brise marine la poussa à resserrer autour de son cou le léger chandail qu'elle avait enfilé par-dessus sa robe de soirée.

Sans doute aurait-elle simplement dû rentrer chez elle, mais l'ambiance romantique du mariage l'avait rendue tellement sentimentale qu'elle avait éprouvé le besoin de s'en aller. De s'en aller loin, avant d'avoir une vraie crise de larmes. Dieu merci, malgré la brièveté du délai, elle avait réussi à engager une infirmière, condition *sine qua non* pour que ses sœurs et belles-sœurs la laissent partir.

Parmi l'enchevêtrement de sentiments douloureux qui l'assaillaient, le souvenir des moments passés avec son père sur le bateau familial lui apporta un réconfort inattendu. Elle appréciait le calme absolu dans lequel elle se trouvait en ce moment ; après le tumulte émotionnel subi durant presque toute sa grossesse, elle avait vraiment besoin de paix pour son bébé. Et là, dans ce calme et ce silence, elle sentait la présence de son père, l'entendait presque demander pardon. S'il n'avait pas été parfait, il avait toujours fait de son mieux pour être là pour elle. Elle s'en rendait compte, maintenant qu'elle portait sur le monde un regard moins extrême.

Les deux jours qui s'étaient écoulés depuis qu'elle était tombée sur Jordan et Sheila McKay avaient été cauchemardesques. Jordan lui manquait davantage qu'elle ne l'aurait cru. Comment avait-il pu prendre autant d'importance dans sa vie en aussi peu de temps ?

Elle ne demandait qu'à croire ses explications à propos

de l'incident avec Sheila. Son instinct lui soufflait qu'il disait la vérité. Mais son cœur voulait un signe clair de la réciprocité de son amour.

Car oui, elle aimait Jordan Jefferies. Impossible de le nier plus longtemps. Peut-être que dans un petit coin de son cœur, elle le savait depuis toujours, mais qu'elle craignait trop la désapprobation de sa famille pour oser se l'avouer.

Aujourd'hui, la désapprobation des siens ne l'effrayait plus. En revanche, elle craignait de faire une erreur, pour elle et pour le bébé. Mais comment savoir avec certitude ?

Ses yeux abandonnèrent les étoiles — Orion n'offrait aucune sorte de réponse — et se posèrent sur l'océan opaque. Une vague lumière transperçait l'obscurité, sans doute une embarcation qui circulait tardivement. Le doux clapotis des vagues n'apportait guère de solutions non plus, mais au moins, sa musique rythmée la berçait, à un moment où elle avait tant besoin d'apaiser son agitation.

Le ronronnement de l'autre bateau s'accrut, son faisceau lumineux se rapprocha. L'embarcation prit forme, plus petite que Brooke ne l'aurait pensé. Qui pouvait bien se balader sur un zodiaque en pleine nuit ? Une pointe d'anxiété lui noua le ventre. Elle allait se lever pour appeler le capitaine, lorsqu'un membre de l'équipage sortit sur le pont.

— Le capitaine me demande de vous annoncer que nous avons de la compagnie. Mais ne vous inquiétez pas, madame. Le bateau qui approche est des nôtres. Une personne de la famille est à bord.

— Merci de me prévenir.

De la famille ?

Intriguée, Brooke se leva pour s'avancer vers le bastingage. Toute sa famille était au mariage. Jordan ignorait où elle se trouvait. Elle avait juste mis les filles au courant parce qu'il lui semblait essentiel que quelqu'un soit averti.

Comme le canot s'approchait encore, elle distingua deux imposantes silhouettes masculines, en smoking. Le canot vint se coller contre le yacht. Brooke fit un pas en arrière.

Parker *et* Jordan.

Son cœur bondit dans sa poitrine. Elle aurait dû savoir

que Jordan se renseignerait et la suivrait. Surtout après qu'elle l'eut repoussé. Et d'une manière ou d'une autre, il avait réussi à mettre Parker de son côté. Ce qui l'amenait ici. Son frère avait la fâcheuse manie de se mêler des affaires des autres.

Bon sang, les filles avaient parlé ! Mais son pouls s'accéléra néanmoins à la vue de Jordan, qui avait fait tout ce chemin pour elle.

Agrippant le bastingage, elle cria :

— Parker Garrison, espèce de sale traître. Je te raye de mon testament !

— Tu me répètes ça depuis l'âge de six ans, quand j'ai renversé ton château de sable sur la plage, répliqua son frère en coupant le moteur.

Encore un exemple où sa famille avait tenté de lui dicter sa vie, songea Brooke. Elle avait mis beaucoup de temps et de rêves dans ce château de sable.

Justement, elle avait toujours rêvé d'un mariage heureux, et il était hors de question de laisser son frère le lui gâcher, quand bien même il ne voulait que son bien. Elle en avait par-dessus la tête de mettre ses propres envies en veilleuse juste pour maintenir la paix autour d'elle. Prendre la bonne décision au sujet de Jordan était trop important pour elle et son enfant.

— Parker, je suis sérieuse. Ne te mêle pas de ma vie.

— Je pense que tu devrais écouter Jefferies, riposta-t-il. Laisse-le monter à bord.

— Tu penses ? Et qu'est-ce qui te donne le droit de décider pour moi, s'il te plaît ?

Jordan arrêta Parker d'un geste.

— Elle a raison. C'est à elle de décider si je reste ou pas.

Puis, d'un bond agile, il se hissa sur la proue du canot, luttant pour garder son équilibre contre la houle.

— Tu sais que nous devons discuter, reprit-il à l'intention de Brooke. Mais je ne monterai pas à bord si tu ne le veux pas.

— Je ne le veux pas, mentit-elle, alors que son cœur

lui hurlait de lui donner une chance. J'ai besoin de temps pour réfléchir.

— D'accord. Je repars, alors.

L'argument suivant que Brooke avait préparé resta coincé dans sa gorge. Quoi ? Il laissait tomber si vite ? La déception l'envahit… puis elle comprit que Jordan n'avait pas bougé. Ah, il attendait qu'elle lui ordonne franchement de s'en aller. Mais pour une raison quelconque, les mots n'arrivaient pas à franchir ses lèvres.

Elle battit des cils contre le vent marin qui plaquait sa robe de demoiselle d'honneur sur son corps. Non, ce n'était pas des larmes d'espérance qu'elle sentait perler à ses paupières.

A moins que… Allons, décida-t-elle, elle pouvait au moins écouter ce qu'il avait à dire, tant qu'il ne montait pas la rejoindre.

La mer éclaboussait les chaussures de Jordan, mais ses pieds restaient fermement plantés à l'avant du canot, son attention totalement fixée sur elle.

— Pendant que tu réfléchis, lança-t-il, je veux que tu saches une chose. Je t'aime.

Elle sentit son cœur bondir dans sa poitrine. Mais elle attendait toujours le signe qu'elle pouvait croire ces belles paroles dont elle avait tant rêvé.

— Je t'aime, Brooke Garrison, et peu importe ce qui se passera entre nous, je veux te donner ceci.

Et il tendit la main, au creux de laquelle gisait une petite boîte de bijoutier. Le genre de boîte dans laquelle on mettait des bagues.

Il fit le geste de la lui lancer.

— Attends, cria-t-elle. Ne fais pas ça. Et si tu ratais ton coup ?

— Aucun danger, répliqua-t-il avec une telle assurance que Brooke ne put s'empêcher de sourire.

— Pourquoi ne pas le garder à la main pendant que tu parles, plutôt, hein ?

Et Brooke serra les poings pour résister à la tentation de lui dire de monter à bord du yacht et d'envoyer au diable les signes. Après tout, il avait dit qu'il l'aimait, et c'était tout ce qui comptait. Mais un reste de prudence et de fierté l'aida à retenir son élan, et à ne surtout pas prendre ce qu'elle désirait sans en soupeser le prix à payer.

Les rayons de la lune éclairaient les cheveux blonds de Jordan, dessinant des ombres sur les traits graves de son visage. Son beau charmeur était extrêmement sérieux.

— Je ne peux pas te forcer à me croire, dit-il. Cela doit venir de toi. Je suis disposé à attendre le temps qu'il te faudra pour que tu me fasses confiance, Brooke.

Puis il ouvrit la boîte, et l'énorme diamant brilla de mille feux.

— Donc tu me demandes en mariage — une fois de plus, murmura Brooke.

Pensait-il vraiment pouvoir l'acheter avec un gros caillou ?

Un gros caillou magnifique, tenu par l'homme qu'elle aimait. Si tout ceci était réel, quel souvenir magique ferait la demande en mariage de cet homme splendide en smoking depuis la proue d'un bateau. Même les parts prudentes et pragmatiques en elle réclamaient à grands cris que ce romantisme merveilleux soit réel.

— Non, répliqua Jordan. Je ne te redemande pas en mariage, à moins que ce soit ce que tu désires.

Il tendit de nouveau la main, les pieds fermes contre le remous des vagues qui risquaient à tout moment d'expédier le précieux joyau au fond de l'océan, et poursuivit :

— Mais je te demande de porter la bague de ma mère.

La bague de sa mère ? C'était une blague ?

— La bague de ta mère ?

La brise nocturne lui apporta la voix de Jordan, forte et claire au-dessus de l'eau.

— Oui. Je l'ai mise de côté pour la femme de ma vie. Quoi que tu décides, que tu veuilles m'épouser ou non, cette bague t'appartient.

Son signe. Elle l'avait enfin.

La sentimentalité attachée à cette bague la toucha davantage que n'importe quelle merveille que Jordan aurait achetée. Il avait les moyens de lui offrir n'importe quoi. Mais c'était comme lorsqu'il avait choisi le tableau : il la comprenait, saisissait son essence même, ce qu'elle désirait au plus profond d'elle. Il connaissait son cœur.

Et pour couronner le tout, il avait prononcé toutes ses humbles paroles devant son frère Parker.

Elle regarda les deux hommes, côte à côte, l'un et l'autre si sûrs d'eux, voire plutôt arrogants. Mais des hommes sur lesquels une femme pouvait compter. Des hommes d'une seule femme.

Oui, Jordan était fiable. Elle pouvait compter sur lui. Elle le savait avec certitude.

Il avait gagné sa chance de rester, une chance de mieux lui expliquer pourquoi il l'aimait.

Brooke lui fit un signe de la main.

— Alors d'accord. Monte à bord et on discutera.

Un immense sourire éclaira son visage viril, mais elle aurait juré voir aussi du soulagement dans ses sublimes yeux bleus.

Il escalada l'échelle et elle eut un meilleur aperçu de la bague — un splendide diamant taillé en émeraude, entouré de baguettes. Un bijou magnifique, mais bien plus pour sa valeur sentimentale que sa taille ou le nombre de ses facettes. La bague de Victoria avait été portée avec un amour qui survivait après sa mort.

Un sifflement monta du canot. Parker.

— Alors, Brooke ? Je repars ou je reste dans les parages ?

Elle étudia le diamant, la bague de la mère de Jordan. Elle connaissait cet homme depuis longtemps, à la fois par les ragots et les affaires professionnelles communes. Montrer à qui que ce soit un aspect doux de lui n'était pas son genre du tout. Pourtant, il venait de le faire. Et elle savait être de taille à lui tenir tête lorsque son caractère acharné prendrait le dessus.

— Parker ?

— Oui, ma puce ?

— Je te remets dans mon testament. Sois heureux.

Le moteur du canot redémarra, son frère fit demi-tour et repartit dans la nuit.

La laissant seule avec Jordan.

Il lui prit le menton et leva son visage vers lui.

— C'est un oui ou un non ?

Le oui chantait déjà dans son cœur, prêt à s'échapper de ses lèvres, mais elle méritait bien de profiter du moment…

— Tu peux répéter ce que tu as dit tout à l'heure ?

Elle s'attendait à ce qu'il sourie avec cette arrogante confiance en lui. Après tout, elle avait capitulé, non ?

Mais son visage resta grave. Intense.

— Je t'aime, Brooke. Non parce que tu portes mon enfant, même si Dieu sait que cela remue en moi plus de choses que je ne l'aurais cru. Je t'aime parce que tu es toi. Et à tes côtés, je deviens meilleur. Je suis certain qu'ensemble, nous sommes capables de bâtir une vie formidable.

La joie déferla en elle avec la même force que les vagues sur la coque du yacht.

— Nous devons être un couple très chanceux, parce que je t'aime aussi.

Brooke posa les mains sur son torse, et le sentit réagir avec une inspiration sourde. Elle connaissait bien cette impression. Cambrée vers lui, elle s'offrit à son baiser, à sa merveilleuse bouche, si délicieusement familière contre la sienne. Un désir ardent, tout aussi familier et de plus en plus puissant chaque jour, se réveillait en elle. Désir qu'ils allaient pouvoir assouvir, grâce à la permission du médecin.

Les bras noués autour du cou de Jordan, elle approfondit leur baiser, et…

… un petit pied cogna dans son ventre. Fort. Assez fort pour que Jordan sursaute, surpris.

Il secoua la tête, comme pour s'éclaircir l'esprit.

— Bon, j'imagine que je devrais y être habitué, mais ça reste tellement impressionnant !

Brooke lui prit la main et la plaqua contre leur enfant.

— Entièrement d'accord, dit-elle avec un rire tendre.

Ils demeurèrent ainsi, enlacés, durant assez de temps pour qu'elle en perde la notion, puis Jordan lui leva la main, la bague apparaissant comme par magie dans la sienne.

— Brooke, veux-tu m'épouser ?

Cette fois, il lui demandait vraiment si elle le voulait. Il ne revendiquait rien. Doux Jésus ! Cela faisait *deux* signes dans la même soirée ! Elle ne s'était pas attendue à ça. Pas plus qu'elle ne s'était attendue à tomber amoureuse de Jordan Jefferies.

Elle étendit les doigts et déclara :

— Oui, je veux t'épouser, t'aimer et partager ta vie. Ensemble tous les deux à jamais.

Yeux dans les yeux, il glissa la bague à son doigt, et scella le geste d'un baiser au creux de sa paume. Puis il poussa un cri de victoire qui la fit éclater de rire, juste avant de la reprendre dans ses bras et s'installer à sa place dans la chilienne, la blottissant contre lui.

Brooke aurait aimé qu'il l'emmène dans sa cabine, mais Jordan semblait plus enclin à la tenir ainsi, la couvrant de baisers, de caresses, prolongeant le moment d'une manière qu'elle chérirait toute sa vie durant.

Enfin, il s'écarta un peu, et joua avec la ravissante bague ornant son doigt fuselé.

— Si tu préfères choisir une bague de fiançailles toi-même, on ira l'acheter ensemble.

Mais Brooke hocha la tête, levant la main pour que les facettes du diamant étincellent dans le clair de lune.

— Non, elle est parfaite.

— Tu es sûre ? insista Jordan. Tu ne veux vraiment pas faire le tour des bijoutiers ?

Elle prit son visage dans la coupe de ses mains.

— Espèce d'andouille. Nous avons tous les deux assez d'argent pour acheter tout ce qui nous chante. Cette bague vaut bien plus que de l'argent. Elle représente l'affection. La famille. L'amour.

Il lui caressa la joue et, les yeux débordants d'amour, murmura :

— Alors tu me fais vraiment confiance, maintenant.

— Cette bague et le fait que tu l'aies choisie pour moi en disent long, et répondent à toutes mes interrogations.

Le sourire ravageur de Jordan revint.

— Dire que j'ai failli tout fiche en l'air en dépensant une fortune pour un autre modèle !

— Rien ne t'empêche de le faire quand même, si tu y tiens. Mais je garde celle-ci.

Il éclata de rire, et elle rit avec lui, heureuse de cette légèreté, certaine de leur amour.

— Comment as-tu pu aller chercher cette bague et me retrouver malgré tout aussi rapidement ? J'étais partie depuis peu, et tu as dû sauter dans le bateau sur-le-champ.

Comme il restait silencieux, la réponse lui apparut lentement.

— Tu l'avais avec toi ? Depuis combien de temps ?

— Depuis le jour où j'ai quitté ton bureau, juste après que tu as refusé ma première demande en mariage.

Penser que le sentiment, son sens de la famille, et aussi, oui, les graines de son amour, étaient présents depuis le début, songea Brooke… Si seulement elle avait été capable de les voir à travers ses propres craintes !

— C'est moi qui ai été une andouille, je crois, admit-elle.

— Non, pas du tout. Tu es sage, Brooke Garrison. Mais c'est bien qu'on y soit arrivés. Les choses sont en ordre, désormais.

— Ce mariage va marcher. Notre amour est assez fort.

— Et tu verras, ça marchera même de mieux en mieux.

Puis, la soulevant entre ses bras, il se dirigea vers l'escalier menant aux cabines.

— Joyeux Noël, ma beauté, ajouta-t-il.

Elle posa un baiser sur sa joue râpeuse.

— Joyeux Noël à nous deux.

Epilogue

Il l'avait vue bien des fois. Et l'avait toujours désirée. Ce soir, une fois le repas terminé, il l'aurait.

Jordan recouvrit les doigts frais de Brooke nichés au creux de son coude. Ils assistaient côte à côte au dîner de réception de leur mariage. Impatients d'officialiser les choses, ils avaient organisé leurs noces le week-end suivant le retour de Brittany et Emilio, partis passer leur lune de miel en Europe.

La cérémonie s'était donc tenue en janvier, dans l'intimité familiale, dans une chapelle érigée sur la plage des Bahamas. Saturés de frénésie médiatique, ils avaient accepté l'offre généreuse de Cassie de faire la réception privée chez elle. L'événement était somptueux, la maison pleine de bougies, de fleurs, de nourriture — et de famille.

Jamais Jordan n'avait trouvé Brooke plus belle qu'au cours de la célébration, la lumière dorée des Bahamas en fin de journée illuminant sa peau crémeuse et sa robe au jaune éclatant. Le chatoiement allumait des éclats dans sa chevelure brune, ramenée en chignon — hormis une mèche rebelle qui s'en échappait, bien sûr.

Il parcourut des yeux les visages souriants autour de la table, et ne put s'empêcher de comparer cette réunion joyeuse à la confrontation tendue de son premier repas avec la famille de Brooke, un mois auparavant.

Ce soir, ses deux sœurs portaient des robes de demoiselles d'honneur vertes, tandis que ses garçons d'honneur étaient en smoking. Il avait choisi son frère et son nouvel associé, Parker, aussi surpris lui-même de sa décision que l'aîné des Garrison.

De la musique douce baignait l'assemblée. Brooke pressa le bras de Jordan, et désigna son frère en souriant.

— J'ai du mal à croire à votre entente, et encore plus à la fusion officielle de nos deux compagnies. Sans compter que la participation de Parker à notre mariage me fait vraiment plaisir — et m'étonne encore.

— Ça valait le coup rien que pour voir sa tête quand je le lui ai demandé. Ce n'est pas souvent que ce type reste sans voix, ajouta-t-il avec un petit rire.

Parker haussa un sourcil tout en terminant silencieusement son homard de roche à la sauce Caraïbe.

— Pas de bagarre aujourd'hui, chéri, l'avertit Anna.

Il saisit le poignet de sa femme et y déposa un baiser.

— Ne t'en fais pas. Je ne prendrais pas le risque de vous bouleverser, ma sœur ou toi, dans votre état fragile.

Anna leva les yeux au ciel, mais sans parvenir à en masquer la lueur d'excitation, tandis qu'elle caressait à deux mains son ventre arrondi.

— Je n'ai rien de fragile en ce moment, tu sais.

Parker plaça ses mains sur celles d'Anna.

— Ce que je sais, c'est que tu es magnifique. Pas vrai, John ? ajouta-t-il en s'adressant à leur futur enfant.

Jordan sourit en contemplant cet instantané familial. Eh bien, tout compte fait, le bonhomme avait lui aussi un aspect plus tendre. Et quelle meilleure preuve pour Parker du chemin parcouru en un mois, que de donner à son fils le prénom du patriarche décédé qui avait tant chamboulé la vie de ses enfants ?

D'ailleurs, voir une Bonita parfaitement sobre et sereine assise à table avec Cassie était un événement que même Jordan aurait cru improbable. Bonita avait terminé ses quatre semaines de désintoxication et se rendait chaque jour aux réunions des Alcooliques Anonymes. Elle avait même manifesté auprès du reste de la famille son espoir de rester sobre et d'être une grand-mère saine pour ses petits-enfants. Il irradiait d'elle une détermination tranquille de bon augure pour tout le monde.

Anna rompit le long regard tendre échangé avec son mari et tourna son attention vers Brooke.

— Et vous deux, vous avez choisi un nom pour votre petit garçon ?

Jordan entoura les épaules de sa femme. Sa *femme*. Bon sang, ça faisait drôle.

— Je pense avoir opté pour le prénom parfait, mais je dois d'abord le soumettre à Brooke.

Plus de décisions unilatérales lorsqu'il s'agissait de leur avenir. Il avait trouvé la partenaire idéale en cette femme décidée et calme, qui avait eu l'intelligence de leur faire explorer leurs sentiments l'un pour l'autre avant de s'engager pour la vie.

Elle lui donna gentiment un coup de coude.

— Sur ce chapitre, je ne compte pas accepter n'importe quoi, même si tu le demandes très gentiment.

— A mon avis, celui-ci te plaira. Mais on en discutera plus tard, d'accord ?

Tendant la main vers le somptueux bouquet ornant le centre de la table, il y cueillit une orchidée. D'un geste tendre, il la glissa dans les cheveux de Brooke, curieux de savoir si elle se souvenait de la fois où il avait taquiné sa peau nue avec une fleur semblable.

Vu l'embrasement immédiat de ses yeux bruns, elle s'en souvenait parfaitement.

Elle l'embrassa sous les applaudissements du reste de la famille. Puis les exclamations se calmèrent, et elle recula son visage, les joues en feu.

Si court qu'ait été ce baiser, il avait été fougueux, passionné. Le corps de Jordan réagit avec vigueur à sa promesse muette du plaisir qu'ils partageraient une fois à bord du yacht ancré au port. Il la regarda dans les yeux, luttant contre l'envie de partir tout de suite, jusqu'à ce que des rires amusés autour de la table le ramènent au présent.

Masquant pudiquement son embarras, Brooke se tourna vers Cassie, assise près d'elle.

— Je te remercie d'avoir organisé un si merveilleux dîner, commença-t-elle avant de s'interrompre et de saisir le poignet de sa demi-sœur. Hé, c'est une alliance que je vois à côté de ta bague de fiançailles ?

Cassie échangea une moue complice avec son fiancé — ou plutôt son ancien fiancé, apparemment — puis déclara :

— Brandon et moi nous sommes mariés en douce, il y a deux semaines. Nous rentrons juste de lune de miel.

Poussant un cri de joie, Brooke jeta ses bras autour de sa sœur tandis que Brittany sautait à bas de sa chaise pour l'étreindre également. L'émotion sincère des trois femmes ne faisait aucun doute. Malgré le séisme causé par John Garrison à leurs vies, elles avaient réussi à forger un lien entre elles et à trouver une paix sereine.

Brooke finit par regagner sa place.

— Pourquoi ne nous avoir rien dit ?

Brandon prit la main de sa femme dans la sienne.

— Parce que nous ne voulions pas faire de l'ombre à ton grand jour.

— Faire de l'ombre ? Au contraire, ça apporte encore plus de joie. Je suis si heureuse pour vous deux. Ce devrait être une double réception. Pas vrai, Jordan ?

— Tout à fait. Mes félicitations ! lança Jordan en levant sa coupe d'eau pétillante vers le nouveau couple. A Brandon et Cassie !

Brandon leva également sa coupe.

— Et à Jordan et Brooke !

La petite Jade se jucha sur sa chaise.

— Et aussi à ma future petite sœur ou mon futur petit frère ! compléta-t-elle de sa voix flûtée.

Hilare, Stephen enlaça Megan, sa femme rougissante, tout en tapotant l'épaule de Jade.

Une fois que chacun eut fini de porter un toast, Cassie emmena tout le monde vers le gigantesque gâteau de mariage servi sur la terrasse. La nuit était douce, l'odeur de l'océan enivrante. Au-delà des portes-fenêtres, des torches dessinaient sur la plage un chemin jusqu'à la mer.

Brooke arrêta Jordan juste à l'embrasure de la porte et l'attira derrière un palmier en pot.

— Jordan, attends une seconde.

— Tout va bien ? demanda-t-il en l'enlaçant.

— Parfaitement bien. Je n'aurais jamais espéré plus merveilleux mariage — ni plus merveilleux mari.

Elle se plaqua contre lui, et il prit son visage entre ses mains pour l'embrasser, cette fois beaucoup plus longuement qu'à table, savourant au maximum ce bref moment d'intimité. Un prélude à ce qu'ils vivraient très bientôt. Mais encore pas assez tôt.

La sensation exquise de sa langue, ainsi que le parfum de l'orchidée dans ses cheveux, excita ses sens.

Elle mordilla sa lèvre et glissa une main sous sa veste de smoking.

— Alors, dis-m'en plus sur cette idée de prénom. Je suis trop curieuse pour attendre.

— J'adore que tu sois impatiente, murmura-t-il en lui effleurant les seins avant de répondre à sa requête. Et si on appelait notre fils Garrison ?

Il attendit le verdict de Brooke, dont les prunelles marron prirent une chaude teinte épicée. Seigneur, comme il aimait lire son expression, la deviner !

— Garrison Jefferies, dit-elle lentement, testant la combinaison des deux noms, tandis qu'un sourire illuminait son visage. Ça me plaît. Oui, j'aime beaucoup. Et surtout, je t'aime, toi.

Jordan la reprit dans ses bras, plaisir inépuisable qu'il était impatient de poursuivre durant leur lune de miel. Grâce à Brooke, il découvrait l'importance de profiter de la vie en cours de route. Il les imaginait déjà collectionner des souvenirs, remplir leur maison de photos heureuses, faire du domaine familial leur foyer.

— Je t'aime aussi, ma beauté. Ainsi que toi, Garrison Jefferies, ajouta-t-il en posant la main sur leur futur enfant.

Garrison Jefferies — maintenant qu'il était officiel, le nom de leur fils prit place en lui avec la même justesse absolue que la femme qui attendait entre ses bras de partager ce gâteau de mariage avec tous leurs parents.

Mais le plus beau, surtout pour un homme habitué à avoir toujours une longueur d'avance, était que, s'il avait compris que ce nom symboliserait joliment leurs empires combinés, jamais il n'aurait cru qu'unir les Garrison et les Jefferies en une seule famille serait aussi formidable.

Best-Sellers n°621 • suspense
Le secret de la nuit - Amanda Stevens

Au loin, elle aperçoit la silhouette familière d'un homme se diriger vers elle. Malgré le masque d'assurance qu'elle s'efforce d'afficher, Amelia Gray se sent blêmir. Robert Fremont est de retour. Une fois encore, cet ancien policier aux yeux constamment dissimulés derrière d'opaques lunettes de soleil est venu lui demander son aide. Pourquoi l'a-t-il choisie elle, simple restauratrice de cimetières, pour tenter d'élucider le meurtre qui a ébranlé la ville dix ans plus tôt ? Amelia ne le sait que trop bien, hélas : Fremont est le seul à avoir perçu le don terrible et étrange qu'elle cache depuis l'enfance… Bien que désemparée, elle accepte la mission qu'il lui confie. Mais tandis que ses recherches la mènent dans les quartiers obscurs de Charleston, elle comprend bientôt qu'elle n'a plus le choix. Si elle veut remporter la terrible course contre la montre dans laquelle elle s'est lancée, elle va devoir solliciter le concours de l'inspecteur John Devlin. Cet homme sombre et tourmenté dont elle est profondément amoureuse mais qu'elle doit à tout prix se contenter d'aimer de loin…

Best-Sellers n°622 • suspense
Neige mortelle - Karen Harper

Un cadavre de femme, retrouvé enseveli sous la neige. Puis, quelques jours plus tard, une autre femme, découverte assassinée à deux pas de chez elle… Comme tous les autres habitants de la petite communauté de Home Valley où elle vit, Lydia Brand est bouleversée. Ces décès inexpliqués sont-ils de simples coïncidences ? Au plus profond de son cœur, Lydia est persuadée que non. Pire, elle éprouve le désagréable sentiment qu'ils sont intimement liés à l'enquête qu'elle mène pour retrouver ses parents biologiques… Cherche-t-on à l'empêcher de découvrir la vérité ?

Bien que gagnée peu à peu par la peur, Lydia se résout à vaincre ses réticences et à se confier à Josh Yoder, l'homme pour qui elle travaille… et qui fait battre son cœur en secret. Aussitôt sur le qui-vive, Josh lui en fait la promesse : il l'aidera à lever le voile sur ses origines, et la protégera de l'ennemi invisible qui la guette dans l'ombre.

Best-Sellers n°623 • thriller
Sur la piste du tueur - Alex Kava

A la vue du corps qui vient d'être déterré par la police sur une aire de repos de l'Interstate 29, dans l'Iowa, l'agent spécial du FBI Maggie O'Dell comprend qu'elle vient enfin de découvrir le lieu où le tueur en série qu'elle traque depuis un mois a enterré plusieurs de ses victimes.

Pour démasquer ce criminel psychopathe qui a fait des aires d'autoroute son macabre terrain de chasse, et l'empêcher de tuer de nouveau, Maggie est prête à tout mettre en œuvre. Et tant pis si pour cela, il lui faut accepter de collaborer avec Ryder Creed, un enquêteur spécialisé que le FBI a appelé en renfort. Un homme mystérieux qui la trouble beaucoup trop à son goût.

Mais tandis que Maggie se rapproche de la vérité, il devient de plus en plus clair que le tueur l'observe sans répit, et qu'elle pourrait bien être son ultime proie…

BestSellers

Best-Sellers n°624 • roman
Noël à Icicle Falls - Sheila Roberts

La magie de Noël va-t-elle opérer à Icicle Falls ?

Tout avait pourtant si bien commencé... Cassie Wilkes, propriétaire de la petite pâtisserie d'Icicle Falls, doit pourtant l'admettre : si le repas familial qu'elle a préparé pour Thanksgiving frise la perfection absolue, il n'en va pas de même pour le reste de son existence. Loin de là. Sa fille unique ne vient-elle pas d'annoncer à table, devant tous les convives, qu'elle comptait se marier le week-end avant Noël (autant dire dans 5 minutes) avant de déménager dans une autre ville ? Pire, qu'elle voulait que son père (autrement dit son épouvantable ex-mari) la conduise à l'autel ? Déjà proche du KO, Cassie doit encaisser l'ultime mauvaise nouvelle de ce repas qui a décidément viré au cauchemar : son ex-mari, sa nouvelle femme et leur chien vont demeurer chez elle le temps des festivités.

Pour Cassie, cette période des fêtes sera à n'en pas douter pleine de surprises et de rebondissements...

Best-Sellers n°625• historique
Séduite par le marquis - Kasey Michaels

Londres, 1816

Lorsque débute sa première saison à Londres, Nicole est aux anges. Elle a tant rêvé de ce moment ! Et certainement pas dans l'espoir de dénicher un mari, comme la plupart des jeunes filles. Non, tout ce qu'elle désire, c'est savourer le plaisir d'être enfin présentée dans le monde et de vivre des aventures passionnantes. Mais à peine arrivée à Londres, elle fait la connaissance d'un ami de son frère, le marquis Lucas Caine. Un gentleman séduisant et charismatique qui, elle le sent aussitôt, pourrait la faire renoncer à ses désirs d'indépendance si elle n'y prenait garde. Mais voilà que Lucas lui fait alors une folle proposition : se faire passer pour son fiancé afin de décourager les soupirants qui ne manqueront pas de se presser autour d'elle. Nicole est terriblement tentée. Grâce à ce stratagème, aucun importun n'osera lui parler de mariage ! Mais si ce plan la séduit, est-ce parce qu'il l'aidera à conserver sa liberté, ou parce qu'il la rapprochera un peu plus de ce troublant marquis ?

Best-Sellers n°626 • roman
Avec vue sur le lac - Susan Wiggs

Etudes brillantes, parcours professionnel sans faute... Sonnet Romano s'efforce chaque jour de gagner la reconnaissance d'un père dont elle est « l'erreur de jeunesse », la fille illégitime. Une vie parfaite et sans vagues qui a un prix : Sonnet ne se sent jamais à sa place...

Mais voilà que le vent se lève en ce début d'été. Une nouvelle bouleversante pousse Sonnet à tout quitter — son poste à l'Unesco et la mission prestigieuse qu'on lui offre à l'étranger —, pour rentrer s'installer au lac des Saules, où elle a grandi. Là-bas, une épreuve l'attend. Une épreuve, mais aussi la chance inestimable d'une nouvelle existence. Portée par l'amour inconditionnel de ses amis, de sa mère adorée, de son beau-père qui l'a toujours soutenue, Sonnet va ouvrir les yeux. Sur la nécessité de sortir du carcan des apparences, sur la liberté de faire ses propres choix. Mais surtout sur la naissance de ses sentiments profonds et passionnés pour Zach, l'ami de toujours, l'homme qu'elle n'attendait pas...

OFFRE DE BIENVENUE MAXI

3 romans gratuits et 2 cadeaux surprise !

Vous êtes fan des volumes thématiques ? Pour prolonger le plaisir, recevez gratuitement **3 romans réunis en un volume*** et **2 cadeaux surprise !**

Une fois votre colis de bienvenue reçu, si vous souhaitez continuer à recevoir nos romans, cela se fera automatiquement. Vous recevrez alors tous les 2 mois 4 volumes triples (1 volume thématique, 2 Édition Spéciale et 1 Coup de Coeur) au prix avantageux de 26,51€ le colis auxquels viendront s'ajouter 2,99€** de participation aux frais d'envoi.

* : le nombre de romans peut varier (3, 4 ou 5)   **5,00€ pour la Belgique

▶ **Vous n'avez aucune obligation d'achat et cette offre est sans engagement de durée !**

Les bonnes raisons de s'abonner :

- Aucun engagement de durée ni de minimum d'achat.
- Vos romans en avant-première.
- - 5% de réduction systématique sur vos romans.
- La livraison à domicile.

Et aussi des avantages exclusifs :

- Des cadeaux tout au long de l'année qui récompensent votre fidélité.
- Des réductions sur vos romans par le biais de nombreuses promotions.
- Des romans exclusivement réédités pour nos abonné(e)s notamment des sagas à succès.
- L'abonnement systématique à notre magazine d'actu ROMANCE.
- Des points cadeaux pouvant être échangés contre des livres ou des cadeaux.

Rejoignez-nous vite en complétant et en nous renvoyant le bulletin !

N° d'abonnée (si vous en avez un) ⎵⎵⎵⎵⎵⎵⎵⎵⎵⎵⎵   CZ4F09
CZ4FB1

Mᵐᵉ ☐ Mˡˡᵉ ☐ Nom : .... Prénom : ....

Adresse : ....

CP : ⎵⎵⎵⎵⎵⎵   Ville : ....

Pays : .... Téléphone : ⎵⎵⎵⎵⎵⎵⎵⎵⎵⎵

E-mail : ....

Date de naissance : ....

☐ Oui, je souhaite être tenue informée par e-mail de l'actualité des éditions Harlequin.

☐ Oui, je souhaite bénéficier par e-mail des offres promotionnelles des partenaires des éditions Harlequin.

Renvoyez cette page à : Service Lectrices Harlequin – BP 20008 – 59718 Lille Cedex 9 - France

OFFRE DÉCOUVERTE !

2 ROMANS GRATUITS et 2 CADEAUX surprise !

Vous souhaitez découvrir nos collections ? Recevez gratuitement **2 romans et 2 cadeaux surprise !**

Une fois votre colis de bienvenue reçu, si vous souhaitez continuer à recevoir nos romans, cela se fera automatiquement. Vous recevrez alors chaque mois vos romans inédits en avant première.

Vous n'avez aucune obligation d'achat et cette offre est sans engagement de durée.

☛ **COCHEZ la collection choisie et renvoyez cette page au**
Service Lectrices Harlequin – BP 20008 – 59718 Lille Cedex 9 – France

❏ **AZUR** .... ZZ4F56/ZZ4FB2 ....6 romans par mois 23,64€*
❏ **HORIZON** .... OZ4F52/OZ4FB2 ....2 volumes doubles par mois 12,92€*
❏ **BLANCHE** .... BZ4F53/BZ4FB2 ....3 volumes doubles par mois 19,38€*
❏ **LES HISTORIQUES** .... HZ4F52/HZ4FB2 ....2 romans par mois 13,12€*
❏ **BEST SELLERS** .... EZ4F54/EZ4FB2 ....4 romans tous les deux mois 27,36€*
❏ **MAXI** .... CZ4F54/CZ4FB2 ....4 volumes triples tous les deux mois 26,51€*
❏ **PRÉLUD'** .... AZ4F53/AZ4FB2 ....3 romans par mois 17,82€*
❏ **PASSIONS** .... RZ4F53/RZ4FB2 ....3 volumes doubles par mois 20,94€*
❏ **PASSIONS EXTRÊMES** ..... GZ4F52/GZ4FB2 ....2 volumes doubles tous les deux mois 13,96€*
❏ **BLACK ROSE** .... IZ4F53/IZ4FB2 ....3 volumes doubles par mois 20,94€*

* +2,99€ de frais d'envoi pour la France / +5,00€ de frais d'envoi pour la Belgique

N° d'abonnée Harlequin (si vous en avez un) ⊔⊔⊔⊔⊔⊔⊔⊔⊔⊔

Mme ❏ Mlle ❏   Nom : _____

Prénom : _____   Adresse : _____

_____

Code Postal : ⊔⊔⊔⊔⊔   Ville : _____

Pays : _____   Tél. : ⊔⊔⊔⊔⊔⊔⊔⊔⊔⊔

E-mail : _____

Date de naissance : _____

❏ Oui, je souhaite recevoir par e-mail les offres promotionnelles des éditions Harlequin.
❏ Oui, je souhaite recevoir par e-mail les offres promotionnelles des partenaires des éditions Harlequin.

Date limite : 31 décembre 2014. Vous recevrez votre colis environ 20 jours après réception de ce bon. Offre soumise à acceptation et réservée aux personnes majeures, résidant en France métropolitaine et Belgique, dans la limite des stocks disponibles. Prix susceptibles de modification en cours d'année. Conformément à la loi Informatique et libertés du 6 janvier 1978, vous disposez d'un droit d'accès et de rectification aux données personnelles vous concernant. Par notre intermédiaire, vous pouvez être amenée à recevoir des propositions d'autres entreprises. Si vous ne le souhaitez pas, il vous suffit de nous écrire en nous indiquant vos nom, prénom et adresse à : Service Lectrices Harlequin BP 20008 59718 LILLE Cedex 9.

Harlequin® est une marque déposée du groupe Harlequin. Harlequin SA – 83/85, Bd Vincent Auriol – 75646 Paris cedex 13. SA au capital de 1 120 000€ – R.C. Paris. Siret 318671591000069/APE5811Z

Composé et édité par HARLEQUIN

Achevé d'imprimer en octobre 2014

La Flèche
Dépôt légal : novembre 2014

Imprimé en France